Geiriad
Bailliè

C000120015

Addasiad Cymr
ARGRAFFIAD CYMRAEG CYNTAf

Denise Tiran
MSc, RGN, RM, ADM, PGCEA

Prif Ddarlithydd,
Bydwreigiaeth/Meddygaeth Gyflenwol,
Ysgol Iechyd a Gofal Cymdeithasol,
Prifysgol Greenwich,
Llundain, DG

Golygyddion
Delyth Prys
Gwerfyl Roberts
Liz Paden

Cyhoeddwyr
Prifysgol Cymru Bangor

BANGOR, CYMRU 2004

Paratowyd y cyhoeddiad hwn gan
Broject Mentrau Dwyieithog mewn Addysg
Bydwreigiaeth, Ysgol Nyrsio, Bydwreigiaeth ac
Astudiaethau Iechyd, Prifysgol Cymru Bangor
(a ariannwyd gan Lywodraeth Cynulliad Cymru).

Llywodraeth Cynulliad Cymru
Welsh Assembly Government

Tîm Bydwreigiaeth
Myfanwy Povey
Menna Williams
Monica Wynne Jones

Tîm Golygu/Cyfieithu
Dr Eddie Davies
Heledd Job
Sylvia Prys Jones
Olwen Roberts
Lowri Williams

Cynhyrchydd y llyfr
Robert Williams / MAGMA

Y baban yn y llun ar y clawr
Bethan Ceri Richardson

Geiriadur Bydwragedd
Baillière

Manylion y Saesneg Gwreiddiol
DEGFED ARGRAFFIAD

Denise Tiran
MSc, RGN, RM, ADM, PGCEA

Prif Ddarlithydd,
Bydwreigiaeth/Meddygaeth Gyflenwol,
Ysgol Iechyd a Gofal Cymdeithasol,
Prifysgol Greenwich,
Llundain, DG

Baillière Tindall

EDINBURGH LONDON NEW YORK OXFORD PHILADELPHIA ST LOUIS SYDNEY TORONTO

BAILLIÈRE TINDALL
Gwasgnod Elsevier Science Limited

© 2003 Elsevier Science Limited, Cedwir pob hawl.

Argraffiad cyntaf 1951   Wythfed argraffiad 1992
Chweched argraffiad 1976   Nawfed argraffiad 1997
Seithfed argraffiad 1983   Degfed argraffiad 2003

ISBN 0 7020 2682 4

Catalogio'r Llyfrgell Brydeinig mewn Data Cyhoeddi
Mae cofnod catalog ar gyfer y llyfr hwn ar gael o'r Llyfrgell Brydeinig

Catalogio Llyfrgell y Gyngres mewn Data Cyhoeddi
Mae cofnod catalog ar gyfer y llyfr hwn ar gael o Lyfrgell y Gyngres

Noder. Mae gwybodaeth feddygol yn newid yn gyson. Rhaid dilyn trefniadau diogelwch safonol, ond wrth i ymchwil newydd a phrofiad clinigol ehangu ein gwybodaeth, hwyrach y daw newidiadau mewn triniaeth a therapi cyffuriau yn angenrheidiol neu yn briodol. Cynghorir darllenwyr i wirio'r wybodaeth fwyaf cyfredol am gynhyrchion a roddir gan wneuthurwr pob cyffur a weinyddir er mwyn gweld pa ddôs a argymhellir, dull a hyd gweinyddu, a gwrtharwyddion. Cyfrifoldeb yr ymarferwr, gan ddibynnu ar brofiad a gwybodaeth am y claf, yw pennu dognau a'r driniaeth orau i bob claf unigol. Nid yw'r Cyhoeddwr na'r awdur yn cymryd unrhyw atebolrwydd am unrhyw anaf a/neu niwed i bobl nac eiddo yn deillio o'r cyhoeddiad hwn.

Y Cyhoeddwr

Polisi'r cyhoeddwr yw defnyddio papur a gynhyrchwyd o goedwigoedd cynaladwy

Agraffwyd yng Nghymru
LLYFRAU MAGMA © 01248 810833

Cynnwys

Rhagair

Tra oeddwn wrthi'n cwblhau'r adolygiad hwn o'r Geiriadur, darllenais yn y *Midwives' Journal* am farwolaeth Vera da Cruz, yn 92 oed. Yr oedd Miss da Cruz yn fydwraig a thiwtor nodedig, yn Is-Lywydd Bwrdd Canolog y Bydwragedd ac yn awdur. Hi a ysgrifennodd y *Baillière's Midwives' Dictionary*, a gyhoeddwyd gyntaf ym 1951, yn ogystal ag adolygu *Mayes' Handbook of Midwifery*, a ddaeth yn hysbys wedyn fel *Mayes' Midwifery*. Yr wyf felly yn eithriadol falch o fod yn rhan o linyn arian traddodiad bydwreigiaeth trwy gael fy ngwahodd, unwaith eto, i gyfoesi'r Geiriadur i'r genhedlaeth hon o fydwragedd.

Yn y 51 mlynedd ers argraffiad cyntaf y Geiriadur, mae arfer ac addysg bydwreigiaeth wedi newid yn aruthrol. Datblygodd proffesiwn bydwreigiaeth, sydd bellach yn ei ail ganrif, i gynnwys cylch gorchwyl ehangach o lawer, gyda addysg iechyd a mwy o bynciau iechyd merched a theuluoedd yn cael ei gynnwys yn y gwaith cyffredinol, a datblygu ystod o swyddogaethau arbenigol. Mae cynnydd technolegol wedi peri hwyluso mwy o feichiogiadau llwyddiannus, na fuasai wedi bod yn bosibl cyn hyn. Ceir mwy o bwyslais ar arfer seiliedig ar dystiolaeth yn ogystal ag ar gydweithredu rhyngddisgyblaethol. Hefyd, cafwyd newidiadau sylweddol yn y Gwasanaeth Iechyd Gwladol, ac y mae disgwyl i fydwragedd fod â mwy o wybodaeth a dealltwriaeth o ofynion a phrosesau sicrhau ansawdd a rheoli risg.

O ganlyniad, golygodd yr holl ffactorau hyn ddiwygiadau mawr mewn addysg bydwragedd cyn ac ôl-gofrestru, gyda rhai ymarferwyr yn mynd yn eu blaenau i astudio ar lefel Meistr a doethuriaeth. Daeth yr angen i berthynu damcaniaeth i arfer yn rhan annatod o swyddogaeth y fydwraig. O'r herwydd, mae'r datblygiadau hyn wedi ehangu ein hiaith broffesiynol, nid yn unig am y termau sy'n benodol i fydwreigiaeth, obstetreg a phaediatreg, ond hefyd am dermau mwy generig. Arweiniodd cynnydd yn nyfnder y ddadl ar bob pwnc sy'n ymwneud ag arfer bydwreigiaeth at gyhoeddi llawer o werslyfrau arbenigol newydd, sydd ar gael i'w prynu neu eu benthyca o lyfrgelloedd proffesiynol.

Ystyriwyd *Geiriadur Bydwragedd Baillière* erioed yn ddarllen hanfodol i ddarpar-fydwragedd, a gobeithio y deil yn ganllaw hwylus i fyfyrwyr bydwreigiaeth ac i ymarferwyr mwy profiadol.

Llundain, 2003   *Denise Tiran*

Diolchiadau

Carwn ddiolch i bawb yn Elsevier Science am y gwahoddiad i adolygu'r Geiriadur. Unwaith eto, bu cymorth a chefnogaeth ddiflino cyfeillion a chydweithwyr yn yr Ysgol Iechyd a Gofal Cymdeithasol ym Mhrifysgol Greenwich, ac yn enwedig Ysbyty'r Frenhines Mary, Sidcup, Caint, yn eithriadol. Yr wyf yn ddiolchgar i'r Dr Richard Mainwaring Burton, Microbiolegydd Ymgynghorol yn Ysbyty'r Frenhines Mary, Sidcup, am ei gyfraniad i Atodiad 2, ar Werthoedd a Phrofion Gwaed ac Wrin Normal.

Yn olaf, fel erioed, diolch yn arbennig i'm mab Adam sydd bellach yn 13, am adael i mi gael blaenoriaeth wrth ddefnyddio'r cyfrifiadur newydd, ac am ei gymorth yn datrys dirgeleddau technoleg y cyfrifiadur!

Denise Tiran

A

abdomen: *abdomen* y ceudod rhwng y
llengig a'r pelfis, wedi'i leinio gan y
peritonëwm ac yn cynnwys y stumog,
y coluddion, yr iau (afu), coden y bustl,
y ddueg a'r pancreas; ac, yn gorwedd y
tu ôl i'r peritonëwm, yr arennau, y
chwarennau uwcharennol a'r wretrau.
Mae'r bledren wrinol a'r groth yn dod
yn organau yn yr abdomen pan fyddant
wedi chwyddo (*gw.* ffigur). *Abdomen
crog (pendulous a.):* cyflwr lle mae rhan
flaen mur yr abdomen yn hongian i lawr
dros y pwbis.

abdominal: *abdomenol* yn ymwneud â'r
abdomen.

abdominal enlargement: *helaethiad yr
abdomen* mae'r abdomen yn helaethu
neu yn tyfu'n gynyddol yn ystod
beichiogrwydd wrth i'r groth helaethu;
mae i'w weld yn allanol o tua wythnos
16 y beichiogrwydd. Gall yr abdomen
helaethu'n ormodol o ganlyniad i
efeilliaid, polyhydramnios, ffeibroidau
ym mur y groth, neu'r ofwm yn
datblygu yn annormal (môl hydatid-
iffurf).

abdominal examination: *archwiliad o'r
abdomen* archwiliad systematig o'r
abdomen drwy archwilio manwl,
bysarchwilio (teimlo â'r dwylo neu
ddylofi) a chlustfeinio. Y pwrpas yw
penderfynu a yw maint y groth yn
cyfateb i'r amcangyfrif o'r cyfnod cario,
a lle bo'n berthnasol, penderfynu beth
yw gorweddiad, cyflwyniad a safle'r
ffetws, ac a yw'r diamedr ardraws lletaf
sy'n cyflwyno wedi disgyn i'r pelfis.
Gwneir archwiliad manwl i ganfod siâp,
maint, creithiau, striae gravidarum,

Abdomen

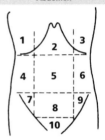

1, hypocondriwm dde;
2, epigastriwm; 3, hypocondriwm
chwith; 4, adran dde'r meingefn;
5, adran fogeiliol; 6, adran chwith
y meingefn; 7, pant coluddaidd de;
8, hypogastriwm; 9, pant
coluddaidd chwith; 10, cedorol.

tyndra'r croen, amlinell a symudiadau'r
ffetws. Dylid bysarchwilio (teimlo) yn
dyner ac yn systematig. Mae modd
teimlo'r groth yn yr abdomen erbyn
wythnos 12 ac mae'n cynyddu yn ei
maint ar gyfradd reolaidd. Mae modd
clustfeinio (gwrando) drwy ddefnyddio
stethosgop (un neu ddwy glust) neu
drwy fonitor electronig. Pwrpas hyn yw
clywed a chyfrif seiniau calon y ffetws.
Efallai y clywir seiniau eraill, megis
SOUFFLE y groth (uterine SOUFFLE). Ar ôl
y geni, gwneir archwiliad dyddiol, drwy

archwilio a theimlo â'r dwylo, er mwyn penderfynu a yw'r groth yn *DYCH-WELYD* (INVOLUTION) i'w lle, yn adfer ei maint a'i lleoliad anfeichiog, ac i ganfod a yw'n gwyro oddi wrth y norm, er enghraifft drwy fod y fam yn rhwymo neu fod wrin wedi ei ddal yn ôl.

abdominal pregnancy: *beichiogrwydd abdomenol CARIO ECTOPIG* (ECTOPIC GESTATION) lle mae'r ofwm sydd wedi'i ffrwythlonni yn plannu'i hun yng nghuedod yn abdomen.

abdominal striae: *striae abdomenol* Gw. *STRIAE GRAVIDARUM*

abdominal wall: *mur yr abdomen* yr adeiladeddau sy'n gorchuddio organ-au'r abdomen, sef croen, braster, ffasgia, cyhyrau a'r peritonëwm.

abduct: *alldynnu* tynnu i ffwrdd oddi wrth yr acsis neu'r plân canol.

abduction: *alldyniad* y weithred o dynnu i ffwrdd o'r canol; y cyflwr o fod i ffwrdd o'r canol.

aberrant: *gwyrol* yn crwydro neu'n gwyro oddi wrth y safle neu'r llwybr arferol.

ABO blood groups: *grwpiau gwaed ABO* mae grwpiau gwaed yn cael eu dosbarthu yn ôl presenoldeb neu absen-oldeb aglwtinogenau A, B, A a B (AB) neu ddim un (O). Gall y serwm gynnwys gwrthgyrff, aglwtininau gwrth-A, gwrth-B, y ddau neu ddim un o'r ddau. Rhaid i waed sy'n cael ei roi mewn trallwysiad beidio â chynnwys yr un gwrthgyrff â'r derbyniwr (e.e. rhaid i berson grŵp A beidio â derbyn gwaed grŵp B sy'n cynnwys aglwtininau gwrth-A) neu bydd adwaith angheuol yn digwydd. Nid oes gan bobl grŵp AB aglwtinin na gwrthgorff yn y serwm ac felly gallant dderbyn gwaed oddi wrth unrhyw grŵp, h.y. maent hwy yn *dderbynwyr cyffredinol*; nid oes gan bobl grŵp O unrhyw aglwtiongenau felly gellir rhoi eu gwaed i unrhyw un h.y. maent yn *roddwyr cyffredinol*. Gw. hefyd *FFACTOR RHESWS* (RHESUS FACTOR).

Grwpiau gwaed ABO	
Aglwtinogen celloedd gwaed coch	Aglwtinin neu wrthgorff serwm
A	gwrth-B
B	gwrth-A
AB	dim gwrthgyrff
O	gwrth-A a gwrth-B

ABO incompatibility: *anghydweddiad ABO* mae hyn yn digwydd mewn tuag un allan o bob 200 beichiogrwydd lle mae grŵp gwaed y fam yn O, gyda gwrthgyrff gwrth-A a gwrth-B yn y serwm. Os yw'r ffetws felly yn grŵp A, B, neu AB, gall gwrthgorff sy'n imiwn-olegol wahanol i wrth-A a gwrth-B normal groesi'r brych a pheri haem-olysis yn y newydd-anedig, hyd yn oed mewn baban cyntaf. Mae clefyd melyn yn ymddangos o fewn 24 awr i'r geni ond nid yw fel arfer yn ddifrifol. Mae lefel y bilirwbin yn codi'n gyflym iawn ond mae anaemia yn llai amlwg. Mae'r *PRAWF COOMB* (COOMBS' TEST) fel arfer yn negyddol, yn wahanol i achosion o anghydweddiad rhesws. Mae'r clefyd melyn yn cael ei drin gyda ffototherapi neu, mewn achosion drwg, drwy drall-wysiad cyfnewid. Gw. hefyd *GRWPIAU GWAED ABO* (ABO BLOOD GROUPS) a *FFACTOR RHESWS* (RHESUS FACTOR).

abort: *erthylu* dwyn i ben cyn pryd, yn arbennig mewn beichiogrwydd. Atal cwrs afiechyd.

abortifacient: *erthylbair* unrhyw gyfrwng a ddefnyddir i achosi erthyliad.

abortion: *erthyliad* bwrw allan o'r groth gynnyrch cenhedliad cyn wythnos 24 beichiogrwydd, heb i'r ffetws gael ei eni'n fyw. **Erthyliad therapiwtig** *(therapeutic a.):* term a ddefnyddir yn aml i ddisgrifio erthyliad sy'n cael ei gymell yn unol â'r darpariaethau a osodwyd yn Neddf Erthyliad 1967. Cyn cyfnod cario o 12 wythnos, mae hyn fel arfer yn cael ei wneud drwy sugndyniad neu drwy amlediad a chiwretiad. Ar ôl hyn, defnyddir cyffuriau megis prostaglandinau. Gall *erthyliad digymell (spontaneous a.)* fod yn ganlyniad ofwm â nam arno, megis *MÔL HYDATIDIFFURF* neu *FESICWLAR* (HYDATIDIFORM or VESICULAR MOLE), neu *MÔL CARNEAIDD* (CARNEOUS MOLE), sy'n medru peri *ERTHYLIAD A FETHODD* (MISSED ABORTION). Mae *BEICHIO-GRWYDD ECTOPIG* (ECTOPIC PREGNANCY) hefyd yn diweddu drwy golli'r plentyn fel arfer. Gall erthyliad fod yn un *CYFLAWN* (COMPLETE) neu *ANGHYFLAWN* (INCOMPLETE). Mae cymhlethdodau yn cynnwys peayedd a sepsis, a phrif nod y driniaeth yw atal y rhain. Mae rhai gwragedd yn dioddef *ERTHYLIADAU CYSON* (HABITUAL ABORTION). *Gw. hefyd ERTHYLIAD A FYGYTHIR* (THREATENED ABORTION) *ac ERTHYLIAD ANOCHEL* (INEVITABLE ABORTION).

abrachia: *abrachia* absenoldeb breichiau cynhenid.

abreaction: *gwrthadwaith* ail-fyw profiad yn y fath fodd fel bod emosiynau cysylltiedig ag ef, a oedd wedi'u hatal o'r blaen, yn awr yn cael eu rhyddhau.

abruptio: *abruptio* rhwygo'n rhydd. Ystyr *abruptio placentae* neu'r *brych yn gwahanu oddi wrth wal y groth (placental abruption)* yw fod y brych yn cael ei rwygo yn rhannol neu yn gyfangwbl o'i safle, fel arfer yn rhan uchaf y groth, ar ôl wythnos 24 y beichiogrwydd. *Gw. BRYCH* (PLACENTA).

abscess: *crawniad* crawn sydd wedi cronni mewn gwagle neu geudod. *Crawniad Bartholin (Bartholin's a.)* yn chwarren Bartholin ger agorfa'r wain; *crawniad y fron (breast a.)* yn y fron; *crawniad y pelfis (pelvic a.)* yng nghod Douglas.

abuse: *cam-drin (pobl), camddefnyddio (cyffuriau)* trin yn wael neu ddefnyddio'n anghywir neu'n ormodol. *Gw.*

CAM-DRIN PLANT (CHILD ABUSE). *Camddefnyddio cyffuriau (drug a.)* yw defnyddio cyffuriau anghyfreithlon neu ddefnyddio cyffuriau presgripsiwn mewn ffordd anghywir.

accelerated labour: *esgoriad cyflymedig* *Gw. YCHWANEGU AT YR ESGOR* (AUG-MENTATION OF LABOUR).

accessory: *ategol* ychwanegol neu atod-ol. Ceir *awriglau ategol* yn aml yn union o flaen y glust.

accidental antepartum haemorrhage: *gwaedlif antepartwm damweiniol* fe'i gelwir yn fwy cyffredin yn awr yn waedlif o rwygo'r brych ymaith neu *ABRUPTIO PLACENTAE.*

accouchement: *accouchement* genedig-aeth, geni plentyn.

accoucheur (fem. accoucheuse): *accouch-eur (benyw. accoucheuse)* person sy'n arwain genedigaeth.

accountable: *atebol* agored i gael eich dal yn gyfrifol am ffordd o weithredu.

accreta: *accreta* ymglymiad morbid. *Placenta accreta* yw brych sydd ynghlwm wrth gyhyr y groth oherwydd diffyg decidua basalis.

acetabulum: *asetabwlwm* soced siâp cwpan yn asgwrn disymud y pelfis, lle mae pen y ffemwr yn ffitio.

acetoacetic acid: *asid asetoasetig* cynnyrch metabolaeth annormal braster, sy'n digwydd mewn mamau diabetig a dadhydredig.

acetone: *aseton* sgil-gynnyrch asid asetoasetig. Aseton yw un o'r cetonau sy'n cael eu cynhyrchu mewn symiau annormal mewn diabetes direol ac asidosis metabolaidd. Mae arogl nod-weddiadol i aseton ac weithiau gellir sylwi arno yn anadl neu yn fam.

acetonuria: *asetonwria* cetonau yn yr wrin.

achlorhydria: *aclorhydria* absenoldeb asid hydroclorig o'r sudd gastrig; yn gysylltiedig â chyflyrau megis anaemia aflesol a chanser y stumog.

achondroplasia: *acondroplasia* methiant

3

i ffurfio cartilag. Math o gorachedd etifeddol sy'n cael ei nodweddu gan fyrhad sylweddol yn yr esgyrn hir. Mae gan y corrach acondroplastig ben mawr, bongorff normal a breichiau a choesau byr iawn. Mae'r gallu meddyliol yn normal. Mae'r mwyafrif llethol o achosion yn digwydd yn dilyn *MWTANIAD* (MUTATION) newydd ac mae'r genyn yn drechydd awtosomaidd.

aciclovir: *asiclofir* asiant gwrthfirws a ddefnyddir i drin herpes simplex. Fe'i rhoddir drwy'r geg neu drwy arllwysiad mewnwythiennol mewn dosiau o 200mg bum gwaith y dydd neu 5mg/kg dros 1 awr, yn cael ei ailadrodd bob 8 awr.

acid: *asid* sylwedd a fydd, o'i gyfuno ag alcali, yn ffurfio halwyn. Bydd unrhyw sylwedd asid yn troi litmws glas yn goch. Mae *asid hydroclorig (hydrochloric a.)* yn gyfansoddyn di-liw o hydrogen a chlorin. Mewn toddiant 0.2% mae yn bresennol mewn sudd gastrig a gall achosi *SYNDROM MENDELSON* (MENDELSON'S SYNDROME) o gael ei fewnanadlu. Mae asidau ym chwarae rhan hanfodol yn y prosesau cemegol sydd fel arfer yn rhan o swyddogaethau celloedd a meinweoedd y corff. Mae cydbwysedd sefydlog rhwng asid a basau yn y corff yn hanfodol i fywyd. *Gw. hefyd CYDBWYSEDD BAS-ASID* (ACID-BASE BALANCE).

acidaemia: *asidaemia* newid, oherwydd croniad asidau, yn adwaith (pH) y gwaed, sydd fel arfer ychydig yn alcaliaidd. Gall ddigwydd mewn hyperemesis gravidarum a diabetes mellitus. Os na chaiff ei drin, bydd yn arwain at goma a marwolaeth. Gall ddigwydd wrth esgor os yw'r wraig wedi dadhydradu a bod darlifiad y meinwe yn wael. Gall y ffetws neu'r baban ddioddef o asidaemia oherwydd *HYPOCSIA* (HYPOXIA).

acid-base balance: *cydbwysedd bas asid* cyflwr o gydbwysedd rhwng asidedd ac alcalinedd yn hylifau'r corff; gelwir hefyd yn gydbwysedd ïon hydrogen (H^+). Yr ïon hydrogen wedi'i wefru'n bositif yw cynhwysyn gweithredol pob asid.

Mae'r rhan fwyaf o brosesau metabolaidd y corff yn cynhyrchu asidau fel eu cynnyrch terfynol, ond mae angen hylif corfforol lled alcaliaidd fel cyfrwng ar gyfer gweithgareddau hanfodol y celloedd. Felly rhaid i'r corff gyfnewid ïonau hydrogen yn gemegol drwy'r amser er mwyn cynnal cyflwr o gydbwysedd. Rhaid cynnal pH (crynodiad ïon hydrogen) optimaidd rhwng 7.35 a 7.45; fel arall ni fydd y systemau ensymau a'r gweithgareddau biogemegol a metabolaidd eraill yn gweithio'n normal.

acidosis: *asidosis (ans. asidotig)* cyflwr patholegol yn ganlyniad i groniad asid neu ddarwagio'r gronfa alcaliaidd (cynnwys deucarbonad) yn y gwaed a meinweoedd y corff, ac wedi'i nodweddu gan gynnydd yng nghrynodiad ïon hydrogen (lleihad mewn pH i lai na 7.30). *Asidosis metabolaidd (metabolic a.)* yw asidosis o ganlyniad i groniad cetoasidau yn y gwaed (yn deillio o fetaboledd braster) ar draul deucarbonad, gan felly leihau gallu'r corff i niwtraleiddio asidau. Mae'n digwydd mewn cetoasidosis diabetig, asidosis lactig a methiant tiwbynnau arennol i ailamsugno deucarbonad. *Asidosis resbiradol (respiratory a.)* yw asidosis o ganlyniad i anhawster anadlu a dargadw carbon deuocsid yn dilyn hynny. Mae carbon deuocsid yn cronni yn y gwaed ac yn uno gyda dŵr i ffurfio asid carbonig. Mae'n digwydd gydag asffycsiad difrifol wrth eni a chyflyrau resbiradol eraill sy'n effeithio ar y newydd anedig. Yn y fam mae'n digwydd gyda naill ai rhwystr llym yn y llwybr anadlu neu gyflwr cronig yn ymwneud ag organau resbiradaeth. *Gw. hefyd ASIDAEMIA* (ACIDAEMIA).

acinus: asinws (llu. asini) adeiledd gwag bychan crwn gyda dwythell a leinin o gelloedd sydd yn secretu. Mae'r asini yn y fron yn secretu llaeth. Weithiau fe'u gelwir yn alfeoli.

acquired immune deficiency syndrome (AIDS): syndrom diffyg imiwnedd caffaeledig clefyd difrifol cynyddol yn cael ei achosi gan y *FIRWS DIFFYG IMIWNEDD DYNOL* (HUMAN IMMUNO-DEFICIENCY VIRUS) ac sy'n amlygu ei hun fel twymyn, colli pwysau, dolur rhydd, a lymffadenopathi. Bydd heintiau manteisgar megis cytomegalo-firws, herpes simplex, *Myobacteriwm tiwberciwlosis* a *Niwmocystis carinii* yn arwain yn y pen-draw at farwolaeth, felly hefyd diwmorau megis lymffomau a sarcoma Kaposi. *Gw. hefyd FIRWS DIFFYG IMIWNEDD DYNOL (HUMAN IMMUNODEFICIENCY VIRUS).*

acromegaly: acromegaledd clefyd cronig lle mae'r esgyrn a'r meinweoedd yn y dwylo, y traed a'r wyneb wedi'u hymestyn. Mae'n digwydd pan fydd y chwarren bitwidol yn gorweithio am fod hormon twf yn cael ei orsecretu ac yn aml yr achos yw tiwmor pitwidol.

acromion: acromion cnepyn yn perthyn i'r sgapwla, sy'n ffurfio pwynt yr ysgwydd.

acrosome: acrosom yr adeiledd tebyg i gap, wedi'i amgau gan bilen sy'n gorchuddio rhan flaen pen y sberm-atoswn; mae'n cynnwys ensymau sy'n ymwneud â threiddio i'r ofwm.

active management of labour: rheoli'r esgor yn weithredol ymyriad obstetrig i osgoi esgoriad hirfaith a'i gymhlethdodau. Gellir cael diagnosis o oedi yng nghnam cyntaf yr esgor o'r *PARTOGRAM*. Gellir cyflymu esgoriad nad yw'n datblygu'n foddhaol drwy dorri'r pilenni yn artiffisial a/neu drwy drallwysiad ocsytosig. Mae'r fydwraig yn gyfrifol am fonitro cynnydd a gweithredu cyfarwyddiadau meddygol i ofalu am y gwragedd hyn. Mae **rheoli**

trydydd cam yr esgor yn weithredol *(active management of the third stage of labour)* yn golygu rhoi pigiad ocsytosig (e.e. Syntometrine 1ml) i hwyluso gwahaniad y brych. Mae hyn yn cael ei roi wrth i'r pen goruno neu i'r ysgwydd flaen gael ei geni ac mae'n dod yn effeithiol mewn 2.5 munud. Mae hyn yn cael ei ddilyn gan eni'r brych a'r pilennau â llaw, e.e. drwy *DYNNU LLINYN Y BOGAIL DAN REOLAETH* (CONTROLLED CORD TRACTION).

active transport: cludiant gweithredol symudiad ïonau neu foleciwlau ar draws pilenni'r celloedd a'r haenau epitheliol, fel arfer yn erbyn graddiant crynodiad sy'n ganlyniad uniongyrchol defnyddio egni metabolaidd. Er enghraifft, dan amgylchiadau normal mae mwy o ïonau potasiwm yn bresennol o fewn y gell a mwy o ïonau sodiwm y tu allan i'r gell. Cludiant gweithredol yw'r broses o gynnal y gwahaniaethau normal hyn mewn cyfansoddiad electrolytig rhwng yr hylifau mewngellol. Mae'r broses yn wahanol i osmosis neu dryledud syml oherwydd bod angen defnyddio egni metabolaidd i'w chyflawni.

acupressure: aciwbwyso cyfundrefn o feddygaeth gyflenwol lle mae pwysedd ar bwyntiau gwahanol ar y corff yn cael ei ddefnyddio i ysgogi gallu cynhenid yr unigolyn i'w wella/i hun. Mae aciwbwyso wedi cael ei ddefnyddio'n llwyddiannus iawn i drin cyfogi wrth gario a gall fod yn effeithiol i liniaru poen wrth esgor. *Gw. hefyd ACIWBIGO* (ACUPUNCTURE).

acupuncture: aciwbigo cyfundrefn o feddygaeth Tseineaidd gyflenwol sy'n seiliedig ar yr egwyddor fod gan y corff linellau egni, neu feridianau, yn rhedeg drwyddo o'r corun i'r sawdl. Pan fydd iechyd rhywun ar ei orau o ran corff, meddwl ac ysbryd, mae'r egni sy'n llifo ar hyd y meridianau mewn cyd-bwysedd; mae afiechyd neu straen

5

corfforol neu seicolegol megis beichiogrwydd yn peri i'r llif egni fynd yn anghytbwys. Mae gosod nodwyddau main ar bwyntiau aciwbigo penodol ar hyd y meridianau yn medru ailgydbwyso llif yr egni a chynorthwyo i ddod â'r person yn ôl i iechyd llawn. Mae aciwbigo wedi cael ei ddefnyddio i drin amrywiaeth o anhwylderau beichiogrwydd, lliniaru'r boen wrth esgor ac fel anaesthesia ar gyfer llawdriniaethau Caeseraidd.

acute: *llym* yn datblygu'n gyflym ac yn rhedeg cwrs byr. Y gwrthwyneb i cronig.

acute fatty atrophy (acute yellow atrophy): *atroffi brasterog llym* cymhlethdod prin mewn beichiogrwydd yn cael ei nodweddu gan atroffi cynyddol cyflym yr iau (afu), lle ceir necrosis brasterog mawr iawn. Mae'r gyfradd farwolaethau un fwy na 80%.

acute inversion of uterus: *gwrthdroad llym y groth* y groth yn troi tu chwith allan. Cymhlethdod prin, difrifol wrth esgor, yn cael ei achosi gan gamreoli trydydd cam yr esgor, neu weithiau'n digwydd yn ddigymell. Gwneir diagnosis o'r cyflwr oherwydd sioc ddifrifol, sydyn, yn digwydd yn y fam ynghyd â phoen ofnadwy yn yr abdomen, gwaedu os yw'r brych wedi gwahanu yn rhannol neu yn llwyr, bysarchwiliad yn dangos ffwndws siâp ceugrwm yn yr abdomen, neu nad yw'r groth i'w theimlo o gwbl os yw'r gwrthdroad yn gyflawn, bysarchwiliad yn dangos y groth yng ngwddf y groth neu'r wain; efallai y bydd y groth i'w gweld wrth y fwlfa. Dylai'r fydwraig godi troed y gwely i ryddhau tensiwn a bleidio'r sioc a galw ar frys am yr obstetregydd. Gwneir ymdrech i roi'r groth yn ôl yn ei lle drwy bwyso ar y rhan isaf ger ceg y groth a gweithio i fyny tuag at y ffwndws. Os nad yw hi'n bosibl rhoi'r groth sydd wedi'i gwrthdroi yn llwyr yn ôl yn ei lle dylai gael ei gosod yn dyner y tu mewn i'r wain i leihau tyniant ar y

tiwbiau Fallopio a'r ofaríau. Rhaid trin sioc ddifrifol drwy roi hylifau a gwaed yn lle'r hyn a gollwyd a rhoddir poenleddfwr narcotig. Wedyn gellir rhoi anaesthetig cyffredinol fel bod modd rhoi'r groth yn ôl â llaw, neu gellir defnyddio'r dull hydrostatig. Os yw pob ymdrech yn methu bydd angen cyflawni hysterectomi.

acute renal failure: *methiant llym yr arennau* toriad difrifol sydyn yng ngweithrediad yr arennau. Fel arfer cymhlethdod ydyw mewn anhwylder arall megis gwaedlif neu sioc, ac mae modd ei gildroi. Nodwedd ddiffiniol y cyflwr yw *OLIGWRIA* (OLIGURIA) sef secretu llai o wrin a cheir symptomau eraill yn ymwneud ag anghydbwysedd hylif, electrolytau, anaemia, gorbwysedd a wraemia. Bydd angen dialysis i fonitro anghydbwysedd hylif ac electrolytau nes i weithrediad yr arennau wella.

adactylia, adactyly: *adactylia, adactyli* absenoldeb cynhenid y bysedd neu fysedd y traed.

adaptation: *addasiad* y gallu i oresgyn anawsterau ac ymaddasu i ateb i amgylchiadau sy'n newid. Mae niwrosisau a seicosisau yn aml yn gysylltiedig â methiant i addasu.

addict: *adict* person sy'n arddangos caethiwed i ryw asiant e.e. alcohol neu gyffur.

addiction: *caethiwed* dibyniaeth ffisiolegol neu seicolegol ar ryw asiant e.e. alcohol neu gyffur, gyda thuedd i gynyddu'r defnydd ohono.

adduct: *atynnu* tynnu tuag at linell ganol neu ganolwedd.

adduction: *atyniad* y gelfyddyd o atynnu; y cyflwr o fod wedi'ch atynnu.

adherent placenta: *brych ymlynol* brych sydd wedi cydio yn dynn i fur y groth, ac sy'n methu ag ymwahanu yn ystod trydydd cam yr esgor. *Gw.* PLACENTA ACCRETA; PLACENTA INCRETA; PLACENTA PERCRETA

adhesion: *adlyniad* uniad rhwng dau

arwynebedd sydd fel arfer wedi'u gwahanu; fel arfer o ganlyniad i lid pan fydd meinwe ffibraidd yn ymffurfio; e.e. gall peritonitis achosi adlyniadau rhwng organau; gall achosi rhwystrau yn y coluddion, neu anffrwythlondeb drwy achludedd lwmen y tiwbiau Fallopio.

adipose tissue: *meinwe adipos* Gw. *MEINWE* (TISSUE)

adnexa: *rhithbilenni* atodynnau. *Rhithbilenni'r groth* (*uterine a.*) yw'r ofaräu a'r tiwbiau fallopio.

adolescence: *llencyndod* y cyfnod o ddatblygiad o'r glasoed neu'r blaenlencyndod hyd nes bod y corff yn gorffen tyfu.

adoption: *mabwysiadu* y drefn gyfreithiol o drosglwyddo plentyn oddi wrth ei rieni naturiol i'r rhieni sy'n ei fabwysiadu. Lles y plentyn sydd flaenaf ac mae Deddfau Mabwysiadu (Adoption Acts) 1976 ac 1978 (yr Alban) gyda diwygiadau yn Neddf Plant (Children Act) 1989 yn nodi'n glir sut a phryd y gellir mabwysiadu a phwy gaiff fabwysiadu. Mae awdurdodau lleol yn rhoi cyngor a chefnogaeth gwaith cymdeithasol a gallant weithredu fel asiantaeth fabwysiadu, a cheir hefyd gyrff preifat ac elusennol sy'n gorfod cofrestru gyda'r awdurdod lleol.

adrenal: *adrenal* yn ymwneud â'r chwarennau adrenal neu uwcharennol, dwy chwarren endocrin gymhleth, wedi'u lleoli un wrth begwn uchaf pob aren.

adrenaline (epinephrine): *adrenalin (epineffrin)* un o nifer o hormonau sy'n cael eu secretu gan fedwla y chwarren adrenal neu uwcharennol. Ei swyddogaeth yw cynorthwyo i reoleiddio cangen ymatebol y system nerfol awtonomig. Mae adrenalin yn fasobwysydd pwerus sy'n cynyddu'r pwysedd gwaed, cyfradd y galon, allbwn cardiaidd a gollyngiad glwcos o'r iau (afu).

Peth prin iawn yw cynydd pathol-egol mewn secrediad adrenalin ac mae'n ganlyniad tiwmor y medwla adrenal (*FFAEOCROMOCYTOMA:* PHAEOCHROMO-CYTOMA). Mae'n achosi gorbwysedd llym. Mae cael gwared â'r tiwmor yn gwella'r cyflwr. Mewn achosion o orbwysedd difrifol mewn beichiogrwydd efallai y bydd angen casglu wrin dros 24 awr er mwyn mesur y lefel o *ASID FANILYL-MANDELIG* (VANILLYL-MANDELIC ACID / VMA), cynnyrch ysgarthiol y catecolaminau, sydd yn uwch mewn achosion o ffaeocromocytoma.

Gellir cynhyrchu adrenalin yn synthetig hefyd.

adrenocorticotrophic hormone (ACTH): *hormon adrenocorticotroffig* hormon o labed flaen y chwarren bitwidol, sy'n ysgogi cortecs y chwarren adrenal.

aerobe: *aerob* organeb sydd angen aer neu ocsigen rhydd i gynnal bywyd.

aerobic: *aerobig* angen aer neu ocsigen rhydd er mwyn tyfu a lluosogi.

aetiology: *achoseg* gwyddor achosion, e.e. clefyd.

afebrile: *annhwymynol* heb dwymyn.

affective: *affeithiol* yn ymwneud â thôn neu deimlad emosiynol. *Anhwylder affeithiol* (*a. disorder*) unrhyw anhwylder meddwl a mae tymer oriog yn ei nodweddu ynghyd â naill ai symptomau manig neu isel neu'r ddau. Anhwylderau affeithiol mawr yw'r rhai lle mae syndrom llawn cyfnod manig neu isel yn bresennol: anhwylder deubegynol (afiechyd manig-isel) ac iselder dwys. Mae anhwylderau affeithiol eraill yn cynnwys anhwylder cylchothymig ac anhwylder dysthymig (niwrosis isel) lle mae hwyl y claf yn amrywio'n llai difrifol.

afferent: *afferol* tua'r canol. *Nerf afferol* (*a. nerve*) yw'r ffibr nerf synhwyraidd yn cario ysgogiadau o'r perifferi i'r system nerfol ganolog.

affiliation order: *gorchymyn tadogaeth* gorchymyn llys a wneir i orfodi tad i wneud taliadau rheolaidd tuag at gynnal ei blentyn.

afibrinogenaemia: *affibrinogenaemia* absenoldeb ffibrinogen yn y gwaed; yn fwy arferol HYPOFFIBRINOGENAEMIA (HYPOFIBRINOGENAEMIA). Mae hypo-ffibrinogenaemia caffaeledig fel arfer yn eilaidd i DOLCHENIAD MEWNWYTH-IENNOL GWASGAREDIG (DISSEMINATED INTRAVASCULAR COAGULATION / DIC).

afterbirth: *brych* Mae'r term Saesneg yn air annhechnegol am yr hyn sy'n cael ei alw yn dechnegol yn Saesneg yn 'placenta'. Mae'n cyfeirio at y brych a'r pilenni sy'n cael eu bwrw allan o'r groth ar ôl geni'r ffetws. Gair Cymraeg arall amdano yw'r garw.

aftercoming head: *pen yn dod olaf* pen y ffetws (yn dod ar ôl y bongorff) mewn genedigaeth ffolennol. *Gw.* FFOLENNOL (BREECH).

afterpains: *ôl-boenau* cyfangiadau poenus yn y groth yn digwydd ar ôl yr esgor. Maent yn gyffredin, yn enwedig mewn gwragedd a fu'n feichiog o'r blaen, yn y pwerperiwm cynnar ac fe'u teimlir yn aml wrth fwydo ar y fron. Byddai ôl-boenau difrifol a pharhaus yn gwneud i rywun amau fod yno dolchen waed, pilen, neu ddarn o'r brych wedi'i ddargadw yn y groth.

agenesis: *agenesis* organ yn absennol oherwydd nad ymddangosodd ei brimordiwm yn yr embryo.

agglutination: *aglwtineiddiad* gronyn-nau gwahanol yn agregu yn un clwmp neu dalp. **1.** corffilynnau gwaed coch yn ymdyrru mewn serwm. Gall hyn ddigwydd yn y corff os caiff celloedd anghymarus eu trallwyso. Mae aglwtineiddiad celloedd gwaed coch sydd wedi'u sensiteiddio drwy wrin yn dangos presenoldeb gonadotroffin corionig mewn prawf beichiogrwydd. **2.** ymdyriad platennau oherwydd gweith-rediad aglwtininau platennau. **3.** ymdyriad bacteria pan ddeuant i gysylltiad â serwm imiwn penodol.

agglutinin: *aglwtinin* sylwedd sy'n adweithio gydag aglwtionogen ac yn peri i aglwtineiddiad i ddigwydd.

agglutinogen: *aglwtinogen* sylwedd sy'n ysgogi aglwtinin penodol i beri aglwtineiddiad.

agnathia: *agnathia* yr ên wedi methu datblygu.

air: *aer* yr atmosffer sydd o amgylch y ddaear, yn cynnwys yn bennaf ddau nwy: ocsigen (tua 21%) a nitrogen (tua 79%).

air hunger: *newyn aer* resbiradaeth ddofn, ochneidiol sy'n digwydd pan fydd cyflenwad ocsigen y corff wedi'i brinhau fel mewn sioc neu waedlif difrifol.

airway: *1. llwybr anadlu 2. pibell anadlu* **1.** y llwybr y mae aer yn mynd i mewn i'r ysgyfaint drwyddo. **2.** dyfais fecanyddol a ddefnyddir i gael resbiradaeth ddirwystr yn ystod anaesthesia cyffredinol neu achlysuron eraill pan nad yw'r claf yn anadlu neu yn cyfnewid nwyon yn iawn.

ala: *ala (llu. alae)* adain, e.e. ala'r sacrwm.

albicans: *alba, albicans* gwyn.

albumin: *albwmin* unrhyw brotein sy'n hydawdd mewn dŵr a hydoddiant halwynau gweddol grynodedig ac y mae modd ei geulo â gwres. *Albwmin serwm (serum a.)* protein plasma a ffurfir yn bennaf yn yr iau (afu). Albwmin sy'n gyfrifol am lawer o bwysedd osmotig coloidol y gwaed, ac felly mae'n ffactor bwysig iawn yn rheoleiddio'r cyfnewid dŵr rhwng y plasma a'r adran interstitaidd (bwlch rhwng y celloedd). Mae gostyngiad yn swm yr albwmin yn y plasma yn arwain at gynnydd yn llif y dŵr o'r capilarïau i'r adran interstitaidd. Canlyniad hyn yw cynnydd yn hylif meinweoedd, ac os yw'n ddifrifol, daw i'r amlwg fel oedema. Mae albwmin hefyd yn gweithredu fel protein cludo yn cario sylweddau megis asidau brasterog, bilirwbin, llawer o gyffuriau a rhai hormonau.

albuminuria: *albwminwria* presenoldeb albwmin yn yr wrin, fel arfer albwmin serwm. Mae'n digwydd yng nghlefyd yr arennau, clefyd difrifol y galon ac mewn rhai cymhlethdodau yn ymwneud â beichiogrwydd.

alcohol: *alcohol* dylid cynghori gwragedd i gyfyngu ar faint o alcohol y maent yn ei yfed yn ystod eu beichiogrwydd, yn enwedig yn ystod y trimestr cyntaf. Gall cymryd llawer o alcohol arwain at fabanod sy'n ysgafn o ran pwysau adeg eu geni, problemau bwydo a chysgu yn y newydd anedig a/neu *SYNDROM ALCOHOL Y FFETWS* (FETAL ALCOHOL SYMDROME) llawn.

Aldomet: *Aldomet* Gw. METHYLDOPA

aldosterone: *aldosteron* un o hormonau'r cortecs adrenal, a'i brif weithgaredd biolegol yw rheoleiddio cydbwysedd electrolytau a dŵr drwy hybu dargadw sodiwm (ac felly, dŵr) ac ysgarthiad potasiwm; mae dargadw dŵr yn peri cynnydd yng nghyfaint y plasma a chynnydd mewn pwysedd gwaed. Mae angiotensin II yn ysgogi ei secretiad.

Alexander Technique: *Techneg Alexander* dull seico-gorfforol o ailaddysgu lle mae pobl yn dysgu defnyddio'u hunain yn well, gan gynnwys ailosod ymddaliad y corff a defnyddio amrywo o ddulliau corfforol a seicolegol o ymlacio. Mae dilynwyr Techneg Alexander fel arfer angen cyfres o 20 i 30 gwers, ond gellir defnyddio'r dechneg i esmwytha/u problemau mewn beichiogrwydd megis poen cefn parhaus.

alimentary: *ymborth* yn ymwneud â maeth. Llwybr ymborth (a. canal): y llwybr y mae'r bwyd yn mynd drwyddo o'r geg i'r anws.

alkalaemia: *alcalaemia* cynnydd yn alcalinedd neu pH y gwaed, yn cael ei achosi naill ai gan or-ddos neu grynodiad o sylweddau alcalïaidd neu drwy golli gormod o asidau, e.e. drwy chwydu.

alkali: *alcali* sylwedd sy'n medru uno gydag asid i ffurfio halwyn. Mae alcalïau yn troi litmws coch yn las. Yn y corff, mae alcalïau yn ffurfio carbonadau ac yn cyfuno gydag asidau brasterog i ffurfio sebonau. Mae alcalïau yn rhan hanfodol o gynnal gweithrediad normal cemeg y corff. Gw. hefyd CYDBWYSEDD BAS ASID (ACID-BASE BALANCE) a BAS (BASE). *Cronfa alcali (a. reserve):* gallu systemau byffer cyfun y gwaed i niwtraleiddio asid. Mae pH gwaed fel arfer fymryn ar yr ochr alcalinaidd, rhwng 7.35 a 7.45. Gan mai'r prif fyffer yn y gwaed yw deucarbonad, crynodiad deucarbonad y plasma yw'r gronfa alcali. Fodd bynnag, mae haemoglobin, ffosffadau a basau eraill hefyd yn gweithredu fel bytferau. Mae gostyngiad yn y gronfa alcali yn golygu cyflwr o asidosis; mae cynnydd yn y gronfa yn awgrymu alcalosis. Mesurir y gronfa alcali drwy rym cyfuno carbon deuocsid, sef y swm o garbon deuocsid y gall y gwaed ei rwymo fel deucarbonad.

alkaloids: *alcaloidau* sylweddau nitrogenaidd organig sy'n ffurfio sylwedd gweithredol rhai cyffuriau, e.e. morffin, atropin a strychnin.

alkalosis: *alcalosis* cyflwr pathologol sy'n ganlyniad i gynnydd yn y crynodiad bas neu golli asid heb golli bas yn gyfatebol yn hylifau'r corff, ac a nodweddir gan leihad mewn crynodiad ïon hydrogen (cynnydd mewn pH). Alcalosis yw'r gwrthwyneb i ASIDIOSIS (ACIDOSIS)

allantois: *alantois* sach bilennog yn ymwthio o arwyneb fentrol embryo, sydd yn y pen-draw yn cynorthwyo i ffurfio'r brych.

allele: *alel* un o ddwy neu fwy o ffurfiau eraill gennyn ar yr un safle mewn cromosom, fydd yn pennu'r nodweddion gwahanol sy'n cael eu hetifeddu.

alpha-adrenergic mechanism: *mecanwaith alffa-adrenergig* mecanwaith llwybr nerfau awtonomig y mae ymatebion cynhyrfol yn digwydd drwyddynt o ganlyniad i ryddhau sylweddau adrenergig megis adrenalin (epinephrin) a noradrenalin (norepineffrin).

alpha-fetoprotein (AFP): *alffa-ffetoprotein* protein plasma sy'n cael ei gynhyrchu gan iau (afu), cwd melynwy a llwybr gastroberfeddol y ffetws. Mae'n bresennol mewn hylif amniotig a serwm y fam ac mae'n cael ei fesur fel arfer yn serwm y fam cyn y geni rhwng 16 ac 18 wythnos. Gall lefel uwch bryd hynny fod yn arwydd o oed cario anghywir, beichiogrwydd lluosog, diffyg yn y tiwb niwrol, marwolaeth y ffetws, neu, yn brin iawn, syndrom Turner. Gallai lefel isel fod yn arwydd bod hyd y cyfnod cario yn anghywir neu o syndrom Down. Mae ymchwiliadau pellach mewn achosion o AFP uwch yn cynnwys cymryd prawf serwm AFP eto, sgan uwchsain i gadarnhau hyd y cyfnod cario, amniocentesis i amcangyfrif lefel AFP yn yr hylif amniotig. Gall lefelau amrywio gydag oed y fam, pwysau, diabetis mellitus, smygu sigarennau a hil. Mae'r fydrwraig yn cyfrifol am gynghori'r darpar-rieni yn ofalus cyn ac ar ôl y prawf. *Gw. hefyd PRAWF BART (BART'S TEST), PRAWF LEEDS (LEEDS TEST).*

alternative medicine: *meddygaeth amgen* ffurf ar feddygaeth sy'n wahanol i ofal iechyd confensiynol; mae'n system gyfannol o ofal sy'n cydnabod y rhyngberthynas rhwng corff, meddwl ac ysbryd. Yn Saesneg mae'n fwy cyffredin sôn am COMPLEMENTARY MEDICINE sef *MEDDYGAETH GYFLENWOL*, er bod yr ymadrodd 'alternative' yn awgrymu fod yn rhain yn ffurfiau ar ofal iechyd y gellir eu defnyddio yn lle gofal confensiynol. Yn Gymraeg, mae 'amgen' yn awgrymu gwahanol a gwell ar yr un pryd, ac mae'n derm mwy poblogaidd yn y Gymraeg.

alveolus: *alfeolws (llu. alfeoli)* unrhyw adeiledd â cheudod ynddo, e.e. soced dant, cwd aer yn yr ysgyfaint neu

asinws yn y bronnau.

ambient: *amgylchol* sydd o gwmpas neu'n fwyaf cyffredin

ambivalence: *deuoliaeth* y briodwedd o fod â grym cyfartal mewn dau gyfeiriad neu ar y ddwy ochr ar yr un pryd. Mewn seiciatreg, meddu ar deimladau croes i'w gilydd sydd yr un mor gryf, megis cariad a chasineb at yr un person.

ambulatory: *cerdded* yn ymwneud â cherdded.

amelia: *amelia* anomaledd mewn datblygiad gyda'r breichiau a'r coesau'n absennol.

amenorrhoea: *amenorrhoea* y mislif yn absennol. *Amenorrhoea cynradd (primary a.):* absenoldeb y mislif mewn gwraig ar ôl y glasoed sydd heb gael mislif erioed. *Amenorrhoea eilaidd (secondary a.):* y mislif yn peidio mewn gwraig sydd wedi cael mislif o'r blaen. Yr achos mwyaf cyffredin yw beichiogrwydd, ond gall hefyd ddigwydd oherwydd newid swydd, hinsawdd neu amgylchedd, neu gall fod yn symptom o afiechyd.

amino acids: *asidau amino* sylweddau organig yn deillio o broteinau, ac sy'n hanfodol i faethiad pobl.

aminophylline: *aminoffylin* alcaloid o'r camelia, sy'n llacio sbasm cyhyrau plaen yn y bronciolynnau a'r rhydweliau coronaidd. Gellir ei roi drwy'r geg, yn fewnwythiennol neu fel tawddgyffur, ac mae'n ddefnyddiol i drin asthma a methiant y galon.

ammonia: *amonia* nwy alcaläaidd a ffurfir gan broteinau, asidau amino a sylweddau eraill yn cynnwys nitrogen sy'n dadelfennu. Fe'i trosir yn wrea yn yr iau (afu).

amnesia: *amnesia* colli'r cof, yn enwedig anallu i ddwyn i gof ddigwyddiadau neu eiriau o'r gorffennol.

Amnihook: *Amnihook* dyfais ar gyfer cyflawni *AMNIOTOMI (AMNIOTOMY)*

amniocentesis: *amniocentesis* gwneud twll yn y sach amniotig, fel arfer drwy fur yr abdomen a'r groth, er mwyn cael sampl o hylif amniotig y gellir cynnal y profion canlynol arno: y GYMHAREB LECITHIN / SFFINGOMYELIN (LECITHIN / SPHINGOMYELIN RATIO), DADANSODDIAD CROMOSOMAU (CHROMOSOME ANALYSIS), amcangyfrif crynodiadau BILIRUBIN ac ALFFA-FFETOPROTEIN (ALPHA-FETO-PROTEIN), a dadansoddiad DNA er mwyn canfod rhyw y ffetws a rhai cyflyrau sy'n cael eu cario gan enynnau megis dystroffi cyhyrau Duchenne, clefyd crymangell a thalasaemia. Gellir ei wneud hefyd i leddfu anghysur difrifol mewn achosion o polyhydramnios dwys. Rhoddir nodwydd i mewn yn y sach amniotig drwy fur yr abdomen, gyda chymorth uwchsain i ganfod lleoliad y brych ac felly osgoi gwneud twll yn hwnnw. Tynnir swm bychan o hylif amniotig gyda syrinj a'i anfon i gael ei ddadansoddi. Dylid rhoi dos lai o imiwnoglobwlin gwrth-D ar ôl y weithred i famau sy'n rhesws negatif i'w hatal rhag gwneud gwrthgyrff.

amnion: *amnion* y bilen fwyaf mewnol sydd o gwmpas y ffetws ac yn amgáu'r hylif amnii. *Amnion nodosum:* cyflwr cnepynnaidd ar arwynebedd amnion y ffetws, a welir mewn oligohydramnios ac a all fod yn gysylltiedig ag absenoldeb arennau yn y ffetws.

amnioscope: *amnioscop* endosgop a ddefnyddir ar gyfer AMNIOSGOPI (AMNIOSCOPY).

amnioscopy: *amnioscopi* 1. archwiliad o'r sach amniotig, yr hylif amniotig a'r ffetws drwy edrych yn uniongyrchol gan ddefnyddio endosgop a basiwyd drwy furiau'r abdomen a'r groth. **2** edrych ar yr hylif a'r pilenni amniotig heb eu torri per vaginam yn hwyr yn y beichiogrwydd pan fydd gwddf y groth wedi agor rhywfaint neu yn ystod yr esgor drwy gyfrwng amnioscop i ganfod hylif wedi'i staenio â meconiwm ac oligohydramnios.

amniotic fluid: *hylif amniotig* yr hylif sydd wedi'i gynnwys yn y sach amniotig; fe'i gelwir hefyd yn liquor amnii. Mae'r hylif hwn yn amgylchu'r ffetws ac mae'r ffetws yn ei lyncu. Caiff ei secretu o gelloedd yr amnion, ei drynawsu o bibellau'r ffetws yn y llinyn a'r brych ac o bibellau'r fam yn y decidwa. Mae'r swm yn amrywio o 500 i 1500ml ar ddiwedd y cyfnod cario. Mae hylif amniotig fel arfer yn glir ac o liw gwellt, ac wedi'i wneud o 99% dŵr ac 1% solidau, sy'n cynnwys protein, carbohydrad, lipidau a ffosffolipidau, electrolytau, wrea, asid wrig a creatinin, pigmentau, ensymau a hormonau'r brych. Mae hefyd yn cynnwys celloedd di-gen, lanugo, fernics caseosa a symiau cynyddol o wrin oddi wrth y ffetws. Mae'r hylif yn galluogi'r ffetws i symud yn rhydd ac yn cydbwyso gwasgedd, yn gweithredu fel sioc leddfwr, yn cadw'r tymheredd yn wastad ac yn rhoi rhai sylweddau maeth i'r ffetws. Gelwir hylif amniotig gormodol yn POLYHYDRAMNIOS a chyfeirir at swm anarferol o fach fel OLIGOHYDRAMNIOS.

amniotic fluid embolism: *emboledd hylif amniotig* y liquor amnii, sy'n cynnwys fernics a solidau eraill, yn mynd i mewn i gylchrediad y fam drwy sinysau safle'r brych. Achos anarferol o ymgwympo wrth esgor neu o HYPOFFIBRINOGEN-AEMIA (HYPOFIBRINOGENAEMIA).

amniotic sac: *cwd amniotig* y bag o bilenni, yr amnion neu bilen y ffetws sy'n cynnwys y ffetws, sy'n cael ei ddal i fyny mewn hylif amniotig.

amniotomy: *amniotomi* rhwygo'r sach amniotig yn llawfeddygol er mwyn ysgogi'r esgor. Rhoddir y fam yn y safle dorsal neu lithotomi ac mae'r fydwraig neu'r obstetregydd yn cyflawni archwiliad per vaginam. Rhwygir y bilenni a'r blaenddwr drwy basio offeryn drwy wddf y groth a gwneud twll yn y pilenni, gan gymryd gofal i beidio niweidio rhan cyflwynol y ffetws. Gellir defnyddio gefel Kocher syth neu grwn neu

AMNIHOOK wedi'i ddylunio'n arbennig. Cyflawnir y weithred gan y meddyg i ysgogi'r esgor, ond gall bydwraig ei chyflawni i gyflymu'r esgor. Gall hefyd fod yn angenrheidiol rhwygo'r pilenni er mwyn medru arsylwi'r hylif amniotig, neu i atal y llinyn rhag llithro pan fydd y llinyn yn ymgyflwyno o dan y rhan o'r ffetws. Yn anarferol iawn, gall rhwygiad di-ddwr gael ei gyflawni. *Gw. hefyd* Atodiad 3.

amoxycillin: *amocsisilin* analog penisilin sy'n gweithredu'n debyg i ampisilin ond yn cael ei amsugno yn fwy effeithiol o'r bibell gastroberfeddol ac felly angen dos lai aml ac nid yw mor debygol o beri dolur rhydd. Fe'i rhoddir drwy'r geg, 250mg dair gwaith y dydd.

ampicillin: *ampisilin* penisilin sbectrwm llydan o darddiad synthetig sy'n weithredol yn erbyn llawer o'r pathogenau Gram-negatif, yn ychwanegol at y rhai Gram-positif arferol y mae penisilin yn effeithio arnynt. Gellir ei roi drwy'r geg, 250–500mg bedair gwaith y dydd, neu'n fewngyhyrol neu'n fewnwythiennol, 0.5–1gm. Mae'n ddefnyddiol i drin listeriosis yn y newydd-anedig.

ampulla: *ampwla* pen ymledol llwybr e.e. mewn tiwb Fallopio.

amyl nitrite: *amyl nitrid* fasoymledydd a roddir drwy fewnanadliad ar gyfer angina pectoris ac i leddfu sbasm cyhyrau mewn *CYLCH CYFANGU* (CONSTRICTION RING).

anaemia: *anaemia* gostyngiad yn nifer y celloedd gwaed coch, neu yn y swm o haemoglobin yn y bresennol ynddynt. Gall anaemia fod yn ganlyniad i waedlif, gormod o gelloedd coch yn torri i lawr neu fethiant i'w cynhyrchu. Y math mwyaf cyffredin yw anaemia diffyg haearn, fel arfer yn gysylltiedig â diffyg maeth, sy'n cael ei waethygu mewn beichiogrwydd cynnar am fod y gwaed yn cael ei deneuo. Ni roddir therapi haearn i bob gwraig ond efallai y bydd y rhai sydd â fferitin serwm isel angen ychwanegiad haearn. Efallai y bydd ar wragedd sy'n anemig iawn angen haearn mewngyhyrol neu fewnwythiennol, neu, mewn achosion prin, drallwysiad gwaed i atal problemau ychwanegol rhag digwydd yn ystod yr esgor, megis morbidrwydd yn gysylltiedig â gwaedlif mawr. Weithiau canfyddir fod gwragedd y mae eu hanaemia yn methu ymateb i therapi haearn yn dioddef o *ANAEMIA MEGALOBLASTIG* (MEGALOBLASTIC ANAEMIA) sy'n deillio o ddiffyg asid ffolig.

anaerobe: *anaerob* micro-organeb nad oes arni angen ocsigen rhydd i fodoli, e.e. Clostridium welchii.

anaesthesia: *anaesthesia* cyflwr lle mae'r holl gorff (*anaesthesia cyffredinol*) neu ran ohono (*anaesthesia lleol neu ranbarthol*) yn analluog i synhwyro unrhyw boen, teimlad na synhwyryn. Fe'i defnyddir i alluogi llawdriniaeth neu weithredoedd poenus eraill.

anaesthetic: *anaesthetig* asiant sy'n peri anaesthesia. Mae anaesthetig cyffredinol yn gwneud y claf yn anymwybodol; mae anaesthetig lleol yn peri anaesthesia mewn rhan arbennig o'r corff.

anal: *rhefrol* yn ymwneud â'r anws.

analgesia: *analgesia* heb fod yn synhwyro poen.

analgesic: *poenleddfwr* asiant sy'n medru peri analgesia. Cyffur lleddfu poen.

anaphylaxis: *anaffylacsis* (*ans. anaffylactig*) ymateb alergaidd anarferol neu eithriadol (yn aml o fewn eiliadau) gan organeb i brotein dieithr neu sylweddau eraill. Ymhlith y sylweddau sydd fwyaf tebygol o gynhyrchu anaffylacsis mae cyffuriau, yn enwedig gwrthfiotigau, anaesthetigau lleol, a codein; cyffuriau a baratowyd o anifeiliaid megis inswlin, hormon adrenocorticotroffig, ac ensymau; asiantau diagnostig megis sylweddau cyferbynnu pelydr-X wedi'u hiodineiddio; hylifau biolegol a ddefnyddir i roi imiwnedd, megis brechlynnau, gwrthdocsinau, a globwlin gama; bwydydd protein, a gwenwyn gwenyn, gwenyn meirch a chacwn; a pheilliau, llwydni a blew anifeiliaid.

Mae'r symptomau, sy'n cael eu hachosi gan ryddhau histaminau, yn cynnwys sbasm bronciol, fasoymlediad perifferol a chynnydd yn hydreiddedd y capilarïau, ynghyd â chyfangiad y broniolynnau a'r bronci.

Y driniaeth frys mewn achosion o anaffylacsis difrifol yw rhoi adrenalin ac mae hynny yn arwain at fronco-ymlediad, yn lleihau sbasm laryngeol ac yn codi'r pwysedd gwaed. Cychwynnir therapi steroid i wrthweithio effeithiau'r histamin drwy leihau hydreiddedd y capilarïau. Mae mesurau ychwanegol yn cynnwys rhoi plasma a hylifau mewnwythiennol i adfer cyfaint hylif mewnfasgwlar. Rhoddir asiantau cywasgol, megis dopamin, noradrenalin ac isoprenalin, er mwyn codi'r pwysedd gwaed a'i gynnal.

anastomosis: *anastomosis* cyfathrebiad rhwng dwy bibell neu adeiladdau eraill o'r corff, naill ai'n naturiol neu wedi'i sefydlu drwy driniaeth.

androgens: *androgenau (ans. androgen-aidd)* unrhyw hormon steroid sy'n hybu nodweddion gwrywaidd. Y ddau brif androgen yw androsteron a testosteron. Cynhyrchir yr hormonau androgenaidd yn bennaf gan y testes sy'n cael eu hysgogi gan y CHWARREN BITWIDOL (PITUITARY GLAND). Maent yn gyfrifol am dwf y pidyn a'r sgrotwm ac am y nodweddion rhywiol eilaidd, megis twf blew ar yr wyneb ac am lais dwfn. Maent hefyd yn ysgogi twf cyhyrau ac esgyrn drwy'r corff i gyd, ac felly yn gyfrifol am rhannol am gryfder a maint mwy dynion o'u cymharu â merched.

android: *android* tebyg i'r gwryw, gwrywaidd. *Pelfis android (a. pelvis): gw. PELFIS* (PELVIS)

anencephaly: *anenceffali* anffurfiad cynhenid dirfawr lle mae cromen y craniwm a'r hemisfferau cerebrol wedi methu datblygu. Mae'n achosi cyflwyniad wyneb cynradd.

angina pectoris: *angina pectoris* poen difrifol a darwasgiad yn y frest, yn aml yn treiddio i lawr y fraich chwith, yn cael ei achosi gan lif gwaed annigonol i'r galon.

angiography: *angiograffeg* radiograffeg pibellau'r corff ar ôl chwistrellu sylwedd cyferbynnu addas i mewn iddynt.

angioma: *angioma* tiwmor wedi datblygu o bibellau gwaed, e.e. naefws ar y croen.

angiotensin: *angiotensin* sylwedd fasogyfyngydd a ffurfir yn y gwaed pan ryddheir RENIN o'r aren. Drwy ei weithrediad fasogywasgol mae'n codi'r pwysedd gwaed ac yn lleihau faint o hylif sy'n cael ei golli yn yr aren drwy gyfyngu ar lif y gwaed.

angular pregnancy: *beichiogrwydd onglog* yr ofwm wedi'i ffrwythlonni ac yn ymblannu yn yr ongl lle mae'r tiwb Fallopio yn mynd i mewn i'r groth.

ankylosis: *ancylosis* ansymudolrwydd neu uniad annormal yr esgyrn lle mae cymalau'n cydio, gan achosi cymal stiff. Mae ancylosis y cymal sacrococygeaidd yn un o achosion prin anhawster wrth eni.

anococcygeal: *anococygeaidd* yn ymwneud â'r anws a'r cocycs. Mae'r corff anococcygeaidd neu'r raff yn glwstwr o feinwe cyhyrol a ffibraidd rhwng yr anws a'r cocycs; mae o fewniad cyhyrau'r levatores ani.

anode: *anod (ans. anodol)* electrod positif sy'n denu ionau negatif.

anodyne: *anodyn* asiant sy'n lleddfu poen.

anomaly: *anomaledd* gwyriad amlwg oddi wrth y norm

anorexia: *anorecsia* colli archwaeth am fwyd. A. nervosa: colli archwaeth yn llwyr a bod yn eithafol o denau. Mae'n anarferol iawn i wragedd gyda'r cyflwr hwn i feichiogi gan fod ofylu fel arfer yn peidio.

anovular: *anofwlar* absenoldeb ofylu.

anoxia: *anocsia* y cyflwr o fod wedi'i amddifadu o OCSIGEN (OXYGEN). *Gw. hefyd* ASFFYCSIA (ASPHYXIA)

anoxic: *anocsig* yn ymwneud ag anocsia neu wedi'i effeithio ganddo.

antacid: *gwrthasid* sylwedd sy'n niwtraleiddio asid, e.e. cymysgedd magnesiwm trisilicad.

ante-: *cyn-* rhagddodiad yn golygu 'o flaen'

anteflexion: *blaenblygiant* plygu ymlaen, e.e. corff y groth yn plygu ymlaen ar wddf y groth.

antenatal: *cyn geni* Gofal cyn geni (*a. care*) yw'r gofal a roddir gan fydwragedd ac obstetregwyr yn ystod y beichiogrwydd i sicrhau fod iechyd y ffetws a'r fam yn foddhaol. Gellir canfod gwyriadau oddi wrth y norm a'u trin yn gynnar. Gellir paratoi'r fam ar gyfer yr esgor a bod yn rhiant a gellir cynnig addysg iechyd. Ceir hanes manwl ac arsylwadau ac archwiliadau dechreuol ar yr apwyntiad cyntaf cyn y geni. Mewn apwyntiadau dilynol mae cynnydd y beichiogrwydd a iechyd y fam a'r ffetws yn cael eu monitro.

antepartum: *antepartwm* cyn partwridiad h.y. y geni. *Gwaedlif antepartwm* (*a. haemorrhage*): gwaedu o lwybr y geni unrhyw bryd wedi wythnos 24 yn y beichiogrwydd hyd nes i'r baban gael ei eni. Achosion hyn yw PLACENTA PRAEVIA; ABRUPTIO placentae neu achosion atodol e.e. polypau neu erydiad cerfigol, llid ar y wain neu, yn anfynych, carsinoma gwddf y groth. Cyfrifoldebau'r fydwraig yw galw am feddyg, cadw cofnodion o'r arsylwadau; rhoi analgesia; cymryd gwaed ar gyfer trawsfatsio; a rhoi cefnogaeth. Ni ddylid byth wneud archwiliad mewnol.

anterior: *blaen* o flaen, y tu blaen i.

anteroposterior: *blaen-ôl* o'r tu blaen i'r tu ôl.

anteversion: *blaendroi* yn troi tuag ymlaen, e.e. y groth mewn perthynas â'r wain.

anthropoid: *anthropoid* tebyg i ddyn, e.e. epaod anthropoid, epaod tebyg i bobl. *Pelfis anthropoid* (*a. pelvis): gw. PELFIS* (PELVIS)

anti-: *gwrth-* rhagddodiad yn golygu 'yn erbyn', 'gwrthwyneb'.

antibiotic: *gwrthfiotig* yn ymwneud â gwrthfiosis, felly yn ddinistriol i fywyd. Cyffuriau gwrthfiotig yw'r rhai sy'n deillio o ficro-organebau byw, sy'n dinistrio neu'n atal twf bacteria pathogenig.

antibodies: *gwrthgyrff* sylweddau penodol a ffurfir yn y corff sy'n gwrthweithio effeithiau antigenau neu docsinau bacterol. Gellir trosglwyddo gwrthgyrff, effeithyddion yr ymateb imiwn, yn oddefol o un unigolyn i'r llall, fel e.e. trosglwyddo gwrthgorff y fam ar draws rhwystr y brych i'r ffetws, sydd heb eto ddatblygu system imiwnedd aeddfed. Mae'r broses ddatblygiadol o gynhyrchu gwrthgyrff fel arfer wedi'i chwblhau ymhen ychydig fisoedd ar ôl y geni.

anticoagulant: *gwrthgeulydd* asiant sy'n atal y gwaed rhag ceulo neu'n gohirio'r ceulad, e.e. heparin.

anticonvulsant: *gwrthgonfylsiwn* cyffur sy'n atal ffitiau neu gonfylsiynau, e.e. ffenobarbital.

anti-D gamma globulin: *globwlin gama gwrth-D* hydoddiant di-haint o globwlin yn deillio o blasma gwaed dynol yn cynnwys gwrthgorff i ffactor corffilyn coch y gwaed Rh D. Dylid rhoi gwrth-D i famau Rheswg negatif o fewn 72 awr o eni neu o golli baban Rheswg positif i'w rhwystro rhag gwneud gwrthgyrff i'r ffactor rheswg, a allai achosi clefyd haemolytig mewn ffetws/baban Rheswg positif mewn beichiogrwydd dilynol. Fe'i rhoddir hefyd yn dilyn gweithredoedd mewnwthiol megis amniocentesis.

antidepressant: gwrthiselydd effeithiol yn erbyn afiechyd iselder. Cyffur a ddefnyddir i leddfu symptomau iselder.

antidiuretic: gwrthddiwretig 1. yn ymwneud â, neu yn rhoi ataliaeth ar, pa mor gyflym mae wrin yn cael ei ffurfio. **2.** asiant sy'n peri ataliaeth ar ffurfio wrin. *Hormon gwrthddiwretig (a. hormone – ADH):* fasopresin; hormon sy'n rhoi ataliaeth ar secretu wrin. Mae'n cael effaith benodol ar gelloedd epitheliol y tiwbynnau arennol, gan ysgogi ailamsugno dŵr yn annibynnol ar solidau, gyda'r canlyniad bod yr wrin wedi'i grynodi. Fe'i secretir gan yr hypothalamws ond caiff ei storio a'i ryddhau gan labed ôl y chwarren bitwidol, ac mae hefyd yn gweithredu fel fasgywasgwr.

antidote: gwrthwenwyn asiant sy'n gwrthweithio effaith gwenwyn.

antiemetic: gwrthgyfoglyn cyffur sy'n atal neu sy'n lliniaru cyfog a chwydu.

antigen: antigen unrhyw sylwedd sydd, o'i gyflwyno i'r corff, yn peri imiwnedd drwy ysgogi cynhyrchu gwrthgyrff.

antihistamine: gwrth-histamin term a ddefnyddir i ddisgrifio grŵp o gyffuriau sy'n blocio'r derbynyddion meinwe ar gyfer histamin. Fe'u defnyddir i drin amryw o gyflyrau alergaidd. Gellir eu defnyddio i drin hyperemesis gravidarum.

antihypertensive: gwrthorbwysol effeithiol yn erbyn gorbwysedd. Asiant sy'n gostwng pwysedd gwaed uchel. Mae rhai, megis methyldopa (Aldomet), yn gweithredu ar fecanweithiau alffa-adrenergig yn y system nerfol ymatebol neu ganolog i leihau gwrthiant fasgwlar perifferol. Mae fasoymledwyr yn gweithredu'n uniongyrchol ar y rhydweliynnau i gynhyrchu'r un effaith. Mae betablocwyr, megis propranolol (Inderal), yn gweithredu fel derbynyddion adrenergig yn y galon a'r

arennau i leihau allbwn y galon a secretiad renin.

antiseptics: antiseptigion asiantau sy'n atal sepsis h.y. heintiad.

antiserum: gwrthserwm (llu. gwrthserymau) serwm yn deillio o waed anifail neu fod dynol sydd â chlefyd ac yn meddu ar briodweddau sy'n gwrthwynebu'r bacteria sy'n cynhyrchu'r clefyd.

antispasmodic: gwrthsbasmodig yn lleddfu sbasmau.

antithrombin: gwrth-thrombin unrhyw sylwedd sy'n digwydd yn naturiol neu a roddir fel therapi sy'n niwtraleiddio gweithrediad thrombin ac felly yn cyfyngu neu'n lleihau tolcheniad y gwaed.

antithromboplastin: gwrththromboplastin unrhyw asiant neu sylwedd sy'n atal neu'n amharu ar ryngweithiad ffactorau ceulo gwaed wrth iddynt gynhyrchu prothrombinas (thromboplastin).

antitoxin: gwrthdocsin gwrthgorff sy'n cael ei gynhyrchu i niwtraleiddio tocsin bacteriol. Defnyddir serwm o anifeiliaid wedi'u himiwneiddio sy'n cynnwys y gwrthdocsin penodol i atal a thrin *DIPTHERIA* (DIPHTHERIA) a *TETANWS* (TETANUS).

anuresis: anwresis dargadw wrin yn y bledren.

anuria: anwria methiant yr arennau i secretu wrin. Gall gymhlethu gwaedlif cudd difrifol oherwydd abruptio placentae, eclampsia ac erthyliad septig, ac arwain at necrosis cortigol dwyochrol yr aren.

anus: anws pen draw eithaf y llwybr ymborth, y mae'r carthion yn cael eu gwagio drwyddo. *Anws di-agoriad (imperforate a.):* un nad yw ar agor oherwydd nam cynhenid.

Anusol: Anusol hufen neu dawddgyffuriau ar gyfer y rectwm a ddefnyddir i leddfu poen sy'n gysylltiedig gyda haemoroidau.

aorta: aorta y rhydweli fawr sy'n dod o fentrigl chwith y galon. **Aorta abdomenol** (abdominal a.): y rhan honno o'r bibell yn yr abdomen. **Bwa'r aorta** (arch of the a.): cromlin y tiwb dros y galon. **Aorta thorasig** (thoracic a.): y rhan honno sy'n pasio drwy'r frest.

aperient: carthydd cyffur sy'n gwneud i'r corff gael ei weithio.

Apert's syndrome: syndrom Apert annormaledd cynhenid lle mae holl linellau asio'r greuan wed ymasio ar enedigaeth yn ychwnaegol at syndactili (bysedd gweog).

Apgar score: sgôr Apgar system sgorio a ddyfeisiwyd gan Dr Virginia Apgar i asesu cyflwr baban yn ystod ychydig funudau cyntaf ei fywyd er mwyn medru canfod achosion o fyctod difrifol yn y newydd anedig a'i drin ar unwaith. *Gw. hefyd* MYCTOD Y NEWYDD ANEDIG (ASPHYXIA NEONATORUM) ac Atodiad 1.

aphtha: afftha (llu. **aphthae**) y sbotiau gwyn neu olau a achosir gan y ffwng Candida albicans. LLINDAG (THRUSH).

aphthous vulvitis: llid afftha'r fylfa heintiad y fylfa gyda'r llindag (Candida albicans).

APL principle: sylwedd APL hormon blaen y brych, tebyg i hormon pitwidol, gonadotroffin corionig.

aplastic: aplastig yn ymwneud ag unrhyw adeiledd sydd â datblygiad anghyflawn neu ddiffygiol.

apnoea: apnoea absenoldeb anadlu. Mae cyfnodau apnoeig yn digwydd yn resbiradaeth babanod newydd eu geni lle mae'r ganolfan resbiradaeth yn anaeddfed neu'n camweithredu. Mae **monitorau apnoea** (a. monitors): wedi'u cynllunio i roi signal clywadwy ar ôl i gyfnod penodol o apnoea ddigwydd.

aponeurosis: aponoewrosis haen wastad o feinwe cysylltiol ffibraidd yn cydio cyhyrau wrth asgwrn neu feinweoedd eraill.

apoplexy: apoplecsi methiant sydyn gweithgaredd y cerebrwm oherwydd gwaedlif o bibell yn y cerebrwm neu thrombosis mewn pibell o'r fath. Fe'i nodweddir gan goma, anadlu stertoraidd a graddau amrywiol o barlys.

appendicitis: llid y pendics llid y pendics fermiffurf. Anghyffredin a llawer mwy peryglus mewn beichiogrwydd gan fod y pendics wedi'i dynnu i fyny yn yr abdomen a'r broses o fynd yn llidus yn gallu lledaenu'n haws. Hen enw Cymraeg amdano yw cwlwm perfedd.

appendix vermiformis: pendics fermiffurf Llad. appendix vermiformis. Tiwb tebyg i bry genwair (mwydyn) pengaead, yn ymestyn allan o'r caecwm o gwmpas yr iliwm de.

Apresoline: Apresoline Gw. HYDRALAZINE

aquanatal exercises: ymarferion acwaeni ffurf ar ymarferion mewn dŵr cyn ac ar ôl y geni sy'n galluogi gwragedd i gael gwell tôn yn eu cyhyrau, cadw'n heini a chyfarfod â mamau beichiog eraill neu famau newydd, ac sy'n cael eu cynnig mewn rhai ardaloedd fel dewis ychwanegol i baratoi ar gyfer yr esgor. Caiff y dosbarthiadau eu cynnal fel arfer mewn pwll nofio cyhoeddus lleol gan athro/athrawes acwa-eni profiadol gyda bydwraig yno hefyd os nad yw'r athro/athrawes yn fydwraig neu'n ymwelydd iechyd.

aqueduct: dwythell pibell i hylif fynd drwyddi. **Pibell yw dwythell Sylvius** (a. of Sylvius) sy'n arwain o drydydd i bedwerydd fentrigl yr ymennydd. Un o achosion hydroceffalws yw culhad y ddwythell hon. Mae amsugniad hylif cerebrosbinol yn cael ei rwystro ar ôl llid yr ymennydd neu waedlif isaracnoid.

arachnoid: aracnoid y bilen weog sy'n orchudd canol i'r ymennydd rhwng y mater dwra a'r mater pia. Yn y gofod isaracnoid oddi tano, mae'r hylif cerebrosbinol yn cylchredeg.

arbor vitae: arbor vitae yn llythrennol, pren y bywyd. 1. ymddangosiad tebyg i goeden y mater gwyn yn y cerebelwm. 2. ymddangosiad plygiadau'r epitheliwm colofnaidd sy'n leinio'r cerfics wteri.

arborescent: *coediog* yn canghennu yr un fath â choeden.

arcuate: *bwaog* wedi crymu, yn siâp bwa. Mae'r gewyn bwaog yn ewyn cryf sy'n ymestyn ar draws bwa isbwbig y pelfis.

arcus tendineus: *arcus tendineus* tewychiad, sy'n cael ei adnabod yn gyffredin fel y 'llinell wen' yn ffasgia'r pelfis, sy'n darddiad i ran o'r lefator ani.

areola: *areola* yr ardal bigmentaidd sydd o gwmpas teth y fron. Mae'n tywyllu un ystod beichiogrwydd ac fe'i gelwir yn areola brimaidd, gyda areola eilaidd yn datblygu yn nes ymlaen o amgylch ei ymyl allanol. Mae'r sinysau llaethol yn gorwedd o dan y rhan hon o'r fron.

arnica: *arnica* meddyginiaeth homeopathig a ddefnyddir i atal a thrin cleisio, sioc a thrawma. Mae'n ddefnyddiol yn y pwerperiwm cynnar i amswytháu perinêwm anghyfforddus. Dylid cymryd un dabled arnica o fewn awr i'r geni, yna un dabled dair gwaith y dydd am dri diwrnod, yna gorffen. Mae hufen arnica yn ddefnyddiol ar gyfer pen-ôl cleisiog ond ni ddylid ei roi dros glwyfau agored megis llinell y episiotomi.

aromatherapy: *aromatherapi* therapi cyflenwol sy'n golygu defnyddio olewau hanfodol cyddwys iawn wedi'u hechdynnu o blanhigion. Yr ansoddau cemegol o fewn yr olewau sy'n rhoi iddynt eu priodweddau therapiwtig, ond gallant hefyd achosi adweithiau niweidiol. Gellir rhoi olewau hanfodol drwy dylino'r croen, yn y bath, drwy fewnanadlu, mewn cywasgion, douches, pesariau a hufennau. Prin y dylid byth eu gosod fel y maent ar y croen na'u rhoi yn gastroberfeddol, oni bai fod hynny dan oruchwyliaeth arbenigol. Mae llawer o olewau hanfodol sy'n cael eu hanghymeradwyo yn ystod beichiogrwydd a genedigaeth gan y gallant

achosi camffurfiadau yn y ffetws, erthyliadau neu effeithiau systemig annerbyniol megis gorbwysedd, ac mae'n ddoeth osgoi defnyddio pob olew hanfodol yn ystod y trimestr cyntaf. Mae rhai olewau hefyd yn cael eu hanghymeradwyo ar gyfer eu defnyddio ar blant. Dylid hyfforddi bydwragedd yn briodol i ddefnyddio aromatherapi yn eu hymarfer neu i gynghori mamau ynghylch y defnydd ohono.

artefact: *arteffact* nam a gynhyrchir yn artiffisial.

arteriography: *arteriograffeg* radiograffeg rhydweli neu system rydwelïol ar ôl chwistrellu sylwedd cyferbynnu i mewn i'r llif gwaed.

arteriole: *rhydwelïen* rhydwelien fach.

arteriosclerosis: *arteriosglerosis* muriau'r rhydweli yn caledu ac yn tewychu. Mae placiau atheromataidd yn cael eu dyddodi ar yr wyneb mewnol fel bod ischaemia'r organ neu'r meinweodd yn digwydd. Mae'n achosi pwysedd gwaed uchel ac yn rhagflaenu'r dirywiad yn yr organau mewnol a gysylltir â henaint neu glefyd cronig.

artery: *rhydweli* pibell sy'n cario gwaed o'r galon i ryw ran arall o'r corff.

arthritis: *arthritis* llid sy'n effeithio ar gymal yn y corff.

artificial feeding: *bwydo artiffisial* 1. bwydo drwy agorfeydd eraill heblaw'r geg, e.e. gastrostomi, jejwnal, drwy'r trwyn, yr oesoffagws a'r rectwm. Mewn babanod cynnar neu glaf, gellir defnyddio un o'r llwybrau hyn. 2. wrth gyfeirio at fwydo babanod, rhoi bwyd ar wahân i laeth dynol.

artificial insemination: *semenu artiffisial* dull o gael cenhedliad drwy osod semen hyfyw yn fecanyddol yn y wain; gall hwn fod naill ai yn semen wedi'i gynhyrchu gan y partner (AIH – semenu artiffisial gan y gŵr) neu semen oddi wrth roddwr hysbys neu yn fwy arferol anhysbys (AID – semenu artiffisial gan roddwr). Yn yr achos cyntaf gall y partner fabwysiadu'r baban yn gyfreithiol, ond yn yr ail achos nid oes gan y rhoddwr hawliau cyfreithiol dros y plentyn, na chyfrifoldeb dros ei fagu. Er mwyn i'r weithred gael ei hystyried rhaid i'r wraig fod yn iach ac yn cael mislif rheolaidd.

artificial respiration: resbiradu artiffisial cynnal resbiradaeth drwy unrhyw ddulliau artiffisial. Fel mesur cymorth cyntaf, gellir defnyddio ceg wrth geg (neu geg wrth geg a thrwyn mewn babanod), unwaith i'r llwybrau aer gael eu clirio o fwcws a malurion eraill. Gall hefyd fod yn angenrheidiol rhoi ocsigen, a chael dulliau mecanyddol o gynnal resbiradaeth mewn achosion difrifol.

artificial rupture of membranes (ARM): rhwygo pilenni yn artiffisial trefn aseptig a gyflawnir per vaginam i ysgogi neu gyflymu'r broses esgor.

A-scan: sgan-A arddangosiad UWCHSAIN (ULTRASOUND) a ddefnyddir i fesur maint a thrwch yn gywir. Fe'i defnyddir yn arbennig ar gyfer CEFFALOMETRI (CEPHALOMETRY) y ffetws. Gw. hefyd UWCHSAIN (ULTRASOUND).

ascites: asgites crynhoad o hylif rhydd yn y ceudod peritoneol. Mae'r cyflwr yn un prin iawn mewn beichiogrwydd. Yn y ffetws neu'r newydd anedig, mae asgites yn cael ei gysylltu â HYDROPS FETALIS.

aseptic: aseptig yn rhydd o facteria pathogenic.

asexual: anrhywiol heb organau rhywiol.

ASH (Action on Smoking and Health): ASH Gweithredu ar Smygu a Iechyd (Action on Smoking and Health).

asphyxia: asffycsia myctod. A. neonatorum yw methiant y plentyn i anadlu ar ei enedigaeth. Mae diffyg ocsigen yn y gwaed a chynnydd yn y carbon deuocsid yn y gwaed a'r meinweoedd. Gw. hefyd SGOR APGAR (APGAR SCORE) Atodiad 1.

aspiration: sugniad tynnu hylif neu aer allan o geudod drwy sugniad. *Sugniad meconiwm (meconium a.):* y ffetws yn mewnanadlu licor wedi'i staenio â meconiwm. Mae'r ffetws hypocsig yn pasio meconiwm i'r licor. Mae mewnanadlu rhy fuan cyn, neu yn union wedi'r geni yn tynnu'r licor wedi'i staenio â meconiwm i mewn i'r ysgyfaint lle mae'n achosi niwmonitis cemegol ac yn cau'r llwybrau aer. Mae'r rhwystr yn cynhyrchu ardaloedd o galedwch a thanawyru, yn ogystal â gorchwyddiant, gan gyfrannu at y cyflwr a all fod yn batholegol: syndrom sugniad meconiwm. Mae mesurau ataliol yn cynnwys paediatregydd profiadol yn defnyddio sugniad gofalus lle gall weld yn uniongyrchol a mewndiwbio wrth i'r baban gael ei eni, os yn bosibl cyn iddo anadlu. *Sugniad filws corionig (chorionic villus a.):* mae sampl o'r filysau corionig yn cael ei sugno drwy syrinj neu bwmp sugno tua diwedd y trimestr cyntaf mewn beichiogrwydd. Gwneir hyn dan arweiniad uwchsain naill ai per vaginam neu drwy'r abdomen. Gall y sampl o filysau a gair gael ei archwilio ar gyfer dadansoddiad DNA, dadansoddiad cromosomaidd neu ar gyfer diagnosis o rai namau metabolaeth cynhenid. *Sugniad gwactod (vacuum a.):* cael gwared o gynnwys y groth drwy greu sugniad drwy gwret gwag neu ganwla a roddwyd i mewn i'r groth – dull o derfynu beichiogrwydd cynnar.

aspirator: sugnydd unrhyw offer ar gyfer tynnu dŵr neu aer o geudod yn y corff.

assessment: asesiad dadansoddi a barnu statws neu ansawdd cyflwr, sefyllfa neu bwnc arbennig. Cam cyntaf y dull prosesau mewn gofal bydwreigiaeth, yn cael ei ddilyn gan gynlluunio, gweithredu, a gwerthuso gofal.

assimilation: cymhathiad y broses lle mae bwyd yn cael ei newid yn feinwe corff.

assimilation pelvis: *pelfis cymhathiad* amrywiad ar ddatblygiad arferol y sacrwm. *(a)* Mewn pelfis cymhathiad uchel mae'r fertebra meingefnol olaf wedi asio i mewn i'r sacrwm. Mae'r pelfis yn ddwfn, a gall fod o natur twmffat, gan achosi anhawster wrth esgor. *(b)* Mewn pelfis cymhathiad isel mae'r fertebra sacral cyntaf yn cymryd nodweddion fertebra meingefnol. Felly mae'r pelfis yn fas ac nid yw'r cyflwr yn effeithio ar yr esgor.

asthma: *asthma* afiechyd sy'n cael ei nodweddu gan byliau ailadroddus o ddyspnoea parocsysmaidd, gyda'r frest yn gwichian, peswch ac ymdeimlad o fygu. Mae proteinau dieithr amrywiol yn achosi'r sbasmau hyn yng nghyhyr llyfn y bronciolet mewn pobl alergaidd.

Astrup machine: *peiriant Astrup* cyfarpar ar gyfer mesur pH yn y gwaed.

asymmetry: *anghymesuredd* diffyg cydraddoldeb ym maint neu siâp dau adeiledd sydd fel arfer yn debyg, neu ddau hanner adeiledd sydd fel arfer yr un fath. Pelfis anghymesur yw pelfis lle mae un ochr wedi'i anffurfio o ganlyniad i afiechyd, niwed neu gamddatblygiad cynhenid.

asynclitism: *asynclitiaeth* cyflwyniad parwydol pen y ffetws lle mae'r asiad saethol sydd wedi ei osod ar draws, yn gorwedd yn agos at y symffysis pwbis neu'r sacrwm; mecanwaith siglo'r ffetws i'r ochr wrth iddo ddisgyn yn ystod yr esgor, mewn pelfis fflat. Mewn asynclitiaeth blaen mae'r asgwrn parwydol blaen yn symud i lawr y tu ôl i'r symffysis pwbis nes bod y rhipyn parwydol yn mynd i mewn i'r cantel. Mae'r symudiad wedyn yn cael ei gildroi ac mae'r pen yn siglo yn ôl nes bod yr asgwrn parwydol ôl yn pasio pentir y sacrwm. Mewn asynclitiaeth ôl mae'r symudiadau wedi'u cildroi, gyda'r asgwrn parwydol ôl yn mynd heibio pentir y sacrwm cyn i'r asgwrn parwydol blaen fynd y tu ôl i'r symffysis

pwbis. *Gw.* SYNCLITIAETH (SYNCLITISM)

'at risk' register: *cofrestr plant mewn perygl* cofrestr o blant sy'n cael eu hystyried i fod mewn perygl o gael NIWED ANNAMWEINIOL (NON-ACCIDENTAL INJURY / NAI) neu gael eu cam-drin. *Gw. hefyd* COFRESTR ARSYLWI (OBSERVATION REGISTER).

atelectasis: *atelectasis* ymlediad anghyflawn yr ysgyfaint. Mae *atelectasis cynradd (primary a.)* yn bresennol o'r funud mae'r plentyn yn cael ei eni. Gall *atelectasis eilaidd (secondary a.)* ddigwydd oherwydd sugno meconiwm, licor wedi'i heintio, rhedlif o'r wain neu, yn fwy anaml, gwaed y fam. Methiant y cyfan neu ran o'r ysgyfaint i ymledu; mae'n ganlyniad rhwystr i resbiradaeth neu wendid yn y cyhyrau resbiradu ar enedigaeth yn enwedig mewn babanod sy'n cael eu geni cyn pryd.

athetosis: *athetosis* cyflwr sy'n cael ei nodweddu gan symudiadau anfwriadol y breichiau a'r coesau. Fe'i gwelir mewn plant sydd wedi dioddef trawma geni mewngreuannol neu cernicterws.

atlas: *atlas* y fertebra cerfigol 1af, yn cymalu gydag asgwrn ocsipitol y benglog.

atonic: *atonig* yn ymwneud ag atonedd. *Croth atonig (atonic uterus)* – croth heb dôn effeithlon yn y cyhyrau, naill ai yn ystod yr esgor neu yn y pwerperiwm cynnar.

atony: *atonedd* diffyg tôn yn y cyhyrau.

atresia: *atresia* absenoldeb agoriad llwybr naturiol, e.e. yr oesoffagws neu'r wain; fel arfer camffurfiad cynhenid.

atrial: *atriaidd* yn ymwneud â'r atriwm. *Ffibriliad atriaidd (a. fibrillation):* y galon yn curo'n afreolaidd, sy'n cael ei nodweddu gan gyfangiadau cyflym ar hap y myocardiwm atriaidd, sy'n achosi cyfradd fentrigol hollol afreolaidd, yn aml yn gyflym iawn. *Nam parwydol atriaidd (a. septal defect):* nam cynhenid y galon lle ceir agoredd parhaus yn y gwahanfur atriaidd, oherwydd bod y foramen ovale wedi methu cau.

atrium: *atriwm (llu. atria)* siambr yn y galon, a elwid o'r blaen yn 'awrigl'.

atrophy: *atroffi* unrhyw ran o'r corff yn gwywo, oherwydd bod y celloedd yn dirywio oherwydd diffyg defnydd, diffyg maeth, neu gyflenwad nerfau.

atropine: *atropin* sylwedd gweithredol beladona. Alcaloid sy'n gostwng glafoerio a secretiadau'r llwybr resbiradol, yn llacio sbasmau'r cyhyrau, yn cyflymu curiad y galon ac yn lledu cannwyll y llygad. Fe'i defnyddir cyn rhoi anaesthesia cyffredinol.

attitude: *osgo* perthynas rhannau'r ffetws – pen, asgwrn cefn a breichiau a choesau – i'w gilydd. Mae osgo'r ffetws fel arfer yn un o blygiant and gall fod wedi dad-blygu neu ymestyn lle nad yw safle'r gwegil yn y tu blaen.

atypical: *annodweddiadol* yn amrywio oddi wrth y patrwm arferol.

audit: *awdit* dull o werthuso gofal, rheolaeth a threfn er mwyn sicrhau ansawdd a chost-effeithiolrwydd. Mae awdit clinigol fel arfer yn ddigwyddiad cylchol lle gellir archwilio pob agwedd ar ofal iechyd ac, os oes angen, gwneud newidiadau er mwyn gwella agweddau perthnasol.

auditory: *clybodol* yn ymwneud â'r synnwyr o glywed. *Crud ymateb clybodol (a. response cradle):* dyfais sy'n cael ei defnyddio i sgrinio babanod am nam ar eu clyw. Defnyddir set o ffonau pen i chwarae synau i'r baban ac mae cyfrifiadur yn dadansoddi symudiadau'r baban mewn ymateb i'r synau.

augment: *ychwanegu* cynyddu, gwella neu gyflymu. *Ychwanegu at yr esgor (augmentation of labour):* cyflymu esgoriad sydd wedi cael diagnosis o fethu cynyddu'n foddhaol. Gellir gwneud hyn drwy gyflawni *AMNIO-TOMI* neu drwy roi cyffur ocsitosig megis Syntometrine i'w fewnwythiennol.

aura: *awra* y rhagargoel sy'n aml yn dod

o flaen ffit epileptig ond ddim o flaen ffit eclamptig. *Gw. ECLAMPSIA.*

aural: *clywedol* yn ymwneud â'r glust.

auricle: *awrigl* **1.** rhan allanol y glust. **2.** term a arferai gael ei ddefnyddio am un o'r ddau atriwm neu siambr uchaf y galon.

auscultation: *clustfeinio* dull o archwilio'r organau mewnol drwy wrando ar y seiniau maent yn eu cynhyrchu. Mae clustfeinio ar *SEINIAU CALON Y FFETWS (FETAL HEART SOUNDS)* yn cael ei wneud yn ystod y beichiogrwydd ac wrth esgor, gan ddefnyddio stethosgop Pinard, uwchsain Doppler neu cardiotocograffeg.

autistic: *awtistig* gwrthgilgar. Term sy'n disgrifio plentyn sy'n cael anhawster mawr i ffurfio perthynas bersonol â phobl.

autoclave: *awtoclaf* cyfarpar sydd wedi'i adeiladu'n gadarn ac yn gwbl seliedig sy'n defnyddio ager dan bwysedd mawr i ddiheintio offer.

autogenous: *awtogenaidd* wedi'i gynhyrchu o fewn y corff a heb ei gael o ffynonellau allanol.

autoimmune disease: *afiechyd awtoimiwn* afiechyd sy'n ganlyniad gweithrediad imiwnolegol celloedd corff yr unigolyn neu wrthgyrff ar gydrannau'r corff

autoinfection: *awtoheintiad* heintio'r hunan, h.y. trosglwyddo'r heintiad o un rhan o'r corff i ran arall drwy gyfrwng bysedd, tywelion etc.

autolysis: *awtolysis* hunandreulio. Meinwe yn cael ei dorri lawr drwy infolytedd a groth sy'n digwydd yn y pwerperiwm. Mae'r cyhyrau sydd dros ben yn cael eu torri lawr i sylweddau syml sy'n cael eu hamsugno gan y llif gwaed a'u hysgarthu yn yr wrin.

autonomic: *awtonomig* yn rheoli'r hunan. *System nerfol awtonomig (a. nervous system):* y systemau ymatebol a pharaymatebol sy'n rheoli cyhyrau anwirfoddol.

autonomy: *hunanreolaeth* yn rheoli'r hunan, annibynnol. Mae hunanreolaeth broffesiynol y fydwraig yn golygu ei bod hi'n bersonol yn gyfrifol am ei gweithredoedd ei hun ond ei bod yn gyfreithiol yn cael yr hawl i oruchwylio gofal cyflawn gwragedd mewn beichiogrwydd normal ac wrth esgor yn normal.

autopsy: *awtopsi* archwiliad post mortem.

autosome: *awtosom* unrhyw gromosom ar wahân i'r cromosomau rhyw X neu Y.

avascular: *afasgwlar* heb fod yn fasgwlar. Di-waed.

avitaminosis: *afitaminosis* cyflwr sy'n ganlyniad i brinder fitamin.

axilla: *cesail* o dan y fraich

axillary: *ceseilaidd* yn perthyn i'r gesail. *Cynffon geseilaidd Spence (a. tail of Spence):* cynffon o feinwe bronnol yn ymestyn i'r gesail.

axis: *acsis* **1.** llinell ddychmygol yn pasio drwy ganol corff. **2.** yr ail fertebra cerfigol.

axis of the birth canal: *acsis llwybr y geni* llinell ddychmygol yn cynrychioli'r llwybr y mae'r ffetws yn ei gymryd wrth deithio drwy'r llwybr geni, i lawr ac yn ôl drwy gantel y pelfis a phrif ran y ceudod; yna, ar lefel y pigau isgiaidd, yn troi drwy ongl swâr i fynd i lawr ac ymlaen. *Gw. hefyd PELFIS (PELVIS).*

axis of the pelvis: *acsis y pelfis* llinell ddychmygol yn pasio ar ongl sgwâr drwy ganol pob un o blanau'r pelfis esgyrnog.

axis traction forceps: *gefel dynnu acsis* gefel obstetrig a gynlluniwyd i ganiatáu tynnu yn llinell acsis y pelfis pan fo'r pen uwchlaw lefel allanfa'r pelfis. Nid yw tyniant acsis yn cael ei ddefnyddio'n aml erbyn hyn.

azoospermia: *asoosbermia* absenoldeb sbermatosoa mewn semen.

B

Babinski's reflex or sign: *adwaith neu arwydd Babinski* mae anwesu gwadn y droed yn creu atgyrch lle mae bawd y droed yn plygu tuag i fyny yn lle tuag i lawr. Gwelir hyn mewn babanod newydd eu geni fel adwaith arferol; mae plygiant yn datblygu yn nes ymlaen unwaith i'r plentyn ddysgu cerdded.

Baby Friendly Initiative (BFI): *Menter Gyfeillgar i Fabanod* rhan o ymgyrch fyd-eang gan Fudiad Iechyd y Byd a Chronfa Plant y Cenhedloedd Unedig i sicrhau bod pob mam yn cael ei chynorthwyo i fwydo o'r fron er mwyn ei galluogi i elwa ar y manteision iechyd a'r manteision cymdeithasol. Mae'r *Deg Cam i Fwydo o'r Fron yn Llwyddiannus* a gyflwynwyd gan Fudiad Iechyd y Byd ac UNICEF, yn cynnig ffordd rad ac effeithiol i weithwyr proffesiynol gofal iechyd hybu bwydo o'r fron, gyda gwobr fel cymhelliad. Rhoddir Gwobr Fyd-eang i ysbyty sydd wedi gweithredu'r 10 cam a sydd â chyfradd bwydo o 75%; gwobrwyir Safon y DU fel uchod ond lle mae'r gyfradd bwydo o'r fron yn 50–75%; a rhoddir Tystysgrif Ymrwymiad lle mae'r ysbyty yn gweithio tuag at y 10 cam.

Y deg cam i fwydo o'r fron yn llwyddiannus:

- Polisi bwydo o'r fron ar gael ac yn cael ei roi i bob aelod o'r staff.
- Pob gweithiwr proffesiynol gofal iechyd wedi'i hyfforddi i weithredu'r polisi.
- Pob mam feichiog yn cael ei hysbysu am fanteision bwydo o'r fron a sut i reoli hynny.

- Cynorthwyo mamau i ddechrau bwydo o'r fron o fewn hanner awr ar ôl geni'r baban.
- Addysgu mamau ynglŷn â bwydo o'r fron a dal i gynhyrchu llaeth, hyd yn oed os ydynt wedi'u gwahanu oddi wrth eu babanod.
- Dim byd ond llaeth y fron i gael ei roi i fabanod newydd-anedig oni bai fod angen meddygol am rywbeth arall.
- Y baban i aros wrth wely'r fam 24 awr y dydd.
- Bwydo o'r fron yn ôl y galw.
- Dim tethi na dymi i gael eu rhoi i fabanod sy'n cael eu bwydo o'r fron.
- Sefydlu grwpiau cefnogi bwydo o'r fron.

Bach Flower Remedies: *Meddyginiaethau Blodau Bach* system o feddyginiaeth amgen, a ddyfeisiwyd gan Dr Edward Bach sydd wedi'i seilio ar egwyddorion homeopathig. Gellir defnyddio meddyginiaethau blodau i drin anhwylderau emosiynol a seicolegol. Mae 38 meddyginiaeth blodau yn ogystal â *MEDDYGINIAETH ACHUB* (RESCUE REMEDY). *Gw. hefyd HOMEOPATHI* (HOMEOPATHY).

bacille Calmette-Guérin (BCG): *bacille Calmette-Guérin (BCG)* brechlyn a ddefnyddir fel brechiad yn erbyn y ddarfodedigaeth. Dylid ei roi yn ystod wythnos gyntaf bywyd i fabanod mamau, sy'n dioddef o'r ddarfodedigaeth

bacilluria: *bacilwria* presenoldeb bacili yn yr wrin.

bacillus: *bacilws (llu. bacili)* term cyffredinol ar gyfer organebau siâp rhoden. Maent gan fwyaf yn Gram-negatif ar wahân i **bacilws Koch** (*Koch's bacillus*) a **bacilws Döderlein** (*Döderlein's bacillus*) sydd yn Gram-positif (*gw.* STAEN GRAM: GRAM STAIN).

backache in pregnancy: poen cefn yn ystod beichiogrwydd mae fel arfer yn ganlyniad i lordosis gormodol yn deillio o lefelau pogesteron a relacsin. Gall cywiro ymddaliad y corff a gwisgo cynhalydd i'r meingefn weithiau helpu. Dylid cyfeirio achosion difrifol at ffisiotherapydd, osteopath, ceiropractydd neu athro Techneg Alexander.

backward displacement of the uterus: dadleoliad y groth wrth wyro'n ôl *gw.* ATCHWELIAD (RETROVERSION) y groth.

bacteraemia: bacteraemia presenoldeb bacteria yn y gwaed.

bacteraemic shock: sioc bacteraemig *Gw.* SIOC ENDOTOCSIG (ENDOTOXIC SHOCK).

bacteria: bacteria organebau ungellog microsgopig sydd ar wasgar ym mhobman. Pan fônt yn rhan o'r fflora arferol (symbiotigion) gallant fod o fudd i iechyd e.e. BACILLUS DÖDERLEIN (DÖDERLEIN BACILLUS). Bacteria pathogenaidd yw'r rhai sydd yn gallu achosi clefyd ar ôl mynd i mewn i feinwe. Mae bacteria'n cael eu dosbarthu i ddau brif grŵp, Gram-positif a Gram-negatif, yn ôl eu hadwaith i'r staen Gram. Nodweddion eraill sy'n cael eu defnyddio wrth ddosbarthu bacteria yw eu ffurf a'u hadeiledd, adweithiau metabolaidd, a'u hangen am ocsigen atmosfferig. Mae aerobau angen ocsigen, a dim ond pan nad oes ocsigen mae anaerobau'n tyfu. Mae anaerobau anghyfyngedig yn gallu addasu i'r ddau amgylchedd. Gall bacteria achosi clefyd drwy gynhyrchu tocsinau, drwy achosi llid neu ffurfiant gronynddyfiannau, neu drwy beri adwaith gorsensitifrwydd. Mae Ecsotocsinau yn wenwynau cryf dros ben, sy'n cael eu cynhyrchu can rai

bacteria Gram-positif. Mae Ecsotocsinau yn achosi isbwysedd, twymyn, DIC a sioc. Mae tocsinau eraill yn cynnwys haemolysinau a lewcosidinau sy'n dinistrio celloedd coch a gwyn y gwaed, cinasau sy'n chwalu tolchenni gwaed ac ensymau sy'n ymosod ar feinweoedd.

bacteriological examination: archwiliad bacteriolegol archwiliad microsgopig o hylifau a meinweoedd y corff er mwyn canfod bacteria.

bacteriology: bacterioleg gwyddor yr astudiaeth o facteria.

bacteriophage: bacterioffag firws sy'n heintio bacteria.

bacteriostatic: bacteriostatig yn gallu atal bacteria rhag lluosogi.

bacteriuria: bacteriwria bacteria yn yr wrin, nad yw'n cael ei ystyried o bwys fel arfer oni bai fod 100 000 organeb ym mhob ml. Mae gan bump y cant o holl ferched beichiog bacteriwria ansymptomatig, a bydd rhai ohonynt yn datblygu pyeloneffritis yn ystod beichiogrwydd os nad yw'n cael ei drin.

bag of membranes: sach o bilenni yr amnion a'r corion sy'n cynnwys yr hylif amnii o amgylch y ffetws; weithiau fe'i gelwir y sach o ddyfroedd neu'r goden amniotig.

ballottement: balotiad yn sboncio. Tapio adeiledd sy'n gorwedd mewn hylif, megis y ffetws yn y goden amniotig, yn y fath ffordd fel ei fod yn adlamu yn erbyn y bysedd sy'n archwilio. Gellir **gwneud balotiad mewnol** (*internal b.*) drwy roi dau fys yn y wain rhwng 16 ac 18 wythnos y beichiogiad a thapio'r ffetws gan achosi iddo arnofio i ffwrdd a dod yn ôl yn sydyn at y bysedd sy'n archwilio. Gellir **gwneud balotiad allanol** (*external b.*) drwy wneud archwiliad o'r abdomen pan nad yw'r pen wedi'i gysylltu (engaged); mae pen y ffetws yn derbyn tap caled ar un ochr, yn arnofio i ffwrdd ac yna'n cael ei deimlo yn dod yn ôl at y bysedd sy'n archwilio.

Bandl's ring: *cylch Bandl* CYLCH CYWASG-EDD (RETRACTION RING) yn tewychu'n eithafol mewn esgoriad normal, sy'n digwydd pan fo'r esgoriad yn cael ei rwystro. Mae cylch Bandl i'w deimlo fel cefnen lorweddol sydd ar draws yr abdomen, ac mae'n arwydd fod y groth ar fin rhwygo.

barbiturates: *barbitwradau* grŵp mawr o gyffuriau hypnotig sy'n deillio o asid barbitwrig. Dylid eu hosgoi, oni bai bod eu hangen fel cyffuriau gwrthgynfylsiwn, oherwydd ei bod yn hawdd mynd i ddibynnu arnynt a dod i arfer â hwy.

Barlow's test: *prawf Barlow* prawf i wneud diagnosis o ddatgymaliad cynhenid y glun (CDH) yn y baban newydd-anedig. Mae'n addasiad o brawf Ortolani. Mae'r baban yn gorwedd ar ei gefn gyda'i draed yn pwyntio tuag at yr archwiliwr. Mae'r archwiliwr yn gafael yn y ddwy goes gyda'r penogliniau a'r cluniau wedi'u hymestyn, gan osod bys canol y ddwy law dros y trocantr mwyaf a bawd y ddwy law ar ran fewnol y forddwyd. Yna mae'r cluniau'n cael eu tynnu tuag yn ôl ac mae bysedd canol y dwylo'n gwthio'r trocantr mwyaf ymlaen. Os yw'r glun wedi'i datgymalu bydd y pen ffemoraidd yn cael ei deimlo'n 'clyncio' wrth iddo fynd i mewn i'r asetabwlwm. Os na theimlir 'clync' yna nid yw'r glun wedi'i datgymalu. Mewn achosion o CDH gellir dadleoli'r pen ffemoraidd tuag yn ôl allan o'r asetabwlwm drwy roi pwysau ysgafn pan fo'r cluniau wedi'u plygu ac wedi'u tynnu tuag yn ôl (arwydd Barlow).

Barr body: *corffyn Barr* corffyn bychan sy'n staenio'n dywyll ac a welir yng nghnewyllyn celloedd benywaidd normal, a geir yn aml drwy wneud prawf taeniad o geudod y genau a'i archwilio'n ficrosgopig.

barrier contraception: *atal cenhedlu rhwystrol* rhwystr mecanyddol i atal y sberm rhag mynd i fewn i gamlas gwddf y groth, e.e. diaffram.

barrier nursing: *nyrsio rhwystrol* camau a gymerir gan staff i atal heintiad rhag lledu o un fam i famau eraill a/neu staff. Mae hyn fel arfer yn cynnwys gofalu am y fam a/neu'r baban mewn ystafell neu giwbicl ar wahân. Mae staff yn gwisgo gynau ac yn aml menig, masgiau, sbectol ddiogelwch ac esgidiau uchaf wrth roi gofal. *Nyrsio rhwystrol gwrthol (reverse barrier nursing):* nyrsio rhwystrol gan ddefnyddio'r un dulliau, ond sy'n cael ei wneud gyda'r bwriad o amddiffyn y claf rhag heintiad o'r tu allan, er enghraifft ar ôl trawsblannu organ.

bartholinitis: *bartholinitis* llid ar un neu'r ddwy CHWARREN BARTHOLIN (BARTHOLIN'S GLANDS) sy'n achosi crawniad neu goden.

Bartholin's glands: *chwarennau Bartholin* dwy chwarren sydd wedi'u lleoli yn y gweflau mwyaf (labia majora) gyda dwythellau yn agor yn y wain, yn union tu allan i'r hymen; maent yn cynhyrchu secretiad sy'n iro'r fwlfa.

Bart's test: *prawf Bart* prawf sgrinio cyn y geni, a ddatblygwyd yn wreiddiol o waith gan Ysbyty St Bartholomew (Bart's) yn Llundain, er mwyn adnabod pa ferched sydd â'r risg mwyaf o gael baban â syndrom Down neu â nam tiwb niwral agored. Bydd y merched wedyn yn cael cynnig prawf diagnostig megis amniosentesis. Gellir gwneud y prawf gwaed ar unrhyw amser rhwng 15 a 22 wythnos o'r cyfnod cario, ond fel arfer rhwng 16 ac 18 wythnos a'i gadarnhau â sgan uwchsain. Mae'r gwaed yn cael ei ddadansoddi am y lefelau alffa-ffetoprotein yn y serwm, sy'n isel lle ceir syndrom Down; lefelau conadotroffin corionig dynol alffa a beta rhydd, sydd yn uwch lle ceir syndrom Down, ac oestriolau heb drefn reolaidd bondiau, a all fod yn isel pan fo ffetws wedi'i effeithio. Mae oed y fam yn cael ei ystyried oherwydd bod syndrom Down yn digwydd yn amlach ymhlith mamau hŷn, ac mae ffactorau risg pob gwraig yn cael eu cyfrifo'n unigol. Mae ffactorau risg uwch na 1:300 ar gyfer syndrom Down yn uchel ac fe'u gelwir yn ganlyniad sgrin positif. Mae'r canlyniad hefyd yn bositif os yw lefelau yr alffa-fetoprotein yn fwy na dwy waith a hanner yn uwch na'r lefel canolrif. Mae ffactor risg sy'n is na 1:300 yn ganlyniad sgrin negatif.

Prawf Bart: Dadansoddiad ffactorau risg

Oed y fam	Risg o ganlyniad sgrin-bositif ar gyfer syndrom Down
O dan 25	1:45
25–29	1:30
30–34	1:15
35–39	1:5
40–44	1:2
Dros 45	Mwy na 1:2

basal metabolic rate: *cyfradd metabolaeth waelodol* dyma isafswm y gwres sy'n cael ei gynhyrchu gan berson sy'n gorffwys ac sydd wedi ymprydio am 18 awr. Mae'r dull a ddefnyddir yn golygu bod modd mesur faint o ocsigen a ddefnyddiwyd, ac mae'r canlyniad yn cael ei fynegi fel canran uwchlaw neu islaw'r hyn sy'n arferol ar gyfer oed, taldra a phwysau'r person. Mewn beichiogrwydd mae'r cyfradd yn codi tua 30%.

base: *1. gwaelod, 2. a 3. bas* 1. gwaelod: rhan isaf neu sylfaen rhywbeth. Gelwir *gwaelod penglog y ffetws (b. of the fetal skull)* yn cynnwys 2 asgwrn arleisiol, 1 asgwrn ethmoid, 1 asgwrn sffenoid a rhan o'r *OCSIPWT* (OCCIPUT) wedi'u hasio (fuse) yn dyn at ei gilydd. **2.** bas: prif gynhwysyn cyfansoddyn. **3.** bas: y

rhan o halwyn nad yw'n asid; sylwedd sy'n cyfuno gydag asidau i ffurfio halwynau. Ym mhrrosesau cemegol y corff, mae basau yn hanfodol ar gyfer cadw *CYDBWYSEDD Y BAS ASID* (ACID-BASE BALANCE) yn normal. Mae crynodiad gormodol o fasau yn hylifau'r corff yn arwain at *ALCALOSIS* (ALKALOSIS), felly mae'r pH yn codi.

basophil: *basoffil* lewcocyt sydd ag affinedd â llifynnau basig.

battledore placenta: *brych battledore* brych sydd â llinyn y bogail wedi'i gysylltu â'r ochr yn hytrach na'r canol. *Gw. hefyd BRYCH (PLACENTA).*

Bell's palsy: *parlys Bell* parlys yr wyneb oherwydd oedema nerf yn yr wyneb. Mae'n digwydd weithiau mewn beichiogrwydd ond fel arfer dim ond dros dro y mae.

Benedict's qualitative reagent: *adweithydd ansoddol Benedict* hydoddiant sy'n cynnwys sodiwm carbonad, sodiwm sitrad a chopr sylffad, sy'n cael ei ddefnyddio fel prawf ar gyfer canfod glwcos a sylweddau rhydwytho eraill yn yr wrin neu'r ysgarthion.

benzodiazepine: *bensodiazepin* unrhyw un o grŵp o gyffuriau sydd ag adeiledd moleciwlaidd tebyg. Mae'r grŵp yn cynnwys y tawelyddion-hypnotigion (sedative-hypnotics) chlordiazepoxide, diazepam, oxazepam, flurazepam a clorazepate, sy'n gyffryngau gwrth-bryder (anti-anxiety agents); a'r gwrthgynfylsiynydd clonazepam. Mae defnydd estynedig o'r cyffuriau hyn yn aml yn achosi dibyniaeth.

bereavement: *profedigaeth* colled, fel arfer colli rhywun annwyl, drwy farwolaeth neu wahanu, ond gall olygu colli'r iechyd da, cyfoeth neu safle oedd gan rywun gynt. Mae'n cynhyrchu adwaith seicolegol gyda chamau dilynol o ddicter, gwadu, gwrthod credu, ac yn y diwedd, derbyn.

beta-: *beta-* yr ail lythyren yn y wyddor Roeg, B; fe'i defnyddir i ddynodi'r ail safle mewn system ddosbarthu. Mae *derbynyddion adrenergaidd beta (b. adrenergic receptors)* yn safleoedd penodol ar gelloedd yr effeithir arnynt sy'n ymateb i adrenalin. *Beta-atalydd (b. blocker):* cyffur sy'n atal effaith adrenalin mewn derbynleoedd beta-adrenergaidd ar gelloedd organau yr effeithir arnynt e.e. cyffuriau gwrth-orbwysedd. Pan fônt yn cael eu defnyddio yn hwyr yn ystod beichiogrwydd, gallant achosi hypoglycemia a bradycardia newydd-anedig. *Streptococws hemolytig beta (b. haemolytic streptoccocus):* math ffyrnig o streptococws sy'n gallu haemoleiddio corffilod coch y gwaed. Mae'r streptococysau haemolytig beta wedi'u rhannu i grwpiau seroteip sy'n cael eu dynodi gan lythrennau e.e. Grŵp A. Achosant heintiau difrifol yn y newydd-anedig.

betamethasone sodium phosphate: *sodium ffosffad betamethason* glwcosteroid synthetig, y mwyaf actif o'r steroidau gwrthlidiol. Gellir ei roi i fam sy'n debygol o eni baban o fewn

cyfnod cario o lai na 34 wythnos. Mae'n lleihau'r risg o syndrom trafferth anadlu (RDS) drwy beri cynnydd yn lefelau lecithin y baban. Rhoddir 24mg wedi'i rannu mewn dosau i mewn i'r cyhyr.

bi-: *dau-, deu-, dwy-* rhagddodiad sy'n golygu 'dau'.

bicarbonate: *deucarbonad* halwyn o asid carbonig (H2CO3) lle mae un atom hydrogen wedi rhoi ei le i fas e.e. sodiwm bicarbonad, NaHCO3. Fel arfer fe'i defnyddir i drin *ASIDAEMIA (ACIDAEMIA).*

bicornuate: *deugorniog* gyda dau gorn. *Croth ddeugorniog (b. uterus):* cam-ffurfiad cynhenid lle mae rhaniad fertigol llawn neu rannol yng nghorff y groth. Mae beichiogrwydd ac esgoriad normal yn bosibl ond gall fod yn gysylltiedig â chamgyflwyniad parhaus a dargadw'r brych.

bidet: *bidet* basn isel a chul ar stand gyda dŵr o dap, sy'n cael ei ddefnyddio i olchi'r perinëwm a'r fwlfa.

bifid: *deuholltog* hollt mewn dwy ran neu ganghennau. Gyda *SPINA BIFIDA* mae cnepynau pigynnog un neu fwy o'r fertebrâu yn methu ag uno ac yn aros yn rhanedig, neu wedi'u hollti.

bifurcation: *fforchiad* fforchio neu rannu yn ddwy gangen. Weithiau bydd gan y groth fforchiad o ganlyniad i ddatblygiad annormal y ffetws. Gall hyn arwain at anallu i gario'r ffetws i'w gyfnod llawn.

bilateral: *dwyochrol* yn perthyn i'r ddwy ochr.

bile: *bustl* sylwedd gwyrdd tywyll sy'n cael ei secretu gan gelloedd yr iau (afu) a'i storio yn y goden fustl a'i basio i'r coluddyn, lle mae'n cynorthwyo'r treuliad drwy emwlsio braster, ac actifadu lipas. *Dwythellau'r bustl (b. ducts):* y dwythellau y mae'r bustl yn pasio drwyddynt o'r iau (afu) a'r goden fustl i'r coluddyn. *Pigmentau'r bustl (b.pigments):* BILIRWBIN (BILIRUBIN) a biliferdin.

biliary: *bustlog* yn ymwneud â dwythell y bustl.

bilirubin: *bilirwbin* pigment lliw melynoren yn y bustl, sy'n deillio o ddiraddiad haemoglobin. Mae'n hydawdd mewn braster ac nid oes gan fondiau'r moleciwlau batrwm rheolaidd hyd nes ei wneud yn hydawdd mewn dŵr, h.y. hyd nes i'r iau (afu) ei reoleiddio, pan gaiff ei ysgarthu fel sterocobilin yn yr ysgarthion. Os yw'r broses yma'n methu ar unrhyw bwynt, mae bilirwbin yn mynd i'r croen a'r sglera (gwyn y llygad), gan achosi *CLEFYD MELYN* (JAUNDICE) neu *ICTERWS* (ICTERUS).

bilirubinometer: *bilirwbinofesurydd* offeryn ar gyfer mesur y crynodiad o filirwbin yn y serwm.

biliverdin: *biliferdin* pigment bustl gwyrdd, ffurf ar filirwbin wedi'i ocsideiddio

Billing's method: *dull Billing* math o gynllunio teulu. Mae'r wraig a'i phartner yn cael eu dysgu i sylwi ar y newidiadau sy'n digwydd ym mwcws gwddf y groth 3 i 4 diwrnod cyn ofwliad er mwyn iddynt osgoi cyfathrach rywiol o gwmpas yr adeg yma. Mae'r mwcws yn cynyddu mewn swm ac mae'n teneuo er mwyn hwyluso taith y sbermatosoa drwy wddf y groth. Mae'r math yma o gynllunio teulu, pan fo'n cael ei ddefnyddio gyda dulliau naturiol eraill megis monitro tymheredd y corff, yn cael ei adnabod fel y dull symptothermal.

bimanual: *â dwylaw* yn defnyddio dwy law. *Archwiliad â dwy law* (b. examination): archwiliad, fel arfer o'r ceudod pelfig, pan fydd un llaw ar yr abdomen a'r llall gydag un bys yn y rectwm neu un neu ddau fys yn y wain.

bimanual compression of the uterus: *cywasgu'r groth â dwy law* gweithred i atal gwaedlif ôl-enedigol difrifol ar ôl geni'r brych pan fo'r groth yn atonig. Rhoddir y llaw dde i mewn i'r wain a'i chau i wneud dwrn, sy'n cael ei bwyso

Cywasgu'r Groth â Dwy Law

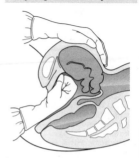

i mewn i fwa blaen y wain. Mae'r llaw chwith, ar fur yr abdomen yn tynnu'r groth ymlaen, fel bod y muriau blaen ac ôl wedi'u gwasgu ynghyd yn dyn. Mae hyn yn golygu bod modd rhoi pwysedd uniongyrchol ar safle'r brych i atal y gwaedu.

binovular: *deuofwl* yn datblygu o ddau ofwl. Mewn beichiogrwydd gefeilliaid deuofwl mae dwy goden gario gyfan, y ddwy gyda ffetws, brych, corion ac amnion, yn datblygu yn y groth gyda'i gilydd. Fe'u gelwir hefyd yn efeilliaid deusygotig, deugorionig neu frawdol. Gall yr efeilliaid fod o'r un rhyw neu o ryw gwahanol ac yn edrych yn debyg neu'n annhebyg i'w gilydd, yn yr un ffordd â brodyr neu chwiorydd nad ydynt yn efeilliaid. Maent tua pum gwaith yn fwy cyffredin na gefeilliaid unofwl.

biochemistry: *biocemeg* cemeg mater byw.

biological pregnancy tests: *profion beichiogrwydd biolegol* profion beichiogrwydd wedi'u seilio ar effaith hormonau beichiogrwydd ar anifeiliaid byw; bellach maent wedi'u disodli i raddau helaeth gan brofion imiwnolegol e.e. Gravindex.

biophysical profile: *proffil bioffisegol* prawf o ffyniant y ffetws nad yw'n fewnwthiol, sy'n defnyddio sgan uwchsain i fesur cyfradd calon y ffetws, cyflwr cyhyrau'r ffetws, symudiadau somatig a chyfaint yr hylif amniotig. Rhoddir sgôr i bob ffactor er mwyn cyrraedd sgôr bioffisegol cyflawn, sy'n ragfynegydd manwl gywir o farwolaeth y ffetws mewn beichiogrwydd risg uchel. Gall y cyfnod cario, salwch y fam, meddyginiaeth therapiwtig, camddefnyddio sylweddau neu annormaledd y ffetws effeithio ar y sgôr.

biopsy: *biopsi* arsylwi mater byw. Tynnu meinwe o'r corff er mwyn ei archwilio'n ficrosgopig a gwneud diagnosis.

biorhythm: *biorhythm* unrhyw ddigwyddiad cylchol biolegol, e.e. cylch y mislif, patrwm cwsg, sy'n effeithio ar fywyd bob dydd.

biparietal diameter: *diamedr dwy-barwydol* rhwng rhipiau parwydol penglog y ffetws; y mesuriad traddodiadol yw 9.5 cm i faban cyfnod llawn. Gellir ei fesur drwy geffalometreg uwchsonig o 9 wythnos o'r cyfnod cario ymlaen gan ddefnyddio sgan-A. Mae mesuriadau cyfresol o'r diamedr dwybarwydol yn ystod beichiogrwydd yn cael eu defnyddio i asesu oedran a thwf y ffetws. Dywedir bod pen y ffetws wedi cysylltu yn y pelfis pan fo'r diamedr dwybarwydol, sef y diamedr ardraws lletaf wedi pasio drwy gantel pelfis y fam; mae hyn yn dynodi y dylai esgoriad drwy'r wain fod yn bosibl. Mae coruno yn digwydd pan fo'r diamedr dwybarwydol yn lledu'r fwlfa yn ystod yr esgoriad ac nid yw'r pen yn encilio mwyach yn ystod y cyfangiadau.

biparous: *deubaraidd* rhoi genedigaeth i ddau faban ar yr un pryd, h.y. efeilliaid.

bipolar: *deubegynol* yn ymwneud â dau begwn neu ben, ac yn cael ei ddefnyddio wrth gyfeirio at y ffetws a'r groth sydd ar fin esgor.

birth canal: *llwybr geni* yr adeiladdau o feinwe esgyrnog a meddal y mae'n rhaid i'r ffetws basio drwyddynt er mwyn cael ei eni. *Gw. PELFIS* (PELVIS).

birth certificate: *tystysgrif geni* datganiad a roddir gan gofrestrydd genedigaethau, priodasau a marwolaethau yr ardal lle ganwyd y plentyn. Mae'n ardystio manylion rhieni, enw a rhyw y plentyn, a dyddiad a man ei enedigaeth. Rhaid i'r rhieni, neu os na allant hwy, unrhyw un a oedd yn bresennol yn yr enedigaeth, gael y dystysgrif hon o fewn 42 diwrnod i'r enedigaeth yn Lloegr (21 yn yr Alban). Mae'n rhoi statws cyfreithiol i'r plentyn ac mae'n angenrheidiol cyn y gall y plentyn dderbyn Budd-dâl Plant. Mae tystysgrif geni yn cael ei darparu ar gyfer unrhyw blentyn a anwyd yn fyw, beth bynnag fo'r cyfnod cario. Darperir tystysgrif geni'n farw i fabanod a fu 24 wythnos yn y groth neu fwy, nad oedd yn anadlu nac yn dangos arwyddion eraill o fywyd ar ôl cael eu llwyr fwrw allan o'r fam.

birth control: *rheoli cenhedlu* atal neu osgoi cenhedlu.

birth injury: *anaf geni* niwed i'r plentyn a ddigwyddodd yn ystod genedigaeth. *Gw. GWAEDLIF* (HAEMORRHAGE), *CEFFAL-HAEMOTOMA* (CEPHALOHAEMOTOMA) a *PHARLYS ERB* (ERB'S PARALYSIS).

birth mark: *man geni* nam neu smotyn cynhenid ar y croen, fel arfer i'w weld ar enedigaeth neu'n fuan wedyn. *Gw. hefyd NAEFWS* (NAEVUS).

birth plan: *cynllun geni* cynllun sy'n cael ei baratoi gan y fam feichiog, gan amlaf ar y cyd â'i phartner a'i bydwraig, sy'n cofnodi ei dewisiadau ynglŷn â gofal yn ystod ac ar ôl esgor.

birth rate: *cyfradd genedigaethau* y nifer o enedigaethau yn ystod un flwyddyn i bob 1000 o'r boblogaeth sy'n cael eu hamcangyfrif ar ganol blwyddyn yn ystod un flwyddyn (cyfradd genedigaethau bras), i bob 1000 o'r boblogaeth fenywaidd sy'n cael ei hamcangyfrif ar ganol blwyddyn (cyfradd genedigaethau bur), neu i bob 1000 o'r bobologaeth fenywaidd mewn oed i gael plant (union gyfradd genedigaethau), sef rhwng 15 a 45.

birth stool: stôl eni stôl y mae mam yn eistedd arni i roi genedigaeth.

birth weight: pwysau geni pwysau babi yn syth ar ôl iddo gael ei eni. Mae manwl gywirdeb yn hanfodol gan ei fod yn gosod man cychwyn ar gyfer asesu ei ddatblygiad i'r dyfodol ac hefyd yn cael ei ddefnyddio ar gyfer ystadegau cenedlaethol. Yn y DU ar hyn o bryd cyfartaledd pwysau baban iach cyfnod llawn ar ei enedigaeth yw 3.5kg.

birth, notification of: hysbysu'r geni rhaid i berson oedd yn bresennol, neu yn gwasanaethu, yn yr enedigaeth neu o fewn 6 awr yn ddiweddarach, hysbysu Cyfarwyddwr Iechyd y Cyhoedd o fewn 36 awr (Deddf Iechyd Cyhoeddus, 1936). Mae'r cyfrifoldeb yma'n cael ei ysgwyddo gan y fydwraig a oedd yn bresennol.

birth, registration of: cofrestru genedigaeth rhaid i un o'r rhieni gofrestru'r enedigaeth o fewn 42 diwrnod yn swyddfa'r cofrestrydd yn ardal y geni (21 diwrnod yn yr Alban). Mae peidio â gwneud hynny'n golygu dirwy. Cyfrifoldeb y fydwraig ydyw os yw'r rhieni yn methu â gwneud.

birthing chair: cadair eni cadair y mae mam yn esgor arni. Mae rhai yn cael eu gweithredu'n electronig, ac felly gellir eu gwthio'n ôl yn gyflym ac yn rhwydd yn ôl yr angen. Y fantais yw y gall y fam eistedd tra mae'r fydwraig yn gallu gweld beth sy'n digwydd yn glir a chael mynediad da yn ystod y geni. Yr anfanteision yw bod y fam yn colli mwy o waed yn gymedrig a bod cynnydd yn yr achosion o waedlif ôl-enedigol. I leihau'r problemau hyn fe argymhellir y dylid gogwyddo'r gadair i 40° i'r fertigol

yn union cyn y geni a thrwy gydol trydydd cam yr esgor. Bellach gellir troi rhai gwelyau geni yn gadeiriau.

birthing room: ystafell eni fel arfer mae'n cyfeirio at ystafell ar gyfer esgor a geni normal, sydd wedi'i dodrefnu mewn modd cyffyrddus a chartrefol.

bisacodyl: bisacodyl carthydd i'w lyncu mewn tabled neu i'w ddefnyddio fel tawddgyffur sy'n cael ei ddefnyddio i drin rhwymedd.

bisacromial diameter: diamedr bisacromaidd diamedr a fesurir rhwng y cnepynnau acromion ar y palfeisiau (asgwrn yr ysgwydd). Mae mesuriad y ffetws tua 12 cm.

bisexual: deuryw deuryw. Gyda gonadau'r ddau ryw.

Bishop's score: sgôr Bishop dull o asesu addasrwydd gwddf y groth, cyn cychwyn yr esgor.

bitemporal: deuarleisiol diamedr a fesurir rhwng dau bwynt pellaf asiad y corun; ar benglog y ffetws mae'n mesur 8.2 cm.

bitrochanteric diameter: diamedr bitrocanterig diamedr a fesurir rhwng trocanterau mwyaf esgyrn y glun; ar y ffetws mae'n mesur 10 cm, a dyma'r diamedr ar gyfer cysylltu yn y cyflwyniad ffolennol.

bladder: pledren y gronfa ar gyfer wrin, yn bwysig yn obstetrig o ganlyniad i'w safle o flaen y groth a'r wain. Os yw'r groth sy'n tyfu, neu'r rhan sy'n cyflwyno, yn pwyso ar y bledren, unwaith y mae wedi cysylltu yn y pelfis yn agos at ddiwedd y cyfnod cario, gall achosi amlder troethiad. Gallai croth wrthröedig garcharu'r bledren, gan arwain at ddargadw wrin rhwng 12 ac 20 wythnos y beichiogrwydd. Gall chwydd y bledren wrth esgor atal cyfangiadau'r groth a gall arwain at oedi neu waedlif.

blastocyst: blastocyst beichiogrwydd cynnar iawn tua wythnos ar ôl cenhedliad. Mae'r haen allanol, y

Sgôr Bishop				
Meini prawf	Sgôr			
Gwddf y groth	0	1	2	3
Ymlediad (cm)	Ar gau	1–2	3–4	5+
Hyd (cm)	3	2	1	0
Ansawdd	Cadarn	Canolig	Meddal	
Safle	Ôl	Canol	Blaen	
Pen				
Safle (mewn cm)				
uwchben y pigau isgiaidd	−3	−2	−1	0

Sgôr 5 neu lai: mewn primigravida mae hyn yn *anffafriol*.

Gweithredu. Annog gwddf y groth i aeddfedu drwy roi prosaglandin E_2 (Prostin E_2) ar ffurf pesari yn y wain y noson cyn ysgogi'r esgor.

Sgôr 6 neu fwy: dynoda hyn wddf croth sy'n ffafriol i ysgogi'r esgor.

troffoblast, yn datblygu i fod yn frych a chorion, ac mae'r clwstwr celloedd mewnol, clwstwr o gelloedd sy'n ymestyn i mewn i'r ceudod, yn datblygu yn ffetws ac amnion.

blastoderm: *blastoderm* celloedd cenhedlol yr embryo sy'n cynnwys tair haen, ectoderm, mesoderm, endoderm.

bleeding time: *amser gwaedu* yr amser sydd ei angen i anaf bychan stopio gwaedu. Yr amser arferol yw 3–4 munud.

blighted ovum: *aflwydd ar yr ofwm* ofwm annormal.

BLISS (Baby Life Support Systems): *BLISS* mudiad elusennol sy'n casglu arian i gael cyfarpar ar gyfer babanod sydd angen gofal arbennig a dwys mewn unedau i fabanod newydd-anedig.

blister: *pothell / swigen* casgliad serwm rhwng yr epidermis a'r gwir groen. Mae pothelli/swigod dyfrllyd yn codi ar gorff babi o fewn 3 wythnos cyntaf ei fywyd yn arwydd o *PEMPHIGUS NEONATORUM*.

block: *bloc* 1. rhwystr neu ataliad. 2. anesthesia lleol. *Bloc epidwral (epidural b.)*: anaesthesia sy'n cael ei gynhyrchu gan bigiad o anaesthetig lleol rhwng y pigynnau fertebrol ac o dan y ligamentum flafum i mewn i'r bwlch epidwral. Fe'i defnyddir yn helaeth i leddfu poen wrth esgor. *Bloc paragerfigol (paracervical b):* anaesthesia'r plecsws hypogastrig isaf a'r ganglia sy'n cael ei gynhyrchu drwy chwistrelliad o'r anaesthetig lleol i fwâu ochrol y wain. *Bloc pwdendal (pudenal b.):* anaesthesia sy'n cael ei gynhyrchu drwy flocio'r nerfau pwdendal, a wneir drwy chwistrellu anaesthetig lleol i diwberosedd yr isgiwm. *Gw. hefyd ANAESTHESIA EPIDWRAL* (EPIDURAL ANAESTHESIA), *BLOC PARAGERFIGOL* (PARACERVICAL BLOCK), *BLOC PWDENDAL* (PUDENDAL BLOCK).

blood: *gwaed* yr hylif sy'n cylchredeg drwy'r galon a'r pibellau gwaed, gan gyflenwi ocsigen a defnyddiau maethol i bob rhan o'r corff, ac yn cludo cynnyrch gwastraff etc. i ffwrdd. Mae iddo swyddogaeth hanfodol yn cadw cydbwysedd yr hylifau. Mae dwy ran i waed: **1.** plasma, y rhan hylifol, a **2.** elfennau ffurfiedig, y celloedd gwaed a'r platennau wedi'u dal mewn hylif. *Plasma* yw tua 55% o holl gyfaint y gwaed. Mae'n cynnwys tua 92% o ddŵr, 7% o broteinau a llai na 1% o halwynau anorganig, sylweddau organig nad ydynt yn broteinau, nwyon hydoddedig, hormonau, gwrthgyrff ac ensymau. Gelwir plasma y mae ffibrinogen wedi cael ei dynnu allan ohono yn serwm. Celloedd gwaed a phlatennau yw cynnwys 45% o holl gyfaint y gwaed. Maent yn cynnwys corffilod coch y gwaed (celloedd coch y gwaed), lewcocytau (celloedd gwyn y gwaed) a phlatennau (thrombocytau). Mae 35 x 10^{12} cell coch y gwaed yn yr oedolyn arferol ac maent yn cario ocsigen o'r ysgyfaint i'r meinweoedd drwy gyfrwng yr haemoglobin. Lewcocytau yw amddiffyniad cyntaf y corff yn erbyn heintiau. Maent yn hirach na chelloedd coch y gwaed ac fel arfer mae gan y gwaed tua 8 x 10^9 o gelloedd gwyn y gwaed ym mhob litr. Pan fo haint yn bresennol mae eu niferoedd yn cynyddu'n fawr. Mae platennau yn gwneud i'r gwaed geulo ac maent yn ymwneud â chyfangiad tolchen. Pan fônt yn dod ar draws pibell waed sy'n gollwng, maent yn adlynu wrth ochrau'r meinwe clwyfedig ac yn creu matrics y mae'r dolchen yn ffurfio arno. Mae tua 350–500 x 10^9 platen yn y gwaed. *Gwaed ffres (fresh b.):* mae'n ddefnyddiol mewn achosion o grawniad actif neu glefyd haemolytig, neu i'w roi yn lle gwaed a gollwyd mewn gwaedlif. *Gwaed storedig (stored b.):* mae'n cael ei gadw am hyd at 3 wythnos ar 4°C ac mae'n ddefnyddiol ar gyfer pob achos brys o waedlif.

blood clotting: *gwaed yn ceulo* tolchennu. *Gw. CEULO (CLOTTING).*

blood count: *cyfrif gwaed* Gw. Atodiad 2.

blood gas analysis: *dadansoddiad nwy y gwaed* archwiliad labordy o waed rhydweliau a gwythiennau er mwyn mesur lefelau a phwysau neu densiwn ocsigen a charbon deuocsid, a chrynodiad ïonau hydrogen (pH). Mae dadansoddiadau o nwyon y gwaed yn rhoi'r wybodaeth ganlynol: PaO_2 – pwysau rhannol (P) ocsigen (O_2) – yng ngwaed y rhydweliau (a); SaO_2 – canran yr haemoglobin sydd ar gael sydd wedi ei drwytho (Sa) gan ocsigen (O_2); $PaCO_2$ – pwysau rhannol (P) carbon deuocsid (CO_2) yng ngwaed y rhydweliau (a); pH – mynegiant i ba raddau y mae'r gwaed yn alcalïaidd neu'n asidig; HCO_3 – lefel y plasma bicarbonad; dangosydd a statws metabolaidd asid-bas.

blood grouping: *grwpio gwaed* Gw. GRWPIAU GWAED ABO *(ABO BLOOD GROUPING).*

blood pressure: *pwysau gwaed* y pwysedd neu'r grym y mae gwaed yn ei roi yn erbyn waliau'r pibellau gwaed. Er bod rhywfaint o bwysedd ym mhob pibell waed, mae'r term yn cael ei ddefnyddio i gyfeirio at bwysedd gwaed rhydweliau. Mae'r pwysedd yma'n dibynnu ar sawl ffactor sy'n perthyn i'w gilydd, gan gynnwys gwaith y galon yn pwmpio'r gwaed, y gwrthiant i lif y gwaed yn y rhydweliau, elastigedd waliau'r prif rydweliau, cyfaint y gwaed, a chyfaint hylif allgellog, a gludedd y gwaed, neu ei drwch. Mesurir pwysau gwaed yn rhydweli'r fraich drwy ddefnyddio sffygmomanofesurydd. Cofnodir dwy lefel: y pwysedd systolig, sef y pwysedd mwyaf pan fo'r fentrigl wedi'i gyfangu; a phwysedd diastolig, sef y pwysedd yn y bibell pan fo'r fentriglau yn gorffwys. Dylai'r fydwraig asesu pwysau gwaed y fam ym mhob apwyntiad cyn geni a dwyn y mater i sylw'r obstetregydd os yw'r pwysedd systolig yn codi uwchben 130 mmHg, neu'r pwysedd diastolig yn codi uwchben 90 mmHg, neu pan fo'r pwysedd diastolig yn codi mwy na 15 mmHg uwchben darlleniad dechreuol y trimestr cyntaf.

blood products: *cynhyrchion gwaed* grŵp o gynhyrchion sy'n deillio o waed. Mae'r rhan fwyaf o unedau gwaed yn cael eu dosbarthu ar gyfer trallwysiad fel celloedd coch pacedig; mae'r hylif uwchwaddod (plasma) yn cynnwys platennau, celloedd gwyn, ffactorau ceulo/tolchennu a phroteinau plasma gan gynnwys imiwnoglobin. Gellir dosbarthu cynhyrchion gwaed i gael eu defnyddio'n syth e.e. celloedd coch, platennau, wedi'u rhewi yn eu stâd naturiol i gael eu defnyddio'n hwyrach e.e. plasma wedi'i rewi'n ffres (FFP), neu wedi'i gronni a'i grynodi i gyrraedd lefelau therapiwtig e.e. crynodiad ffactor VIII i drin haemoffilia.

blood sugar: *siwgr gwaed* crynodiad siwgr yn y gwaed. Y mesuriad mwyaf cyffredin yw'r un ar gyfer glwcos ac mae'n cael ei fesur mewn milimolau y litr (mmol/l). Mae lefelau oedolion nad ydynt yn feichiog rhwng 3.3 a 5.3 mmol/l, ac mae lefelau beichiogrwydd rhwng 3.3 a 6.1 mmol/l. Gallai crynodiadau newydd-enedigol fod yn llawer is: 2.2–5.3 mmol/l. *Gw. hefyd* HYPOGLAECEMIA.

blood transfusion: *trallwyso gwaed* cyflwyno gwaed o roddwr i gylchrediad gwaed y derbynnydd.

blood urea: *wrea'r gwaed* cyfartaledd yr wrea yn y gwaed. Fel arfer mae rhwng 2.5 a 5.8 mmol/l (15–35mg / 100ml). Yn ystod beichiogrwydd mae'r lefel yn mynd yn is i rhwng 2.3 a 5.0 mmol/l (14–30mg / 100ml).

blood volume: *cyfaint y gwaed* cyfanswm y gwaed yn y corff. Mae rheoli cyfaint y gwaed yn y system cylchrediad gwaed yn cael ei effeithio gan y mecanwaith cynhenid ar gyfer cyfnewid hylif yng nghapilariau'r pilenni, a gan ddylanwadau hormonaidd ac atblygiadau nerfol sy'n effeithio ar ysgarthiad hylifau gan yr arennau. Mae lleihad cyflym yng nghyfaint y gwaed, fel mewn gwaedlif, yn lleihau allbwn y galon yn sylweddol ac yn achosi cyflwr sy'n cael ei alw'n *SIOC* (SHOCK) neu sioc y cylchrediad gwaed. Ar y llaw arall, mae cynnydd yng nghyfaint y gwaed, megis pan fo'r corff yn dargadw dŵr a halen yn y gwaed o ganlyniad i fethiant yr arennau, yn achosi cynnydd yn allbwn y galon. Canlyniad y sefyllfa yma yn y diwedd yw cynnydd ym mhwysau gwaed y rhydweli. Gellir asesu cyfaint gwaed drwy ddefnyddio cathetrau mewn-fasgwlaidd megis y cathetr PWYSAU GWYTHIENNOL CANOLOG (CENTRAL VENOUS PRESSURE), sy'n mesur pwysedd yn yr atriwm dde, a'r cathetr Swan-Ganz, sy'n mesur y pwysedd ar ddwy ochr y galon.

body mass index (BMI): *mynegai màs y corff* pwysau mewn cilogramau wedi'i rannu â'r taldra (metrau) sgwâr. Mae BMI 20–25 yn normal; llai na 20 yn golygu bod rhywun dan bwysau; mwy na 25 yn golygu bod rhywun dros bwysau.

bone marrow: *mêr* sylwedd a geir yng ngheudodau gwag esgyrn. *Mêr coch (red b. m.):* yn esgyrn a bongorff a'r benglog yn unig, mae'n ffurfio'r holl gelloedd coch a gwyn ar wahân i rai lymffocytau. *Mêr melyn brasterog (yellow fatty b.m.):* mae'n bresennol yn esgyrn hir oedolion ac nid yw fel arfer yn ymwneud â ffurfiant gwaed.

booking: *bwcio* y term a roddir i apwyntiad cychwynnol gwraig feichiog sy'n dymuno trefnu gofal cyn geni ac yn ystod yr esgoriad gyda bydwraig. Gall yr apwyntiad gael ei gynnal yng nghartref y fam, ym meddygfa'r meddyg teulu neu ganolfan iechyd neu mewn clinig cyn geni mewn ysbyty. Mae'r fydwraig yn cofnodi manylion hanes meddygol, llawfeddygol, obstetrig a chymdeithasol y fam a'i theulu ac mae'n ymgymryd ag arsylwi cychwynnol o bwysau, profi wrin a phwysedd gwaed; bydd profion gwaed yn cael eu hanfon i labordy. Mae cyfle i'r fam a'r fydwraig gyda'i gilydd i gynllunio'r gofal mwyaf addas yn ystod y beichiogrwydd, yr esgoriad a'r pwerperiwm, i ddatblygu perthynas a thrafod unrhyw faterion sy'n achosi pryder.

borborygmous: *rymblan* y sŵn grymial a gynhyrchir gan wynt yn y coluddyn.

bougie: *bougie* offeryn hyblyg wedi'i wneud allan o blastig neu gwm elastig ac sy'n cael ei ddefnyddio i led culfan, megis yr oesoffagws neu'r wrethra neu'r wain.

bowel: *perfedd* y coluddyn. *Synau'r perfedd (bowel s.):* synau a gynhyrchir gan symudiad cynnwys y coluddyn drwy'r llwybr ymborth gwaelod. Mae absenoldeb synau'r perfedd yn nodweddu lleihad mawr yn y symudiad peristaltig neu ei absenoldeb llwyr. Gall hyn ddigwydd mewn achosion megis ilëws paralytig a rhwystr datblygedig yn y coluddion a all ddigwydd ar ôl llawdriniaeth abdomenol megis toriad Cesaraidd.

Bowman's capsule: *capsiwl Bowman* cychwyn neffron yr aren, sy'n amgylchynu tusw o gapilarïau arennol – y glomerwlws. Mae hidlo'n digwydd o'r gwaed i'r *TIWBYN* (TUBULE); fe'i gelwir hefyd yn gapsiwl glomerwlaidd.

Boyle's anaesthetic machine: *peiriant anaesthetig Boyle* peiriant anaesthetig llif di-dor sy'n cyflenwi ocsigen ac ocsid nitrus ynghyd â seiclopropan, halothan a chyfryngau anaesthetig eraill yn ôl yr angen.

brachial: *y fraich* yn ymwneud â'r fraich. *Rhydweli'r fraich (b. artery):* parhad o rydweli'r gesail ar hyd ochr fewnol rhan uchaf y fraich. *Plecsws y fraich (b. plexus):* plecsws nerfol sydd wedi'i leoli uwchben y clafici ac yng ngwraidd y gwddf. Mae wedi'i ffurfio o rami blaen sylfaenol Ved, Vled, VIIfed ac VIIIfed nerf cerfigol yr asgwrn cefn a'r nerfau thorasig 1af. Gall y plecsws gael ei niweidio yn ystod yr enedigaeth drwy lediad gorfodol yr ongl rhwng y pen a'r ysgwyddau yn ystod esgoriad ffolennol neu gyflwyniad corun pen gyda dystocia'r ysgwydd. Gall *PARLYS ERB* (ERB'S PARALYSIS) neu *BARLYS KLUMPKE* (KLUMPKE'S PARALYSIS) fod yn ganlyniad i hyn.

brachydactylia: *brachydactylia* bysedd anarferol o fyr.

bradycardia: *bradycardia* curiad calon anarferol o araf a ddangosir gan arafiad cyfradd curiad y galon i lai na 60 y funud neu, yn achos y ffetws, i guriad calon o lai na 100 curiad y funud.

bradykinin: *bradycinin* pepdid a ffurfir wrth i'r ensymau ddiraddio protein. Fasoymledydd pwerus sydd hefyd yn peri i gyhyr llyfn gyfangu.

brain: *ymennydd* y rhan dra arbenigol o'r prif system nerfol sydd o fewn y greuan. *Gw. hefyd FFALCS CEREBRI* (FALX CEREBRI) a *TENTORIWM CEREBELI* (TENTORIUM CEREBELLI).

brain death: *marwolaeth yr ymennydd* coma na ellir deffro ohono.

brain scanning: *sganio'r ymennydd* techneg ddelweddu a ddefnyddir i ganfod annormaleddau'r ymennydd e.e gwaedlif mewngorunol yn y newyddanedig.

bran: *bran* plisgyn grawn, yn cynnwys llawer o ddeunydd garw a fitaminau B. Caiff ei argymell yn aml i leddfu rhwymedd mewn gwragedd beichiog, ond dylid eu hannog hefyd i yfed o leiaf ddwywaith gymaint o hylif ag arfer.

Brandt-Andrews manouvre: *symudiad Brandt-Andrews* dull o eni'r pilenni a'r brych ar ôl iddynt ddisgyn i mewn i'r wain. Mae un llaw yn codi'r groth gyfangedig i ffwrdd o'r brych, tra mae'r llaw arall yn rhoi gwrth-densiwn ar y llinyn. Mae'r dull yma wedi cael ei ddisodli bellach gan dyniant rheoliedig ar y llinyn.

brassiere: *bra* dylid annog merched beichiog i wisgo bra sy'n ffitio'n dda ac yn rhoi cynhaliaeth gyda strapiau ysgwydd llydan. Ar ôl y geni, argymhellir bra sy'n agor yn y blaen, sydd ddigon mawr i fronnau sy'n llaetha.

Braxton Hicks contractions: *cyfangiadau Braxton Hicks* cyfangiadau di-boen afreolaidd y groth sy'n digwydd yn ystod y beichiogiad ac sydd wedi'u henwi ar ôl yr obstetregydd a'u disgrifiodd gyntaf. Wrth i'r beichiogrwydd fynd yn ei flaen maent yn graddol gynyddu yn eu cryfder ac yn dod yn fwy rhythmig yn ystod y trydydd trimestr; maent yn gwella llif y gwaed i'r brych a'r ffetws; yn aml maent yn cael eu camgymryd am yr esgor gwirioneddol, ac weithiau cyfeirir atynt fel 'esgoriad ffug'.

breast: *bron* y chwarren laeth. Mae dwy ohonynt fel arfer ac maent wedi'u lleoli ar flaen wal y frest dros yr ail i'r chweched asen ac wedi'u gwahanu oddi wrth wal y frest gan haen o feinwe cyswllt rhydd. *Gw.* y diagram.

breast pump: *pwmp bron* cyfarpar sugnedd, a ddefnyddir i dynnu llaeth o'r fron. Gellir creu'r gwactod drwy bwysedd y llaw ar fwlb rwber, neu gyda phwmp trydanol.

breech: *ffolennau* Bochau'r pen-ôl. *Cyflwyniad ffolennol (breech p.):* safle hydredol y ffetws pan fo'r ffolennau yn bresennol yn rhan isaf y groth. Gall yr achosion am hyn fod yn perthyn i'r pelfis, y groth, y ffetws neu'n ddamweiniol. Mae nifer yr achosion o gyflwyniad ffolennol ar ôl y cyfnod llawn o gwmpas 2.5%. Gellir gwneud diagnosis yn abdomenol drwy deimlo pen y ffetws yn y ffwndws, drwy'r wain gan deimlo'r ffolennau, agorfa'r anws, yr organau cenhedlu neu'r traed, ond efallai y bydd angen cadarnhau drwy gyfrwng sgan uwchsain. Weithiau ceisir newid y safle drwy ddefnyddio'r *TROAD ALLANOL* (EXTERNAL VERSION) neu *MOXIBUSTION.*

Wrth esgor, y ffetws sy'n wynebu'r prif beryglon, ac maent yn cynnwys gwaedlif mewngreuanol, hypocsia, toresgyrn, afleoliad a niwed i feinwe meddal. Mae ail gam yr esgor yn cynnwys gwneud episiotomi cyn i'r ffolen flaen gael ei hesgor er mwyn lleihau'r cywasgiad diweddarach ar ben y ffetws.

Anatomeg y Fron

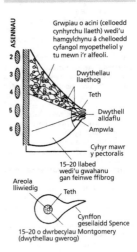

Grwpiau o acini (celloedd cynhyrchu llaeth) wedi'u hamgylchynu â chelloedd cyfangol myopetheliol a tu mewn i'r alfeoli.

ASENNAU 2 3 4 5 6

Dwythellau llaethog

Teth

Dwythell alldaflu

Ampwla

Cyhyr mawr y pectoralis

15–20 llabed wedi'u gwahanu gan feinwe ffibrog

Areola lliwiedig

Teth

Cynffon geseiliadd Spence

15–20 o ddwrbecylau Montgomery (dwythellau gwerog)

Tywysir y traed dros y perinëwm, tynnir dolen o linyn y bogail i lawr er mwyn atal tyniant ar y bogail. Os yw'r breichiau wedi'u plygu, mae'r ysgwyddau'n cael eu geni gyda'r cyfangiad nesaf; genir breichiau ymestynedig gan ddefnyddio *DULL LOVSET* (LOVSET'S MANOUVRE). Unwaith y mae'r ysgwyddau wedi'u geni, gadewir i'r baban hongian wrth ei bwysau ei hun (*TECHNEG BURNS MARSHALL:* BURNS MARSHALL TECHNIQUE) am tua un munud i gynorthwyo plygiant a disgyniad y pen. Pan fo llinell y gwallt yn ymddangos yn y fwlfa gafaelir yn y baban yn gadarn wrth ei fferau ac fe godir y trwnc mewn bwa llydan i fyny ac uwchben abdomen y fam.

Mathau o Gyflwyniad Ffolennol

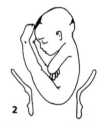

1. Gyda'r coesau wedi'u plygu.
2. Gyda'r coesau wedi ymestyn.

Defnyddir DULL MAURICEAU-SMELLIE-VEIT (MAURICEAU-SMELLIE-VEIT MAN-OEUVRE) pan fo'r pen wedi'i ymestyn ac yn methu disgyn.

bregma: *bregma* y ffontanél blaen, ardal bilennog siâp barcut ym mhen y ffetws a'r baban, lle mae'r asiadau talcennol, corunol a saethol yn cysylltu. *Gw. hefyd* PENGLOG Y FFETWS (FETAL SKULL).

Brietal sodium: *Brietal sodium Gw.* SODIWM METHOHECSITON (METHO-HEXITONE SODIUM).

brim of the pelvis: *cantel y pelfis* mewnfa'r pelfis. *Gw. hefyd* PELFIS (PELVIS).

British Pharmacopoeia (BP): *British Pharmacopoeia (BP)* y cyhoeddiad swyddogol sy'n cynnwys y rhestr o gyffuriau a sylweddau meddyginiaethol eraill sy'n cael eu defnyddio yn y Deyrnas Unedig. Mae'r llyfr yn rhoi manylion o lle mae'r sylweddau'n dod neu sut maent yn cael eu paratoi, maint y ddos a'r ffyrdd o'u cymryd. Mae'n cael ei gasglu ynghyd dan nawdd y Cyngor Meddygol Cyffredinol a chaiff ei adolygu'n rheolaidd a'i gadw'n gyfoes.

broad ligaments: *gewynnau llydan* dau blyg y peritonëwm, yn cydredeg gyda'r groth ac sy'n ymestyn i ochrau'r pelfis. Maent yn cynnwys y tiwbiau Fallopio, y parametriwm, y pibellau gwaed a lymff ofariaidd a nerfau'r groth ac, yn eu bonau, yr wretrau.

bromethol: *bromethol* anaesthetig gwaelodol.

bromocriptine: *bromocriptin* gweithydd dopamin, sy'n deillio o alcaloidau ergot a ddefnyddir i atal secretiad prolactin. Gall gael ei ddefnyddio i atal llaethiad. Caiff ei roi trwy'r geg, 2.5mg ar ddiwrnod 1, yna 2.5mg ddwywaith y dydd am 14 diwrnod.

bronchopulmonary dysplasia: *dysplasia bronco ysgyfeiniol* cyflwr anadlu cronig mewn babanod sydd wedi bod ar beiriant anadlu am gyfnodau hir neu wedi bod angen therapi oscigen estynedig. Mae'n amharu'n ddifrifol ar dwf yr ysgyfaint. O archwilio radio-graffau a sbesimenau o'r ysgyfaint gwelir clystyrau o ddatchwyddiad a ffibrosis. Ar ôl bod ar beiriant anadlu mae'r babanod yma fel arfer angen ocsigen atodol am rai wythnosau neu hyd yn oed i fisoedd i gadw'r tensiwn ocsigen yn y rhydweliau'n uwch na 55 kPa.

bronchus: *broncws (llu. bronci)* un o brif ganghennau'r tracea.

brow presentation: *cyflwyniad talcen* cyflwyniad ceffalig pan fo osgo'r pen hanner ffordd rhwng plygiad ac ymestyniad. Gan fod y diamedr mentofertigol o 13.0–13.75 cm yn cyflwyno, ac mae'r diamedr yma'n fwy na rhai'r pelfis cyffredin, mae cyflwyniad talcen yn achos posibl esgoriad wedi ei rwystro. Gall gael ei achosi gan belfis android, ac o ganlyniad, safle ocsipwt ôl pen y ffetws yn dod i mewn i ddiamedr sacrococsotylaidd y pelfis ac yn arwain at ymestyniad y pen, neu annormaledd pen y ffetws megis hydroceffalws neu anenceffali.Mae'n digwydd tua unwaith mewn 1000–1500 genedigaeth. Gwneir diagnosis drwy deimlo'r pen yn uchel iawn yn yr abdomen, neu drwy fethu teimlo'r pen drwy'r wain, er bod modd weithiau teimlo'r bregma a'r gwrymiadau creuol wrth wneud archwiliad drwy'r wain. Os oes modd i'r fam gael gofal mewn ysbyty bydd toriad Cesaraidd yn cael ei wneud i atal cymhlethdodau. Os nad yw hyn yn ymarferol, efallai y bydd hi'n bosibl plygu'r pen drwy lawio drwy'r wain fel bod y corun yn cyflwyno, neu ei ymestyn ymhellach i gyflwyniad wyneb ac yna ddefnyddio'r efel. Weithiau hefyd gellir ceisio gwneud troad podalig mewnol ac esgoriad ffolennol.

brown fat: *braster brown* math thermogenig o feinwe blonegog sy'n cynnwys pigment tywyll, ac sy'n ymddangos yn ystod y bywyd embryonig mewn mannau arbennig megis rhwng y palfeisiau, tu cefn i'r sternwm, yn y gwddf ac o amgylch yr arennau a'r chwarennau uwcharennol. Mae'n cael ei ddefnyddio gan y baban newyddanedig i gynhyrchu gwres yn ôl yr angen.

Brushfield's spots: *smotiau Brushfield* smotiau llwyd neu felyn a welir weithiau yn irisau plant sydd â syndrom Down.

B-scan: *sgan B* dangosydd *UWCHSAIN* (ULTRASOUND) sy'n cynhyrchu llun dau ddimensiwn trawstoriadol o'r anatomi mewnol. Mae'n cael ei ddefnyddio i leoli

---

Cyflwyniad Talcen

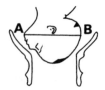

A–B: Diamedr o'r ên i gefn y pen 13.5cm.

safle penglog y ffetws cyn gwneud ceffalometreg, ar gyfer placentograffeg a diagnosis cyflyrau annormal, e.e.môl hydatidiffurf, tyfiannau pelfig a marwolaeth o fewn y groth.

buccal smear: *prawf taeniad o'r bochau* crafion o fwcosa'r bochau sy'n cael eu harchwilio gyda microsgop i astudio *CYRFF BARR* (BARR BODIES).

buffer: *byffer* sylwedd cemegol sydd, pan fo'n bresennol mewn hydoddiant, yn help i wrthsefyll newid mewn pH. *Byffer bicarbonad (bicarbonate b.):* hwn yw'r prif system byffer yn y gwaed ac mae a wnelo ag ïonau bicarbonad a charbon deuocsid.

bulbocavernosus muscles: *cyhyrau bwlbogeudodol* dau o'r cyhyrau perineol sy'n amgylchynu agoriad y wain ac sy'n gweithredu yn debyg i sffincter gwan.

**bulla: *pothell / swigen (llu. pothelli, swigen* [de Cymru]; *swigod* [gogledd Cymru]).

bupivacaine hydrochloride (Marcain): *bupivacaine hydrochloride (Marcain)* cyffur poenliniarol lleol a ddefnyddir ar gyfer epidwral yn y wain a lleddfu poen paracerfigol. Cyfnod yr effaith 2–4 awr. Dos – 0.25%, 0.5%. 0.75%. Gall wneud i'r pwysedd gwaed ddisgyn.

Burns-Marshall technique: *techneg Burns-Marshall* un dull o eni'r pen yn ystod esgoriad ffolennol. Unwaith y bydd y bongorff wedi'i eni, mae'r baban yn hongian wrth ei bwysau ei hun am funud i gynorthwyo'r pen i blygu a disgyn. Pan fo llinell y gwallt yn ymddangos yn y fwlfa mae'r pen yn yr allfa. Mae'r pen yn cael ei eni drwy godi'r bongorff (dal y baban gerfydd ei fferau a thynnu mymryn) a'i gario drwy fwa llydan i fyny a thros abdomen y fam. Mae'r perinëwm yn cael ei dynnu yn ôl gan ddatgelu trwyn a cheg y baban, gan ganiatáu i'r llwybr anadlu gael ei glirio ac i ocsigen gael ei roi. Cwblheir geni'r pen yn araf iawn, gan amlaf gyda chymorth gefel obstetrig ar y pen sy'n dilyn.

C

caecum: *caecwm* 1. rhan gyntaf neu brocsimol y coluddyn mawr, sy'n ffurfio coden ledagored i ddistal i'r ilewm ac yn brocsimol i'r colon, ac yn arwain at y coluddyn crog. 2. unrhyw goden gaeëdig.

caesarean section: *toriad Cesaraidd* llawdriniaeth obstetrig lle mae'r ffetws yn cael ei dynnu allan o'r groth drwy wneud endoriad yn wal yr abdomen a'r groth ar ôl 24 wythnos neu fwy o feichiogrwydd. Mae *toriad Cesaraidd y rhan isaf (lower section caesarean section* neu *LSCS*) yn golygu endoriad llor-weddol yn rhan isaf y groth. Mae'r posibilirwydd o rwyg yn y groth wrth esgor yn y dyfodol yn cael ei leihau'n fawr pan wneir LSCS. Mae'r *toriad Cesaraidd clasurol (classical caesarean section)* yn golygu gwneud endoriad fertigol yng nghorff y groth, ac y mae ei graith yn fwy tebygol o rwygo yn ystod beichiogrwydd diweddarach. Mae arwyddion bod angen am doriad Cesaraidd yn cynnwys anghyfartaledd ceffal-opelfig; brych yn cyflwyno yn rhan isaf y groth graddfa III neu IV; gwahanu'r brych oddi wrth wal y groth er mwyn geni ffetws byw; trallod y ffetws yn ystod cyfnod cyntaf yr esgor; methu datblygu, yn arbennig lle mae'r ffetws yn camgyflwyno neu wedi'i gamleoli; cyflwr meddygol difrifol yn y fam; geni cyn pryd pan gredir bod yr amgylchedd y tu allan i'r groth yn fwy diogel i'r ffetws na'r amgylchedd y tu mewn i'r groth.

Swyddogaeth y fydwraig yw paratoi cyn y llawdriniaeth a gofalu ac arsylwi wedi'r llawdriniaeth; hefyd gall fod angen iddi weithio fel cynorthwy-ydd i'r anaesthetegydd neu roi sylw i'r fam yn ystod y llawdriniaeth os yw'r anaesthesia yn dod fel epidwral; gweithredu fel nyrs sgrwbio neu 'redwr' yn y theatr; neu dderbyn y baban a rhoi gofal adfywio i'r baban ar unwaith.

calcaneum, calcaneus: *calcanewm, calcanews* asgwrn y sawdl. Yr asgwrn yn y droed sy'n ffurfio'r sawdl.

calcification: *calcheiddiad* dyddodi calch mewn unrhyw feinwe. Gall calch-eiddiad fod yn bresennol yn y brych aeddfed a goraeddfed.

calcium: *calsiwm* elfen gemegol. Ei symbol yw Ca. Dyma'r mwyn sydd fwyaf toreithiog yn y corff. Wedi ei gyfuno â ffosfforws mae'n ffurfio calsiwm ffosffad, sef deunydd dwys a chaled yr esgyrn a'r dannedd. Mae'n gation pwysig (ïon sydd wedi ei wefru'n bositif) mewn hylif mewngellol ac allgellog ac mae'n rhaid ei gael i'r gwaed dolchennu'n naturiol, er mwyn cadw curiad y galon yn rheolaidd, a chychwyn gweithgaredd niwrogyhyrol a metabolaidd. Yn ystod beichiogrwydd mae angen diet llawn calsiwm a gellir ei gael mewn llaeth, caws a llysiau gwyrddt; mae modd ei roi ar ffurf fitaminau. Mae Fitamin D yn angen-rheidiol er mwyn ei amsugno. Gall tetanedd o ganlyniad i hypocalcaemia ddigwydd mewn babanod newydd-anedig.

calculus: *caregen (llu. caregos)* carreg a all ffurfio yn y goden fustl, yn nwythell y bustl, yn yr aren neu'r wreter. Hen enwau Cymraeg arni yw carreg tostedd neu maen tostedd.

Caldwell-Moloy classification: *dosbarthiad Caldwell-Moloy* y pelfis benywaidd yn cael ei ddosbarthu yn fathau gynaecoid, android, anthropoid a platypeloid.

calipers: *caliperau* cwmpasau i fesur diamedrau ac arwynebau crwm, e.e. penglog y ffetws.

callus: *caleden* 1. y meinwe sy'n tyfu o amgylch pennau toredig esgyrn ac sy'n datblygu i fod yn asgwrn newydd i wella'r anaf. 2. gordyfiant lleoledig o haen gornaidd yr epidermis o ganlyniad i bwysedd neu ffrithiant.

calorie: *calori* uned o wres, yr hyn sydd ei angen i godi 1 g o ddŵr drwy 1°C. Mae cilocalori (kcal) yn cyfateb i 1000 cal a dyma faint o wres sydd ei angen i godi gwres 1 kg o ddŵr drwy 1°C. Defnyddir yr uned hon i fesur gwres y corff a'i anghenion egni mewn bwyd; mae 1 g o garbohydrad neu brotein yn rhoi 4 kal ac mae 1 g o fraster yn rhoi 9 kal. Yn ystod beichiogrwydd a llaethiad mae'r fam angen tua 2500 kal/y dydd. Mae baban cyfnod llawn angen 110 kal/ kg o bwysau'r corff/ y dydd ar ôl y pedwerydd diwrnod o fywyd. Yr uned SI cyfatebol yw'r JOULE (J) sy'n cyfateb i 4.2cal.

cancer: *canser* term cyffredinol i ddisgrifio tyfiannau malaen. *Gw. CARSINOMA* (CARCINOMA).

Candida: *Candida* genws o ffyngau tebyg i furum sy'n gyffredin fel rhan o fflora normal y geg, y croen, llwybr y coluddyn a'r wain, ond gall achosi amrywiaeth o heintiau. *Gw. hefyd CANDIDÏASIS* (CANDIDIASIS). *Candida albicans:* y pathogen arferol mewn heintiad dynol.

candidiasis: *candidïasis* pilen fwcaidd wedi ei heintio â Candida albicans. Mae'n effeithio ar y wain, y croen, y geg a'r ewinedd yn arbennig, ond gall ymosod ar y bronci a'r ysgyfaint a gall fynd drwy'r corff i gyd.

Canesten: *Canesten Gw. CLOTRIMAZOLE*

cannula: *caniwla* tiwb i'w osod i fewn i

geudod neu bibell waed; wrth ei osod mae trocar fel arfer yn y lwmen.

capillary: *capilari* tebyg i wallt. 1. pibellau bach iawn sy'n cysylltu rhydwelïynnau a gwythienigau, sydd â waliau sy'n gweithredu fel pilen led-athraidd i gyfnewid amrywiol sylweddau rhwng y gwaed a hylifau'r meinweoedd. 2. pibellau bach iawn yn y system lymffatig.

caput: *caput* pen. *Caput succedaneum:* chwydd oedemaidd wedi ei ffurfio ar ben y ffetws gan bwysedd yr os cerfigol yn ymagor, sydd, ar ôl i'r blaenddur rwygo, yn cyfyngu ar y gwaed sy'n dychwelyd i'r meinweoedd arwynebol. Mae'n bresennol cyn esgor ond mae'n gwasgaru o fewn ychydig oriau. Nodweddion eraill yw ei fod yn pantio o dan bwysedd, gall groesi llinellau asiad pan mae'n bresennol ar groen y pen ac mae i'w weld ar yr wyneb a'r ffolennau os mai'r rhain yw'r rhannau sy'n cyflwyno. Gall gleisio hefyd fod yn nodwedd. *Gw. hefyd CEFFALHAEMATOMA* (CEPHALHAEMATOMA).

carbimazole: *carbimazole* cyffur gwrthdhyroid a ddefnyddir wrth drin thyrotocsicosis. Gall achosi isthyroidedd yn y ffetws.

carbohydrate: *carbohydrad* bwyd wedi ei wneud o garbon, hydrogen ac ocsigen

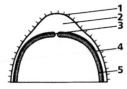

Caput Succedaneum

1. croen; 2. meinwe isgroenol;
3. aponiwrosis; 4. periostëwm;
5. asgwrn.

(CHO). Siwgr, starts a bwydydd cellwlos sy'n rhoi gwres ac egni; mae 1 g o garbohydrad yn rhoi 17kJ (4kcal). Gall carbohydradau gael eu storio yn y corff fel glycogen i gael eu defnyddio yn y dyfodol neu fel braster os bydd gormod ohonynt yn cael eu bwyta.

carbon dioxide (CO_2): *carbon deuocsid (CO_2)* nwy sy'n bresennol mewn symiau bychain, bach yn yr atmosffer ac yn cael ei ffurfio ym meinwe'r corff drwy ocsideiddio carbon a'i chwythu allan gan yr ysgyfaint; mae'n cael ei ddefnyddio gyda ocsigen i ysgogi anadlu. Fel arfer mae'n cael ei fesur fel PCO_2.

carbon monoxide (CO): *carbon monocsid (CO)* nwy di-liw, diarogl, di-flas sy'n cael ei ffurfio drwy losgi carbon neu danwydd organig gyda chyflenwad bychan o ocsigen; mae mewnanadlu yn achosi niwed i'r prif system nerfol a myctod.

carbonate: *carbonad* halwyn asid carbonig.

carcinogenic: *carsinogenaidd* yn achosi carsinoma.

carcinoma: *carsinoma* canser. Tiwmor epithelaidd malaen a all ddatblygu yn unrhyw ran o'r corff.

cardia: *cardia* 1. yr agoriad cardiaidd. 2. rhan gardiaidd y stumog; y rhan o'r stumog sy'n amgylchynu'r cyswllt esoffagogastrig, sy'n amlwg oherwydd y chwarennau cardiaidd.

cardiac: *cardiaidd (y galon)* yn ymwneud â'r galon. *Ataliad y galon (c. arrest)*: ataliad sydyn, ac annisgwyl yn aml, ar weithrediad effeithiol y galon. Yr unig obaith am oroesiad, i'r unigolyn dan sylw, yw gofal cardiaidd brys ac adfywio'r galon a'r ysgyfaint (CPR). Arferai *clefyd y galon yn ystod beichiogrwydd (c. disease in pregnancy)* gael ei achosi gan gulhad meitrol yn deillio o dwymyn gwynegon a chorea yn ystod plentyndod, ond heddiw yn y Deyrnas Unedig mae'n fwy tebygol o

fod yn ganlyniad i glefyd cynhenid y galon. Mae afiechyd y galon yn aml ym gwaethygu yn ystod beichiogrwydd ac felly mae monitro gofalus yn hanfodol; gall fod angen gofal cyn-geni tymor hir mewn ysbyty ar rai. Mae'r esgor yn aml yn fyr, ac mae'r gofal wedi ei anelu at atal problemau sy'n gysylltiedig â gorymdrech a gorlwytho'r galon; gellir argymell geni gyda gefel neu doriad Cesaraidd. Trydydd cam yr esgor yw'r mwyaf peryglus i'r fam oherwydd y cynnydd yng nghyfaint y gwaed yn ganlyniad i gyfangiadau cryf y groth. Gall cyffuriau ocsitosig waethygu hyn ac felly dylai'r fydwraig ymghynghori gyda'r obstetregydd bob amser cyn rhoi ocsitosigion i unrhyw ferch gyda chlefyd y galon.

cardinal: *allweddol* o'r pwysigrwydd mwyaf.

cardinal ligaments: *prif ewynnau* hefyd yn cael eu hadnabod fel gewynnau cerfigol ardraws a gewynnau Mackenrodt. Dau fand trwchus o banwythien sy'n ymestyn o'r cervix uteri i waliau ochrol y pelfis, ac yn help i gynnal y groth.

cardiogram: *cardiogram* cynrychioliad graffig o weithrediad y galon a wneir gydag electrocardiograff.

cardiotocography (CTG): *cardiotocograffeg* cydberthynas graffigol rhwng patrwm cyfradd calon y ffetws a chyfangiadau'r groth wrth esgor. Hefyd mae'n brawf di-straen o ffyniant y ffetws yn ystod beichiogrwydd.

cardiovascular: *cardiofasgwlaidd* yn ymwneud â'r galon a'r pibellau gwaed.

caries: *pydredd* pydredd neu necrosis asgwrn. Pydredd deintyddol (dental c.): pydredd dannedd.

carneous mole: *môl carneaidd* casgliad o dolchennau gwaed yn amgylchynu embryo marw, ac yn cael ei ddargadw gan y groth. Hefyd yn cael ei alw'n fôl gwaed, môl cnawdog, erthyliad wedi methu. *Gw. MÔL TIWBAIDD* (TUBAL MOLE).

carotene: *caroten* pigment melyn cryf sy'n cael ei droi'n fitamin A gan yr iau (afu).

carotid bodies: *corffynnau carotid* adeileddau bach niwrofasgwlaidd yn gorwedd yn fforchiad y rhydweliau carotid de a chwith, yn cynnwys cemodderbynyddion sy'n monitro'r cynnwys ocsigen yn y gwaed ac yn helpu i reoleiddio resbiradaeth.

carpal tunnel syndrome: *syndrom twnnel carpal* pinnau bach neu ddiffyg teimlad yn y llaw o ganlyniad i bwysedd ar y nerf canol wrth iddo basio trwy'r twnnel carpal yn yr arddwrn. Gall y cyflwr yma ddigwydd yn ystod beichiogrwydd, gan fod oedema lleol yn cynyddu'r pwysedd. Mae'n aml yn waeth yn y nos ond gall gael ei liniaru drwy gysgu gyda'r dwylo mewn sblint. Mae'r cyflwr fel arfer yn gwella ohono'i hun ar ôl y geni. Gellir trin achosion difrifol ag osteopatheg.

carpopedal spasm: *sbasm carpopedal* gwayw yng nghyhyrau'r dwylo a'r traed mewn *TETANEDD* (TETANY).

carrier: *cludydd* person sy'n cario organebau pathogenig yn y corff, ond sydd heb symptomau'r afiechyd. Gall person fel hyn drosglwyddo polio-myelitis neu'r dwymyn felen. Gallai streptococi haemolytig o wddf y cludydd gael ei drosglwyddo i lwybrau cenhedlu gwraig sydd wedi geni plentyn yn ddiweddar. Mewn geneteg golyga unigolyn sy'n ymddangos yn normal ond sy'n cario genyn *ENCILIOL* (RECESSIVE) neu *RHYW-GYSYLLTIEDIG* (SEX-LINKED). *Olew cludo* (c. oil): olew, megis olew hadau grawnwin neu almon pêr, sy'n cael ei ddefnyddio i deneuo olewau naws mewn aromatherapi cyn eu rhoi ar y croen wrth ei dylino neu eu hychwanegu i ddŵr y bath.

cartilage: *cartilag* meinwe cyswllt ffibrog arbenigol sydd i'w gael mewn oedolion, ac sy'n ffurfio'r rhan fwyaf o'r sgerbwd dros dro yn yr embryo, gan roi model y

mae'r rhan fwyaf o esgyrn yn datblygu ynddo, ac yn chwarae rhan bwysig ym mecanwaith tyfu'r organeb.

caruncle: *carwnd* (*llu. carunculae*) codiad bychan o gnawd, yn arbennig un annormal. *Carunculae myrtiformes:* rhipynnau bychan o feinwe mwcaidd o amgylch agorfa'r wain; gweddillion yr hymen rhwygiedig.

case conference: *cynhadledd achos* cyfarfod o weithwyr proffesiynol sy'n ymwneud â gofal person arbennig (plentyn yn aml), i gytuno ar batrwm gweithredu ac i fonitro datblygiad.

case mix database: *cronfa ddata achosion cymysg* system gofnodi gyfrifiadurol sy'n cyfuno'r holl ddata a dderbyniwyd gan systemau gweinyddiaeth cleifion a systemau gweithredu i ddarparu set gynhwysfawr o wybodaeth am yr holl driniaeth a gwasanaethau y mae pob claf neu gleient wedi ei dderbyn yn ystod pob cyfnod gofal. Mae'r wybodaeth yn gymorth i ddatblygu proffiliau gofal normal ar gyfer gwahanol grwpiau, dadansoddi a chymharu gwahanol batrymau triniaeth, cynhyrchu costiadau cymharol ar gyfer gwahanol driniaethau a.y.y.b. Hefyd gellir ei ddefnyddio fel rhan o'r broses archwilio feddygol.

casein: *casein* un o broteinau llaeth. Mae'r casein mewn llaeth buwch yn anos ei dreulio, ac mae'n bresennol mewn mesur helaethach na'r casein mewn llaeth dynol.

caseinogen: *caseinogen* rhagsylweddyn casein. Mewn babanod mae caseinogen yn cael ei droi'n casein gan rennin y suddion gastrig.

caseload midwifery: *bydwreigiaeth baich achosion* system gofal lle mae pob bydwraig yn gofalu am grŵp o wragedd h.y. baich achosion. Canlyniad hyn i'r fam yw gwell cyfathrebu a pharhad yn y gofal ac i'r fydwraig mwy o foddhad yn y gwaith.

cast: *cast* adeiledd sydd wedi ei fowldio mewn organeb wag, sy'n cadw siâp ceudod yr organeb pan fo'n cael ei fwrw, e.e cast diosgol a fwrir o'r groth mewn beichiogrwydd tiwbaidd, neu gastiau o'r tiwbynnau arennol a welir yn yr wrin gyda afiechyd yr aren.

castration: *ysbaddu* cael gwared o'r ceilliau gwrywaidd neu'r ofarïau benywaidd.

catamenia: *catamenia* mislif.

cataract: *cataract* didreiddedd y lens grisialog neu ei gapsiwl sy'n amharu ar olwg. Gwelir cataract cynhenid weithiau mewn babanod newydd-anedig. Gall fod yn gyflwr teuluol neu gall ddigwydd mewn babanod mamau'r mamau sydd wedi dal *RWBELA* (RUBELLA) yn gynnar yn ystod eu beichiogrwydd. Gall fod yn gysylltiedig â *GALACTOSAEMIA* (GALACTOSAEMIA).

catecholamine: *catecolamin* unrhyw un allan o grŵp o aminau sympathomimetig (gan gynnwys dopamin, adrenalin a noradrenalin) gyda catecol yn ffurfio rhan aromatig ei gyfansoddyn. Mae'r caticolaminau yn chwarae rhan bwysig yn ymateb ffisiolegol y corff i straen. Mae eu rhyddhau ar derfynau nerf sympathetig yn cynyddu graddfa a grym cyfangiadau cyhyrau'r galon, ac o ganlyniad yn cynyddu allbwn y galon, ac yn darwasgu pibellau gwaed amgantol gan arwain at bwysedd gwaed uwch; yn codi lefelau glwcos y gwaed drwy ysgogi glycogenesis hepatig a chyhyrol sgerbydol; ac yn hybu cynnydd yn y lipidau gwaed drwy gynyddu catabolaeth brasterau.

catgut: *edau coludd* defnydd pwytho wedi ei wneud o goludd defaid; yn cael ei ddefnyddio gan mwyaf mewn pwythau cudd gan ei fod yn cael ei amsugno gan y corff.

catheter: *cathetr* tiwb wedi ei wneud o bolythen, rwber, gwm elastig neu arian, gyda thwll ger i ben caëedig. Fe'r rhoddir mewn gwahanol organau gwag, pibellau neu sianelau er mwyn *CATHETREIDDIO* (CATHETERIZATION).

catheterization: *cathetreiddio* cyflwyno cathetr er mwyn rhoi hylif i mewn neu ei dynnu allan neu ar gyfer mesur pwysedd hylif, e.e. cathetreiddio pledren, y galon neu linyn y bogail.

cathode: *catod* electrod negatif.

cation: *cation* ïon sy'n cario gwefr drydanol bositif. Rhai enghreifftiau yw sodiwm (Na), copr (Cu).

cauda equina: *cauda equina* yn llythrennol 'cynffon ceffyl'. Y nerfau y mae madruddyn y cefn yn rhannu i mewn iddynt yn ei derfyn in adran y meingefn.

caudal block: *bloc cynffonnol* analgesia lleol sy'n gweithio drwy gyflwyno'r cyfrwng drwy'r bwlch sacrol. Mae'n llai dibynadwy na mynd i mewn i'r gwagle epidwral drwy'r meingefn. *Gw. ANALGESIA EPIDWRAL* (EPIDURAL ANALGESIA).

caul: *gweren* yr amnion, sydd weithiau ddim yn rhwygo, ond sy'n gorchuddio pen y baban pan gaiff ei eni. Dylai gael ei rwygo cyn gynted ag sy'n bosibl i sicrhau llwybr anadlu clir.

caulophyllum: *caulophyllum* meddyginiaeth homeopathig y gellir ei ddefnyddio gyda rhai merched i brysuro neu gyflymu'r broses esgor. *Gw. hefyd HOMEOPATHI* (HOMOEOPATHY).

cautery: *seriwr* offeryn poeth (haearn serio) neu gyfrwng cemegol a ddefnyddir i ddinistrio meinwe drwy ei losgi. Weithiau mae'n cael ei ddefnyddio i drin erydiad cerfigol.

cavity of the pelvis: *ceudod y pelfis* y gwagle o fewn waliau'r pelfis, gyda chantel (neu gilfach) y pelfis yn ffin iddo uwchben a'r allanfa yn ffin iddo oddi tanodd.

-cele: -sel olddodiad sy'n golygu 'tiwmor' e.e. meningosel, chwydd sy'n golygu bod pilenni'r ymennydd yn ymwthio allan.

cell: *cell* yr uned strwythurol y mae pob

organeb amlgellog wedi ei gwneud ohoni. Mae'n cynnwys cnewyllyn gyda chnewyllan ganolog, a CROMOSOMAU (CHROMOSOMES). Mae'r cytoplasm sy'n ei amgylchynu yn lled-hylifol ac yn cynnwys mitocondria, RIBOSOMAU (RIBOSOMES) a rhai corffynnau eraill. Mae'r cyfan wedi ei gynnwys o fewn y gellbilen. Mae pob cell fyw yn deillio o gelloedd eraill, naill ai trwy ymraniad un gell i wneud dwy, fel mewn MITOSIS a MEIOSIS, neu drwy uniad dwy gell i wneud un, megis uniad y sberm a'r ofwm i wneud y sygot yn ystod atgenhedliad rhywiol. Bydd celloedd y corff yn ystod datblygiad yn gwahanu i fathau arbenigol sydd â thasgau arbennig i'w gwneud. Mae celloedd wedi eu trefnu'n feinwe a meinweoedd yn organau.

cellulitis: *celliwlitis* proses lidiol ymledol o fewn meinwe solet, sy'n cael ei nodweddu gan oedema, cochni, poen ac ymyrryd â gweithrediad. Gall gael ei achosi gan heintiad gan streptococi, staffylococi, neu organebau eraill. Fel arfer digwydd celliwlitis yn y meinwe llac o dan y croen, ond gall hefyd ddigwydd mewn meinweoedd o dan bilenni mwcaidd, neu o amgylch sypynau o gyhyrau neu o amgylch organau. Mae celliwlitis yn y pelfis yn cynnwys meinweoedd o amgylch y groth ac fe'i gelwir yn parametritis. Gall ddigwydd fel cymhlethdod mewn erthyliad septig neu ar ôl esgor, os oes haint wedi cael ei gyflwyno i'r llwybr cenhedlu.

cellulose: *cellwlos* carbohydrad; gorchudd allanol celloedd llysiau, h.y. ffibrau llysiau. Ni ellir ei dreulio yn y llwybr ymborth dynol, ond mae'n rhoi swmp, ac fel 'brasfwyd' mae'n ysgogi peristalsis.

Celsius: *Celsius* uned o dymheredd a gydnabyddir yn rhyngwladol. Mae dŵr yn rhewi ar 0 °C ac yn berwi ar 100 °C. Yn y DU roedd yr unedau hyn yn cael eu galw'n 'Centigrade' ond nid yw hyn yn cael ei ddefnyddio yn y SYSTÈME INTERNATIONAL D'UNITÉS (unedau SI), gan ei fod mewn rhai gwledydd yn fesuriad ongl.

census: *cyfrifiad* cyfrifiad o'r boblogaeth. Cyflawnwyd y cyfrifiad cenedlaethol am y tro cyntaf yn Lloegr a Chymru yn 1801 ac mae wedi digwydd bob deng mlynedd ers hynny (ar wahân i 1941). Fel arfer mae'n cofnodi enw, cyfeiriad, rhyw, galwedigaeth, statws priodasol a gwybodaeth gymdeithasol arall.

Centigrade: *canradd* Gw. CELSIUS.

centile: *canradd* Gw. CANRADDOL (PERCENTILE).

centimetre: *centimetr* canfed rhan o fetr.

central nervous system: *prif system nerfol* yr ymennydd a madruddyn y cefn.

central venous pressure (CVP): *pwysau gwythiennol canolog (CVP)* pwysedd y gwaed yn yr atriwm dde. Mae'n dangos y cydbwysedd rhwng allbwn y galon a maint y gwaed sy'n dychwelyd i'r galon. Gellir mesur y pwysau gwythiennol canolog drwy roi catheter i mewn drwy'r wythïen giwbitol ganolwedd i'r fena cafa uwch. Mae pen pellaf y cathetr yn cael ei gysylltu i fanomedr lle gellir darllen maint y pwysedd a roddir gan y gwaed tu mewn i'r atriwm dde. Gosodir y manomedr ger ochr y gwely fel bod y pwynt sero ar yr un lefel â'r atriwm dde. Bob tro mae'r fam yn newid safle rhaid ailosod y pwynt sero ar y manomedr. Mae'n amhrisiadwy i sicrhau bod digon o hylif yn amnewid heb orlwytho'r cylchrediad pan na ellir amcangyfrif yn gywir gyfanswm y gwaed sy'n cael ei golli, e.e. mewn ABRUPTIO PLACENTAE. Yr amrediad normal yw +5 i +10 cm o heli, pan fo pwynt sero'r raddfa yn cyfateb i'r llinell geseiliol ganol.

centrifuge: *allgyrchydd* cyfarpar sy'n cylchdroi ar gyflymder uchel iawn. Gall ddal tiwbiau profi o waed, wrin ac ati, a bydd y fath gylchdroi yn gwaddodi bacteria, celloedd a sylweddau eraill.

cephalhaematoma: *ceffalhaematoma* casgliad o waed o dan beriostewm un o'r esgyrn creuanol. Mae'n achosi chwydd ymdonnol sy'n datblygu ar ben y newydd-anedig o fewn 48 awr i'r enedigaeth. Ambell waith canfyddir bod yr asgwrn creuanol oddi tanodd wedi ei dorri. Mae ceffalhaematoma yn gwahaniaethu oddi wrth *CAPUT SUCCEDANEUM* yn y ffaith ei fod yn datblygu ar ôl yr enedigaeth, ac mae wedi ei gyfyngu i ardal un asgwrn. Mae'n cymryd sawl wythnos i'r chwydd fynd i lawr, a dylid dweud wrth y fam am ddisgwyl hyn. Nid oes angen triniaeth oni bai bod clefyd melyn difrifol yn digwydd.

cephalic version: *troad ceffalig* newid i gyflwyniad a phen. *Gw. TROAD* (VERSION).

cephalometry: *ceffalometreg* mesur y pen. Cyn geni fel arfer mesurir y diamedr dwybarwydol. Y ffordd fwyaf manwl gywir o fesur yw gyda phrawf *UWCHSAIN* (ULTRASOUND). Mae'n cael ei ddefnyddio i asesu aeddfedrwydd a thwf y ffetws. *Gw. hefyd DIAMEDR DWYBARWYDOL* (BIPARIETAL DIAMETER). Ar ôl y geni mesurir y pen â thâp mesur.

cephalopelvic: *ceffalobelfig* yn ymwneud â pherthynas pen y ffetws a phelfis y fam. *Anghyfartaledd ceffalobelfig* (c. disproportion): pen y ffetws a phelfis y fam ddim yn cydweddu, gwneir diagnosis pan na wnaiff pen y ffetws gysylltu yn y pelfis ar ôl 36 wythnos o feichiogrwydd.

cephaloridin: *ceffaloridin* gwrthfiotig a geir o *GEFFALOSBORIN* (CEPHALOSPORIN). Gall groesi i fewn i gylchrediad y ffetws drwy'r brych. Gellir ei roi drwy'r geg, yn fewngyhyrol neu'n fewnwythiennol.

cephalosporin: *ceffalosporin* gwrthfiotig sy'n digwydd yn naturiol ac sy'n debyg yn gemegol i *PENISILIN* (PENICILLIN).

Ceffalhaematoma

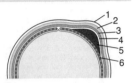

1. croen; 2. meinwe isgroenol; 3. aponiwrosis; 4. periostewm; 5. gwaed dan y periostewm; 6. asgwrn.

cerclage: *cylchu* amgylchynu rhan gyda chylch neu ddolen, megis wrth gywiro gwddf y groth sy'n ddiffygiol neu sefydlogi dau ben cyfagos asgwrn toredig.

cerebellum: *ymennydd bach* yr ôlymennydd, islaw'r cerebrwm a thu ôl i'r medulla oblongata.

cerebral: *ymenyddol* yn perthyn i'r hemisfferau cerebrol.

cerebral dysrhythmia: *dysrhythmia ymenyddol* cyflwr lle mae'r ymennydd yn dangos patrwm annormal o donnau trydanol ar linell olrhain electroenceffalograff (ECG). Mae'n digwydd mewn epilepsi ac mae wedi cael ei nodi mewn aclampsia, ac mae merched sy'n dioddef o hynny yn dueddol o gael confylsiynau.

cerebral haemorrhage: *gwaedlif ar yr ymennydd* gwaedu o neu i mewn i un o'r hemisfferau cerebrol.

cerebral palsy: *parlys yr ymennydd* anhwylder echddygol parhaus a all ddeillio o hypocsia yn y groth, asffycsia neonatorum, a chyfnodau o apnoea a syanosis, fel sy'n gallu digwydd gyda *SYNDROM TRALLOD RESBIRADOL* (RESPIRATORY DISTRESS SYNDROME), *HYPOGLYCAEMIA* (HYPOGLYCAEMIA) a chyflyrau eraill.

cerebrospinal: *cerebrosbinol* yn ymwneud â'r ymennydd a madruddyn y cefn. *Hylif cerebrosbinol (c. fluid):* yr hylif yn fentriglau'r ymennydd, sy'n cael ei secretu gan y plecsysau coroid ac yn cylchredeg yn y gofod isarachnoid sy'n gorchuddio'r ymennydd, ac yn y pilenni o amgylch madruddyn y cefn. Mae'n amddiffyn y nerfau yn yr ymennydd a madruddyn y cefn rhag cael ysgytwad neu anaf. Ceir gormod o'r hylif yma gyda HYDROCEFFALWS (HYDROCEPHALUS).

cerebrum: *cerebrwm* y rhan fwyaf ei maint o'r ymennydd, sy'n llenwi'r gyfran fwyaf o'r craniwm ac yn cynnwys yr hemisfferau cerebrol dde a chwith. Canolfan swyddogaethau uwch yr ymennydd.

cervical: *1 cerfigol, 2 gwddf y groth* **1.** yn ymwneud â'r gwddf. **2.** Mewn obstetreg mae'n cyfeirio at y cervix uteri neu wddf y groth. *Cylchu gwddf y groth (c. cerclage):* gw. TRINIAETH SHIRODKAR (SHIRODKAR OPERATION). *Cytoleg gwddf y groth (c. cytology):* archwilio celloedd o wddf y groth i weld newidiadau annormal. *Diffyg gwddf y groth (c. incompetence):* methiant gwddf croth sydd wedi ei anafu i ddal y beichiogrwydd yn y groth: achos erthyliad ar ôl y 12fed wythnos, wedi ei nodweddu gan y pilenni'n rhwygo cyn amser a'r ffetws yn cael ei fwrw allan yn ddi-boen.

cervical intraepithelial neoplasia: *neoplasia mewnepithelaidd cerfigol* CIN dosbarthiad mathau o ddysplasia. Mae CIN I yn ddysplasia ysgafn y gellir ei wyrdroi; mae CIN II yn ganolig ond gellir ei wyrdroi hefyd. Mae CIN III yn ddysplasia difrifol a charsinoma in situ. Ni ellir gwyrdroi'r cyflwr ac mae angen llawdriniaeth i atal datblygiad carsinoma mewnwthiol.

cervicitis: *llid gwddf y groth* heintiad o'r bilen fwcaidd sy'n leinio'r cervix uteri. Llid *llym ar wddf y groth (acute c.):* mae'n digwydd mewn GONORRHOEA. Llid *cronig ar wddf y groth (chronic c.):* fel arfer mae'n deillio o heintiad graddfa isel o ganlyniad i rwygiadau ysgafn yng ngheg y groth wrth esgor. Mae'r bilen fwcaidd lidus yn ymwthio allan o'r os allanol i ran y wain o wddf y groth, gan achosi erydiad sy'n gwaedu yn hawdd. Gellir ei drin drwy ddinistrio'r meinwe heintiedig drwy ei serio.

cervix: *gwddf y groth* rhan gul neu wddf. *cervix uteri:* gwddf y groth; mae tua 2.5 cm o hyd ac mae'n agor i fewn i'r wain. *Llwybr cerfigol (c. canal):* yn cychwyn yn yr os mewnol, sy'n cysylltu â chorff y groth, ac yn gorffen yn yr os allanol sy'n agor i fewn i'r wain.

chancre: *cornwyd gwenerol / siancr* anaf dechreuol syffilis yn datblygu yn safle'r brechiad.

'Changing Chilbirth' Report (1993): Adroddiad 'Changing Childbirth' (1993) adroddiad a gynhyrchwyd gan yr Adran Iechyd yn dilyn gweithgor y llywodraeth, oedd yn cael ei gadeirio gan y Farwnes Cumberlege, i archwilio cyflwr presennol gofal mamolaeth. Gwnaethpwyd argymhellion ynglŷn â gwelliannau a ddylai gynnig gwasanaethau mwy hygyrch, effeithiol ac effeithlon i'r gwragedd a oedd yn ymateb iّw anghenion drwy ddarparu mwy o ddewis, rheolaeth a pharhad yn y gofal y maent yn ei gael. Cynigiwyd y dylai pob gwraig fod o dan ofal *'SWYDDOG ARWEINIOL'* ('LEAD PROFESSIONAL') a allai fod yn fydwraig, obstetregydd neu feddyg teulu.

chemical change: *newid cemegol* mae hwn yn wahanol i newid ffisegol gan ei fod yn arwain at newid dwys mewn priodweddau, sydd, fel arfer, yn barhaol ac fel arfer mae defnydd o egni mewn sylwedd newydd yn dod gyda ef, e.e mae hydrogen (2 atom) ac ocsigen (2 atom) yn cynhyrchu dŵr.

chemical compound: *cyfansoddyn cemegol* unrhyw sylwedd sy'n cael ei gynhyrchu gan newid cemegol, y gellir ei dorri i lawr i'w gydrannau drwy ffyrdd cemegol yn unig, yn wahanol i gymysgedd y gellir ei wahanu'n fecanyddol fel arfer.

chemoreceptor: *cemodderbynnydd* casgliad o gelloedd sy'n sensitif i newidiadau mewn cemegau sy'n dod i gysylltiad â hwy. Maent i'w canfod yn y corffyn carotid a'r corffyn aortig. Mae'r derbynyddion hyn yn ymateb i newidiadau yng nghrynodiadau ion ocsigen, carbon deuocsid a hydrogen yn y gwaed. Pan fo crynhoad yr ocisgen yn disgyn yn is na'r normal yng ngwaed y rhydwelïau, bydd y cemodderbynyddion yn anfon ysgogiadau i ysgogi'r ganolfan anadlu fel y bydd cynnydd yn yr awyriad alfeolaidd ac o ganlyniad, cynnydd yn y llif o ocsigen i mewn i'r ysgyfaint.

chemotherapy: *cemotherapi (ans. cemotherapiwtig)* trin afiechyd mewn ffordd gemegol; sef drwy feddyginiaeth.

chest: *brest* y gwagle thorasig yn cynnwys yr ysgyfaint, y galon, tracea, bronci, oesoffagws a phibellau gwaed mawr a nerfau

chickenpox: *brech yr ieir* varicella. Clefyd heintus plentyndod. Cyfnod magu 12–20 diwrnod. Twymyn ysgafn a fesiglau tryloyw yn codi ar y croen. Mae'r rhain yn sychu wedyn a gallant adael pantiau yn y croen. Gall fod yn ddifrifol mewn babanod newydd eu geni.

chignon: *chignon* y caput sucedaneum mawr a welir ar ben baban a anwyd gydag sugndyniad fentws. *Gw. SUGNDYNYDD* (VACUUM EXTRACTOR).

child abuse: *cam-drin plant* unrhyw beth y mae unigolion, sefydliadau neu brosesau yn ei wneud neu ddim yn ei wneud sy'n gwneud drwg yn uniongyrchol neu'n anuniongyrchol i blentyn neu'n niweidio ei obaith am ddatblygiad diogel ac iach i fod yn oedolyn. Os gwelir bod plentyn mewn perygl o ddioddef niwed arwyddocaol o achosion corfforol, rhywiol, emosiynol neu esgeulustod yna gall y plentyn gael ei gofrestru ar y Gofrestr Amddiffyn Plant. Os oes gan fydwraig achos rhesymol i amau cam-drin plentyn mewn teulu o dan ei gofal yna mae'n rhaid iddi gymryd y camau addas er mwyn amddiffyn y plentyn. *Gw. hefyd DEDDF PLANT* (CHILDREN ACT).

child health clinic: *clinig iechyd plant* canolfan i blant iach ymweld â hi'n rheolaidd er mwyn sicrhau cynnydd a datblygiad normal. Mae swyddog meddygol ac ymwelydd iechyd yn bresennol.

child minder: *gwarchodwr plant* rhywun sydd wedi ei gofrestru gyda'r adran gwasanaethau cymdeithasol awdurdod lleol ac sy'n cael ei gymeradwyo gan yr adran i warchod rhai plant o'u genedigaeth hyd at 5 oed yn ystod y dydd.

Child Support Agency: *Asiantaeth Cynnal Plant* asiantaeth y llywodraeth a sefydlwyd yn unol â Deddf Cynnal Plant 1991 er mwyn rhedeg cynllun ar gyfer cynhaliaeth plant mewn achosion lle mae'r rhieni'n byw ar wahân. Mae'r Asiantaeth yn gyfrifol am asesu pob achos pan mae un rhiant wedi gofyn am Gynhaliaeth Plant, gan arolygu'r sefyllfa bob dwy flynedd a chasglu arian gan y rhiant absennol os yw hynny'n angenrheidiol.

childbirth: *geni plant / geni plentyn* y weithred neu'r broses o eni plentyn. Fe'i gelwir hefyd yn broses esgor. *Geni naturiol (natural c.):* term a ddefnyddir i ddisgrifio dull o esgor a geni y mae'r fam a'i phartner wedi'u paratoi'n dda ar ei gyfer ac yn rheoli'r digwyddiadau sy'n cael symud ymlaen yn naturiol ac heb ymyrraeth. Felly fe osgoir ymyrraeth feddygol, cyffuriau ac ysgogi'r esgor.

Children Act 1989: *Deddf Plant 1989* Mae'r ddeddf hon yn dod â'r gyfraith gynhwysfawr sy'n berthnasol i blant ynghyd, gan ddiffinio hawliau plant, adnabod cyfrifoldebau'r rhieni a manylu ar ddulliau gweithredu ar gyfer amddiffyn plant. Lles y plentyn sydd bwysicaf ym mhob penderfyniad a wneir gan y llys, a dylid ei wneud gyda'r lleiafswm o oedi, a gan gymryd dymuniadau'r plentyn i ystyriaeth lle bo'n bosibl. Mewn achosion teuluol gall y llys gyhoeddi gorchymyn cyswllt sy'n ei gwneud hi'n ofynnol i'r person y mae'r plentyn yn byw gydag ef roi mynediad at berson arall a enwyd, neu orchymyn preswyl sy'n penderfynu lle y dylai plentyn fyw.

Gall y llys gyhoeddi gorchmynion gofal a goruwchwyliaeth i osod plentyn yng ngofal awdurdod lleol. Mae gorchymyn asesu plentyn yn caniatáu i'r plentyn aros yn ei gartref arferol ond mae'n rhaid i'r oedolyn sy'n gofalu amdano ganiatáu/u mynediad at y plentyn er mwyn ei asesu. Cyhoeddir gorchymyn amddiffyn brys er mwyn symud plentyn o gyrraedd niwed posibl i ofal yr awdurdod lleol (fel arfer).

chiropody: *gwyddor trin traed* astudio a gofalu am y traed a thrin clefydau'r traed. Fe'i gelwir yn fwy cyffredin heddiw yn podiatreg.

chiropractic: *ceiropracteg* math o feddygaeth gyflenwol a ddeilliodd yn gyntaf o osteopathi, ond a ddatblygodd gyda athroniaeth wahanol. Mae triniaeth ceiropracteg yn llesol ar gyfer nifer eang o broblemau synhwyraidd, organig, fasgwlar a chyhyrol ac mae'n golygu llacio a llawdrin y cymalau gyda'r bwriad o adfer aliniad o fewn yr asgwrn cefn, ac felly ei berthynas gyda gweddill y corff. Gall fod yn ffurf ddefnyddiol o driniaeth ar gyfer anhwylderau ffisiolegol yn ystod beichiogrwydd, ac mae wedi ei ddangos i fod yn effeithiol i drin colig mewn babanod, gorfwyogrwydd mewn plant a symptomau yn ymwneud â'r mislif a

therfyn y mislif mewn merched.

chiropractor: *ceiropractydd* ymarferwr ceiropracteg.

chi-squared test: *prawf chi-sgwâr* prawf ystadegol i benderfynu a yw dau neu fwy o arsylwadau yn gwahaniaethu'n sylweddol oddi wrth ei gilydd, e.e. yn fwy na'r hyn a ddisgwylid ar siawns.

Chlamydia: *Clamydia* bacteriwm sy'n tyfu gyda thrafferth yn unig. Mae un rhywogaeth yn achosi trachoma mewn hinsoddau trofannol. *Chlamydia trachomatis* sy'n gyfrifol am o leiaf hanner yr achosion o wrethritis amhenodol (NSU) mewn dynion, ac erbyn hyn mae yn fwy tebygol o achosi *OPHTHALMIA NEONATORUM* na'r gonococws. Yn y llwybr geni mae'n cael ei ddal, ond ni welir y rhedlif mwcograwnllyd hyd at 5–10 diwrnod wedi'r enedigaeth.

chloasma: *cloasma* masg. Mae 'masg beichiogrwydd', neu bigmentiad croen y talcen, y trwyn a'r bochau yn weddol gyffredin yn ystod beichiogrwydd.

chloral elixir: *tintur cloral* hypnotig ar gyfer babanod, sy'n cynnwys 200mg i bob 5ml o hydoddiant. Dogn: 30mg/kg pwysau'r corff am 2 wythnos gyntaf bywyd.

chloral hydrate: *cloral hydrad* hypnotig a thawelydd sy'n gweithredu'n ysgafn fel lliniarydd poen, ond yn cael ei ddefnyddio fwyaf i beri cwsg. Anaml iawn y caiff ei ddefnyddio bellach.

chloramphenicol: *cloramffenicol* gwrthfiotig sbectrwm eang sy'n gweithredu'n therapiwtig yn benodol yn erbyn rickettsia a nifer o wahanol fathau o facteria. Mae sgil effeithiau yn cynnwys anhwylderau gwaed difrifol, hyd yn oed marwol, mewn rhai cleifion. Argymhellir profion gwaed rheolaidd yn ystod therapi. Cymysgedd patent o cloramffenicol yw Cloromycetin.

chlordiazepoxide: *chlordiazepocsid* cyffur gwrthrbryder ar gyfer defnydd tymor byr; yn cael ei ddefnyddio hefyd i drin effeithiau difrifol diddyfnu oddi wrth alcohol. Aelod o grŵp benzo-diazepine o gyffuriau.

chlorhexidine: *chlorhecsidin* deilliad o gol-tar sydd ag effaith gwrthfacterol helaeth. Mae'n arbennig o effeithiol yn erbyn staffylococi ceulas positif ac fe'i defnyddir yn helaeth mewn glanhawyr croen gwrthfiotig ar gyfer sgwrio llawfeddygol, paratoi'r croen cyn llawdriniaeth a glanhau anafiadau croen. Hibitane yw'r cymysgedd patent o glorhecsidin.

chloride: *clorid* halwyn clorin. Un o'r electrolytau pwysig sy'n help i gadw cydbwysedd normal y gwaed, peth sydd ei angen ar gyfer bod yn iach.

chlorothiazide: *chlorothiazide* cyffur diwretig sydd hefyd yn cael effaith gwrthorbwysedd. Mae'n cael ei ddefn-yddio i drin oedema diffyg gorlenwad y galon, ac mewn gorbwysedd.

chlorpheniramine maleate: *chlorphen-iramine maleate* cymysgedd a ddefnyddir er mwyn lliniaru alergedd a thriniaeth frys ar gyfer adweithiau anaffylactig. Piriton.

chlorpromazine: *chlorpromazine* ffeno-thiasin a ddefnyddir fel cyfrwng gwrthseicotig ac antiemetig. Mae sgil effeithiau'n cynnwys syrthni ac isbwysedd ysgafn. Largactil.

Chlorpropamide: *Chlorpropamide* cyffur a ddefnyddir i drin diabetes. Ni ddylid ei ddefnyddio mewn beichiogrwydd. Gall achosi hypoglycaemia yn y newydd-anedig.

choanal astresia: *choanal atresia* rhwystr pilennog neu esgyrnog o'r ffroenau ôl. Gan fod y newydd-anedig yn anadlu'n bennaf drwy ei drwyn, mae cryn drafferth anadlu yn digwydd ar endigaeth neu'n fuan wedyn, gan arwain at ddulasedd.

cholecystitis: *llid y bustl* llid ar goden y bustl.

chorea: *corea* dawns Sant Fitus. Afiechyd sy'n perthyn i wynegon ac mae'n debyg

o darddiad bacteriol, sy'n effeithio ar y system nerfol. Fe'i nodweddir gan symudiadau anfwriadol afreolaidd y cyhyrau, a gall wneud y claf yn lluddedig iawn. Weithiau gelwir y cyflwr yma pan fo'n digwydd yn ystod beichiogrwydd yn chorea gravidarium. Gall gael ei alw hefyd yn corea Sydenham. Weithiau fe'i gwelir mewn merched ifanc sy'n feichiog am y tro cyntaf, sydd â hanes gwynegon a/neu corea yn ystod eu plentyndod, neu efallai ddim. Mae'n beryglus yn gymaint â bod y beichiogrwydd yn rhoi straen ychwanegol ar y galon sydd eisioes yn ddiffygiol.

chorioangioma: *corioangioma* casgliad o bibellau gwaed y ffetws o fewn *JELI WHARTON* (WHARTON'S JELLY), sy'n ffurfio tyfiant ar y brych. Nid yw o bwysigrwydd clinigol mawr, ond mewn achosion prin mae'n cael ei gysylltu â *POLYHYDRAMINOS* (POLYHADRAMNIOS).

choriocarcinoma: *coriocarsinoma* neoplasm sy'n falaen iawn, fel arfer yn deillio o droffoblast *MÔL HYDATID-IFFURF* (HYDATIFORM MOLE). Mae'n datblygu mewn tua 3% o folau hydatidiffurf ac fe'i canfyddir drwy lefelau uwch o gonadotroffin corionig mewn serwm neu wrin a thrwy radioimiwnobrawf. Mae'n cael ei drin â chemotherapi cytotocsig, ac, os oes rhaid, gyda hysterectomi.

chorioepithelioma: *corioepithelioma* yr enw blaenorol am *CORIOCARSINOMA* (CHORIOCARCINOMA).

chorion: *corion* yr un allanol o'r ddwy bilen sy'n amgáu'r ffetws yn y groth. Mae'n deillio, ynghyd â'r *BRYCH* (PLACENTA) o'r troffoblast. Mae'n ddidraidd ac yn frau a weithiau gall gael ei ddargadw ar ôl yr esgor. *Biopsi o'r corion* (c. biopsy): meinwe a dynnir o'r goden gario yn gynnar yn ystod beichiogrwydd fel y gellir adnabod anhwylderau cromosomau ac anhwyl-derau etifeddol eraill. Gan fod modd gwneud hyn mor gynnar ag wythnos 8 o'r cyfnod cario, gellir terfynu'r beichiogrwydd (pan gaiff ei argymell a'i benderfynu) cyn 12 wythnos, peth na fyddai'n bosibl gydag amniocentesis. *Corion frondosum:* y rhan o'r corion sydd wedi ei orchuddio gan filysau yn ystod wythnosau cynnar datblygiad yr embryo cyn i'r brych gael ei ffurfio. *Corion laeve:* y rhan bilennog heb filysau o'r troffoblast sy'n datblygu i fod yn gorion.

chorionic gonadotrophin: *gonadotroffin corionig* sylwedd sy'n cael ei gynhyrchu o'r *BLASTOCYST*, ac yn ysgogi'r *CORPUS LUTEUM* i gynhyrchu oestrogen a progesteron wrth i'r *GONADOTROFFINAU* (GONADOTROPHINS) pitwidol leihau, gan olygu felly barhad y beichiogrwydd. Mae presenoldeb y gonadotroffinau corionig dynol yn wrin merch yn brawf o feichiogrwydd. *Gw. hefyd PROFION BEICHIOGRWYDD* (PREGNANCY TESTS).

chorionic villi: *filysau corionig* ymestyniadau bychan iawn, tebyg i fysedd sy'n tyfu allan o'r *TROFFOBLAST* (TROPHOBLAST) ac yn parhau yn y corion frondosum. Mae ganddynt haenen *SYNCYTIOTROFFOBLASTIG* (SYNCYTIO-TROPHOBLASTIC) allanol gyda chnewyll lluosol ac heb waliau i'r celloedd, a haenen *CYTOTROFFOBLASTIG* (CYTO-TROPHOBLASTIC) fewnol gyda waliau celloedd yn cynnwys cnewyll unigol. Oddi fewn mae capilarïau'r ffetws wedi'u mewnosod mewn mesoderm. Mae gwaed y fam wedi ei ocsigeneiddio yn cael ei hyrddio mewn rhaeadrau dros y filysau yn y bylchau rhyngfilysol, fel bod ocsigen, maetholynnau a.y.b yn gallu pasio i mewn i gylchrediad y ffetws ar garbon deuocsid a.y.b. yn gallu pasio allan ohono. Daw'r cyfnewidiad yma'n haws ar ôl cyfnod cario y 24 wythnos pan nad yw'r haenen celloedd cytotroffoblastig yn bod ond mewn rhai mannau yn unig.

choroid plexus: *plecsws coroid* plygiadau ymyl fasgwlaidd yn y freithell yn nhrydedd a phedwaredd fentrigl yr ymennydd a'r fentriglau ochr; yn ymwneud â ffurfiant hylif yr ymennydd.

Christmas disease: *clefyd Christmas* diathesis gwaedlifol a etifeddir sy'n debyg yn glinigol i haemoffilia A (haemoffilia clasurol) ond sy'n ganlyniad i ddiffyg y ffactor ceulo IX; fe'i gelwir hefyd yn haemoffilia B.

chromatin: *cromatin* sylwedd y cromosomau, wedi ei wneud o DNA a phroteinau basig (histonau), y lliw yn y cnewyllyn sy'n staenio gyda staeniau basig. Cromatin rhyw (sex c.): corffyn Barr; màs parhaus o sylwedd y cromosom X wedi ei anactifadu yng nghelloedd merched normal.

chromatography: *cromatograffiaeth* techneg ar gyfer dadansoddi sylweddau cemegol. Yn llythrennol golyga'r term ysgrifennu lliw a defnyddir y dechneg ar gyfer rhai ymchwiliadau, er enghraifft, er mwyn canfod a nodi yn hylifau'r corff, rai siwgrau ac asidau amino sy'n gysylltiedig â gwallau metabolaeth cynhenid.

chromosome: *cromosom* un o nifer o adeiladedu bychan iawn sy'n debyg i edau a geir yng nghnewyllyn y gell, sydd wedi eu gwneud o *ASID DIOCSIRIBONIWCLÊIG* (DEOXYRIBO-NUCLEIC ACID / DNA) a phroteinau ac yn cario'r genynnau sy'n cludo'r nodweddion etifeddol. Yn y corff dynol, mae'r celloedd yn cario 46 cromosom, 22 pâr o awtosomau, a'r ddau gromosom rhyw (XX neu XY), sy'n penderfynu rhyw yr organeb. *Dadansoddi cromosom (c. analysis):* gellir meithrin celloedd y ffetws a'u cesglir drwy *AMNIOCENTESIS* neu o lymffocytau o sampl gwaed yn y labordy hyd nes eu bod yn rhannu. Gall y cyffur colcisin atal cellraniad yng nghanol metaffas. Gellir staenio'r celloedd gydag un o sawl techneg sy'n cynhyrchu patrwm amlwg o fandiau golau a thywyll ar draws y cromosom, a gall pob cromosom gael ei adnabod gan ei faint a'i batrwm bandiau. Cyfeirir at nodweddion cromosomau unigolion fel eu *CARYOTEIP* (KARYOTYPE). *Gw. hefyd GENYN* (GENE).

chronic: *cronig* hirfaith neu barhaus, e.e clefyd cronig.

cilia: *cilia* cnapau mân tebyg i wallt sy'n tyfu ar ymyl rydd rhai celloedd epithelaidd. Epitheliwm ciliedig yw leinin y tiwbiau Fallopio ac mae'r cilia, sy'n symud o ochr i ochr, yn cynhyrchu cerrynt sy'n cario'r ofwm o ben ofaraidd y tiwb Fallopio i'r groth. Unigol: ciliwm.

ciliated: *ciliedig* gyda cilia.

ciprofloxacin: *ciprofloxacin* gwrthfeicrobaidd ac yn actif yn erbyn organebau gram negyddol a Clamydia yn arbennig. Dylid ei ddefnyddio'n ofalus yn ystod beichiogrwydd ac wrth fwydo o'r fron.

circulation: *cylchrediad* symudiad mewn cwrs cylchol, megis symudiad y gwaed. *Cylchrediad y ffetws (fetal c.):* cylchrediad y gwaed yn y ffetws. Cyn y geni mae'r foramen ovale a'r ductus arteriosus yn osgoi'r ysgyfaint, ac mae'r gwaed yn cael ei gludo i'r brych ac oddi yno gan y pibellau wmbilig a'r ductus venosus.

circumcision: *enwaediad* toriad yn y blaengroen. Mae'n cael ei wneud i fabanod gwrywaidd Iddewig ar ei wythfed diwrnod bywyd fel seremoni grefyddol. Yn feddygol mae'n cael ei ystyried yn angenrheidiol os yw meatws troethol y blaengroen wedi ei rwystro. *Y PLASTIBELL* a ddefnyddir yn gyffredin ar gyfer enwaedu mewn ysbytai. *Enwaediad benywod (female c.):* neu anffurfiad o'r organau cenhedlu benywaidd, mae'n golygu toriad yn y labia a'r clitoris a chulhau agoriad y wain. Mae'n arbennig o gyffredin mewn ardaloedd fel y Sudan. Mae cymhlethdodau'n cynnwys oedi'r esgor, necrosis waliau'r bledren, ffistwlâu

Un pâr o Gromosomau yn dangos Bandio Genynnau

troethol parhaol neu ffistwlâu pothellol yn y wain.

circumvallate: *amgaerog* yn llythrennol, wedi ei amgylchynu gan wal. Mae gan *frych amgaerog (c. placenta)* gefnen eglur ar arwyneb ffetysol y brych, wedi ei achosi gan ddau blyg corion wrth yr amgant. Mae hwn ychydig bach yn fwy tebygol o wahanu'n rhannol gan achosi gwaedlif antepartwm.

clamp: *clamp* offeryn llawfeddygol a ddefnyddir i gywasgu unrhyw ran o'r corff, e.e. i atal neu rwystro gwaedlif. *Clamp Hollister (Hollister c.):* dyfais blastig i gau pibellau'r llinyn bogail. Mae'n cael ei roi ymlaen wedi'r enedigaeth, tua 1–2cm i ffwrdd o'r bogail am tua 48 awr cyn cael ei dynnu i ffwrdd.

clavicle: *clafigl* yn creu cymal gyda'r sternwm a chnap acromion padell yr ysgwydd. Mae torri clafigl y ffetws yn anaf geni anghyffredin. Gall fod o ganlyniad i esgoriad ffolennol neu mewn dystocia ysgwydd, megis gyda baban nas canfuwyd ei fod yn fawr, i fam gyda diabetes cyfnod cario. Ar y llaw arall gall ddigwydd hefyd ohono'i hun yn ystod genedigaeth hawdd gyda'r cyflwr prin *OSTEOGENESIS IMPERFECTA* cynhenid. *Gw. hefyd CLEIDOTOMI* (CLEIDOTOMY).

Gwefus Hollt

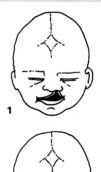

1. unochrog, 2. dwyochrog.

cleft lip: *gwefus hollt* nam cynhenid yn deillio o fethiant ymasiad cnapau canolog trwynol a macsilari yn yr embryo. Gall fod yn unochrog neu'n ddwyochrog. Fel arfer gellir ei gywiro yn ystod wythnosau neu fisoedd cyntaf bywyd.

cleft palate: *taflod hollt* nam cynhenid sy'n aml yn gysylltiedig â *GWEFUS HOLLT* (CLEFT LIP). Gall yr hollt fod yn y canol neu ar un ochr i'r daflod yn unig. Y math mwyaf difrifol yw hollt llwyr yn y daflod yn ogystal â gwefus hollt dwyochrog, ac yn yr achos yma mae pigyn cnawdog hyll o dan y trwyn. Mae taflod hollt yn amharu ar allu'r plentyn i sugno, ac yn nes ymlaen ar ei lefaru.

Mae llawdriniaeth fodern yn llwyddiannus iawn.

cleidotomy: *cleidotomi* rhannu claficlau ffetws gyda siswrn, mewn achosion prin iawn, er mwyn hwyluso'r esgor lle ceir rhwystr am fod yr ysgwyddau yn rhy llydan, e.e. mewn ffetws *ANENCEFFALIG* (ANENCEPHALIC) mawr.

climacteric: *climacterig* y newidiadau yn y corff sy'n digwydd adeg cyfnod *TERFYN Y MISLIF* (MENOPAUSE).

clinic: *clinig* man lle mae cleifion neu gleientiaid yn derbyn cyngor a thriniaeth.

clinical: *clinigol* yn perthyn i, neu wedi ei sefydlu ar, arsylwi gwirioneddol a thrin cleifion, yn wahanol i'r damcaniaethol neu'r arbrofol. *Treial clinigol (c. trial):* asesiad o effeithiol-rwydd mathau o driniaeth drwy ddilyn yn ofalus ymateb i therapi o fewn grwpiau diffiniedig o gleifion. Treial clinigol rheoledig yw un lle gwneir cymhariaeth rhwng un driniaeth weithredol ac un arall yn ogystal â phlasebo. *Treial clinigol dwbl-ddall (double-blind c. trial):* cymhariaeth o wahanol driniaethau (gweithredol a phlasebo) lle nad yw'r cleifion na'r arsylwyr yn gwybod pa glaf sy'n derbyn triniaeth nes bod prawf wedi ei ddatgodio ar ddiwedd yr astudiaeth. Bwrdd *cyfarwyddwyr clinigol (c. directorate):* system o reolaeth drosglwyddedig o fewn menter *RHEOLI ADNODDAU* (RESOURCE MANAGEMENT), lle mae arbenigedd clinigol megis obstetreg a gynaecoleg yn cael ei harwain gan gyfarwyddwr, sydd fel arfer yn ymarferwr meddygol, yn cael ei gynorthwyo gan uwch fydwraig a rheolwr busnes. Mae'r bwrdd cyfarwyddwyr yn gyfrifol am ei gyllideb ei hun a'i ddefnydd o adnoddau.

clinical governance: *trefn lywodraethol glinigol* fframwaith y mae cyrff y Gwasanaeth Iechyd Gwladol yn atebol drwyddo am wella ansawdd eu gwasanaethau yn barhaus a diogelu safonau uchel mewn gofal drwy greu amgylchedd lle bydd rhagoriaeth yn ffynnu. *Gw. hefyd* SEFYDLIAD GWLADOL AR GYFER RHAGORIAETH GLINIGOL (NATIONAL INSTITUTE FOR CLINICAL EXCELLENCE) a *FFRAMWEITHIAU GWASANAETH GWLADOL* (NATIONAL SERVICE FRAMEWORKS).

clinical nurse specialist: *nyrs glinigol arbenigol* nyrs gymwysedig sydd wedi ennill gwybodaeth a sgiliau uwch mewn maes penodol o ymarfer clinigol.

clinical risk index for babies: *mynegai risg clinigol ar gyfer babanod* offeryn sgorio proffesiynol a ddefnyddir i asesu peryglon dechreuol i fabanod newydd eu geni ac i gymharu perfformiad unedau gofal dwys babanod newydd eu geni yn erbyn perfformiad unedau eraill.

clinical risk management: *rheoli risg glinigol* y dull o adolygu'n systematig y digwyddiadau niweidiol sy'n digwydd mewn cyfundrefnau, fel arfer yn ymwneud â darparu gofal cleifion, er mwyn cael hyd i ffyrdd i osgoi digwyddiadau pellach.

clinical thermometer: *thermomedr clinigol* offeryn ar gyfer cymryd tymheredd y corff yn y geg, yr anws neu'r gesail.

clitoridectomy: *clitoridectomi* torri ymaith a clitoris.

clitoris: *clitoris* organ fechan sensitif, sy'n cynnwys meinwe ymgodol, wedi'i leoli yng nghyswllt blaen y labia minora. Mae'n cyfateb i'r pidyn gwrywaidd.

clomethiazole edisilate: *clomethiazole edisilate* (Heminervin) cyffur hypnotig, tawelyddol a gwrthgonfylsiwn sy'n gweithredu fel iselydd ar y brif system nerfol. Fe'i defnyddir i drin methiant i gysgu, cynnwrf a phryder. Fe'i defnyddir hefyd i drin symptomau diddyfnu difrifol mewn alcoholiaeth a chaethiwed i gyffuriau, ac i reoli eclampsia a ffitiau epileptig sy'n parhau'n hir.

clomiphene citrate: *clomiffen citrad* cyffur *GONADOTROFFIG* (GONADO-TROPHIC) a ddefnyddir i ysgogi ofwliad. Mae Clomid yn gymysgedd patent.

clonic: *clonig* o natur plwc. Gelwir y cam neu gam mewn ffit, lle ceir confylsiynau, yn gam clonig.

Clostridium: *Clostridiwm* basilws anaerobig gram positif sy'n cario sborau, e.e rhai tetanws neu fadredd nwy.

clot: *tolchen* fel arfer celloedd gwaed sy'n ffurfio màs rhannol solid mewn matrics o ffibrin. Gall ddigwydd hefyd yn y lymff. Y rhan solid o waed wedi iddo ddianc o'r pibellau gwaed.

clotrimazole (Canesten): *clotrimazole (Canesten)* cyfrwng gwrthffyngol ar ffurf pesariau neu hufen a roddir drwy'r wain i drin y llindag (thrush).

clotting: *ceulo* tolchennu, ffurfiant sylwedd jeliaidd o waed a gollwyd yn safle niwed i bibell gwaed. Weithiau mae tolchenni yn ffurfio o fewn pibellau gwaed gan achosi arteriosglerosis, thrombosis neu wythienau chwydd-edig. Amser ceulo (c. time): yr amser a gymer gwaed a gollwyd i geulo, fel arfer 5 munud. *Gw.* COAGULATION

cloxacillin: *clocsasilin* penisilin lled synthetig; defnyddir ei halwyn sodiwm i drin heintiadau staffylococol sy'n deillio o organebau sy'n cynhyrchu penisilinas.

clubfoot: *troed glwb* *Gw.* TALIPES.

coagulase: *ceulas* sylwedd a ffurfir gan rai rhywogaethau o staffylococi (felly fe'u gelwir yn geulas positif) gan achosi ceulo un y plasma. Ystyrir bod staffylo-cocci ceulas positif (e.e. staffylococws aureus) gryn dipyn yn beryclach, yn arbennig i fabanod newydd-anedig, na rhai sy'n geulas negyddol (e.e staffylococws albus).

coagulation: *tolcheniad* ffurfiant tolchen. *Anhwylderau ceulo* (c. disorders): mae'n digwydd mewn rhai achosion difrifol o'r brych yn gwahanu oddi wrth wal y groth, marwolaeth mewngroth, sioc endotocsig ac mewn achosion prin, emboledd hylif amniotig. Mae holl ffactorau ceulo ansefydlog yn isel; mae ffibrinogen yn isel a cheir THROMBO-CYTOPENIA. Mae gwaedu helaeth yn digwydd ac mae'r gwaed yn methu â cheulo; mae'r ffibrinogen sydd ar gael yn cael ei ailgyfeirio ac mae'n arwain at DOLCHENIAD MEWNFASGWLAIDD GWAS-GAREDIG (DISSEMINATED INTRAVASCULAR COAGULATION). Mae archwiliadau'n cynnwys croes gydweddu, cyfrif gwaed llawn, amser prothrombin, amser ceulo, cyfrif platennau, ffibrinogen a chynhyrchion diraddiad ffibriongen. Bydd triniaeth yn dibynnu ar ganlyniadau'r rhain.

coarctation of the aorta: *amgaead o'r aorta* culhad o'r aorta yn safle'r ductus arteriosus neu yn union islaw; yn aml gwneir diagnosis drwy absenoldeb pwls ffemwrol.

cocaine hydrochloride: *cocên hydroclorid* anaesthetig lleol a roddir ar y pilenni mwcaidd. Mae cocên bellach yn fwy adnabyddus fel cyffur a gamddefnyddir; gall dibyniaeth seicolegol ddatblygu mewn defnyddwyr tymor hir. Gellir ei amsugno drwy'r arwynebau mwcaidd neu ei ysmygu fel a wneir gyda 'crack' sy'n arbennig o gaethiwus. Mae'n fasgyfyngwr pwerus ac fe'i cysylltir ag erthyliad digymell, gorbwysedd y fam, y brych yn gwahanu oddi wrth wal y groth a geni'n farw o ganlyniad, a babanod sy'n fychan i ateb i'w hoedran geni, o bosibl yn deillio o'i effaith yn lleihau archwaeth sy'n arwain at ddiffyg ennill pwysau yn y fam. Mae cael thrombosis rhydweliol yn fwy cyffredin mewn defnyddwyr cocên beichiog a gall marwolaeth y fam ddigwydd o ganlyniad i arhythmia cardiaidd, ischaemia'r galon, ymlediad mewngreuanol, gwaediff yn yr ymennydd neu gonfylsiynau gorbwysedd. Gall camffurfiadau yn y ffetws, megis atresia coluddol, nam ar aelodau

ac anhwylderau cenhedlol-droethol ddigwydd a gellir gweld problemau niwrolegol yn ystod babandod.

coccus: *cocws* micro-organeb sfferig. *Gw. BACTERIA.*

coccydynia: *cocydynia* poen di-baid yn ardal y cocycs.

coccygeus: *cocygews* un o ddau gyhyr sy'n codi o'r pigynau isgïol ac wedi eu gosod i mewn yn ymylon ochrol y sacrwm a'r cocycs, ac yn ffurfio rhan o LAWR Y PELFIS (PELVIC FLOOR). Hefyd yn cael ei alw'n isgïococygews.

coccyx: *cocycs* asgwrn isaf yr asgwrn cefn, lle mae pedwar fertebra elfennol wedi'u hasio at ei gilydd. Fe'i gelwir hefyd yn asgwrn y gynffon yn y Gymraeg.

Cochrane database: *cronfa ddata Cochrane* cronfa ddata o adolygiadau systematig o ymchwil gyhoeddedig. Cydweithrediad rhyngwladol amlddisgyblaethol rhwng gweithwyr iechyd proffesiynol, defnyddwyr ac ymchwilwyr sy'n adolygu treialon clinigol, rheoledig, ar hap, sy'n gysylltiedig â beichiogrwydd a geni plant; mae gan arbenigeddau meddygol eraill grwpiau adolygu cydweithredol i archwilio ymchwil berthnasol.

Code of Proffesional Conduct: *Cod Ymddygiad Proffesiynol* dogfen a gynhyrchwyd gan y Cyngor Nyrsio a Bydwreigiaeth gyda'r nod o roi gwybod i nyrsys, bydwragedd ac ymwelwyr iechyd beth yw safon yr ymddygiad proffesiynol a ddisgwylir ganddynt wrth iddynt weithredu eu hatebolrwydd a'u hymarfer proffesiynol, ac i roi gwybod i'r cyhoedd, proffesiynau eraill a chyflogwyr beth yw safon yr ymddygiad proffesiynol a ddisgwylir oddi wrth ymarferwr cofrestredig.

cohort: *carfan* grŵp o bobl sy'n meddu ar nodwedd gyffredin, e.e. yr un rhyw neu'r un proffesiwn. Fe'i defnyddir mewn ymchwil i gyffredinolu ar sail data meintiol.

coitus: *coitws* Cyfathrach rywiol. *Coitus interruptus:* math o atal cenhedlu lle tynnir y pidyn allan o'r wain cyn i'r semen gael ei alldaflu.

colic: *colig* poen sbasmodig, ddifrifol yn yr abdomen; yn fwyaf cyffredin yn ystod 3 mis cyntaf bywyd. Efallai y bydd y baban yn tynnu ei goesau i fyny, crïo'n uchel, ei wyneb yn troi'n goch, ac yn rhyddhau gwynt drwy'r anws neu'n torri gwynt o'r stumog. *Colig bustlog (biliary c.):* colig o ganlyniad i symudiad carreg y bustl drwy ddwythelli'r bustl. *Colig arennol (renal c.):* colig a achosir gan symudiad carreg ar hyd yr wreter. Mae cyfangiadau poenus, aneffeithiol, anghyson y groth weithiau'n cael eu galw'n goligaidd.

coliform: *coliffurf* yn ymdebygu i E.coli. *Gw. BACTERIA.*

collapse: *ymgwympo* cyflwr o wendid llethol o ganlyniad i fethiant sytem cylchrediad y gwaed. *Gw. SIOC (SHOCK).*

colloidal solution: *hydoddiant coloiddaidd* daliant mewn dŵr neu hylif arall, o foleciwlau o fath nad ydynt yn symud yn rhwydd drwy bilen anifail. Enghreifftiau yw gwaed, plasma a'r amrywiaeth amnewidion plasma, sydd yn werthfawr ar gyfer trin sioc, oherwydd eu bod yn cael eu cadw yn y cylchrediad.

colon: *colon* rhan o'r coluddyn mawr sy'n ymestyn o'r caecwm i'r rectwm.

colostrum: *colostrwm* yr hylif tenau, melyn, llaethog a secretir o'r bronnau o 16 wythnos y beichiogiad ymlaen ac am 3 i 4 diwrnod ar ôl yr esgor nes i'r llaethiad gychwyn. Mae colostrwm yn cynnwys llawer o brotein ac ar y cychwyn mae'n isel mewn lactos; mae ei gynnwys braster yn cyfateb i laeth y fron. Mae'n ffynhonnell bwysig o wrthgyrff goddefol.

colour index: *mynegai lliw* mesuriad o'r cyfran o haemoglobin yng nghelloedd coch y gwaed. Mewn gwaed normal y ffigwr yw 1, mewn anaemia diffyg

haearn mae'n llai nag 1 ac mewn anaemia megaloblastig mae'n fwy nag 1.

colpo-: *colpo-* yn ymwneud â'r wain.

colpoperineorrhaphy: *colpoperineoraffi* atgyweirio llawr y pelfis, y wain a'r corff perineol, fel arfer yn cael ei gyflawni ar gyfer *LLITHRIAD* (PROLAPSE).

colporrhaphy: *colporaffi* atgyweirio'r wain. *Colporaffi blaen (anterior c.):* ar gyfer *SYSTOSEL* (CYSTOCELE). *Colporaffi ôl (posterior c.):* ar gyfer *RECTOSEL* (RECTOCELE).

colposcope: *colposgop* speciwlwm ar gyfer archwilio'r wain a gwddf y groth gyda lens chwyddo; fe'i defnyddir ar gyfer canfod newidiadau malaen yn gynnar.

colposcopy: *colposcopi* archwilio meinwe'r wain a gwddf y groth gyda cholposgop, fel arfer yn cael ei wneud ar ôl canlyniad prawf taeniad annormal, er mwyn canfod epitheliwm annormal neu dyfiannau diniwed.

colpotomy: *colpotomi* endoriad yn wal y wain. Colpotomi ôl (posterior c.): endoriad trwy fwa ôl y wain i god Douglas er mwyn draenio crawniad yn y pelfis.

columnar epithelium: *epitheliwm colofnog* math o epitheliwm sy'n cynnwys celloedd silindrog.

coma: *coma* cyflwr o anymwybod dwfn, nad oes modd deffro'r claf ohono. Gall gael ei achosi gan sawl peth, gan gynnwys damwain gerebrofasgwlaidd, diabetes mellitus, alcoholiaeth, eclampsia ac wremia.

comatose: *mewn coma* mewn cyflwr o goma.

commensal: *cydfwytäwr* organeb sy'n byw ar un arall heb ei niweidio. *Gw. hefyd LACTOBACILWS ACIDOFFILWS* (LACTOBACILLUS ACIDOPHILUS).

commisure: *comiswr* cysylltiad. *Comiswr ôl (posterior c.):* plyg o groen yn cysylltu'r labia minora yn y tu ôl.

Committee on Safety of Medicines (CSM): *Pwyllgor Diogelwch Meddyginiaethau (CSM)* corff sy'n gyfrifol am reoli rhyddhau cyffuriau newydd yn y DU. Mae hefyd yn casglu data am adweithiau niweidiol i gyffuriau drwy system y cerdyn melyn. Galluoga hyn y CSM i gyhoeddi rhybuddion am effeithiau niweidiol, difrifol.

Community Health Council: *Cyngor Iechyd Cymdeithas* corff sy'n ei gwneud yn bosibl cyfleu buddiannau'r defnyddiwr i'r rheiny sy'n gyfrifol am y Gwasanaeth Iechyd Gwladol ar lefel ardal. Ar wahân i ysgrifennydd sy'n cael ei dalu, mae'r cynrychiolwyr sy'n gweithio'n wirfoddol yn dod o gyrff lleol.

compatibility: *cytunedd, cydnawsedd* cymysgu dau sylwedd gyda'i gilydd heb newid cemegol na cholli pŵer.

compensation: *cymhwysiad* gyda chlefyd y galon, gallu'r galon sydd wedi ei gwanhau i weithio'n ddigonol er gwaethaf hynny.

complement: *cyflenwad* yr hyn sy'n ychwanegu at rywbeth neu'n cyflenwi diffyg.

complementary: *cyflenwol* yn cyflenwi diffyg. *Bwyd cyflenwol (c. feed):* ymborth artiffisial a roddir i faban er mwyn cyflenwi'r swm diffygiol o fwyd o'r fron. Nid yw bellach yn cael ei argymell ar gyfer babanod iach, normal. cymharer *ATODOL* (SUPPLEMENTARY). *Meddygaeth gyflenwol (c. medicine):* math o feddygaeth amgen sydd y tu allan i'r prif fath confensiynol o ofal iechyd ond y gellir ei ddefnyddio ar y cyd â meddygaeth uniongred. Mae'r rhain yn cynnwys osteopathi, ceiropracteg, aciwbigo, homeopathi, perlysieuaeth, tylino'r corff, aromatherapi, adweitheg, hypnotherapi, shiatsu a llawer mwy.

complete abortion: *erthyliad llwyr* gwaedu o'r llwybr cenhedlu cyn wythnos 24 o'r beichiogiad gydag erthyliad naturiol yn ganlyniad iddo. Mae holl gynhyrchion yr esgoriad yn

cael eu bwrw allan ac nid oes angen gwacáu'r groth gyda llawdriniaeth.

compound presentation: *cyflwyniad cyfansawdd* cyflwyniad mwy nag un rhan o'r ffetws, e.e pen a llaw; pen a throed; ffolen, llaw a llinyn. Cymhlethdod anghyffredin wrth esgor.

compression: *cywasgiad* **1.** gwasgu at ei gilydd, fel wrth gywasgu'r groth gyda dwy law i atal gwaedlif. **2.** mewn embryoleg, byrhau neu adael allan rai camau datblygu.

computed axial tomography (CAT): *tomograffeg echelinol gyfrifedig* Gw. *TOMOGRAFFEG GYFRIFEDIG*

computed tomography (CT): *tomograffeg gyfrifedig* techneg ddelweddu radiolegol sy'n cynhyrchu delweddau o 'haenau' 1–10 mm o drwch drwy'r corff. Fe'i defnyddiir i wneud diagnosis o gyflyrau megis gwaedlif isddwral, gormod o hylif, neu waedlif mewn-fentrigol mewn babanod cyn amser.

computerized records: *cofnodion cyfrifiadurol* bellach cedwir nifer o gofnodion iechyd mewn systemau cyfrifiadurol sydd yn ddiogel ac yn cadw cyfrinachedd yn ôl y gyfraith, a llwyddir i wneud hyn fel arfer drwy gyfyngu ar fynediad atynt. Ar hyn o bryd mae'r rhan fwyaf o systemau hefyd yn darparu allbrint papur a gedwir fel cofnod llaw. Gw. *DEDDF GWARCHOD DATA* (DATA PROTECTION ACT).

conception: *1. syniadaeth 2. cenhedliad* **1.** ffurfio syniad. **2.** asiad sbermatosoon ac ofwm er mwyn ffurfio sygot hyfyw. Dechreuad beichiogrwydd.

condom: *condom* dyfais atal cenhedlu, sach sy'n gorchuddio'r pidyn, a wisgir yn ystod cyfathrach rywiol.

condyloma: *condyloma* tyfiant tebyg i ddafaden ger yr organau cenhedlu neu'r anws, a all ddod o darddiad syffilitig weithiau.

cone biopsy: *biopsi côn* tynnu darn siâp côn o wddf y groth, peth a wneir er

55

mwyn cadarnhau diagnosis pan fydd canlyniad prawf taeniad gwddf y groth yn awgrymu bod celloedd cynganseraidd yn bresennol.

Confidential Enquiry: *Ymchwiliad Cyfrinachol* archwiliad o fath unigryw lle mae nodiadau achos yn cael eu harchwilio gan weithwyr proffesiynol perthnasol i adnabod gofal is na'r safon a gwneud argymhellion ar gyfer arfer yn y dyfodol. Mae'r Ymchwiliad Cyfrinachol i Farwolaeth y Fam a'r Ymchwiliad Cyfrinachol i Enedigaethau Marw a Marwolaeth Babanod (CESDI) sy'n cyfarfod bob tair blynedd, yn uniongyrchol berthnasol i ofal mamolaeth a gall bydwragedd orfod cyflwyno gwybodaeth berthnasol; mae'r Ymchwiliad Cyfrinachol i Farwolaethau yn ystod Llawdriniaeth ar gael hefyd ond mae'n annhebygol o gynnwys achosion mamolaeth.

congenital: *cynhenid* geni gyda. Fe'i ddefnyddir i ddisgrifio cyflwr, fel arfer camffurfiad, sy'n bresennol ar enedigaeth. Hefyd mae'n cynnwys heintiad sy'n digwydd yn y groth.

Congenital Disabilities (Civil Liabilities) Act, 1976: *Deddf Anableddau Cynhenid (Atebolrwydd Sifil) 1976* mae'r ddeddf hon yn berthnasol yn Lloegr, Cymru a Gogledd Iwerddon ac mae'n darparu ar gyfer rhoi iawndal i blentyn pan fo wedi dioddef o ganlyniad i ddiffyg yn y dyletswydd gofal tuag at y fam neu'r tad oni bai bod y diffyg yn y dyletswydd gofal wedi digwydd cyn i'r babon gael ei genhedlu ac y gwyddai un neu'r ddau riant am y digwyddiad. Gwneir yr un darpariaethau gan Gyfraith yr Alban. Mae cywirdeb manwl a chadw cofnodion yn holl bwysig felly.

congenital dislocation of the hip (CDH): *afleoliad cynhenid y glun* cyflwr sy'n deillio o ddatblygiad annormal yr asetabwlwm, pen y ffemwr neu'r meinweoedd amgylchynol, yn fwy cyffredin os oes hanes teuluol, neu os yw cyflwyniad y ffetws yn ffolennol, ac mewn merched. Mae gan tua 1–2% o fabanod newydd-anedig glun sydd wedi'i hafleoli neu y gellir ei hafleoli, ac mae hyn yn cael ei ganfod fel arfer yn yr archwiliadau rheolaidd a wneir gan fydwragedd neu baediatregwyr yn ystod 24 awr cyntaf bywyd a'i gadarnhau gyda phrawf uwchsain. Y driniaeth yw sefydlogi'r glun drwy symud y goes allan a'i phlygu gan ddefnyddio harnes arbennig; mae nifer o gluniau, y gellir eu hafleoli, yn gwella ohonynt eu hunain ond mae angen llawdriniaeth ar rai plant.

congenital heart defect: *nam cynhenid ar y galon* nam yn adeiledd y galon neu'r pibellau gwaed mawr, neu'r ddau.

congenital infection: *haint cynhenid* haint a gafwyd yn y groth, gan gynnwys rwbela, cytomegalofirws, herpes simplex, firws imiwnoddiffyg dynol, tocsoplasmosis.

congestion: *gorlenwad* croniad anarferol o waed mewn rhan o'r corff.

congestive: *gorlenwol* yn ymwneud â gorlenwad neu'n cael ei gysylltu ag ef. *Diffyg pwmpio'r galon (c. heart defect)* term cyffredinol sy'n dynodi cyflyrau lle mae amhariad ar allu'r galon i bwmpio.

conjoined twins: *efeilliaid cydgysylltiedig* Gw. EFEILLIAID (TWINS).

conjugate: 1. *cyfieuo* 2. *cyfiau* 1. uno neu ieuo gyda'i gilydd, fel mae bilirwbin yn yr iau (afu) yn cael ei gyfuno gydag albwmin gan y gweithgaredd GLUCURONYL TRANSFERASE i'w wneud yn hydawdd mewn dŵr fel y gellir ei ysgarthu drwy'r coludd. Gw. hefyd ICTERUS GRAVIS a CLEFYD MELYN (JAUNDICE). 2. diamedr ymgyfunedig o'r pelfis. Gw. hefyd PELFIS (PELVIS).

conjunctiva: *cyfbilen* y bilen fwcaidd sy'n leinio arwyneb mewnol yr amrannau ac yn gorchuddio agweddau blaen y llygad.

conjunctivitis: *conjynctifitis* llid ar y

gyfbilen. *Gw. hefyd* OPHTHALMIA NEONATORUM.

connective tissue: *meinwe cyswllt* meinwe sy'n rhwymo adeiladau'r corff at ei gilydd neu'n eu cynnal. Mae meinwe bloneg, meinwe areolaidd, asgwrn, cartilag, braster, gwaed a meinweoedd ffibrog i gyd yn fein-weoedd cyswllt.

consanguinity: *cydwaedoliaeth* perth-ynas waed.

consent: *cydsyniad* yn gyfreithiol, cytuno'n wirfoddol gyda gweithred a gynigir gan un arall. Gweithred o reswm yw cydsyniad; rhaid i'r person sy'n cydsynio fod â gallu meddyliol digonol ac yn meddu ar yr holl wybodaeth hanfodol er mwyn rhoi cydsyniad dilys. Yn gyffredinol mae angen cydsyniad gwybodus ysgrifen-edig cyn llawer o weithredoedd clinigol mewnwthiol, megis ymchwiliadau sy'n cynnwys amniosentesis a llawdriniaeth.

constipation: *rhwymedd* lleihad yn amlder ysgarthu, anhawster wrth ysgarthu neu newidiadau yn arferion gweithio'r corff. Mae'n gyffredin yn ystod beichiogrwydd oherwydd yr ymlacio yn y cyhyrau llyfn o ganlyniad i brogesteron. Gall yfed gormod o de, peidio â chymryd digon o hylif, diffyg ffeibr neu atchwanegiadau haearn proffylactig mewn diet wneud y cyflwr yn waeth. Wedi'r enedigaeth, gall ataliad ac ofn gwneud niwed i'r fan, sydd eisoes wedi cleisio, beri bod y corff yn cael ei weithio'n wael.

constriction ring: *cylch darwasgu* sbasm modrwyol lleoledig o gyhyrau'r groth ar unrhyw lefel ond yn aml ger man cyswllt segmentau uchaf ac isaf y groth. Yng nghamau cyntaf ac ail yr esgor, gall ffurfio o amgylch gwddf y ffetws ac yn y trydydd cam mae'n ffurfio DARWASGIAD AWRWYDR (HOURGLASS CONSTRICTION) y groth, gan achosi i'r brych gael ei ddargadw. Gall ddeillio o ddefnyddio cyffuriau ocsitosig mewn

croth sy'n gweithredu'n anghyson, ar ôl i'r pilenni rwygo'n gynnar, ac yn arbennig os gwneir llawiad mewngroth. Gall ymlaciad ddigwydd wrth fewnanadlu amyl nitraid ond yn aml mae angen anesthesia dwfn.

Consultant in Public Health Medicine: *Ymgynghorydd Meddygaeth Iechyd Cyhoeddus* yn dilyn newidiadau diweddar yn y GIG mae'r Ymgyngh-orydd Meddygaeth Iechyd Cyhoeddus wedi cymryd lle'r meddyg cymuned ac mae bellach yn gyfrifol am weith-gareddau megis hybu iechyd, atal clefyd a meithrin cydweithrediad rhwng gwasanaethau iechyd a chymdeithasol.

contagion: *heintiad* clefyd yn cael ei gludo o un person i'r llall trwy gysyllt-iad uniongyrchol.

continuing professional education: *addysg broffesiynol barhaus* astudiaethau bellach ar ôl ennill cymwysterau sylfaenol. Yn unol â rheol-iadau'r Cyngor Nyrsio a Bydwreigiaeth mae'n ofynnol bod pob bydwraig, nyrs ac ymwelydd iechyd yn dangos ei bod yn diweddaru ac yn adnewyddu'i gwybodaeth yn gyson drwy gydol ei bywyd proffesiynol, er mwyn rhoi gofal cyfoes sy'n seiliedig ar ymchwil i gleifion a chleientiaid.

continuity of care: *parhad gofal* term a ddefnyddir wrth ddisgrifio'r gofal y mae un wraig yn ei dderbyn o amser y cofrestru cychwynnol nes ei bod yn cael ei rhyddhau i ofal ymwelydd iechyd, pan mae cyfathrebu da o un apwyntiad i'r llall a rhwng yr holl weithwyr proffesiynol yn sicrhau nad oes dim esgeulustod na dyblygu'n digwydd yn y gofal am y fam honno. Nid yw parhad o anghenraid yn golygu mai dim ond un gweithiwr proffesiynol fydd mewn cysylltiad â'r fam: yn wir byddai hyn yn afrealistig. Er hynny dylai cyfathrebu llafar ac ysgrifenedig rhwng y gweithwyr proffesiynol fod yn ddigon cynhwysfawr i osgoi camgymeriadau ac i hyrwyddo teimlad y fam o sicrwydd yn y gofal y mae'n ei dderbyn. Mae amrywiol gynlluniau gofal i'w cael yn yr ymdrech i ddarparu parhad gofal. *Gw. hefyd* BYDWREIGIAETH BAICH ACHOS (CASELOAD MIDWIFERY), 'CHANGING CHILDBIRTH', BYDWREIGIAETH TÎM (TEAM MIDWIFERY).

continuous inflating pressure (CIP): *gwasgedd enchwythu parhaus (CIP)* gwasgedd dŵr a ddefnyddir yn erbyn anadlu digymell baban mewn syndrom trallod resbiradol (RDS). Ei bwrpas yw rhwystro HYPOCSAEMIA (HYPOXAEMIA), pyliau apnoeig neu lefelau cynyddol o garbon deuocsid yn y gwaed (PCO_2).

continuous negative pressure (CNP): *gwasgedd negyddol parhaus (CNP)* dull a ddefnyddir mewn achosion prin i drin baban newydd-anedig sydd â SYNDROM TRALLOD RESBIRADOL (RESPIRATORY DISTRESS SYNDROME). Rhoddir pwysedd is-atmosfferig ar thoracs y baban mewn blwch corff.

continuous positive airways pressure (CPAP): *gwasgedd positif parhaus llwybrau anadlu (CPAP)* techneg a ddefnyddir i atal cwymp llwyr yr alfeoli wrth i faban newydd-anedig wella â SYNDROM TRALLOD RESBIRADOL (RESPIRATORY DISTRESS SYNDROME) anadlu allan. Rhoddir gwasgedd positif o 2–5 cmH2O i mewn i'r llwybr resbiradol drwy'r trwyn neu diwb endotraceol neu gyda masg. Defnyddir CPAP gyda chleifion sy'n anadlu ohonynt eu hunain. Pan ddefnyddir yr un egwyddor mewn awyriad mecanyddol, fe'i gelwir yn wasgedd positif diwedd anadlu allan (positive end-expiratory pressure: PEEP).

contraception: *atal cenhedlu* Mae *dulliau rhwystrol atal cenhedlu* (*barrier methods of c.*) ar gyfer merched yn cynnwys capiau rhwystrol megis y diaffram, cap bwa neu fimiwl a dylid defnyddio hufen, ewyn neu jeli sbermleiddiol hefyd ar gyfer amddiffyn ymhellach. Gall dynion ddefnyddio condom, a nawr mae condom ar gyfer merched ar gael, ond bod hyn wedi cael ei ddatblygu yn fwy ar gyfer amddiffyn rhag trosglwyddo HIV nag ar gyfer atal beichiogrwydd. Gall y bilsen atal cenhedlu y mae'r merched yn ei chymryd drwy'r geg fod yn gyfuniad o oestrogen a phrogesteron neu'n brogesteron ar ei ben ei hun; mae pilsen atal cenhedlu hefyd yn cael ei datblygu ar gyfer dynion. Mae pigiadau progestogen ar gael i ferched hefyd sydd eisiau dull mor ddibynadwy â phosibl. Gellir rhoi dyfeisiau mewngroth neu goil yn y groth a gallant aros yn eu lle am nifer o flynyddoedd. Mae dulliau atal cenhedlu 'naturiol' yn cynnwys y dull rhythm neu'r 'cyfnod diogel', y dull tymheredd, dull Biling a coitus interruptus neu dynnu allan. Y dull mwyaf dibynadwy o atal cenhedlu yw diffrwythloni, yn wraig trwy laparoscopi neu laparotomi, neu'r dyn drwy fasectomi.

contraceptive: *1. atal cenhedlu 2. dulliau atal cenhedlu* 1. yn ymwneud ag atal cenhedlu. 2. unrhyw ddull a ddefnyddir i atal cenhedlu.

contracted pelvis: *pelfis cwta* pelfis y mae unrhyw ddiamedr o'r cantel, y ceudod, neu'r allanfa wedi ei fyrhau gymaint fel ei fod yn amharu ar ddatblygiad ac esgor.

contraction: *cyfangiad* byrhad dros dro y ffibr cyhyrol, sy'n dychwelyd i'w faint gwreiddiol wrth ymlacio. Mae cyfangiadau'r groth yn ystod beichiogrwydd yn ddi-boen ac fe'u gelwir yn gyfangiadau Braxton Hicks, ar ôl yr obstetregydd yn dwyn yr enw hwnnw. Wrth esgor maent fel arfer yn boenus ac wedi eu cyplysu â GWRTHDYNIANT (RETRACTION).

controlled cord traction: *tynnu llinyn y bogail dan reolaeth* dull o eni'r brych a'r pilenni, lle mae'r fydwraig, unwaith y mae hi'n gwybod bod y brych wedi gwahanu, yn rhoi ochr wlnar ei llaw chwith yn yr ardal swprapwbig ac yn dyner yn gwthio'r groth gyfangedig i fyny, tra mae ei llaw dde yn cael gafael gref ar linyn y bogail ac yn rhoi tyniant ysgafn gan ddilyn Cromlin Carus. Tynnir y pilenni allan yn esmwyth ac yn araf er mwyn osgoi eu rhwygo gan y gall hyn arwain at ddargadw cynhyrchion. Os rheolir trydydd cam yr esgor yn weithredol (h.y. rhoi cyffur ocsitocsig er mwyn hwyluso gwahanu'r brych) nid oes angen disgwyl am arwyddion o wahanu a disgyniad cyn ceisio tynnu llinyn y bogail dan reolaeth; fodd bynnag, os yw'r brych wedi cael ei adael i wahanu'n ffisiolegol mae'n hollol angenrheidiol disgwyl am yr arwyddion hyn er mwyn osgoi'r perygl i'r fam o waedlif neu hyd yn oed gwrthdroad y groth.

controlled drugs: *cyffuriau rheoledig* cymysgedd sy'n disgyn o fewn Deddf Camddefnyddio Cyffuriau, 1971, Rheoliadau Camddefnyddio Cyffuriau (Hysbysu a Chyflenwi Adictiaid), 1973, a'r Rheoliadau Camddefnyddio Cyffuriau, 1985, sy'n rheoli rhagnodi a dosbarthu cyffuriau seicoweithredol, gan gynnwys cyffuriau narcotig, rhithbeiriau, tawelyddion a symbylyddion. Mae bydwraig sydd angen pethidine ar gyfer ei defnyddio yn y gymuned yn gwneud cais i'r goruchwyliwr bydwragedd yn lleol, sy'n paratoi ffurflen archebu cyflenwad wedi'i harwyddo er mwyn galluogi'r fydwraig i gael y cyffur gan y fferyllydd awdurdodedig. Ni ellir cael gwared o gyffuriau rheoledig, nad oes eu hangen, ond drwy eu rhoi i berson awdurdodedig yn unig h.y. y fferyllydd a gyflenwodd y cyffur neu swyddog meddygol, ond nid y goruchwyliwr bydwragedd. Dinistrir y cyffuriau rheoledig gan y fydwraig ym mhresenoldeb person awdurdodedig, h.y. goruchwyliwr bydwragedd, swyddog

fferyllol, swyddog meddygol rhanbarthol, swyddog o'r heddlu neu arolygwr o Gangen Gyffuriau'r Swyddfa Gartref. Mae cyffuriau rheoledig a dderbyniwyd gan wraig ar bresgripsiwn ar gyfer geni gartref yn eiddo iddi hi, yn ôl y gyfraith. Mae'n rhaid i fydwragedd, sy'n defnyddio cyffuriau rheoloedig mewn ysbyty neu sefydliad tebyg, ddilyn trefniadau a pholisïau a gytunwyd yn lleol.

controlled trial: *treial gyda rheolydd* dull o ymchwilio sy'n golygu nad yw un grŵp o bobl mewn treial yn dod i gysylltiad â'r driniaeth arbrofol neu'r ymchwiliad, mewn ymgais i leihau'r posibilrwydd o wall a chynyddu'r posibilrwydd bod casgliadau'r astudiaeth yn adlewyrchu realiti yn gywir.

convulsions: *confylsiynau* cyfangiadau ffyrnig anrheoledig o gyhyr rheoledig. Mewn baban newydd-anedig yr achosion mwyaf cyffredin yw *HYPOCSIA* (HYPOXIA), niwed i'r ymennydd yn ystod genedigaeth a *HYPOGLYCAEMIA*. Yn y fam gallant fod o ganlyniad i eclampsia, epilespi neu hysteria.

Cooley's anaemia: *anaemia Cooley* math diffriol, anghyffredin o anaemia a welir yn bennaf mewn pobl Ganoldirol. Thalassaemia.

Coombs' test: *prawf Coombs* prawf ar gyfer canfod gwrthgorff mewn gwaed. *Prawf Coombes uniongyrchol (direct C. t.):* i ganfod gwrthgorff ar arwynebau celloedd cord gwaed llinyn y bogail. *Prawf Coombs anuniongyrchol (indirect C.t.):* i ganfod gwrthgorff rhydd yng ngwaed y fam.

copper: *copr* cuprum. Symbol Cu. Elfen y mae mesur bychan, bach ohoni yn hanfodol ar gyfer iechyd.

Copper-7: *Copper-7 CYFARPAR ATAL CENHEDLU MEWNGROTH* (INTRA-EUTERINE CONTRACEPTIVE DEVICE) sy'n cynnwys weiren gopr wedi ei mewnosod yn y siâp plastig.

Co-proxamol: *Co-proxamol Gw.*

DECSTROPROPOCSIFFEN HYDROCLORID
(DEXTROPROPOXYPHENE HYDROCHLORIDE)

copulation: *ymgydiad* cyfathrach rywiol. Cyplad.

cord: *llinyn* *Gw.* LLINYN BOGAIL (UMBILICAL CHORD).

cordocentesis percutaneous umbilical blood sampling (PUBS): *samplo cordocentesis percwtanews y gwaed wmbilig (PUBS)* archwiliad mewnwthiol cyn y geni er mwyn cael sampl o waed y ffetws o'r llinyn bogail neu'r wythïen fewnhepatig, yn yr ail neu'r trydydd trimestr, o dan arweiniad prawf uwchsain. Mae'n galluogi gwneud diagnosis o amrywiaeth o gyflyrau'r ffetws gan gynnwys anhwylderau genetig, caryoteipio mewn annormaledd strwythurol neu arafwch tyfiant mewngroth, heintiau, statws haemotolegol neu fiocemegol, rhai anhwylderau cromosôm, a gall gadarnhau canlyniadau amwys amniocentesis neu biopsi filws corionig.

cornea: *cornbilen* rhan allanol dryloyw pelen y llygad sydd wedi ei lleoli o flaen y lens. Mae wedi ei gorchuddio â chyfbilen, a gall conjynctifitis difrifol fod yn gysylltiedig â lledaeniad haint i'r gornbilen gan achosi briwio, creithio ac amhariad ar olwg. *Gw. hefyd* OFFTHALMWM NEONATORUM (OPHTHALMIA NEONATORUM).

cornu: *corn* (*llu. cyrn*) Man cyswllt y groth a'r tiwb Falopio.

coronal suture: *asiad coronol* yr asiad rhwng dau asgwrn y talcen a'r ddau asgwrn parwydol. *Gw.* PENGLOG Y FFETWS (FETAL SKULL).

coronary: *coronaidd* yn amgylchynu. *Rhydweliau coronaidd (c. arteries):* y rhai sy'n cyflenwi'r galon. *Thrombosis coronaidd (c. thrombosis): Gw.* THROMBOSIS.

corpus: *corpws* corffyn. *C. albicans:* corffyn gwyn. Y graith wen a adewir ar arwyneb yr ofari yn dilyn gwrthdroad y corpus luteum. *C. luteum:* yn llythrennol

corffyn melyn. Yr adeiledd, sydd yn gyntaf yn llwydaidd ac yna'n felyn, sy'n datblygu o'r ffoligl Graaf ar ôl ofwliad. Yn ystod y gylchred fislifol mae'n parhau am 12 diwrnod cyn dirywio. Os bydd beichiogi mae'n parhau am 14–16 wythnos nes y bydd y brych wedi'i ffurfio ac yn gweithio'n llawn. *C. uteri:* corff y groth.

corpuscle: *corffilyn* corffyn bychan neu gell e.e. cell y gwaed.

corrosive: *cyrydol* cyfrwng sy'n dinistrio neu'n bwyta i mewn i sylweddau eraill.

cortex: *cortecs* haenau allanol organ, e.e. yr hemissfferau cerebrol, aren, chwarren uwcharennol neu ofari.

cortical necrosis: *necrosis cortigol* niwed na ellir ei wella i'r cortecs arennol o ganlyniad i fasosbasm y rhydweliau sy'n cyflenwi'r cortecs, sy'n gallu digwydd yn dilyn unrhyw sioc ddifrifol, yn arbennig abruptio placentae.

corticoids: *corticoidau* yr enw a roddir i'r grŵp o hormonau a secretir gan gortecs y chwarren adrenal.

corticosteroid: *corticosteroid* unrhyw un o'r hormonau a ryddheir gan *GORTECS Y CHWARREN ADRENAL* (ADRENAL CORTEX); hefyd rhai synthetig sy'n cyfateb iddynt. Fe'u gelwir hefyd yn hormon adrenocortigol ac yn adrenocorticosteroid. Mae'r holl hormonau yn steroidau gyda adeiladau cemegol tebyg, ond mae eu heffeithiau ffisiolegol yn dra gwahanol. Yn gyffredin maent wedi eu rhannu i glucocorticoidau (cortisol, neu hydrocortison), mineralocorticoidau (aldosteron a desocsicorticosteron, a hefyd corticosteron) ac androgenau.

cortisone: *cortison* un o nifer o hormonau a adwaenir fel *CORTICOSTEROIDAU* (CORTICOSTEROIDS) neu *STEROIDAU* (STEROIDS), a gynhyrchir gan gortecs y chwarren adrenal. Mae'n wrthalergaidd ac yn wrthlidiol ac fe'i defnyddir yn gyffredin gyda chyflyrau alergaidd, e.e. asthma, crydcymalau gwynegol, cyflyrau croen difrifol a colitis wlserol (llid briwiol y coluddyn). Mae hydrocortison yn cael yr un effaith. Prednison a prednisolon yw'r ffurfiau synthetig ar cortison a hydrocortison yn y drefn honno.

coryza: *corysa* annwyd yn y pen, gyda chur pen, rhedlif hylifog o'r llygaid a chatâr o'r trwyn.

costal: *asennol* yn ymwneud â'r asennau.

cot death: *marwolaeth yn y crud* Gw. SYNDROM MARWOLAETH SYDYN BABAN (SUDDEN INFANT DEATH SYNDROME).

cotyledon: *cotyledon* rhaniad neu label. Llabed o'r brych.

counselling: *cynghori* term generig a ddefnyddir i ddisgrifio'r broses o ymgynghori a thrafod lle mae un unigolyn, y cynghorwr, yn gwrando ac yn galluogi'r llall, y cleient, i wneud dewisiadau priodol. Y bwriad cyffredinol yw helpu'r cleient i ddatrys problemau, cynyddu ymwybyddiaeth a hybu archwiliad adeiladol o drafferthion fel y gellir wynebu'r dyfodol yn fwy hyderus ac yn fwy adeiladol.

couvade: *couvade* cyflwr seicosomatig lle mae'r tad yn profi symptomau beichiogrwydd a genedigaeth; cyffredin mewn sawl rhywogaeth.

Couvelaire uterus: *croth Couvelaire* ymddangosiad y groth mewn abruptio placentae cudd, difrifol (gwaedlif damweiniol), lle mae'r tensiwn uchel yn y groth yn gorfodi gwaed rhwng ffibrau'r myometriwm, gan wneud iddo ymddangos yn gleisiog ac yn lasgoch tywyll.

coxa: *cocsa* cymal y glun. *C.valga:* anffurfiad o'r glun lle mae cynnydd yn yr ongl rhwng y gwddf a siafft y ffemwr. *C. vara:* anffurfiad o'r glun lle mae lleihad yn yr ongl rhwng y gwddf a siafft y ffemwr.

cracked nipple: *teth friw* gall niwed i'r deth ddigwydd wrth fwydo o'r fron os nad yw'r baban wedi ei osod yn gywir

ar y fron, gan roi pwysau gormodol ar ran o'r deth a'r areola gan arwain at boen ac yn y pen-draw at waedu. Gellir osgoi'r cyflwr drwy ddysgu'r fam sut i leoli'r baban ar y fron yn gywir. Os bydd niwed yn digwydd, gall y deth fod yn rhy boenus i'r fam allu parhau i fwydo ond dylid ceiso cael llaeth allan yn fecanyddol er mwyn hybu llaethiad. Gall taenu hufen sy'n cynnwys camomil neu roi bagiau te camomil gwlyb leddfu'r anesmwythder a chynorthwyo'r gwella.

cramp: *cramp* cyfangiad sbasmodig poenus y cyhyrau, yn gyffredin yn ystod beichiogrwydd. Gall fod yn gysylltiedig â diffyg fitamin B, calsiwm neu halen a gellir ei liniaru drwy fwyta'r bwydydd priodol. Gall crampiau yn y nos fod o ganlyniad i ischaemia yng nghyhyrau'r goes a gall ymateb i godi gwaelod y gwely.

cranial: *creuanol* yn ymwneud a'r greuan. *Nerfau creuanol (c. nerves):* y 12 pâr o nerfau sy'n codi'n uniongyrchol o'r ymennydd.

cranioclast: *cranioclast* offeryn na ddefnyddir yn aml bellach i wasgu penglog y ffetws.

craniosacral therapy: *therapi craniosacrol* math o driniaeth osteopathig lle trafodir y craniwm yn dyner gyda'r dwylo er mwyn ceisio rhyddhau'r tensiynau yn y benglog a credir eu bod yn achosi amrywiaeth o broblemau. Mae'r driniaeth wedi cael ei defnyddio'n llwyddiannus i drin babanod sy'n biwis oherwydd genedigaeth anodd gyda gefel neu enedigaeth echdyniad gwacter, neu golig neu orfwyiogrwydd mewn babanod hŷn.

craniostenosis: *craniostenosis* llinellau asiad y corun yn cau cyn pryd mewn baban, a all olygu llawdriniaeth i leihau'r gwasgedd mewngreuanol uwch.

craniotomy: *creuandoriad* llawdriniaeth

nad yw bron byth yn cael ei harfer mwyach, er mwyn tyllu a thynnu penglog y ffetws sydd wedi ei wasgu, a galluogi geni trwy'r wain.

cranium: *creuan* y benglog.

crêche: *meithrinfa* MEITHRINFA DDYDD (DAY NURSERY).

creatine: *creatin* sylwedd nad yw'n brotein, a mae'r corff yn ei synth-eseiddio o dri asid amino; arginin, glycin (asid aminoasetig), a methionin. Mae creatin yn cyfuno'n hawdd gyda ffosffad, sy'n bresennol yn y cyhyrau, lle mae'n gweithio fel storfa o ffosffas egni uchel sy'n angenrheidiol ar gyfer cyfangu cyhyrau.

creatinine: *creatinin* cyfansoddyn nitrogenaidd a ffurfir fel cynnyrch terfynol metabolaeth creatin. Fe'i ffurfir yn y cyhyrau mewn symiau gweddol fychan, caiff ei basio ymlaen i'r gwaed ac yna ei ysgarthu yn yr wrin. Gellir defnyddio prawf laborty am lefelau creatinin yn y gwaed fel mesuriad o weithgaredd yr aren. Gan fod creatinin fel arfer yn cael ei gynhyrchu mewn symiau gweddol gyson o ganlyniad i ymddatodiad ffosffocreatin ac yn cael ei ysgarthu yn yr wrin, mae cynnydd yn lefelau'r creatinin yn y gwaed yn arwydd bod amhariad ar waith yr aren neu broses annormal o nychu'r cyhyr. Er mwyn sicrhau bod y creatinin yn clirio, cesglir wrin am 24 awr a mesurir y serwm creatinin drwy sampl gwaed o'r gwythiennau. Felly gellir cyfrifo cyfradd ysgarthu'r creatinin bob munud. Gellir gwneud y prawf yma mewn achosion difrifol o orbwysedd mewn beichiogrwydd.

Credé's expression: *allwasgiad Credé* gweithred i gwblhau ymwahaniad, ac i fwrw allan brych sydd wedi ymwahan-u'n rhannol pan fo gwaedlif difrifol yn digwydd ar ôl y geni. Mae'n golygu tylino'r groth i wneud iddi gyfangu, ac yna ei gwasgu y tu blaen a thu ôl i'r ffwndws mewn ymgais i orfodi'r brych

i lawr i mewn i'r wain, y caiff ei fwrw allan ohoni. Mewn achosion prin iawn y caiff ei wneud, gan ei fod yn eithriadol o boenus ac yn achosi sioc.

cretinism: *cretinedd* diffyg cynhenid yn y thyroid. Gall achosi ataliad mewn datblygiad corfforol a meddyliol a dystroffi yn yr esgyrn a meinweoedd meddal. Mae gan y plentyn ben mawr, aelodau byr, llygaid chwyddedig, tafod tew sy'n ymwthio allan, croen sy'n sych iawn, diffyg cydsymud ac anabledd meddwl. Y ffurf gaffaeledig neu ymysg oedolion ar ddiffyg yn y thyroid yw MYCSOEDEMA (MYXOEDEMA). Gall echdynnyn thyroid, y mae'n rhaid ei gymryd am oes, olygu y bydd twf a datblygiad y meddwl yn normal.

cri du chat syndrome: *syndrom cri du chat* syndrom cynhenid a etifeddir a nodweddir gan hyperdeloriaeth, microceffali, diffyg meddyliol difrifol, a chri ddolefus fel cath; mae'n ganlyniad dilead rhan o fraich fer cromosom 5.

cricoid: *cricoidaidd* siâp modrwy. *Cartilage cricoidaidd (c. cartilage):* cartilag siâp modrwy sy'n ffurfio rhan isaf ac ôl y laryncs. Mae pwysau ar y cartilag cricoidaidd wrth ysgogi anaethesia cyffredinol yn cau'r oesoffagws, ac o ganlyniad yn atal adlifiad asid o'r stumog. Cedwir y gwasgedd ar y cricoid nes bod y tiwb endotraceaidd yn ei le a bod yr anaesthetegydd wedi sicrhau bod y sêl a roddir gan y gyffen yn effeithiol.

criminal abortion: *erthyliad troseddol* terfynu beichiogrwydd y tu allan i ffiniau cyfreithiol Deddf Erthylu 1967. Mae'n arbennig o beryglus ac wedi'i gysylltu â chyfradd marwoaleth uchel a morbidrwydd.

cross-matching: *croesfatsio* dull gweithredu sy'n hanfodol wrth drallwyso gwaed a thrawsblannu organau. Rhoddir erythrocytau neu leucosytau'r rhoddwr yn serwm y derbynnydd ac i'r gwrthwyneb. Mae absenoldeb cyfludiad, haemolysis a cytotocsigedd yn dangos bod grwpiau gwaed y rhoddwr a'r derbynnydd yn gydnaws neu'n histogydnaws.

crowning: *coruno* y foment yn ystod yr enedigaeth pan fo diamedrau isocsipitobregmatig a dwybarwydol pen y ffetws yn chwyddo cylch y fwlfa, ac nid yw'r pen bellach yn encilio rhwng cyfangiadau.

crown-rump length (CRL): *hyd o'r corun i'r ffolen (CRL)* mesurir hyn yn ystod y trimestr cyntaf i asesu oed y ffetws yn gywir gyda *SGANIWR AMSER REAL* (REAL TIME SCANNER).

cryosurgery: *cryofeddygaeth* y defnydd o chwiliedydd sydd wedi'i oeri mewn oergell i dynnu meinwe annormal megis erydiad gwddf y groth.

cryptomenorrhea: *mislif cudd* symptomau goddrychol mislif ond heb lif gwaed.

culture: *1. meithriniad 2. a 3. diwylliant* **1.** tyfu micro-organebau neu fein-weoedd celloedd byw mewn cyfrwng arbennig sy'n ffafriol iddynt dyfu ynddo. **2.** enw torfol am agweddau symboladd a chaffaeledig cymdeithas ddynol, gan gynnwys, confensiwn, arfer ac iaith. **3.** enw unigol am arferion a nodweddion grŵp ethnig (o ran hil, crefydd neu gymdeithas).

curette: *ciwrèt* dolen o fetel, a all fod yn ddi-fin neu'n finiog, a ddefnyddir i gael gwared o feinwe afiach drwy grafu, neu i gael defnydd ar gyfer biopsi. Ciwretiad (curretage): llawdriniaeth gan ddefnyddio ciwrèt, a wneir yn gyffredin er mwyn tynnu endometriwm y groth.

Curve of Carus: *cromlin Carus* bwa sy'n cyfateb i echelin y pelfis, sef y llwybr y mae'n rhaid i'r ffetws ei ddilyn ar ei daith trwy'r llwybr geni. *Gw.* y diagram.

Cushing's syndrome: *syndrom Cushing* gorfywiogrwydd cortecs y chwarren adrenal sy'n golygu bod gormod o glwcocorticoidau yn rheoli metabolaeth carbohydrad, gan arwain at ordewdra,

Trawstoriad o Asgwrn Pelfis y Fenyw

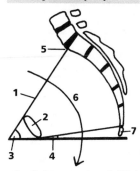

Cromlin Carus ac onglau goleddfiad.

1. gwastad cantel y pelfis;
2. symphysis pubis;
3. ongl goleddfiad yr ymyl 55°;
4. ongl goleddfiad y geg 5°;
5. penrhyn y sacrwm;
6. cromlin Carus;
7. cocycs.

yn arbennig yn yr wyneb ('gwyneb lleuad') a'r bongorff. Mae amenorrhea, gorflewogrwydd (*Gw.* BLEWOG: HIRSUTE) a gwendid yn digwydd hefyd.

cutaneous: *croenol* yn ymwneud â'r croen.

cyanocobalamin: *cyanocobalamin* Fitamin B12, a geir mewn iau (afu), wyau a physgod. Mae'n hanfodol ar gyfer ffurfio erythrocytau ac atal anaemia. Fe'i rhoddir drwy bigiadau mewn achosion o anaemia aflesol.

cyanosis: *dulasedd* glesni'r croen a'r pilenni mwcaidd o ganlyniad i ddiffyg ocsigen.

cyclopropane: *seiclopropan* nwy a ddefnyddir ar gyfer anaesthesia cyffredinol.

cyesis: *cyesis* beichiogrwydd. *Pseudo-cyesis:* ffug feichiogrwydd.

cyst: *coden* tiwmor gyda chapsiwl pilennog ac yn cynnwys hylif. *Coden siocled (chocolate c.):* yn yr ofari wedi'i gysylltu â endometriosis. *Corpus luteum* neu *coden lwteal (luteal c.):* un sy'n datblygu o'r corpus luteum. Mae'n digwydd mewn MÔL HYDATIDIFFURF (HYDATIDIFORM). *Coden groenaidd (dermoid c.)* yn cynnwys croen, gwallt, dannedd etc. ac mae'n deillio o ddatblygiad annormal meinwe'r embryo. *Coden amgellanol (multilocular c.)* yn yr ofari, wedi ei rannu i adrannau. *Coden bapilfferaidd (papilliferous c.)* yn yr ofari wedi ei leinio gyda papilâu a all dyfu drwy wal y goden i mewn i'r ceudod peritoneaidd ac achosi asgites. *Coden ffugfwcinaidd (pseudomucinous c.)* yn yr ofari yn cynnwys hylif sy'n debyg i fwcin. Mewn beichiogrwydd dylid gallu gwneud diagnosis o bresenoldeb coden ofaraidd yn gynnar. Fel arfer mae'n cael ei thynnu tua chanol y beichiogrwydd. Fel arall gallai amharu ar wrs arferol yr esgor neu ddatblygu'n falaen.

cystic fibrosis: *ffibrosis codennog* hefyd yn cael ei adnabod fel mwcofisidosis neu glefyd ffibrosystig y pancreas. Clefyd sydd ag etifeddiad awtosomaidd enciliol, lle mae chwarennau secretu mwcws y corff yn secretu mwcws sy'n anarferol o drwchus a gludiog. Mae hyn yn achosi ffibrosis yn y pancreas a MECONIUM ILEUS yn y babi newydd-anedig. Mae heintiau aml ar y frest yn gymhlethdod diweddarach. Gwneir diagnosis drwy brawf trypsin imiwn-adweithiol serwm (IRT). Os gwneir prawf chwys bydd yn dangos lefel uwch o sodiwm chlorid. Gall lefel uwch o ALBWMIN (ALBUMIN) yn y meconiwm hefyd fod yn arwyddocaol. Mae un unigolyn i bob 25 yn cludo'r clefyd, *Gw.* CLUDYDD (CARRIER) ac ym Mhrydain

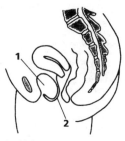

Cystocele

1. y bledren.
2. mur blaen y wain.

mae'n effeithio ar un unigolyn ym mhob 2000.

cystitis: *llid y bledren*

cysto-: *cysto-* rhagddodiad sy'n cyfeirio at y bledren.

cystocele: *cystosel* torlengig y bledren i mewn i'r wain, o ganlyniad i ddifrod i lawr y pelfis wrth roi genedigaeth. *Gw.* COLPORAFFI (COLPORRHAPHY).

cystoscope: *cystosgop* offeryn ar gyfer archwilio rhan fewnol y bledren.

cystoscopy: *cystosgopi* archwiliad o ran fewnol y bledren gyda cystosgop.

cystotomy: *cystotomi* toriad yn y bledren, e.e. er mwyn tynnu cerrig.

cyto-: *cyto-* yn ymwneud â chelloedd.

cytogenetics: *cytogeneteg* cangen o GENETEG (GENETICS) sy'n ymwneud yn bennaf ag astudio CROMOSOMAU (CHROMOSOMES).

cytology: *cytoleg* gwyddor adeiledd a swyddogaethau celloedd. Mae cytoleg y wain a gwddf y groth yn cael eu defnyddio fwyfwy i ganfod annormaleddau yn gynnar. Mewn beichiogrwydd, mae celloedd wedi'u digroeni o wal y wain yn awgrymu bod yna newidiadau hormonaidd sy'n dangos diffygion yn y brych a pherygl i'r ffetws. Mae'n bosibl, gyda cytoleg gwddf y groth, canfod clefyd malaen cynnar iawn yn y llwybr cenhedlol, ac er nad yw hyn yn gyffredin mewn merched yn yr oed i gael plant, mae archwiliadau rheolaidd mewn clinigau cyn geni, ar ôl geni a chynllunio teulu wedi cael eu hargymell. Mae archwiliadau rheolaidd tebyg yn cael eu hargymell mewn clinigau gynaecolegol, yn arbennig ar gyfer merched sydd dros 35 mlwydd oed.

cytomegalic inclusion disease: *clefyd cynhwysiad cytomegalig* heintiad o ganlyniad i gytomegalofirws a nodweddir gan gyrff cynnwys niwcleaidd mewn celloedd mawr heintiedig. Yn ei ffurf gynhenid, ceir *HEPATOSPLENO-MEGALI* (HEPATOSPLENOMEGALY) gyda sirosis a microceffali gydag anabledd meddyliol neu echddygol. Gall heintiad

caffaeledig achosi cyflwr clinigol tebyg i fononiwcleosis heintus.

cytomegalovirus: *cytomegalofirws* feirws a ganfyddir mewn chwarennau poer dynol. Gall heintiad yn y groth achosi, mewn achosion prin, glefyd cynhwysiad cytomegalig yn y baban newydd-anedig. Gall y baban fod yn fychan i ateb i'w oed cario, ac yn dioddef o *GLEFYD MELYN* (JAUNDICE) gyda'r iau (afu) a'r dueg wedi chwyddo, ac yn dioddef o *THROMBOSYTOPENIA* (THROMBOCYTO-PENIA). Gall *MICROCEFFALI* (MICRO-CEPHALY) gael ei achosi gan y clefyd yma.

cytoplasm: *cytoplasm* holl brotoplasm cell, ar wahân i'r cnewyllyn.

cytotrophoblast: *cytotroffoblast* haen gellog y troffoblast. Haen o gelloedd Langhan. Daw yn llawer llai amlwg ar ôl cyfnod cario o 19–20 wythnos. *Gw. hefyd FILYSAU CORIONIG* (CHORIONIC VILLI).

D

dactyl: *dactyl* bys ar law neu ar droed.

dai: *dai* *Gw.* CYNORTHWYWR GENI TRADDODIADOL (TRADITIONAL BIRTH ATTENDANT).

Danol: *Danol* cymysgedd patent o danazol, atalydd y chwarren bitwidol flaen.

Data Protection Act 1984: *Deddf Gwarchod Data 1984* mae'r ddeddf yma, a ddaeth i rym yn 1984, yn rhoi'r hawl i bobl wybod pa wybodaeth sy'n cael ei chadw amdanynt ar gyfrifiadur, gan gynnwys data sy'n gysylltiedig ag iechyd. Cyfyngodd Gorchymyn Amddiffyn Data (Addasiad Mynediad Pwnc) (Iechyd) 1987 ar yr hawl i weld gwybodaeth iechyd a allai achosi niwed corfforol neu feddyliol difrifol i unigolyn neu ddatgelu enw person arall. Nid oedd y ddeddf yn cynnwys darpariaeth ar gyfer cofnodion papur ac yn 1990 pasiwyd Deddf Hawl Gweld Cofnodion Iechyd er mwyn galluogi pobl i gael hawl i weld unrhyw gofnodion cyfrifiadurol neu bapur yn ymwneud ag iechyd a wnaethpwyd ar ôl 1991. Rhaid i gleifion a chleientiaid wneud cais i gael gweld eu cofnodion; mae'r un eithriadau ar gyfer hawl i weld ag a oedd yn y Ddeddf Gwarchod Data yn wreiddiol yn parhau mewn grym.

database: *cronfa ddata* gwybodaeth wedi'i chasglu, ei storio, ei hadolygu a'i diweddaru; fe'i defnyddir er mwyn gwerthuso ac archwilio neu fel adnodd ymchwil. *Gw.* Atodiad 8.

day nursery: *meithrinfa ddydd* canolfan ar gyfer gofalu am blant hyd at 5 oed yn ystod y dydd. Gwasanaeth sy'n cael

ei ddarparu gan yr Adran Gwasanaethau Cymdeithasol neu asiantaethau gwirfoddol. Rhoddir blaenoriaeth i blant mewn teuluoedd 'mewn perygl' ac i blant anabl.

deafness: *byddardod* diffyg y synnwyr o glywed, neu golli'r synnwyr hwnnw, a hynny yn llwyr neu yn rhannol. Mae byddardod llwyr yn eithaf anghyffredin ond mae byddardod rhannol yn gyffredin. Mae nifer fawr o achosion o fyddardod cynhenid yn cael eu hachosi gan afiechydon heintus, yn arbennig clefydau firaol, a ddaliodd y fam pan oedd hi'n feichiog. O'r rhain, rwbela yw'r mwyaf cyffredin.

death: *marwolaeth* diwedd yr holl brosesau corfforol a chemegol sy'n digwydd mewn organebau byw neu eu cydrannau cellog. ***Marwolaeth yr ymennydd*** (brain *d.*): yn y DU rheolir diagnosis marwolaeth glinigol coesyn yr ymennydd gan set o ganllawiau a gadarnhawyd gan Golegau Meddygol Brenhinol a'u Cyfadrannau. ***Marwolaeth yn y crud*** (cot *d.*): syndrom marwolaeth sydyn babanod (SIDS). ***Tystysgrif marwolaeth*** (d.certificate): tystysgrif a gyhoeddir gan gofrestrydd marwolaethau ar ôl derbyn tystysgrif ragarweiniol wedi ei chwblhau a'i harwyddo gan feddyg a oedd yn bresennol, yn dangos dyddiad ac achos tebygol y farwolaeth. Dim ond ar ôl cyhoeddi'r dystysgrif hon yn dangos bod y farwolaeth wedi'i chofrestru, y gellir mynd ymlaen i gladdu neu amlosgi. ***Grant marwolaeth*** (d. grant): taliad a wneir gan nawdd cymdeithasol

Amwisg

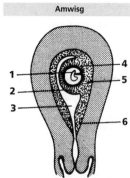

Chweched wythnos beichiogrwydd.
1. embryo; 2. amwisg gibynnog;
3. ceudod y groth; 4. filysau
ambilennol; 5. amwisg waelodol;
6. gwir amwisg.

o'r gronfa gymdeithasol sy'n cael ei dalu i deuluoedd ar incwm isel yn unig. Gellir hawlio'r taliad yma yn ôl allan o stad y person marw. **Cyfradd marwolaethau** *(d. rate):* y nifer o farwolaethau fesul nifer penodol o bobl (100 neu 10 000 neu 100 000) mewn ardal benodol dros gyfnod penodol o amser.

decapitation: *torri pen* gwahanu'r pen oddi wrth y corff. Llawdriniaeth ddinistriol a wneir weithiau mewn esgoriad wedi'i rwystro.

decidua: *amwisg* yr endometriwm beichiog. Mae'n fwy trwchus ac yn fasgwlar er mwyn derbyn a darparu ar gyfer maethiad yr ofwm ffrwythlon. Ceir gwared ohono pan fo'r beichiogrwydd yn dod i ben. *D. basalis:* y rhan y mae'r ofwm yn gorwedd arno ac sy'n gorchuddio arwyneb y fam o'r brych. *D. capsularis:* y rhan sy'n gorchuddio'r ofwm wrth iddo ymestyn i mewn i geudod y groth. *D. vera:* gwir leinin y groth, nad yw mewn cysylltiad â'r ofwm yn ystod 12 wythnos cyntaf y beichiogrwydd.

decidual cast: *cast diosgol* yr amwisg wedi'i bwrw mewn un darn, yn siâp ceudod y groth, yn dilyn marwolaeth yr ofwm mewn beichiogiad ectopig. *Gw.* CYFNOD CARIO ECTOPIG (ECTOPIC GESTATION).

decompensation: *anghydadferiad* anallu'r galon i gadw cylchrediad digonol; y mae dyspnoea, gorlawnder y gwythiennau, dulasedd ac oedema yn ei nodweddu.

deep transverse arrest: *ataliad ardraws dwfn* rhwystriad pen y ffetws yn ystod ail gam yr esgor. Mae'n deillio o safle ocsipwt ôl yn y cam cyntaf, ond mae ymgais gan y ffetws i droi i safle pen blaen (cylchdro hir) yn methu ac mae'r pen yn cael ei ddal rhwng pigynnau isgïaidd allfa'r pelfis, yn enwedig os ydynt yn amlwg. Bydd angen genedigaeth gyda gefel Kjelland neu gylchdroi gyda llaw ac yna genedigaeth gyda gefelau Wrigley er mwyn rhyddhau'r pen o'r rhwystr. Mae'n debygol y bydd pen y baban wedi'i fowldio'n ormodol a dylid ei arsylwi rhag ofn bod yno arwyddion o niwed mewngreuanol.

deep vein thrombosis: *thrombosis gwythien ddofn* tolchen waed mewn pibell a all fygwth bywyd os yw'n cau'r bibell yn llwyr, megis yn y rhydweliau coronaidd gan achosi trawiad ar y galon, neu yn y rhydweliau cerebro-fasgwlaidd gan achosi damwain gerebrofasgwlaidd. Gall y thrombosis hefyd symud o'i safle gwreiddiol i le arall, gan achosi problemau mewn llefydd eraill e.e. emboledd pwlmonaidd. Yn ystod y pwerperiwm mae mamau mewn perygl o gael thrombosis gwythïen ddofn yn sgil newidiadau yn y ffactorau ceulo pan fydd hi'n amser geni'r baban, newidiadau sy'n digwydd er mwyn atal gwaedlif gormodol. Mae bydwragedd yn cyfrifol am archwilio'r fam yn ddyddiol, gan gynnwys archwilio'r coesau am arwyddion o thrombosis.

defaecation: *ysgarthiad* gwacáu'r perfedd.

defibrillation: *diffibrilio* terfynu ffibriliad atrïaidd neu fentrigol, fel arfer drwy sioc drydanol.

deficiency disease: *clefyd diffyg* cyflwr a achosir gan ddiffyg dietegol neu fetabolaidd.

deflexion: *dadblygiant* osgo'r ffetws pan nad yw'r pen wedi'i blygu, neu pan fydd wedi'i blygu'n rhannol, fel sy'n gallu digwydd gyda safleoedd ocsipwt ôl y fertig.

degeneration: *dirywiad* newid strwythurol sy'n lleihau bywiogrwydd y meinweoedd y mae'n digwydd ynddynt. *Dirywiad brasterog (fatty d.):* dyddodi braster yn y meinweoedd. *Dirywiad coch (red d.)* gw. NECROBIOSIS.

dehiscence: *ymagoriad* rhwygo ar agor. Defnyddir yn gyffredin i ddisgrifio clwyf abdomenol yn agor yn dilyn llawdriniaeth; hefyd yn cyfeirio at rwygo ffoligl Graaf wrth ofulu.

dehydration: *dadhydradiad* colli gormod o hylif o'r corff neu fethu cymryd digon o hylif i gydbwyso'r golled. Mae'r term fel arfer yn golygu dadhydradiad gwirioneddol ynghyd â'r cetoasidosis a geir yn aml ar run pryd. Mae'n digwydd gyda chwydu difrifol yn ystod beichiogrwydd ac mewn esgoriad estynedig. Mae'r croen yn sych ac yn anelastig, mae'r tafod yn sych a'r llygaid wedi suddo. Gall yr anadl arogli o aseton, ac mae'r wrin yn brin ac yn cynnwys cyrff ceton. Mae'n tarfu ar gydbwysedd yr electrolytau ac adwaith y gwaed. Mae dadhydradiad gyda chetoasidosis yn y fam yn beryglus i'r ffetws. Caiff ei drin drwy roi decstros mewnwythiennol, gyda heli os yw

cloridau'r wrin yn isel iawn. Mewn babanod, gall twymyn dadhydradu ddigwydd os na chymerir digon o hylif. Fel arfer, dolur rhydd yw achos dadhydradiad difrifol; bydd y ffontanél yn bantiog, chwydd-dyndra'r croen yn wael, a bydd y baban yn colli pwysau. Os nad yw'n ddifrifol gellir gwella'r cyflwr yma trwy roi hylif trwy'r geg, neu os yw'n ddifrifol, drwy roi hylif yn fewnwythiennol.

delay in labour: *oedi yn yr esgor* estyniad anarferol yn unrhyw un o dri cham yr esgor, yn arbennig y cam cyntaf. Yn y cam cyntaf gwneir diagnosis o esgoriad estynedig drwy'r partogram. Mae cyfraddau cyfartalog ymlediad gwddf y groth yn dangos dau gyfnod: cudd a bywiog. Mae'r cyfnod cudd yn parhau nes bod gwddf y groth wedi'i ddileu ac wedi ymagor 2–3 cm; yn y cam bywiog mae'r cyfradd mewn gwraig sy'n feichiog am y tro cyntaf fel arfer yn cael ei ddosbarthu fel 1 cm yr awr, ac mewn gwraig amlfeichiog fel 1.5 cm yr awr. Os defnyddir y partogram, gellir gweld ar unwaith os yw cyfradd ymlediad gwddf y groth yn dal yn arafach na'r cyfradd disgwyliedig; os yw'r arafiad ddwy awr neu fwy gellir cymryd camau i helaethu'r esgoriad. *Gw. HELAETHU'R ESGORIAD* (AUGMENTATION OF LABOUR).

Yn ail gam yr esgor, yr hyd arferol yw 30–120 munud mewn gwraig yn esgor am y tro cyntaf a 10–60 munud mewn gwraig sydd wedi esgor o'r blaen. Er hynny ni chedwir yn gaeth at y terfynau amser cyn belled â bod cyflwr y fam a'r ffetws yn parhau'n dderbyniol a bod y rhan sy'n cyflwyno yn parhau i ddisgyn yn raddol.

Gall trydydd cam yr esgor, pan fo'n cael ei reoli'n ffisiolegol, barhau am hyd at 2 awr, er y gall trydydd cam wedi'i reoli'n weithredol fod mor fyr â 5 munud. Gall oediad yng ngwahaniad ac ymwthiad y brych olygu bod angen tynnu'r brych a'r meinweoedd â llaw.

deletion: *dilead* mewn geneteg, colli deunydd genetig o gromosom.

delirium: *deliriwm* aflonyddwch meddwl yn parhau am gyfnod cymharol fyr o amser, sydd ile arfer yn adlewyrchu cyflwr tocsig, wedi ei nodweddu gan rithiau, rhithweledigaethau, rhithdybiau, cynnwrf, aflonyddwch ac aneglurder. Gall bron unrhyw afiechyd llym gyda thwymyn uchel iawn arwain at ddeliriwm.

delivery: *genedigaeth* ymwthiad y baban, neu y baban, y brych a'r pilenni yn cael eu gwthio allan neu eu tynnu allan yn naturiol wrth eni baban. *Genedigaeth abdomenol (abdominal d.):* genedigaeth baban trwy endoriad a wneir yn y groth trwy waliau'r abdomen sef *TORIAD CESARAIDD* (CAESAREAN SECTION). *Genedigaeth gydag offer (instrumental d.):* genedigaeth a gynorthwyir ag offer, yn arbennig gefelau. *Genedigaeth ddigymell (spontaneous d.):* genedigaeth sy'n digwydd heb gymorth gefelau nac offeryn technegol arall. *Genedigaeth drwy'r wain (vaginal d.):* y baban, y brych a'r pilenni yn cael eu gwthio allan yn llwyr trwy'r llwybr geni. Fel arfer mae'r pen yn dod gyntaf gyda'r corun yn cyflwyno. Mae genedigaeth ffolennol hefyd yn bosibl.

demand feeding: *bwydo ar alw* bwydo pan fo'r baban yn ymddangos eisiau bwyd, ac nid i gyd-fynd ag amserlen benodol. Weithiau gelwir hyn yn fwydo ar alwad neu'n fwydo dan arweiniad y baban.

demography: *demograffeg* y wyddor ystadegol yn ymwneud â phoblogaeth, gan gynnwys materion iechyd, clefydau, genedigaethau a marwolaethau.

denaturation test: *prawf dadnatureiddiad* prawf Singer; prawf gwaed i wahaniaethu rhwng gwaed y ffetws a gwaed y fam.

denidation: *denideiddiad* rhai elfennau

epithelig, a all gynnwys nythle'r embryo, yn dirywio ac yn cael eu gyrru allan yn ystod y mislif. Dyma'r term a ddefnyddir i ddisgrifio colli leinin y groth yn fwriadol pan ddefnyddir pilsen atal cenhedlu ar ôl cyfathrach rywiol.

Denis Browne splint: *sblint Denis Browne* esgid arbennig wedi'i chynllunio ar gyfer cywiro *TALIPES*.

denominator: *dynodydd* mewn obstetreg, pwynt arbennig ar y rhan o'r ffetws sy'n cyflwyno ac sy'n cael ei ddefnyddio i nodi ei safle mewn perthynas â rhan arbennig o belfis y fam. Mewn cyflwyniad corun y dynodydd yw'r ocsipwt, mewn cyflwyniad ffolennol y dynodydd yw'r sacrwm, ac mewn cyflwyniad wyneb y dynodydd yw'r mentwm neu'r ên.

dental care: *gofal deintiol* Gw. Atodiad 7.

dental caries: *pydredd dannedd* y dannedd yn pydru.

dentition: *deintiad* cael dannedd. *Deintiad cyntaf (primary d.):* torri'r dannedd dros dro neu'r dannedd sugno, sy'n cychwyn yn 6 neu 7 mis ac yn parhau tan ddiwedd yr ail flwyddyn. Mae set gyfan yn cynnwys 8 blaenddant, 4 dant llygad ac 8 gogilddant; 20 i gyd. *Ail ddeintiad (secondary d.):* ymddangosiad y dannedd parhaol, yn dechrau tua 6 i 7 oed ac yn gorffen tua 12 i 15 oed, ar wahân i'r cilddannedd ôl sy'n ymddangos rhwng 17 a 25 oed. Mae 32 dant parhaol: 8 blaenddant, 4 dant llygad, 8 gogilddant neu gilddannedd blaen, a 12 cilddant.

deoxygenated: *diocsigenedig* wedi'i amddifadu o ocsigen. *Gwaed diocsigenedig (d. blood):* gwaed sydd wedi colli llawer o'i ocsigen yn y meinweoedd ac sy'n dychwelyd i'r ysgyfaint am gyflenwad newydd.

deoxyribonucleic acid (DNA): *asid deuocsiribonwcleig (DNA)* asid nwcleig gyda adeiledd molecwlaidd cymhleth a welir yng nghnewyllyn celloedd fel adeiledd sylfaenol y GENYNAU (GENES). Mae DNA yn bresennol yn holl gelloedd corff pob rhywogaeth gan gynnwys organebau ungell a firysau DNA. DNA yw'r moleciwl sy'n rheoli holl weithgareddau celloedd byw, gan gynnwys ei atgynhyrchiad ei hun a'i barhad am genhedlaeth ar ôl cenhedlaeth.

Department of Health (DH): *Adran Iechyd* y corff sy'n gyfrifol am weinyddu'r Gwasanaeth Iechyd Gwladol.

Department of Social Security (DSS): *Adran Nawdd Cymdeithasol* adran llywodraeth ganol sy'n gyfrifol am weinyddu materion nawdd cymdeithasol, gan gynnwys cynllun yswiriant gwladol, ategiad incwm, cynnal plant, budd-daliadau a gwasanaethau cymdeithasol.

Depo-Provera: *Depo-Provera* Gw. ASETAD MEDROCSIPROGESTERON (MEDROXYPRO-GESTERONE ACETATE)

depression: *1. iselder 2. pant* **1.** iselder ysbryd. Newid hwyliau a brofir fel tristwch neu'r felan. *Iselder mewndarddol (endogenous d.):* mae'n digwydd yn ystod seicosis iselder manig. Mae'r newid mewn hwyliau yn gysylltiedig ag arafu'r meddwl a gweithredoedd a theimladau o euogrwydd. *Iselder adweithiol (reactive d.):* iselder o ganlyniad i effaith digwyddiad sy'n dylanwadu'n anffafriol ar yr unigolyn. Gall y ddau fath ddigwydd yn y pwerperiwm ac fel arfer mae'n cychwyn yn y 2 wythnos gyntaf ar ôl y geni, ond mae'n datblygu'n raddol. Ar gyfer rheiny nad ydynt wedi'u heffeithio'n ddrwg mae angen sylwi arno'n fuan a'i drin gyda chefnogaeth, seicotherapi ac yn aml cyffuriau gwrthiselder. Trinir mamau gydag afiechyd iselder dwys mewn ysbytai meddwl, os oes modd mewn uned mam a baban lle mae angen cyffuriau gwrthiselder ac weithiau ECT. Mae tua 60% o wragedd yn cael y profiad o'r felan ar y pumed diwrnod ar

ôl yr enedigaeth neu o gwmpas hynny. Am tua diwrnod yn unig mae hyn yn parhau fel arfer, gyda'r fam yn ymateb yn gyflym i gefnogaeth emosiynol a chysur. **2.** pant, a deimlir gyda bysarchwiliad.

dermoid cyst: *coden ddermaidd* tiwmor wedi ei wneud o wal ffibrog gyda leinin o epitheliwm haenedig sy'n cynnwys deunydd cnodiog lle ceir elfennau epitheiaidd megis blew.

descent: *disgyniad* symudiad rhywbeth tuag at i lawr e.e. y ffetws. Yn ystod yr esgor rhaid i'r ffetws ddisgyn trwy gantel, ceudod ac allfa'r pelfis er mwyn cael ei eni. Gellir mesur y disgyn mewn pumedau.

desquamation: *digroeniad* colli celloedd arwynebol o'r epitheliwm mewn unrhyw ran o'r corff.

destruction of controlled drugs: *dinistrio cyffuriau rheoledig* os bydd bydwraig angen dinistrio cyffuriau rheoledig a gafwyd trwy broses archebu cyflenwad, dylai wneud hyn ym mhresenoldeb person 'awdurdodedig': goruchwyliwr bydwragedd yn Lloegr, Cymru a Gogledd Iwerddon, Swyddog Fferyllol Rhanbarthol yn Lloegr, Cynghorwr Fferyllol i'r Swyddfa Gymreig, Prif Swyddog Fferyllol Gweinyddol Byrddau Iechyd yn yr Alban, Arolygwr Adran Iechyd Gogledd Iwerddon a benodwyd o dan Ddeddf Camddefnyddio Cyffuriau 1971, Swyddogion Meddygol Rhanbarthol yn Lloegr, yr Alban a Chymru, arolygwr Cymdeithas Fferyllol Prydain Fawr, swyddog heddlu neu arolygwr Adran Gyffuriau'r Swyddfa Gartref.

detoxication: *dadwenwyniad* y broses o niwtraleiddio sylweddau tocsig. Swyddogaeth yr iau (afu).

detrusor: *cywasgwr* term cyffredinol ar gyfer rhan o'r corff, e.e. cyhyr, sy'n gwthio i lawr.

development: *datblygiad* y broses o dyfu a gwahaniaethu.

Pen y Ffetws yn Disgyn i'r Pelfis

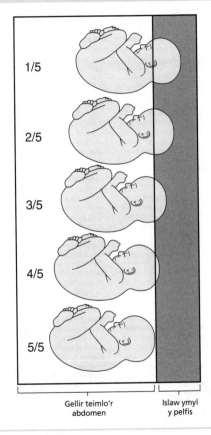

1/5

2/5

3/5

4/5

5/5

Gellir teimlo'r
abdomen

Islaw ymyl
y pelfis

developmental: *datblygiadol* yn ymwneud â datblygiad. ***Achos anhreolaidd datblygiadol*** (*d. anomaly*): absenoldeb, anffurfiant, neu ormodedd rhannau o'r corff neu ormodedd ohonynt oherwydd bod datblygiad yr embryo wedi bod yn ddiffygiol. ***Cerrig milltir datblygiadol*** (*d. milestones*): ymddygiad arwyddocaol a ddefnyddir i farcio'r broses o ddatblygu, e.e. eistedd, cerdded, siarad a.y.b. ***Profion datblygiadol*** (*d. tests*): cyfres safonol o brofion ar blant er mwyn asesu eu datblygiad.

dexamethasone: *decsamethason* glwco-corticoid synthetig a ddefnyddir yn bennaf fel cyfrwng gwrthlidiol gyda chyflyrau amrywiol, gan gynnwys clefydau a chyflyrau alergaidd; fe'i defnyddir hefyd mewn prawf sgrinio ar gyfer gwneud diagnosis o *SYNDROM CUSHING* (CUSHING'S SYNDROME). Mae decsamethason yn cael ei roi i rai merched o flaen genedigaeth gynamserol oherwydd yr awgrym ei fod yn cyflymu datblygiad ysgyfaint y ffetws ac felly yn lleihau'r tebygrwydd o syndrom cyfyngu ar anadlu.

dextran: *decstran* paratoad polysacarid a ddefnyddir fel amnewidyn plasma i drin sioc. Ei fanteision yw: (*a*) ei fod yn adfer cyfaint y cylchrediad; (*b*) nid yw'n gollwng o'r pibellau gwaed yn yr un ffordd â heli ffisiolegol; (*c*) gellir ei ddefnyddio pan nad yw grwpio gwaed yn bosibl; a (*d*) nid yw'n cario'r risg o heintiad firaol, fel mae plasma o iawn.

Dextropropoxyphene hydrochloride: *Decstropropocsiffen hydroclorid* poenleddfwr a gymerir trwy'r geg. Ni sefydlwyd eto pa mor ddiogel ydyw yn ystod beichiogrwydd. Gall fod yn gaethiwus, yn arbennig os yw'n cael ei gymryd gyda alcohol.

dextrose: *decstros* glwcos. Monosacarid. Y ffurf symlaf ar garbohydrad.

diabetes insipidus: *diabetes insipidus* clefyd prin yn deillio o ddiffyg yn secretiad hormon gwrth-ddiwretig llabed ôl y chwarren bitwidol. Mae wedi'i nodweddu gan ordroethi a dadhydradiad, gyda syched o ganlyniad i hynny. Gellir ei drin drwy gymryd fasopresin.

diabetes mellitus: *diabetes mellitus* clefyd teuluol yn ymwneud â diffyg secretu inswlin o gelloedd ynysig y pancreas neu gynnydd mewn gwrthiant i effaith inswlin, o bosibl yn cael ei achosi gan hormon twf pitwidol blaen. Mae gwrthiant i inswlin yn cynyddu yn ystod beichiogrwydd a gall diabetes cyfnod cario ddatblygu. Mae gan feichiogrwydd ddylanwad diabetogenaidd o ganlyniad i'r cynnydd yn y pwysau gwaith metabolaidd a gwrthiant i inswlin. Er hynny, dim ond mewn merched sydd â rhagdueddiad genetig i'r clefyd y mae hyn yn digwydd. Y symptomau yw amldroethiad, colli pwysau, syched, a blinder. Ceir hyperglycaemia ac yn ddiweddarach cetosis a all fod yn ddigon difrifol i achosi coma. Gall diabetes fod yn ddibynnol ar inswlin, lle bydd prawf goddefedd glwcos yn annormal a'r wraig yn dangos arwyddion a symptomau'r clefyd; heb fod yn ddibynnol ar inswlin, lle bydd prawf goddefedd glwcos annormal ond nad oes arwyddion na symptomau; yn perthyn i'r cyfnod cario, lle bydd prawf goddefedd glwcos annormal o ganlyniad i straen beichiogrwydd, a hwnnw'n dychwelyd i'r normal ar ôl y geni – mae'r merched hyn yn aml yn datblygu diabetes clinigol yn ddiweddarach yn eu bywydau. Mae rhai merched mewn mwy o berygl o ddatblygu diabetes, megis y rhai sydd wedi cael baban blaenorol sy'n pwyso mwy na 4.5 kg; baban wedi cael ei eni'n farw yn annisgwyl, neu faban newydd-anedig yn marw; a'r rhai hynny sydd â hanes o ddiabetes yn y teulu agos.

Mae cymhlethdodau diabetes yn ystod beichiogrwydd yn cynnwys heintiau, gorbwysedd a achosir gan feichiogrwydd, polyhydramnios, ceto-asidosis, ac annormaleddau, marwol-aeth neu hypocsia'r ffetws, ffetws mawr yn arwain at anghyfartaledd ceffalo-pelfig a thrawma geni; hypoglycaemia newydd-anedig neu syndrom cyfyngu ar anadlu.

Mae'r gofal yn ystod y beichio-grwydd a'r esgor yn cael ei rannu fel arfer rhwng yr obstetregydd a'r meddyg er mwyn sicrhau bod y fam a'r ffetws yn cael eu monitro'n agos. Os bydd problemau'n codi yna efallai y bydd y baban yn cael ei eni'n gynnar drwy doriad Cesaraidd; fel arall bydd y geni yn digwydd mewn ysbyty gyda lefel-au'r siwgr yn y corff yn cael eu harsylwi'n ofalus. Dylid parhau â hyn ar ôl y geni pan fydd anghenion inswlin y fam yn disgyn yn sylweddol. Mae angen carbohydrad ychwanegol os yw'r fam yn bwydo o'r fron.

diabetic: *diabetig* yn ymwneud â diabetes. ***Coma diabetig (d. coma)*:** colli ymwybyddiaeth o ganlyniad i getosis difrifol.

diabetogenic: *diabetogenig* yn achosi diabetes. Gall beichiogrwydd, mewn gwragedd sydd a thuedd tuag at hynny, beri cyflwr diabetig sy'n un dros dro fel arfer ond a all ddigwydd eto mewn beichiogrwydd arall ac yn ddiwedd-arach mewn bywyd.

diacetic acid: *asid diacetig* asid asetoasetig, cyfansoddyn di-liw a ganfyddir mewn mesurau bychan iawn mewn gwrin normal ac mewn mesur-iadau annormal mewn gwrin merched diabetig a'r rhai sy'n chwydu'n ormodol.

diagnosis: *diagnosis* pennu natur clefyd. *Diagnosis clinigol (clinical d.):* caiff ei wneud drwy astudio arwyddion a symptomau gwirioneddol. *Diagnosis gwahaniaethol (differential d.):* cymherir a chyferbynnir symptomau'r claf gyda rhai clefydau eraill. *Diagnosis petrus (tentative d.):* un dros dro sy'n cael ei

farnu yn ôl ffeithiau ac arsylwadau ymddangosiadol. Fe'i dynodir gan y symbol △.

diagonal conjugate: *cyfiau croesgornel* mesuriad mewnol o'r pelfis, a gymerir o bentir y sacrwm i ymyl isaf y symphysis pubis; dylai fesur 12.5 cm mewn pelfis normal. Drwy dynnu 1.3 cm o'r mesuriad, gellir amcangyfrif y gwir gyfiau. Mewn gwirionedd, ni all y bys sy'n archwilio gyrraedd pentir y sacrwm fel rheol oni bai bod y pelfis yn anarferol o fach, ac mewn achosion normal ystyrir bod y gwir gyfiau o faint canolig oherwydd na theimlir y pentir, h.y. mae allan o gyrraedd.

dialysis: *dialysis* symudiad halwyni, dŵr a metabolynnau trwy bilen ledathraidd. *Dialysis arennol (renal d.):* y defnydd o aren artiffisial. Rhennir gwaed y claf o'r hylif dialysis gan y bilen, gan gadw celloedd gwaed a phroteinau plasma a cholli'r sylweddau tocsig a ysgarthir fel arfer gan yr aren.

Mesur y Cyfiau Lletraws

1. gwir gyfiau.
2. cyfiau lletraws.

diameter: *diamedr* llinell syth sy'n pasio trwy ganol cylch neu sffêr. Mae'r gwregys pelffig bron yn sfferig ar rai lefelau, ac mae penglog y ffetws bron yn sfferig, felly disgrifir nifer o ddiamedrau yn y ddau. *Gw.* PENGLOG Y FFETWS (FETAL SKULL) a PELFIS (PELVIS).

diamorphine hydrochloride: *diamorffin hydroclorid* heroin. Poenleddfwr cryf a chyffur caethiwus.

diaphragm: 1. *llengig* 2. *diaffram* y rhaniad cyhyrol siâp dôm sy'n gwahanu'r thoracs o'r abdomen. Mae'n gyhyr pwysig wrth anadlu ac, fel y cyfryw, mae'n un o'r ffactorau eiliadd wrth esgor. Pan fo wedi ymlacio, mae'r diaffram yn amgrwm ond mae'n gwastata/u wrth iddo gyfangu wrth anadlu i mewn, gan chwyddo ceudod y frest a chaniatu/u i'r ysgyfaint ehangu. Yn ail gam yr esgor mae cyfangiadau'r diaffram a chyhyrau'r abdomen yn cynorthwyo grym ymwthiol cyfangiadau'r groth. 2. *Diaffram atal cenhedlu (contraceptive d.):* dyfais o rwber neu ddefnydd plastig meddal arall sydd wedi'i fowldio ac wedi'i ffitio dros wddf y groth er mwyn atal sbermatosoa rhag mynd i mewn.

diaphragmatic hernia: *hernia yn y llengig* ymwthiad unrhyw ran o organ abdomenol drwy'r llengig i mewn i geudod y thoracs.

diaphysis: *diaffysis* siafft asgwrn hir.

diarrhoea: *dolur rhydd* y carthion rhydd. Fel arfer caiff ei achosi gan haint. Yn y baban newydd-anedig mae'n beryglus, oherwydd gall y baban yn sydyn fynd yn ddadhydredig, gan amharu ar y cydbwysedd electro-lytau. Os ydyw wedi'i achosi gan haint mae'n beryglus mewn uned famolaeth am y gall gael ei drosglwyddo'n gyflym. *Gw. hefyd* ESCHERICHIA COLI.

diastole: *diastole* cyfnod llacio a gylchred gardiaidd. Yn dilyn SYSTOLE atriaidd a fentriglaidd mae'r cyhyr cardiaidd yn awr mewn cyflwr o ymlacio.

diastolic murmur: *murmur diastolaidd* sŵn annormal a gynhyrchir yn ystod diastole, ac sy'n digwydd gyda afiechyd falfiau'r galon.

diastolic pressure: *gwasgedd diastolaidd* gwasgedd gwaed yn y rhydweliau yn ystod cyfnod gorffwys y galon. *Gw.* PWYSAU GWAED (BLOOD PRESSURE).

diathermy: *diathermedd* y defnydd o gerrynt trydan amledd uchel fel math o ffisiotherapi ac fel cyfrwng ceulo, torri a haemostatig mewn llawdriniaethau. Deillia'r term diathermedd o'r geiriau Groeg dia a therma, ac maent yn llythrennol yn golygu 'cynhesu trwodd'. Yn llawfeddygol mae'n cael ei ddefnyddio'n gyffredin i drin neo-plasmau, defaid ar y croen, mein-weoedd heintiedig ac i serio pibellau gwaed er mwyn atal gwaedu gormodol. Mewn obstetreg a gynaecoleg mae'n cael ei ddefnyddio'n aml i drin nam ar wddf y groth. *Gw. hefyd* CRYOFEDDYG-AETH (CRYOSURGERY).

diazepam: *diazepam* tawelydd bensodiasepin a ddefnyddir gan fwyaf fel cyfrwng gwrthbryder, ac fe'i defnyddir hefyd fel ymlaciwr cyhyrau'r sgerbwd, ac fel gwrthgynfylsiwn, er enghraifft gyda eclampsia fel meddyginiaeth cyn llawdriniaeth i leddfu pryder a thensiwn, ac wrth reoli symptomau diddyfnu alcohol. Gellir ei roi trwy'r geg, mewn cyhyr neu mewn gwythïen.

dicephalus: *deuceffalws* ffetws neu faban gyda dau ben.

dichorial, dichorionic: *deugorial, deugorionig* gyda dau gorion gwa-hanol, a dywedir hyn am efeilliaid deusygotig.

didactylism: *didactyliaeth* presenoldeb dim ond dau ddigid ar law neu droed.

didelphia: *didelffia* y cyflwr o fod â chroth ddwbl.

didymitis: *didymitis* llid y ceilliau. Hefyd yn cael ei alw'n orcitis (orchitis).

didymus: *didymws* caill; hefyd yn cael ei ddefnyddio fel terfyniad gair sy'n cyfeirio at ffetws sydd â dyblygiad rhannau neu un sy'n cynnwys efeilliad cydgysylltiedig cymesur.

diembryony: *deuembryoni* cynhyrchu dau embryo o un ŵy unigol.

dienoestrol: *dienoestrol* oestrogen synthetig a ddefnyddir i drin faginitis atroffig a kraurosis vulvae.

dietetics: *dieteg* cangen o wyddor feddygol sydd yn ymwneud â diet, ar gyfer cynnal iechyd a gwella clefydau.

diethylstilbestrol: *deuethylstilbestrol OESTROGEN* synthetig.

dietician: *dietegydd* rhywun sy'n ymwneud â hybu iechyd da drwy ddiet cywir a chyda'r defnydd therapiwtig o ddiet i drin clefydau.

differential: *trylediad* yn gwneud gwahaniaeth. *Cyfrif gwaed gwahaniaethol (d. blood count):* cymhariaeth rhwng niferoedd o gelloedd gwyn gwahanol sy'n bresennol yn y gwaed. *Diagnosis gwahaniaethol (d. diagnosis)* Gw. DIAGNOSIS.

diffusion: *trylediad* mynediad sylweddau mewn hydoddiant i mewn i ardal o grynodiad gwanach trwy bilen ledathraidd. Mae ocsigen, carbon deuocsid, rhai mwynau ac wrea yn tryledu ar draws *FILYSAU CORIONIG* (CHORIONIC VILLI) y brych. Mae sylweddau mwy cymhleth megis proteinau, lipidau a charbohydradau yn cael eu trosglwyddo trwy gludiant actif.

digestion: *treuliad* y broses sy'n newid bwyd a gymerir i mewn i'r corff i'w wneud yn addas ar gyfer cael ei amsugno i mewn i'r gwaed.

digit: *digid* bys ar law neu ar droed.

digital: *bysedol* yn ymwneud â bys ar law neu ar droed, fel arfer â'r cyntaf, e.e. archwiliad bysedol. Archwiliad a wneir ag un neu fwy o fysedd.

digitalis: *digitalis* sylwedd gweithredol planhigyn bysedd y cŵn, *Digitalis purpurea*. Fe'i defnyddir mewn achosion o ddiffyg pwmpio'r galon a gyda ffibriliad yr atria i arafu a chryfhau curiad y galon.

digoxin: *digocsin* cyffur a geir o ddail Digitalis lanata; fe'i defnyddir i drin diffyg pwmpio'r galon.

dihydrocodeine tartrate: *dihydrocodin tartrat* poenleddfwr a gymerir trwy'r geg neu yn y cyhyrau. Mae sgil effeithiau yn cynnwys cyfogi, cur pen, pendro. Dylid ei osgoi gyda phobl sy'n asthmatig gan ei fod yn achosi rhyddhau histamin. Y brand masnachol yw DF118.

dilatation: *ymlediad* ymestyn agorfa neu, mewn achosion prin, organ wag. Gall fod yn naturiol, fel sy'n digwydd i wddf y groth yn ystod cam cyntaf yr esgor, neu'n artiffisial, megis gyda gwddf y groth cyn ciwretiad ceudod y groth.

dilator: *lledwr* offeryn a ddefnyddir i achosi ymlediad, e.e. LLEDWR HEGAR (HEGAR'S D).

dimenhydrinate: *dimenhydrinad* cymysgedd gwrth gyfogi.

dimetria: *dimetria* cyflwr sy'n cael ei nodweddu gan groth ddwbl.

dimorphism: *dwyffurfedd* yr ansawdd o fodoli mewn dwy ffurf wahanol *Dwyffurfedd rhyw (sexual d.):* **1.** gwahaniaeth corfforol neu ymddygiadol sy'n gysylltiedig â rhyw. **2. yn meddu ar** rywfaint o briodweddau'r ddau ryw, megis yn yr embryo cynnar ac mewn rhai deurywiaid.

diodode: *diodon* cyfrwng cyferbynnu tebyg i iodocsyl, a ddefnyddir mewn radiograffeg.

diphtheria: *difftheria* clefyd heintiol llym penodol a achosir gan heintiad Corynebacterium diphtheriae (basilws Klebs-Loeffler). Roedd yn beryglus iawn cyn cyflwyno imiwneiddiad difftheria. Yn y DU rhoddir tocsoid difftheria wedi ei gyfuno gyda thocsoid tetanws a brechlyn pertwsis fel 'antigen triphlyg' yn 3 mis oed, 4.5–5 mis oed a 8.5–11 mis oed. Rhoddir dos atgyfnerthol o frechlyn triphlyg yn erbyn difftheria, tetanws a'r pas yn union cyn i'r plentyn gychwyn ysgol yn 5 mlwydd oed.

diphtheroids: *diphtheroidau* coryne-bacteria nad yw'n bathogenaidd sy'n debyg i fasili diphtheria, mae'n *GYDFWYTÂWR* (COMMENSAL) cyffredin yn y gwddf, y trwyn, y glust, y gyfbilen a'r croen.

diplococci: *diplococi* coci a welir mewn parau bob tro. Gallant fod wedi'u hamgáu e.e. niwmococi, neu o fewn cell e.e gonococi. *Gw. GONOCOCWS* (GONOCOCCUS).

diploid: *diploid* y cyflwr pan fo'r gell yn cynnwys dwy set o *GROMOSOMAU* (CHROMOSOMES). Mewn bodau dynol y rhif diploid yw 46, h.y. 23 pâr.

diplosomatia: *diplosomatia* cyflwr lle mae efeilliad cyfan wedi eu huno yn rhai rhannau o'u cyrff.

disability: *anabledd* unrhyw gyfyngiad neu ddiffyg gallu i wneud gweithgaredd (yn deillio o ryw nam) yn y modd neu o fewn cyrhaeddiad a ystyrir yn normal ar gyfer bod dynol. *Anabledd datblygiadol (developmental d.):* anabledd sylweddol sy'n parhau am gyfnod amhenodol, sy'n cychwyn cyn 18 oed ac yn codi o anabledd meddwl, awtistiaeth, parlys yr ymennydd, epilepsi a mathau eraill o newropathi.

disaccharide: *disacarid* carbohydrad wedi'i ffurfio o ddwy uned siwgr syml. Rhai enghreifftiau yw lactos mewn llaeth, swcros a maltos. Gall rhain gael eu torri i lawr yn hawdd i roi *MONOSACARIDAU* (MONOSACCHARIDES).

disc: *disg* plât fflat siâp cylch neu grwn. *Disg embryonig (embryonic d.):* ardal weddol fflat mewn ofwm sydd wedi ymrannu lle gwelir olion cyntaf yr embryo. *Disg rhyngfertebrol (intervertebral d.):* yr haen o ffibrocartilag rhwng cyrff fertebrâu cyfagos. *Disg rhyngfertebrol llithredig (prolapsed intervertebral d.):* rhwygiad disg rhyngfertebrol. Mae'n digwydd fwyaf

cyffredin yng ngwaelod y cefn ac weithiau yn y gwddf.

discharge: *rhedlif* llif sylweddau allan o'r corff. *Rhedlif o'r wain (vaginal d.):* yn ystod beichiogrwydd mae'n normal o ganlyniad i newidiadau yn lefelau'r hormonau a pH y wain. Dylai fod yn wyn, yn fwcaidd ac ni ddylai gosi'n boenus. Dylid tynnu sylw at redlif helaeth, sy'n arogli'n ddrwg neu sy'n cosi'n boenus.

discolouration: *afliwiad* newid yn lliw y croen neu'r pilenni mwcaidd. Gwelir afliwiad lliw glas yng ngwddf y groth a'r wain yn gynnar mewn beichiogrwydd ac fe'i adnabyddir ef fel arwydd Jacquemier.

discus proligerus: *discus proligerus* y màs cywasgedig o gelloedd ffoliglaidd o amgylch ofwm cyn iddo gael ei ymwythio o ffoligl Graaf.

disease: *clefyd* unrhyw gyflwr annormal sy'n achosi newid lleol neu gyffredinol yn adeiledd neu waith y corff.

disinfect: *diheintio* dinistrio micro-organebau ond nid fel arfer sborau bacteraidd, gan leihau'r nifer o ficro-organebau i lefel nad yw'n niweidiol i iechyd.

dislocation: *dadleoliad* dadleoliad asgwrn o'i safle naturiol. Mae rhai afleoliadau, yn arbennig y glun, yn gynhenid, fel arfer o ganlyniad i adeiladwaith diffygiol y cymal.

displacement: *dadleoliad* symudiad i safle anarferol. Gorwedda'r groth nad yw'n feichiog fel arfer yng nghanol ceudod y pelfis, wedi'i throi a'i phlygu tuag ymlaen. Mae gwrthdroad a *LLITHRIAD* (PROLAPSE) yn ddadleoli-adau.

disproportion: *anghymesuredd* diffyg cytgord neu ddiffyg perthynas iawn rhwng un gwrthrych ac un arall. *Anghymesuredd ceffalopelfig (cephalo-pelvic d.):* anghyfartaledd rhwng pen y ffetws a'r pelfis y mae'n rhaid iddo basio trwyddo. Mae'r bai un ai ar belfis y fam sy'n rhy fychan neu o siâp annormal, neu ar ben y baban sy'n cyflwyno mewn diamedr anffafriol, neu sy'n anarferol o fawr. Sylwir arno yn ystod tair wythnos olaf y beichiogrwydd oherwydd methiant pen y ffetws i gydio, un ai ohono'i hun neu o dan bwysau. Gellir asesu graddau'r anghymesuredd â phelydr X neu uwchsain. Gydag anghymesuredd bach gall symudiad y groth yn ystod yr esgor fod yn ddigon i fowldio pen y fetws trwy'r pelfis, yn aml gyda phlygiant mwy, a gall yr esgor fynd yn ei flaen heb gymhlethdodau i'r fam na'r plentyn. Rhagwelir hyn mewn *ESGORIAD ARBROFOL* (TRIAL LABOUR). Gydag anghymesuredd cymedrol a difrifol, bydd y geni trwy doriad Caesaraidd.

disseminated intravascular coagulation (DIC): *tolcheniad mewnfasgwlaidd gwasgaredig (DIC)* ffurfiant thrombosisau wedi eu gwasgaru yn y microgylchrediad, yn bennaf o fewn capilariau. Mae'n gymhlethdod eilaidd cyflyrau sy'n cyflwyno ffactorau hybu ceulo i mewn i'r cylchrediad, megis abruptio placentae, dargadw ffetws marw, emboledd hylif amniotig a mathau amrywiol o heintiau a bacteraemiau. Yn baradocsaidd, mae'r ceulo mewnfasgwlaidd yn y diwedd yn achosi gwaedlif oherwydd cymeriant cyflym ffibrinogen, platennau, prothrombin, a ffactorau ceulo, V, VIII ac X. Mae trin DIC yn golygu ailgyflenwi'r cynhyrchion gwaed annigonol a gwella, os yn bosibl, yr achos gwaelodol. Pan na ellir trin yr achos sylfaenol, gall pigiadau heparin i mewn i'r gwythiennau atal y broses geulo a chodi lefel y ffactorau ceulo prin.

distal: *distal* wedi'i leoli i ffwrdd oddi wrth ganol y corff neu'r tarddbwynt. Y gwrthwyneb i procsimol.

Distalgesic: *Distalgesic* Gw. *DECSTRO-PROPOCSYFFEN HYDROCLORID* (DEXTRO-PROPOXYPHENE HYDROCHLORIDE).

district general hospital: *ysbyty cyffredinol dosbarth* ysbyty sy'n darparu amrediad eang o wasanaethau arbenigol ar gyfer dalgylch naturiol.

diuresis: *diwresis* cynnydd mewn secretiad wrin.

diuretic: *diwretig* cyffur sy'n cynyddu ysgarthiad wrin, e.e. furosemide (frusemide).

diurnal: *diwrnaidd* yn perthyn i neu'n digwydd yn ystod y dydd, neu gyfnod o oleuni.

dizygotic: *deusygotig* yn perthyn i neu'n deillio o ddau sygot (ofa wedi'u ffrwythloni) ar wahân. *Efeilliaid deusygotig (d. twins):* maent yn fwy cyffredin na rhai *MONOSYGOTIG* (MONOZYGOTIC). Mae dau ofwm yn cael eu ffrwythloni gan ddau sbermatosoon, a gall y ffetysau fod o'r un rhyw neu o ryw gwahanol. Mae dau frych, dau gorion a dau amnion. Weithiau fe'u gelwir yn efeilliaid deuofwl. Gw. hefyd *BEICHIOGRWYDD LUOSOG (MULTIPLE PREGNANCY).*

Dôderlein's bacillus: *basilws Dôderlein* lactobasilws nad yw'n bathogenaidd sydd i'w weld fel arfer mewn secretiadau o'r wain. Mae metabolaeth glycogen o fewn y leinin o epitheliwm cennog yn y wain yn cynhyrchu asid lactig. Mae'r pH o 4.5 sy'n ganlyniad i hyn yn gwrthweithio yn effeithiol alcalinedd mwcws gwddf y groth ac mae'n elyniaethus i organebau pathogenaidd.

dolichocephalic: *dolichoceffalig* gyda phen hir, lle mae'r diamedr blaen-ôl yn fwy.

domiciliary: *cartref* o fewn y cartref. *Bydwraig gartref (d. midwife):* bydwraig sy'n gweithio yn y gymuned.

dominant inheritance: *etifeddiad trechol* y math o etifeddiad lle mae un rhiant yn trosglwyddo nodwedd ymlaen i'r epil. Mae un o'r pâr o enynau yn cario'r nodwedd ac yn drechol dros y *GENYN* (GENE) arall. Mae siawns o 1 mewn 2 i'r epil gael ei effeithio, megis mewn *ACRONDOPLASIA* (ACHRONDO-PLASIA). *Gw. hefyd* etifeddiad *ENCILIOL* (RECESSIVE).

'domino' booking: *bwcio 'domino'* cynllun o ofal mamolaeth pan fo mam yn cael ei baban mewn uned ymgynghorol, ac yn derbyn gofal gan y fydwraig cymuned. Maent yn dychwelyd adref unrhyw bryd ar ôl 6 awr ar ôl y geni. Mae'r enw'n deillio o fydwraig *'domiciliary in and out'.*

donor: *rhoddwr* un sy'n rhoi. Mae rhoddwr gwaed yn berson sy'n rhoi gwaed ar gyfer ei drallwyso. Rhoddwr llaeth yw un y mae ei llaethiad helaeth yn ei galluogi i roi llaeth i fanc llaeth dynol.

dopamine: *dopamin* cynnyrch rhyngol wrth syntheseiddio noradrenalin. Mae'n newrodrosglwyddwr yn y prif system nerfol. Rhoddir dopamin i mewn i'r gwythiennau er mwyn cywiro anghydbwysedd haemodynamig mewn syndrom sioc.

Doppler ultrasound: *uwchsain Doppler* peth a ddefnyddir i wneud mesuriadau a chofnod gweledol o'r symudiad mewn amledd ton uwchsonig barhaus neu sy'n curo mewn cyfranedd â chyflymder llif gwaed mewn pibellau gwaed gwaelodol; fe'i defnyddiir i wneud diagnosis o glefyd achludol fasgwlaidd. Mae'n cael ei ddefnyddio hefyd i ganfod curiad calon y ffetws a chyflymder y gwaed ar draws falf stenotig yn y galon.

dorsal: *dorsal* yn ymwneud â'r cefn. *Safle dorsal (d. position):* mae'r wraig yn gorwedd ar ei chefn gyda'i phen a'i hysgwyddau wedi eu codi ychydig.

double uterus: *croth ddwbl* datblygiad annormal y groth pan fydd y dwythellau Mülleraidd yn methu asio. Ceir dau gorff i'r groth a gall gwddf y groth a'r wain fod yno ddwywaith neu unwaith. Mae'n un o achosion erthyliad naturiol dro ar ôl tro mewn rhai merched; yn achlysurol iawn ceir dau

genhedliad annibynnol sy'n mewnblannu yn nwy ran y groth; mae esgor cyn pryd yn gyffredin.

double-blind trial: *arbrawf dwbl-ddall* prawf ar gyfer gwir effaith cyffur neu driniaeth newydd mewn ymarfer clinigol. Nid yw'r claf na'r staff sy'n rhoi'r driniaeth yn gwybod p'un o ddwy driniaeth sy'n ymddangos yn union yr un fath yw'r un newydd sy'n cael ei phrofi.

douche: *douche* 1. llif neu jet o ddŵr neu hylif arall a dywelltir ar ryw ran o'r corff. Weithiau defnyddir douche y wain o hyd at 5 litr o heli cynnes i roi pwysedd hydrostatig er mwyn chwyddo'r wain ac felly beri bod *GWRTHDROAD Y GROTH* (INVERSION OF THE UTERUS) a gwneud iddi ddychwelyd i'w safle arferol. **2.** yr offeryn a ddefnyddir ar gyfer douche.

Douglas' pouch: *coden Douglas* coden o beritonëwm rhwng traean uchaf y wain yn y blaen a wal flaen y rectwm yn y cefn.

doula: *doula* o'r gair Groeg sy'n golygu 'gwraig sy'n gweini ar wragedd eraill'; mewn termau bydwreigiaeth, un sy'n rhoi cefnogaeth emosiynol ac ymarferol trwy'r beichiogrwydd a'r esgor. Mae hyfforddiant cydymaith geni Doula wedi bod ar gael yn y DU ers 1990, gyda hyfforddiant llai ar gyfer bydwragedd cymwysedig trwy'r mudiad Geni a Chwlwm Agosrwydd Rhyngwladol (Birth and Bonding International).

Down's syndrome: *syndrom Down* annormaledd cromosom, y math mwyaf cyffredin gyda 47 yn hytrach na 46 cromosom. Mae'r cromosom ychwanegol wedi'i gydio i bâr rhif 21, felly gelwir y cyflwr hefyd yn triosmy 21. Cysylltir y cyflwr gyda mamau hŷn. Yn y ffurf arall ar syndrom Down mae trawsleoliad yn digwydd, fel arfer rhwng cromosomau 14 a 21, fel trefniad strwythurol de novo yn y plentyn, er bod gan y rhieni gromosomau normal.

Ar y llaw arall gall y trawsleoli ddigwydd o ganlyniad i gromosom tebyg wedi'i drawsleoli yn y rhieni, ac mewn achos fel hyn mae siawns o 10% y bydd y cyflwr yn dychwelyd mewn beichiogrwydd yn y dyfodol. Mae gan y plentyn rai nodweddion arbennig ac mae ganddo anawsterau dysgu. Mae gan y plentyn lygaid ar oleddf, trwyn llydan fflat, pen crwn (brachycephaly), gwddf byr gyda chroen llac, a HYPOTONIA. Mae'r dwylo'n llydan, gyda rhych sengl yn y cledr. Mae trydydd ffontanél yn aml yn bresennol yn ogystal â SMOTIAU BRUSHFIELD (BRUSHFIELD'S SPOTS) yn yr iris. Mae gan nifer o'r unigolion hyn annormaleddau cynhenid eraill h.y. clefyd cynhenid y galon, ac efallai na wnant oroesi babandod. Mae'r plant yma yn aml yn gyfeillgar ac yn serchog ac yn elwa o addysg arbennig.

drainage tube: *tiwb draenio* tiwb a osodir mewn ceudod, anaf, neu ardal heintiedig, er mwyn i hylif gormodol neu ddeunydd crawnllyd lifo allan.

dramatherapy: *therapi drama* defnydd therapiwtig o ddrama lle mae cleientiaid yn cael eu hannog i fynegi eu teimladau wrth actio er mwyn goresgyn eu problemau. Mae wedi cael ei ddefnyddio'n llwyddiannus mewn achosion o anffrwythlondeb.

draught reflex: *adwaith tynnu* Gw. MECANWAITH LLIF LLAETH (MILK FLOW MECHANISM).

drepanocyte: *drepanocyt* cryman-gell.

drepanocytosis: *drepanocytosis* drepanocytau (cryman-gelloedd) yn y gwaed.

dressing: *gorchudd* yr hyn a roddir ar wyneb clwyf.

Drew-Smythe cannula: *caniwla Drew-Smythe* CATHETR (CATHETER) metel siâp S wedi'i gynllunio ar gyfer ei gyflwyno i mewn i'r llwybr geni er mwyn ei basio i mewn i os gwddf y groth heibio i ben y ffetws. Y pwrpas yw tyllu'r cefnddyf-

roedd pan nad yw'r pen wedi cydio. Anaml iawn y bydd yn cael ei ddefnyddio bellach, gan y gall beri i'r brych wahanu.

droplet infection: *heintiad defnynnau* bacteria pathogenaidd, a gludir drwy siarad, pesychu, tisian etc. mewn defnynnau bach iawn, yn teithio o lwybr anadlu person heintiedig.

drug: *cyffur* 1. unrhyw sylwedd meddygol. 2. narcotig. 3. rhoi cyffur. Camddefnyddio cyffuriau (d. abuse): y defnydd o un neu fwy o gyffuriau at ddibenion gwahanol i'r rhai y rhagnodwyd neu'r argymhellwyd hwy ar eu cyfer. *Caethiwed i gyffuriau (d. addiction):* cyflwr o feddwdod cyfnodol neu gronig a gynhyrchir drwy gymryd cyffur yn gyson ac sydd wedi'i nodweddu gan: *(a)* dyhead neu angen llethol (gorfodaeth) i barhau'r defnydd o gyffur a chael gafael arno mewn unrhyw ffordd sy'n bosibl; *(b)* tuedd i gynyddu'r dos; *(c)* dibyniaeth seicolegol ac fel arfer corfforol, ar ei effeithiau; a *(d)* effaith niweidiol ar yr unigolyn ac ar gymdeithas. *Rhyngweithiad cyffuriau (d. interaction):* addasu cryfder un cyffur gan un arall (neu rai eraill) a gymerir yr un pryd neu ar ei ôl. Mae rhai rhyngwthiadau cyffuriau yn niweidiol a gall rhai gael effeithiau therapiwtig.

drugs in midwifery: *cyffuriau mewn bydwreigiaeth* Gellir rhannu'r pump ar gyfer cyffuriau mewn bydwreigiaeth i sawl categori: 1. Lleddfu poen wrth esgor. 2. Cychwyn a chyflymu'r esgor. 3. Rheoli gwaedlif. 4. Adfywio. 5. Trin anhwylderau ffisiolegol a phatholegol.

Dubowitz score: *sgôr Dubowitz* dull a ddefnyddir i asesu oed cyfnod cario mewn baban isel ei bwysau geni.

Duchenne's muscular dystrophy: *nychdod cyhyrol Duchenne* y ffurf ar nychdod y cyhyrau a geir mewn plant. 1. crebachiad cyhyrau'r asgwrn cefn. 2. parlys bwlbaidd. 3. tabes dorsalis.

Ducrey's bacillus: *basilws Ducrey* yr

organeb sy'n achosi siancr meddal (Haemophilus ducreyi).

duct (ductus): dwythell tiwb neu sianel ar gyfer cludo secretiad i ffwrdd o chwarren.

ductus arteriosus: ductus arteriosus pibell waed yn y ffetws sy'n osgoi cylchrediad yr ysgyfaint drwy gysylltu'r rhydweli ysgyfeiniol a'r aorta disgynnol, sy'n cau fel arfer ar enedigaeth. Mae'r wythïen wmbilig yn teithio yn y llinyn i'r ffetws ac yn gwahanu'n ddwy gangen, un ohonynt yw'r *ductus venosus* ac mae hwn yn ymuno â'r vena cava isaf.

Duffy blood group: grŵp gwaed Duffy math o waed sy'n cynnwys antigen prin.

Dulco-lax: Dulco-lax Gw. BISACODYL.

dunken: dunken Gw. CYNORTHWYWR GENI TRADDODIADOL (TRADITIONAL BIRTH ATTENDANT).

duodenum: dwodenwm rhan gyntaf y coluddyn bach, o'r pylorws i'r jejwnwm. Mae tua 25–27 cm o hyd (10–11 modfedd). *Atresiwm dwodenal:* y dwodenwm wedi'i sianelu'n anghyflawn. Bydd chwydu hyrddiol yn digwydd cyn gynted ag y bydd y baban yn cael ei fwydo. Yn nodweddiadol mae'r chwŷd yn cynnwys bustl.

dura mater: dura mater y bilen wydn ffibrog sy'n leinio'r penglog ac yn ffurfio gorchudd allanol yr ymennydd a madruddyn y cefn. Mae plyg dwbl o haen fewnol y dura mater, y falx cerebri, yn gogwyddo i lawr rhwng yr hemisfferau cerebrol, ac mae plyg llorweddol, y tentoriwm cerebelli, yn rhannu'r ymennydd bach o'r hemisfferau cerebrol uchben. Mae'r ddwy bilen yn cludo'r sinysau gwythiennol mawr sy'n draenio gwaed o'r penglog. Gallant gael eu hymestyn ac weithiau maent yn rhwygo yn ystod yr esgor, gan achosi GWAEDLIF MEWNGREUANOL (INTRACRANIAL HAEMORRHAGE) difrifol.

dural tap: tap diwral twll yn y dura mater, fel arfer yn dilyn anaesthesia

rhanbarthol, sy'n peri i hylif yr ymennydd ollwng. Mae hyn yn achosi cur pen a all barhau am tua wythnos. Gall pwyso ar straen gormodol achosi colli mwy o hylif yr ymennydd ac felly dylid osgoi hyn.

duration of pregnancy: hyd beichiogrwydd ar gyfartaledd mae'n parhau tua 266 diwrnod o'r cenhedliad i'r esgoriad a 280 diwrnod (40 wythnos neu 9 mis ac 1 wythnos) o ddyddiad y mislif olaf i ddyddiad yr esgor. Os yw'r fam yn gwybod dyddiad diwrnod cyntaf ei mislif gellir cyfrifo'r dyddiad geni tebygol (EDD) drwy ychwanegu 40 wythnos. Os yw'r cylch *x* diwrnod yn llai na 28, bydd yr EDD *x* diwrnod yn gynt. Yn yr un modd, bydd yn 28 diwrnod ac *x* os yw'r cylch yn hirach. Disgwylir i tua 67 y cant o ferched ddechrau esgor o fewn cyfnod o 7 diwrnod cyn neu 7 diwrnod ar ôl y dyddiad a amcangyfrifwyd. Gall symptomau eraill beichiogrwydd, megis symudiadau cyntaf y ffetws, maint y groth ac astudio hylifau fod yn werthfawr wrth amcangyfrif hyd y beichiogrwydd. Er hynny, y dull mwyaf cywir yw uwchsain. Ar 7–14 wythnos bydd yr hyd o'r corun i'r ffolen (CRL) yn fanwl gywir. Mae mesuriadau dwybarwydol rhwng 13 ac 20 wythnos mor fanwl gywir â'r CRL yn nhrimestr cyntaf y beichiogrwydd.

Dutch cap: cap Dutch cyfarpar atal cenhedlu. Gw. DIAFFRAM (DIAPHRAGM).

duty of care: dyletswydd gofal mae gan unrhyw un sy'n eu cynnig eu hunain fel bydwraig, nyrs neu feddyg proffesiynol medrus, ddyletswydd gydnabyddedig tuag at glaf neu gleient waeth beth fo unrhyw gytundeb contract rhwng y partïon. Mae'r ddeddf wedi datblygu set o reolau ar gyfer safonau disgwyliedig gofal, wedi'u seilio ar y safonau sy'n bodoli yn yr un cyfnod ag unrhyw achos sy'n cwestiynu'r mater, er mwyn cynorthwyo i benderfynu a yw gweithiwr proffesiynol wedi esgeuluso'i ddylestwydd gofal neu beidio.

dydrogesterone: *dydrogesteron* progestin synthetig sy'n effeithiol trwy'r geg, a ddefnyddir fel arfer i wneud diagnosis a thrin amenorrhea a dysmenorrhea difrifol, ac mewn cyfuniad gydag oestrogen lle ceir menorrhea camweithredol.

dys-: *dys-* rhagddodiad sy'n golygu 'anodd', 'anhrefnus' neu 'poenus'.

dysentery: *dysentri* haint hysbysadwy yn y coluddyn a nodweddir gan ddolur rhydd difrifol, gyda gwaed neu fwcws a chrawn yn cael eu hysgarthu a achosir fel arfer gan rywogaeth *Shigella* neu *Entamoeba histolytica*.

dyslexia: *dyslecsia* amhariad ar y gallu i ddeall iaith ysgrifenedig, o ganlyniad i nam canolog. Ansoddair: dyslecsig.

dysmature: *anaeddfed* term amwys a ddefnyddir yn gyffredin i ddisgrifio baban sy'n fach am ei oed cario.

dysmenorrhoea: *dysmenorhea* mislif anodd neu boenus. Mae wedi'i nodweddu gan boenau tebyg i gramp yn rhan isaf yr abdomen, ac weithiau gan gur pen, tymer flin, iselder meddwl, anniddigrwydd/malaise a blinder.

dyspareunia: *dyspareunia* cyfathrach rywiol anodd neu boenus.

dyspepsia: *dyspepsia* diffyg traul.

dyspnoea: *dyspnoea* anadlu'n anodd neu'n llafurus.

dystocia: *dystocia* esgoriad anodd neu annormal.

dystrophia: *dystroffia* yn llythrennol, twf anodd neu annormal. Syndrom *dystocia dystroffia (dystocia d. syndrome)*: dilyniant obstetrig prin ac anffodus, y dywedir bod rhai mathau o wragedd yn dueddol o'i gael. Mae'r wraig yn fyr, ac yn gorffolaeth drom, yn is-ffrwythlon blewog ac yn aml mae ganddi gyneclampsia. Mae ganddi belfis android, mae'r ffetws mewn safle ocsipito-ôl gyda'r cymlethddodau niferus posibl a ddaw yn sgil hynny.

dysuria: *dyswria* anhawster neu boen wrth basio wrin.

E

early transfer: *trosglwyddo cynnar*
trosglwyddo mam a baban adref o uned mamolaeth yn gynnar yn y CYFNOD AR ÔL Y GENI (POSTNATAL PERIOD).

ecbolic: *ecbolig* ocsytocsig, h.y. yn gwneud i gyhyrau'r groth gyfangu.

ecchymosis: *ecymosis* allrediad gwaed o dan y croen, gan achosi afliwiad. Cleisio.

echovirus: *ecofirws* grŵp o firysau (enterofirysau) wedi eu harunigo oddi wrth fodau dynol, sy'n cynhyrchu llawer o wahanol fathau o glefydau dynol, yn arbennig llid yr ymennydd aseptig, dolur rhydd a chlefydau anadlu amrywiol.

eclampsia: *eclampsia (ans. eclamptig)* cymhlethdod difrifol beichiogrwydd sydd yn cael ei nodweddu gan ffitiau ynghyd â gorbwysedd difrifol, oedema a proteinwria. Mae'n brin, gyda ffitiau'n digwydd weithiau yn agos at ddiwedd y cyfnod cario, ond yn fwy cyffredin yn ystod neu'n fuan ar ôl esgor. Mae'r ffitiau'n epileptifurf, gyda chyfnod tonig o sbasmau cyhyrol ffyrnig, anystwythder, apnoea a dulasedd; cyfnod clonig gyda symudiadau plyciog, ffyrnig na ellir eu rheoli; a dychwelyd i anadlu gyda'r perygl o anadlu mwcws neu waed i mewn i'r geg neu'r ffaryncs. Mae cyfnod o goma yn dilyn. Mae un ffit ar ôl y llall yn beryglus i'r fam a'r ffetws. Gall y fam ddioddef o waedlif cerebrol, oedema'r ysgyfaint neu fethiant yr aren neu fethiant hepatig. Gall llid yr ysgyfaint ddeillio o fewnanadlu malurion/ gwastraff. Mae'r ffetws mewn perygl o hypocsia a gall farw yn y groth, yn arbennig yn ystod cyfnod apnoeig y fam.

Os yw cyn-eclampsia yn cael ei ddarganfod yn brydlon a'i drin yn gyflym, dylid medru atal pob achos, ar wahân i'r achosion prin o gyn-eclampsia cyflym bygythiol, sy'n dangos bod eclampsia ar ei ffordd.

Os bydd ffitiau eclamptig yn digwydd, dylid galw ar y meddyg ar frys. Gosodir y fam ar ei hochr, mewnosod pibell anadlu os yn bosibl a rhoi ocsigen hyd nes y bydd yr anadlu'n dechrau eto. Dylid gofalu nad yw'r fam yn ei niweidio ei hun yn ystod y cyfnod ffyrnig.

Gellir rhoi cyffuriau megis magnesiwm swlffad mewnwythiennol neu ffenytoin i reoli'r ffitiau. Mae hydralasin hydroclorid yn gweithredu fel fasoymledydd, ac weithiau gellir rhoi diwretigion, er ei fod yn bwysig monitro cydbwysedd yr hylif er mwyn osgoi dadhydradu'r fam. Mae ergometrin yn cael ei anghymeradwyo. Unwaith y bydd y ffitiau o dan reolaeth, rheolir yr achos drwy atal mwy o ffitiau nes y gellir hwyluso'r geni. Yn aml mae'r fam yn cychwyn esgor yn ddigymell, sy'n ffactor y dylid ei ystyried os ydyw wedi'i thawelu'n gryf iawn, gan y gellir camddehongli arwyddion o drallod sy'n deillio o boen cyfangiadau fel yr arwydd fod mwy o ffitiau yn cychwyn.

econazole: *econasol* cyfrwng gwrthffwngaidd sy'n debyg i clotrimasol neu miconasol.

'ecstasy': *'ecstasi'*
methylenediocsymethamffetamin (MDMA) neu 'E'. Un o'r cyffuriau

anghyfreithlon mwyaf cyffredin ei ddefnydd. Mae'n amffetamin rhithbeiriol synthetig sy'n dod ar ffurf tabledi a chapsiwlau ar gyfer ei ddefnyddio trwy'r geg neu'r anws. Gan ei fod yn gymhleth ac yn ddrud i'w gynhyrchu gall y crynodiad o MDMA amrywio o 2–200mg a gall y tabledi a'r capsiwlau gynnwys sylweddau eraill megis caffin, parasetamol a cetamin (anaesthetig). Mae MDMA yn atal adamsugniad serotonin ac felly'n lleihau storfeydd yr ymennydd, yn effeithio ar dymer neu hwyl ac yn rhoi egni di-ben-draw yn y cyfnodau cynnar. Gall defnydd estynedig ohono arwain at ddiffyg archwaeth, chwysu, crychguriadau, anystwythder ar ên, crensian dannedd ac awydd i droethi yn aml. Yn y diwedd gall achosi arhythmia cardiaidd, hepatocsigedd a niwed niwrolegol a seicolegol. Hyperthermia (gorgynhesu) yw'r effaith peryclaf, a chysylltir tolchennu mewnfasgwlaidd gwasgaredig, asidosis metabolaidd, hypercalaemia a methiant llym yr arennau gyda'r problemau thermoreoliadol.

ecto-: *ecto-* rhagddodiad sy'n golygu 'tu allan'.

ectoblast: *ectoblast* yr ectoderm.

ectocervix: *porth gwddf y groth* portio vaginalis.

ectoderm: *ectoderm* haen genhedlol allanol yr embryo sy'n datblygu, y mae'n croen, yr organau synhwyrau allanol, a philen fwcaidd y geg a'r anws a'r system nerfol yn deillio ohono.

-ectomy: *-ectomi* olddodiad sy'n golygu 'torri allan', e.e. apendisectomi, hysterectomi.

ectopia: *ectopia* safle annormal unrhyw adeiledd. E. vesicae: nam cynhenid anghyffredin wal yr abdomen lle mae tu mewn y bledren yn y golwg.

ectopic gestation: *cario ectopig* mewnosod ofwm ffrwythlon, fel arfer yn y tiwb Fallopio, ond weithiau yn yr ofari, ceudod yr abdomen, neu mewn

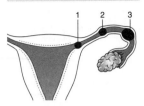

Cario Ectopig

1. gwagleol (onglog);
2. isthmig; 3. costrelog.

achosion prin yng nghorn y groth, sy'n cael ei alw yn feichiogrwydd interstitaidd neu onglog. Mae'r beichiogrwydd fel arfer yn terfynu o fewn 4–10 wythnos un ai trwy erthyliad tiwbaidd, lle mae sach y beichiogrwydd yn ymwahanu oddi wrth leinin y tiwb ac yn cael ei gario i'r ceudod peritoneaidd drwy symudiad persistaltig y tiwb; bydd ychydig o waedu o'r wain wrth i'r amwisg gael ei fwrw i ffwrdd. Os na ddigwydd hyn, bydd rhwyg yn y tiwbiau pan fydd y troffoblast wedi treiddio i'r tiwb Fallopio. Mae hyn yn achosi poen difrifol, gwaedlif mewnberitoneol neu fewnligamentaidd a sioc ddwys. Mae'r wraig angen trallwysiad gwaed yn syth a laparotomi i leoli a rhwymo'r pibellau sy'n gwaedu. Mae rôl y fydwraig yn cynnwys rheoli'r sioc a'r gwaedlif nes bod gofal meddygol yn cyrrraedd, a rhoi gofal a chefnogaeth wedi hynny.

Adroddwyd am nifer fechan o achosion o feichiogiad abdomenol sydd wedi datblygu bron i'r diwedd gyda baban byw yn ganlyniad i hynny, wedi'i eni drwy laparotomi. Gadewir y brych, sydd fel arfer yn adlynu wrth organau abdomenol pwysig, megis wrth iau

83

(afu)'r fam, yn ei le i adamsugno'n araf dros gyfnod o fisoedd.

ectro-: *ectro-* rhagddodiad sy'n golygu erthyliad naturiol, absenoldeb cynhenid.

ectrodactyly: *ectrodactyli* absenoldeb cynhenid rhan o ddigid neu ddigid cyfan.

ectromelia: *ectromelia (ans. ectromelig)* hypoplasia difrifol neu aplasia un neu fwy o esgyrn hir un aelod neu ragor.

ectrosyndactyly: *ectrosyndactili* cyflwr lle mae rhai digidau yn absennol ac mae'r rhai sydd ar ôl yn weog.

eczema: *ecsema* cyflwr croen alergaidd difrifol. Mae iddo nodweddion etifeddol, a gall ecsema plant ddechrau drwy roi bwyd llaeth buwch iddynt. Anogir mam sydd â hanes teuluol o ecsema, clefyd y gwair, neu asthma i fwydo ei baban yn gyfangwbl o'r fron, gan y gallai hyd yn oed ymborth cyflenwol achosi'r cyflyrau hyn.

Edwards' syndrome: *syndrom Edwards* syndrom trisomedd 18. Mae'r baban yn fach am ei oed cario ac mae ganddo wyneb, dwylo a thraed nodweddiadol, a brest siâp tarian. Mae gan y rhan fwyaf o'r plant yma glefyd cynhenid dwys y galon ac maent i gyd yn araf eu meddwl.

effacement: *dilead* gwddf a groth yn 'ymledu'. Y broses pan fo'r os mewnol yn ymledu, ac felly yn agor llwybr gwddf y groth i adael agorfa gron, yr os allanol. Mae'r broses hon yn digwydd cyn i wddf y groth ymledu, yn arbennig mewn gwraig nwlipara tra bo'r ddwy broses yn digwydd yr un pryd mewn gwraig multigravida wrth esgor.

efferent: *echddygol* yn cludo allan, h.y. o'r canol i'r ymylon. Mae'r nerfau echddygol, a elwir hefyd yn 'motor nerves' yn Saesneg, yn ufuddhau i ysgogiadau o ganolfannau nerfau yn yr ymennydd.

effleurage: *effleurage* symudiad ysgafn, cylchol anwesol wrth dylino'r corff. Gall effleurage ar yr abdomen wrth esgor fod

yn ffordd o leihau ymwybyddiaeth y wraig o boen, gan fod ysgogiadau cyffwrdd yn cyrraedd yr ymennydd cyn ysgogiadau poen.

effusion: *allrediad* gwaed neu serwm yn dianc i'r meinweoedd neu'r ceudodau sydd yn ei amgylchynu.

egg: *wy* 1. ofwm; gamet benywaidd. 2. wygell. 3. cell atgenhedlol gwraig ar unrhyw adeg cyn cael ei ffrwythloni, yrr hyn sy'n deillio ohoni ar ôl iddi gael ei ffrwythloni, a hyd yn oed ar ôl iddi ddatblygu ychydig. *Rhoi wyau (e. donation):* mae'r rhoddwr yn cymryd cyffuriau er mwyn rhyddhau llawer o ofa; tynnir yr ofa gyda laparoscopi, eu ffrwythloni *in vitro* ac yna eu gosod yng nghroth y wraig sy'n eu derbyn.

Eisenmenger's syndrome: *syndrom Eisenmenger* nam mawr parwydol y fentrigl, yn mynd heibio'r aorta a hypertroffedd y fentrigl dde. Mae'n cael ei gysylltu â marwoldeb uchel ymysg mamau.

ejaculation: *alladaflu* allyriad nerthol sydyn; yn arbennig o semen o wrethra dyn, gweithred atgyrch sy'n digwydd o ganlyniad i ysgogiad rhywiol.

elective: *etholedig* wedi'i gynllunio, fel mewn toriad Cesaraidd etholedig, lle mae amgylchiadau yn awgrymu mai genedigaeth lawfeddygol yw'r unig bosibilrwydd i eni'r baban yn ddiogel, oherwydd cyflwr naill ai'r fam neu'r ffetws.

electrocardiogram (ECG): *electrocardiogram (ECG)* olrheiniad o weithrediad y galon yn cael ei ddangos drwy donnau trydanol, a ddefnyddir i wneud diagnosis o glefyd y galon.

electrode: *electrod* dargludydd a mae trydan yn gadael ei darddle drwyddo i fynd i mewn i gyfrwng arall. *Electrod croen pen ffetws (fetal scalp e.):* electrod a roddir ar groen pen y ffetws i gofnodi ECG.

electroencephalogram: *electroencefalogram (EEG)* olrheiniad o donnau trydanol yr ymennydd. Mae cleifion epileptig yn dangos patrwm annormal sydd hefyd wedi'i nodi mewn rhai gwragedd gydag eclampsia.

electrolyte: *electrolyt* sylwedd sydd mewn hydoddiant yn ymrannu'n ronynnau wedi'u gwefru'n drydanol sef *IONAU* (IONS), e.e. sodiwm bicarbonad, potasiwm clorid. Gwneir diagnosis o anghydbwysedd, e.e. o ganlyniad i chwydu difrifol neu fethiant yr aren, drwy archwilio'r serwm.

electrophoresis: *electrofforesis* symudiad gronynnau sy'n cael eu dal wedi'u gwefru mewn hylif neu gyfryngau amrywiol, o dan ddylanwad maes trydanol. Mae amrywiol ronynnau sylwedd arbennig, sydd wedi'u gwefru, yn symud mewn cyfeiriad pendant a nodweddiadol – tuag at un ai yr anod neu'r catod – ac ar gyflymder nodweddiadol. Mae'r egwyddor hon wedi'i defnyddio'n eang wrth rannu proteinau ac felly mae'n werthfawr wrth astudio afiechydon lle mae proteinau serwm a phlasma yn cael eu haddasu. Mae'r egwyddor hefyd wedi'i defnyddio wrth rannu ac adnabod mathau gwahanol o haemoglobin dynol.

eliminate: *ysgarthu* bwrw sylweddau gwastraff allan o'r corff; e.e. mae'r aren yn ysgarthu wrea, y perfedd yn ysgarthu'r cynnyrch bwyd sydd heb ei amsugno, a'r ysgyfaint yn ysgarthu carbon deuocsid.

embolism: *emboledd* pibell waed yn cael ei blocio gan sylwedd solet neu estron a aeth i mewn i'r cylchrediad. *Emboledd aer (air e.):* swigod aer yn mynd i mewn i'r cylchrediad, o bosibl wrth wneud douche y wain neu douche mewngroth yn ystod beichiogrwydd. *Emboledd hylif amniotig (amniotic fluid e.):* hylif amniotig gyda'r sylweddau mae'n eu cynnwys yn mynd i mewn i'r cylchrediad; cymhlethdod achlysurol wrth esgor. *Emboledd yr ysgyfaint (pulmonary e.):* yn dilyn yr esgor os oes thrombosis mewn gwythien yn y pelfis neu'r goes, gall rhan o'r dolchen ymryddhau a theithio yn llif y gwaed nes ei bod yn cael ei hatal yn un o ganghennau rhydweli'r ysgyfaint. Bydd unrhyw embolws mawr yn achosi marwolaeth yn syth. Bydd embolws llai yn gwneud i'r claf gwympo gyda phoenau yn y frest, dyspnoea a dulasedd. Ymddengys bod oestrogenau yn cynnyddu'r perygl o thrombosis yn y gwythiennau, fel bod y rhan fwyaf o awdurdodau wedi rhoi'r gorau i'w defnyddio i atal llaethiad.

embolus: *embolws* gronyn neu sylwedd estron sy'n cylchredeg yn y gwaed, e.e. darn rhydd o thrombws, màs o facteria, swigen aer neu hylif amniotig.

embryo: *embryo* epil datblygol anifeiliaid bywesgorol cyn ei eni. Gelwir yr embryo dynol yn embryo am yr 8 wythnos cyntaf ar ôl ei genhellu, ac o hynny ymlaen defnyddir y term ffetws.

embryology: *embryoleg* gwyddor datblygiad yr embryo.

embryonic plate: *plât embryonig* y rhan honno o glwstwr celloedd mewnol y blastocyst y mae'r embryo ei hun yn datblygu ohoni.

embryotomy: *embryotomi* torri'r ffetws i fyny er mwyn gwneud y geni yn bosibl, yn angenrheidiol weithiau mewn esgoriad sydd wedi'i atal a'i esgeuluso lle nad oes adnoddau ar gael ar gyfer llawdriniaeth. Mae'n eithriadol o brin mewn obstetreg fodern.

emergency: *argyfwng, brys* cyflwr sydd angen sylw'n syth. Mae Llawlyfr Rheolau Bydwragedd NMC 1991, 40(2) yn datgan: 'Ni ddylai bydwraig ymgymeryd ag unrhyw driniaeth nad ydyw wedi'i hyfforddi i'w rhoi, dim cyn nac ar ôl cofrestru fel bydwraig, ac sydd tu allan i faes ei hymarfer, oni bai bod argyfwng.' *Uned obstetreg argyfwng (e. obstetric unit):* tîm argyfwng o uned ymgynghori obstetreg sy'n mynd allan at argyfyngau obstetrig yn y gymuned, neu, mewn unedau meddygon teulu, gyda'r offer priodol, gan gynnwys gwaed O-negatif ar gyfer trallwyso. *Gorchymyn diogelu brys (e. protection order):* gorchymyn llys pan fo plentyn yn cael ei gymryd o ofal ei rieni yn ddirybudd er mwyn ei ddiogelwch.

emetic: *cyfoglyn* sylwedd sy'n peri i bobl chwydu. Enghreifftiau yw halen mewn dŵr, ac apomorffin.

emmenagogue: *cyffur mislifbair* unrhyw sylwedd a all annog gwaedu misliful.

empowerment: *rhoi grym* y gallu i roi grym, pŵer neu awdurdod. Argymhelliad *ADRODDIAD 'CHANGING CHILD-BIRTH'* ('CHANGING CHILDBIRTH' REPORT) 1993 yw y dylid rhoi grym i ferched yn ystod y beichiogrwydd, yr esgor a'r pwerperiwm i gymryd rheolaeth dros eu gofal eu hunain ac i weithio mewn partneriaeth gyda darparwyr gofal mamolaeth.

emulsion: *emwlsiwn* hylif â gronynnau bychain o sylwedd brasterog neu oeliog mewn daliant ynddo.

encephalins: *encephalinau* Gw. *ENCEFFALINAU* (ENKEPHALINS).

encephalitis: *enceffalitis* llid ar yr ymennydd. Gall enceffalitis firaol gael ei achosi gan gyflyrau megis Herpes simplex; gall hefyd gael ei achosi gan heintiau bacteriol megis twbercwlosis neu syffilis, gan heintiau ffwngaidd megis histoplasmosis a heintiau protosoal megis tocsoplasmosis.

encephalocele: *enceffalosel* hernia'r ymennydd o ganlyniad i agoriad cynhenid neu drawmatig yn y benglog.

encephalopathy: *enceffalopathi* term amhenodol sy'n golygu salwch ymdedol neu niwed i'r ymennydd. *Enceffalopathi Wernicke (Wernicke's e.):* enceffalopathi llidiol gwaedlifol o ganlyniad i ddiffyg thiamin. Gall fod yn gymhlethdod yn perthyn i hyperemesis gravidarum.

encopresis: *encopresis* anymataliaeth ysgarthion, nad yw'n ganlyniad nam organig nac afiechyd.

endemic: *endemig* yn ymwneud â salwch heintus sydd, i raddau bach neu fawr, o hyd yn bresennol mewn ardal.

endo-: *endo-* rhagddodiad sy'n golygu 'tu mewn' neu 'o fewn'.

endocarditis: *endocarditis* llid yr endocardiwm neu leinin y galon.

endocervicitis: *llid leinin gwddf y groth* llid y bilen sy'n leinio'r cervix uteri, enw mwy cyffredin arno yw *LLID GWDDF Y GROTH* (CERVICITIS).

endocervix: *leinin gwddf y groth* y bilen fwcaidd sy'n leinio'r llwybr cerfigol.

endocrine: *endocrinaidd* yn secretu tu mewn. Fe'i defnyddir am y chwarrenau hynny y mae eu secretiadau (hormonau) yn pasio'n uniongyrchol i lif y gwaed.

endoderm: *endoderm* gw. ENTODERM.

endogenous: *mewndarddol* yn tarddu o'r tu mewn i'r corff. Gyda sepsis pwerperaidd, y tu mewn i'r llwybr geni. Mae endometriosis a meinwe sy'n debyg i endometriwm, ac yn gweithio'n debyg iddo, yn datblygu tu allan i'r groth. Mae coden siocled yr ofari yn cynnwys rhywfaint o ddeunydd endometraidd.

endometriosis: *endometriosis* meinwe sy'n debyg i endometriwm, ac yn gweithio'n debyg iddo, yn datblygu tu allan i'r groth. Mae coden siocled yr ofari yn cynnwys rhywfaint o ddeunydd endometraidd.

endometritis: *endometritis* llid yr endometriwm, neu leinin y groth.

endometrium: *endometriwm* y bilen fwcaidd sy'n leinio corff y groth.

endorphins: *endorffinau* un o grŵp o beptidau tebyg i opiad a gynhyrchir yn naturiol gan y corff mewn synapsau niwraidd mewn rhannau gwahanol o lwybrau'r brif system nerfol lle maent yn modylu trosglwyddiad canfyddiadau o boen. Mae endorffinau yn codi'r trothwy poen ac yn cynhyrchu tawelyddion ac ewfforia; rhwystrir yr effeithiau gan nalocson, gwrthweithydd narcotig.

endoscope: *endosgop* offeryn, sydd wedi'i ffitio gyda golau sydd ynddo, a ddefnyddir i archwilio organau ac adeileddau gwag. Mae CYSTOSGOPAU (CYSTOSCOPES) a LAPAROSGOPAU (LAPAROSCOPES) yn enghreifftiau.

endotoxic shock: *sioc endotocsig* cyflwr prin sy'n gysylltiedig â septicaemia, a achosir gan organebau Gram-negyddol, yn arbennig *Escherichia coli* a *Clostridium welchii* ac, yn fwy diweddar, beta-haemolyctic streptococcus. Credir fod yr endotocsinau a ryddheir gan y bacteria yn achosi i'r rhydwelïynnau yn yr iau (afu), yr ysgyfaint ac organau eraill ymagor ar raddfa helaeth, fel bod y lleihad yn swm y gwaed sy'n llifo'n ôl trwy'r gwythiennau yn achosi sioc ddifrifol. Mae'r arwyddion yn debyg i sioc hypofolemaidd ond weithiau bydd rigor yn digwydd hefyd. Mae angen rhoi gwrthfiotigau addas ar frys.

endotracheal: *endotraceaidd* o fewn y tracea. Tiwb *endotraceaidd (e. tube)*: cathetr llwybr anadlu a roddir i mewn i'r tracea wrth wneud mewndiwbio endotraceaidd er mwyn sicrhau bod y llwybr anadlu uwch ar agor ac er mwyn medru gwaredu secretiadau. Defnyddir mewndiwbio endotraceaidd er mwyn adfywio'r claf, weithiau gan dylino'r galon hefyd, ac fe'i defnyddir hefyd yn ystod anaesthesia cyffredinol. Yn yr achos hwn defnyddir tiwb gyda 'chyffen' sy'n amddiffyn yr ysgyfaint oherwydd pan fydd y gyffen wedi'i llenwi ag aer mae'n atal unrhyw hylif gastrig sy'n cael ei ailchwydu rhag pasio heibio'r gyffen a mynd i mewn i'r ysgyfaint.

enema: *enema* chwistrelliad o hylif i mewn i'r rectwm.

energy (calorie) requirement: *anghenion egni (calorïau)* mae ar bob proses yn y corff – adeiladu celloedd, symud y cyhyrau, cadw tymheredd y corff – angen egni, ac mae'r corff yn cael yr egni hwn o'r bwyd mae'n ei fwyta. Mae prosesau treulio yn lleihau'r bwyd i 'danwydd' y gall ei ddefnyddio ac y mae'r corff yn ei 'losgi' yn yr

adweithiau cemegol cymhleth sy'n cynnal bywyd. Mae'r swm o egni sydd ei angen ar gyfer y prosesau cemegol hyn yn amrywio. Mae gwraig yn ystod beichiogrwydd angen tua 2500 Cal (625 kJ) y dydd. Caiff y bwydydd egni sydd ar ôl eu storio fel braster. Mae'r braster hwn yn rhoi ffynhonnell ychwanegol o egni os yw'r diet yn annigonol.

engagement: *cysylltiad* pan fo'r rhan o'r ffetws sy'n cyflwyno, fel arfer y pen, yn mynd i mewn i'r isbelfis. Dywedir fod y pen wedi cysylltu pan fo'r diamedr ardraws mwyaf, y diamedr DWYBARWYDOL (BIPARIETAL) wedi pasio plân cantel y pelfis. Gyda gwraig sy'n feichiog am y tro cyntaf mae pen y ffetws fel arfer yn cysylltu ar ôl wythnos 36 y beichiogiad; mewn gwraig a fu'n feichiog o'r blaen mae fel arfer yn hwyrach a gall beidio â chysylltu hyd nes i'r esgor gychwyn.

engorgement of the breasts: *gorlenwi'r bronnau* casgliad poenus o secretiad yn y bronnau, yn aml yn un pryd â stasis lymffatig a gwythiennol ac oedema ar gychwyn llaethiad. Dylid annog bwydo o'r fron yn gynnar ar ddymuniad y baban, gyda'r baban mewn safle cywir wrth y fron, er mwyn atal gorlenwi. Ffordd naturiol o atal gorlenwi'r bronnau yw rhoi dail bresych arnynt. Dylid defnyddio dail bresych gwyrdd tywyll, eu sychu â chadach (peidio â'u golchi) a'u hoeri yn yr oergell. Rhoddir y dail ar y bronnau; pan fônt yn gwlychu, yn aml o fewn eiliadau, dylid eu newid am rai sych. Ailadroddir y broses nes ceir gollyngdod o'r boen. Gall bra neu rwymwr bronnau cadarn sy'n cynnal y bronnau fod o gymorth ond dylid cymryd gofal i beidio â rhoi gwasgedd ar y meinwe oedemataidd.

enkephalin: *encephalin* un o'r ddau bentapeptid sy'n digwydd yn naturiol ac wedi'u harunigo o'r ymennydd, sydd ag effaith gref debyg i opiad ac sy'n gweithredu mae'n debyg fel niwrodrosglwyddwyr. Gelwir y rhai eraill yn ENDORFFINAU (ENDORPHINS).

ensiform cartilage: *cartilag cleddyfol* rhan isaf y sternwm, y siffisternwm, a ddefnyddir fel nod wrth wneud archwiliad o'r abdomen cyn y geni, er mwyn amcangyfrif y cyfnod cario.

enteritis: *enteritis* haint y coluddyn. *Gw.* DYSENTRI (DYSENTERY).

entoderm: *entoderm* y celloedd hynny sydd yn y mâs celloedd canolog yn yr leinio cwd y melynwy ac sy'n ddiweddarach yn datblygu i fod yn epitheliwm y llwybr ymborth, tracea, bronci, pledren ac wrethra.

Entonox: *Entonox* ocsid nitrus ac ocsigen, 50% o'r ddau, a gymysgir ymlaen llaw mewn un silindr a'i ddefnyddio fel poenleddfwr. Mae'r cyfarpar Entonox, sydd wedi'i gymeradwyo gan yr Cyngor Nyrsio a Bydwreigiaeth i gael ei ddefnyddio gan fydwraged fel ffordd o roi analgesia yn ystod yr esgor, yn cael ei gysylltu wrth silindr o ocsigen ac ocsid nitrus; mae'r silindr yn las gyda choler wen. Mae'r fam yn rheoli faint o nwy mae'n ei dderbyn drwy anadlu i mewn fel y mae'r angen, un ai trwy fasg wyneb neu trwy beipen yn y geg.

enuresis: *enwresis* troethiad anwirfoddol; gwlychu'r gwely. Gall achosion fod yn seicolegol, niwrolegol neu batholegol.

environmental health: *iechyd yr amgylchedd* y cysyniad y gall iechyd unrhyw unigolyn gael ei effeithio gan ei amgylchedd. Mae lefelau llygredd a chartrefi gwael a chartrefi yn ddwy enghraifft y ffactorau sy'n gallu effeithio ar iechyd.

environmental health officer: *swyddog iechyd yr amgylchedd* yr unigolyn a gyflogir gan yr awdurdod lleol i wella a rheoli'r amgylchedd a gorfodi'r rheoliadau statudol. Mae ei gyfrifoldebau yn cynnwys cartrefi, hylendid bwyd a chasglu sbwriel, yn ogystal â phlâu, llygryddion aer a sŵn.

Mae rhai awdurdodau'n cyflogi nifer o swyddogion, gyda phob un yn arbenigo ac yn atebol i brif swyddog.

enzyme: *ensym* catalydd biolegol, h.y. sylwedd sy'n bresennol mewn symiau bach, sy'n achosi adweithiau cemegol; e.e. mae siwgr llaeth (lactos) yn cael ei dorri i lawr gan yr ensym lactas yn y coluddyn bach i ffurfio GLWCOS (GLUCOSE) a GALACTOS (GALACTOSE).

eosin: *eosin* staen coch a ddefnyddir i adnabod celloedd a bacteria.

eosinophil: *eosinoffil* un o gelloedd gwyn y gwaed lle gellir staenio'r gronynnau yn goch gydag esin.

Epanutin: *Epanutin* *Gw.* SODIWM FFENYTOIN (PHENYTOIN SODIUM).

ephedrine: *effedrin* alcaloid adrenergaidd; fe'i defnyddir fel broncoledydd, gwrthalergydd, symbylydd y brif system nerfol gyda narcolepsi, cyfrwng mydriaidd a chywasgol.

epicanthus: *epicanthws* plyg fertigol o groen ar bob ochr i'r trwyn, weithiau'n gorchuddio'r canthws mewnol (lle mae'r amrannau'n cyffwrdd). Yn amlwg mewn ambell hil ac mewn babanod gyda syndrom Down.

epidemic: *epidemig* sefyllfa pan fo unrhyw glefyd wedi ymosod ar nifer fawr o bobl ar yr un pryd.

epidemiology: *epidemioleg* astudiaeth o ddosbarthiad ffactorau sy'n penderfynu iechyd a chlefydau mewn poblogaethau dynol, a chymhwysiad yr astudiaeth hon i atal a rheoli clefydau.

epidermis: *epidermis* haen allanol ddifasgwlar, neu gwtigl y croen.

epidermolysis bullosa: *epidermolysis bullosa* mae hwn yn anhwylder difrifol, fel arfer yn farwol, yn perthyn i'r croen a chaiff ei nodweddu gan nifer helaeth o swigod sy'n llawn hylif sy'n debyg i PEMPHIGUS NEONATORUM. Mae'n cael ei etifeddu fel nodwedd ENCILIOL (RECESSIVE) awtosomaidd.

epididymis: *epididimis* adeiledd hirgul tebyg i gyrtyn ar hyd border ôl y caill, y mae ei ddwythell sydd wedi torchi yn darparu ar gyfer storio, cludo ac aeddfedu'r spermatosoa.

epidural analgesia: *analgesia epidwral* hefyd yn cael ei adnabod fel anaesthesia ecstradiwraidd neu beridiwraidd. Math o boenleddfwr ar gyfer cam cyntaf ac ail yr esgor, a geir drwy bigiad o boenleddfwr lleol, e.e. BUPIVACAINE, i mewn i'r gwagle epidwral er mwyn rhoi bloc ar nerfau'r asgwrn cefn. Gellir ato mewn dwy ffordd: *(a)* yn gynffonnol, trwy'r bilen sacrocogaidd sy'n gorchuddio bwlch y sacrwm, neu *(b)* yn feingefnol, trwy'r gwagle rhyngfertebrol a'r ligamentum flavum. Mae arwyddion ar gyfer rhoi analgesia epidwral yn cynnwys esgoriad estynedig, yn arbennig pan fo'r ocsipwt yn un ôl, esgoriad a genedigaeth ffolennol; rhai genedigaethau â gefel; ar gyfer lleihau gorbwysedd mewn achosion o gynclampsia neu eclampsia; esgoriad lluosog neu cyn amser; llawdriniaeth Gesaraidd; clefyd y galon neu glefyd resbiradol y fam; dymuniadau'r cleient.

Mae peryglon analgesia epidwral yn cynnwys tanbwysedd sydyn yn arwain at hypocsia'r ffetws; tap sbinol neu ddiwral; ymateb tocsig i'r cyffur; canlyniadau niwrolegol oherwydd niwed neu haematoma; risg uwch o esgoriad gyda chymorth offer oherwydd plygiant gwael y pen am fod llawr y pelfis wedi ymlacio; heintiad. Dylai'r fam ddechrau cael arllwysiad mewnwythiennol fel triniaeth yn syth os oes problem. Dylid gofalu amdani mewn safle na fydd yn arwain at danbwysedd ymddaliad. Dylai'r fydwraig fonitro pwysau gwaed y fam a chyfradd curiad calon y ffetws yn rheolaidd, yn arbennig ar ôl y dos cyntaf o bupivacaine – a roddir gan yr anaesthetegydd sy'n rhoi'r canwla epidwral i mewn – ac ar ôl pob ychwanegiad, y gellir hyfforddi

bydwragedd i'w roi. *Gw. hefyd* EPIDWRAL SYMUDOL (MOBILE EPIDURAL) ac ANAESTHESIA'R MEINGEFN (SPINAL ANAESTHESIA).

epigastrium: *epigastriwm (ans. epigastrig)* rhan uchaf a chanol yr abdomen, wedi ei lleoli o fewn yr ongl sternol. Mewn merched gyda chyneclampsia difrifol, gall poen yn yr ardal epigastrig fod yn arwydd bod ECLAMPSIA ar gychwyn ac mae'n ganlyniad i oedema hepatig a/neu waedlif.

epiglottis: *epiglotis* yr adeiledd cartilagaidd tebyg i gaead sy'n bargodi'r mynediad i'r larynés.

epilepsy: *epilepsi* aflonyddwch gwasgfaol byrhoedlog ar weithrediad y system nerfol sy'n deillio o weithgaredd trydanol yr ymennydd. Mae angen cyffuriau gwrthgonfylsiwn i atal pyliau o gonfylsiwn. Gall y cyffuriau hyn gael effaith teratogenig ar y ffetws, gan amlaf yn effeithio ar y wefus, y dafod a'r galon. Mae ffitiau'r fam yn achosi hypocsia yn y groth ac felly rhaid eu rheoli.

epiphysis: *epiffysis (llu. epiffysisau)* diwedd asgwrn hir y mae'r siafft yn cael ei wahanu oddi wrtho yn ystod plentyndod gan ddarn o gartilag. Gall asgwrneiddiad yn epiffysis y ffetws roi bras amcan o'i aeddfedrwydd.

episiorrhapy: *episiorhapi* atgyweirio'r EPISIOTOMI (EPISIOTOMY).

episiotomy: *episiotomi* endoriad a wneir yn y corffyn perineaidd sydd wedi ei deneuo, er mwyn ehangu agorfa'r wain yn ystod yr esgor. Cyn y toriad dylid mewndreiddio'r perinewm gydag anaesthetig lleol, fel arfer (lidocen) 0.5% 10ml neu 1% 5ml. Gall yr endoriad fod yn lled ochrol neu yn ganolog (llinell ganol). Mae tystiolaeth mai'r unig arwyddion a all gyfiawnhau episiotomi yw: **1.** hwyluso'r geni mewn achosion o drallod y ffetws; **2.** cyn genedigaeth gyda llawdriniaeth megis echdyniad fentws neu echdyniad â gefel; **3.** lleihau'r risg o niwed mewngreuanol

Episiotomi

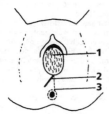

1. pen y ffetws; 2. toriad lled ochrol; 3. toriad llinell ganol.

mewn genedigaethau cyn amser neu ffolennol. Mae'r Cyngor Nyrsio a Bydwreigiaeth yn caniatáu i fydwragedd fewndreiddio'r perinëwm, gwneud episiotomi ac atgyweirio trawma perineaidd, cyn belled â'u bod wedi cael eu hyfforddi ac wedi ennill cymhwysedd yn y dulliau hyn.

epispadias: *epispadias* cyflwr lle mae agoriad wrethraidd annormal ar arwyneb dorsal y pidyn.

epistaxis: *epistacsis* gwaedu o'r trwyn.

epithelial tissue: *meinwe epithelaidd* *Gw.* EPITHELIWM (EPITHELIUM).

epithelium: *epitheliwm* haen o gelloedd sy'n gorchuddio'r holl arwynebau allanol ac yn leinio'r holl arwynebau mewnol, gan gynnwys ceudodau, chwarennau a phibellau.

epsilon-amniocaproic acid: *asid epsilon-amniocaproig* cyffur gwrthffibrinolytig a ddefnyddir i atal ymddatodiad FFIBRIN (FIBRIN) gan PLASMIN. Gellir ei ddefnyddio mewn achosion difrifol o'r brych yn gwahanu oddi wrth wal y groth.

Epstein's pearls: *perlau Epstein* smotiau bach gwyn epithelaidd a welir yng nghyswllt y daflod feddal a'r daflod

galed.

Equal Opportunities Commission: *Comisiwn Cyfle Cyfartal* corff ad hoc a sefydlwyd yn 1975 i helpu rhoi'r Ddeddf Gwahaniaethu ar Sail Rhyw a'r DDEDDF CYFLOGAU CYFARTAL (EQUAL PAY ACT), 1970 mewn grym

Equal Pay Act, 1970: *Deddf Cyflogau Cyfartal, 1970* Deddf a ddaeth i rym yn 1975 er mwyn cael gwared â gwahaniaethu rhwng dynion a merched o ran eu cyflogau ac amodau eu cyflogaeth.

Erb's paralysis: *parlys Erb* parlys rhan uchaf y fraich yn dilyn anaf yn ystod genedigaeth i ran uchaf nerfau'r plecsws breichiol wrth iddynt adael madruddyn y cefn yn ardal y gwddf. Mae nifer o gyhyrau wedi eu parlysu, fel bod y fraich yn hongian wedi ei chylchdroi'n ganolwedd gyda'r penelin wedi ei ymestyn a'r garddwrn a'r bysedd wedi eu plygu. Mae'n deillio o dyniant ar wddf y plentyn, fel sy'n digwydd mewn cyflwyniad ffolennol yn ystod geni'r pen neu pan fo CYFLWYNIAD YSGWYDD (SHOULDER PRESENTATION) wedi digwydd cyn geni'r corun.

erectile: *ymgodol* gyda'r pŵer i ymgodi. Meinwe ymgodol (e. tissue): meinwe fasgwlaidd sydd, o gael ei ysgogi, yn llenwi ac yn chwyddo, gan achosi i'r rhan honno ymgodi, e.e. teth bron benyw.

ergometrine: *ergometrin* alcaloid sydd yn gyfansoddyn actif o ergot. Cyffur ocsitocsig gwerthfawr sy'n effeithiol wrth atal i reoli gwaedlif ôl-enedigol. Mae'n cael ei ddefnyddio'n gyffredin iawn gyda'r ocsitocsin megis Syntrometrine. Os yw'n cael ei roi i mewn i'r wythïen, mae ergometrin yn gweithio mewn 45 eiliad; mae ei roi i mewn i'r cyhyr yn effeithiol ymhen 7 munud ac mae'n peri i'r groth gfangu dros gyfnod hir. Mae modd gwaedlif ar ôl genedigaeth, sy'n ganlyniad i ddargadw cynhyrchion y cenhedlu, ergometrin drwy'r geg.

ergonomics: *ergonomeg* astudiaeth wyddonol o bobl mewn perthynas â'u gwaith a'r defnydd effeithiol o egni dynol.

ergot: *ergot* cyffur a geir o ffwng sy'n tyfu ar ryg. Mae'n peri i gyhyr gyfangu'n gryf dros gyfnod hir, yn arbennig yn y groth.

erosion of the cervix: *erydiad gwddf y groth* yn ystod y beichiogrwydd mae newidiadau hormonaidd yn achosi meddalu a chynnydd yn ansoddau *HYGROSGOPIG* (HYGROSCOPIC) meinweoedd cysylltiol colagen. Canlyniad hyn yw bod yr epitheliwm colofnog ger yr os allanol yn cael ei ymestyn allan i ffurfio ardal goch o'i gwmpas sy'n cael ei hadnabod fel erydiad. Mae erydiad gwddf y groth yn aml yn diflannu ar ôl geni'r plentyn.

erythema: *erythema* cochni'r croen.

erythroblast: *erythroblast* cell goch y gwaed sy'n anaeddfed ac sydd â chnewyllyn.

erythroblastosis fetalis: *erythroblastosis fetalis* cyflwr lle mae *ERYTHROBLASTAU* (ERYTHROBLASTS) yn cael eu canfod yng nghylchrediad y baban newydd- anedig. Yn cael ei alw'n fwy cyffredin yn glefyd haemolytig y newydd-anedig (HDN).

erythrocyte: *corffilyn coch y gwaed* cell goch y gwaed. Disg bychan iawn deugafnog yn cynnwys haemoglobin sy'n gweithredu fel cludydd ocsigen. *Graddfa gwaddodi corffilyn neu coch y gwaed* (e. sedimentation rate): y raddfa y mae celloedd coch y gwaed yn gwaddodi ar waelod tiwb o waed. Y raddfa arferol yw dim mwy na 10 mm/awr; mae haint a beichiogrwydd arferol yn cynyddu hyn i gyfartaledd o 78 mm/awr.

erythromycin: *erythromycin* gwrthfiotig sy'n gweithredu'n debyg i benisilin.

erythropoiesis: *erythropoiesis* ffurfiant celloedd coch y gwaed.

Esbach's albuminometer: *albwminomedr Esbach* tiwb gwydr graddedig ar gyfer amcangyfrif yn fras y swm o albwmin mewn wrin.

Escherichia coli: *Escherichia coli* basilws Gram-negyddol (*Gw. STAEN GRAM: GRAM STAIN*) sydd fel arfer yn byw yn y coluddyn. Mae rhywogaethau pathogenaidd yn achosi nifer o achosion o heintiau llwybr yr wrin ac o heintiau dolur rhydd epidemig, yn arbennig mewn babanod a phlant. Os yw'n mynd i mewn i lif y gwaed gall achosi sioc endotocsig.

essential hypertension: *gorbwysedd heb achos* pwysau gwaed sy'n uchel yn barhaus; nid yw'r achos yn hysbys, ond mae etifeddeg yn ffactor ragdueddol bwysig. Gwneir diagnosis os yw pwysau gwaed y trimestr cyntaf yn uwch na 140/90 mmHg. Yn ystod beichiogrwydd gall y cyflwr waethygu, neu barhau'n ddigyfnewid neu wella. Dim ond yn ofalus iawn y defnyddir cyffuriau gwrth orbwysedd gan eu bod yn lleihau llif gwaed yr arennau a'r brych. Peryglon yw cyneclampsia arosodedig, *ECLAMPSIA, ABRUPTIO* placentae, gwaedlif isaracnoid, methiant y galon neu'r arennau. Mae perygl i'r ffetws y bydd y brych yn annigonol, gan gynhyrchu baban sy'n fach am ei oed cario, neu'n arwain at faban marwanedig.

essential oils: *olewau hanfodol* sylweddau crynodedig iawn wedi'u halldynnu o blanhigion sy'n cael eu defnyddio mewn aromatherapi yn rhinwedd eu nodweddion therapiwtig sy'n deillio o'u cyfansoddion cemegol. Dylid eu gwanhau bob amser mewn olew cario a phrin byth eu cymryd drwy'r geg. Mae llawer o olewau hanfodol na ddylid eu cymryd yn ystod beichiogrwydd, yr esgor nac wrth fwydo o'r fron.

estimated date of delivery: *dyddiad amcangyfrif y geni* Gw. *DYDDIAD Y*

DISGWYLIR Y GENI (EXPECTED DATE OF DELIVERY).

ethambutol: *ethambutol* cyfrwng arafu datblygiad twbercwlosis.

ethics: *moeseg* rheolau neu egwyddorion sy'n rheoli ymddygiad cywir, a gwerthoedd personol a chymdeithasol. Rhoddir i bob ymarferwr, wrth iddo neu iddi gychwyn mewn proffesiwn, y cyfrifoldeb o ymlynu wrth y safonau o ymarfer ac ymddygiad moesegol a osodwyd gan y proffesiwn hwnnw. Mae'r Cod Ymddygiad Proffesiynol ar gyfer Nyrsys, Bydwragedd ac Ymwelwyr Iechyd a fabwysiadwyd gan y Cyngor Nyrsio a Bydwreigiaeth yn 2000, yn rhoi arweiniad a chyngor ar gyfer safonau ymarfer ac ymddygiad sy'n hanfodol ar gyfer gweithredu cyfrifoldebau yr ymarferwr mewn modd moesegol. Yn yr un modd, mae Cod Ymddygiad y Bydwragedd yn rhoi arweiniad sy'n benodol ar gyfer rôl y fydwraig.

ethinylestradiol: *ethinylestradiol* tabledi atal cenhedlu sy'n cynnwys oestrogen a phrogesteron. Y dos arferol yw 30 μg. Gellir dechrau eu cymryd 3–4 wythnos ar ôl genedigaeth, ond ni ddylid eu defnyddio yn ystod cyfnod bwydo o'r fron.

ethnic: *ethnig* yn perthyn i grŵp cymdeithasol sy'n rhannu rhwymau diwylliannol neu nodweddion corfforol (hil). *Lleiafrif ethnig (e. minority):* grwpiau cymdeithasol o bobl sy'n rhannu ffactorau diwylliannol neu hil ond sy'n lleiafrif o fewn y diwylliant neu'r gymdeithas ehangach.

ethnography: *ethnograffeg* astudio diwylliant hil unigol. Cesglir data trwy arsylwi, fel arfer yn ystod cyfnod o fyw gyda'r grŵp a astudir.

ethnomethodology: *ethnomethodoleg* damcaniaeth gymdeithasegol sy'n canolbwyntio ar yr astudiaeth achos gan arsylwi'r rhai sy'n cymryd rhan neu'r rhai nad ydynt yn cymryd rhan.

ethyl chloride: *ethyl clorid* anaesthetig lleol a roddir ar y croen os yw'r croen heb ei dorri.

etiology: *achoseg* Gw. AETIOLOGY.

eugenics: *ewgeneg* astudiaeth o'r camau y gellir eu cymryd i wella cenedlaethau sydd i ddod.

Eugynon 30, Eugynon 50: *Eugynon 30, Eugynon 50* tabledi atal cenhedlu sy'n cynnwys oestrogen a phrogesteron.

euphoria: *ewfforia* teimlad braf o fod yn dda eich byd, er nad ydyw bob tro yn cael ei gyfiawnhau gan yr amgylchiadau.

eustachian tube: *tiwb eustachio* y tiwb cul sy'n cysylltu'r tympanwm (clust ganol) gyda'r naso-ffaryncs.

eutocia: *ewtocia* esgoriad neu eni normal.

evacuation: *gwagio* cael gwared ar gynnwys rhywbeth; *gwagio cynhyrchion cenhedliad a ddargadwyd (e. retained products of conception – ERPC):* gwagio'r groth yn llawfeddygol er mwyn tynnu tolchenni gwaed a meinwe'r brych, er mwyn atal neu reoli gwaedlif difrifol y groth ar ôl genedigaeth.

evaluation: *gwerthuso* pedwerydd cam mewn dull proses o ystyried gofal, lle mae effeithiolrwydd y gofal yn cael ei farnu.

eversion: *echdroad* troad tu chwith allan; troi tuag allan.

evidence-based practice: *ymarfer seiliedig ar dystiolaeth* gwerthusiad systematig o sefyllfaoedd clinigol a defnyddio ganfyddiadau ymchwil cyfoes fel cyfiawnhad dros benderfyniadau clinigol.

evisceration: *diberfeddiad* llawdriniaeth ddinistriol, nad oes prin byth ei hangen mwyach, sy'n cynnwys tynnu allan organau abdomen a thoracs ffetws marw lle mae tiwmor neu asgites dirfawr wedi oedi genedigaeth drwy'r wain.

evolution: *esblygiad* datblygiad naturiol;

y broses o ymagor neu agor allan.
Esblygiad digymell (spontaneous e.):
genedigaeth anarferol heb gymorth
obstetrig, ffetws mewn gorweddiad
ardraws drwy gyflwyniad yr ysgwydd.
Mae'r ysgwydd yn dianc gyntaf, yna'r
thoracs, y pelfis a'r aelodau wedyn, ac
yn olaf y pen, cf. *YMWTHIAD* digymell
(spontaneous EXPULSION).

ex-: all- rhagddodiad sy'n golygu 'allan
o', 'y tu allan',' i ffwrdd oddi wrth'.

exacerbation: *gwaethygiad* cynnydd yn
nwyster neu ddifrifoldeb symptomau
clefyd.

**exchange transfusion: *trallwysiad
cyfnewid* TRALLWYSIAD (TRANSFUSION)**
o'r math lle mae sampl o waed yn cael ei
dynnu o'r claf a'i gyfnewid am yr un
cyfaint o waed y rhoddwr. Mae'n cael
ei ddefnyddio yn y newydd-anedig er
mwyn trin hyperbilirwbinaemia difrifol
ac anaemia, fel arfer o ganlyniad i
anghydnawsedd Rhesus. Weithiau fe'i
gelwir yn drallwysiad amnewid
(replacement transfusion).

excreta: *ysgarthion* unrhyw sylwedd
gwastraff sy'n cael ei ysgarthu o'r corff.
Yn cael ei ddefnyddio fel arfer i gyfeirio
at ysgarthion, ond mae hefyd yn
berthnasol i wrin, chwys, poer, etc.

**exercise in pregnancy: *ymarfer yn ystod
beichiogrwydd*** dylid annog merched
i barhau i wneud ymarferion ysgafn y
maent wedi arfer â hwy, am gyhyd ag y
maent yn teimlo'n gyffyrddus. Mae
nifer o ddosbarthiadau cyn-geni bellach
yn cynnwys yoga, aerobeg neu
ymarferion dŵr. *Gw. hefyd YMARFERION
ÔL ENEDIGOL* (POST-NATAL EXERCISES).

exfoliation: *diblisgiad* (ans. diblisgol)
disgyn i ffwrdd fel cen neu mewn
haenau. *Diblisgiad haenennol newydd-
anedig (lamellar exfoliation of newborn):*
anhwylder cynhenid etifeddol lle mae'r
baban yn cael ei eni wedi'i orchuddio'n
gyfangwbl â philen debyg i femrwn sy'n
plicio i ffwrdd o fewn 24 awr. Yna bydd
gwelliant llwyr neu gall y cen ailffurfio a

bydd y broses yn digwydd eto. Yn y
ffurf fwyaf difrifol, bydd y baban (ffetws
harlecwin) wedi'i orchuddio â chen
trwchus, corniog, tebyg i arfwisg, ac
mae fel arfer yn farw anedig neu'n
marw yn fuan ar ôl genedigaeth. Hefyd
mae'n cael ei alw'n ichthyosis congenita,
ichthyosis fetalis ac ichthyosis
haenennol newydd-anedig.

exocrine: *ecsocrin* 1. yn secretu'n allanol
trwy ddwythell. 2. yn cyfeirio at
chwarren o'r fath neu'r hyn sy'n cael ei
secretu ohoni.

exogenous: *ecsogenaidd* o darddiad
allanol.

exomphalos: *ecsomffalos* torlengig
bogail o gynnwys abdomenol wedi'i
orchuddio â pheritonewm. Rhaid i
fydwraig geisio osgoi niwed yn arwain
at fadredd drwy ei orchuddio â
gorchudd di-haint nad yw'n glynu ac
yna pad o wlan cotwm os nad oes
cymorth meddygol ar gael yn syth.

exotoxin: *ecsotocsin* tocsin cryf a ffurfir
a'i ysgarthu gan y gell bacteria, ac a
geir yn rhydd yn y cyfrwng sy'n ei
hamgylchynu. Bacteria a genws
Clostridium yw'r cynhyrchwyr
ecsotocsinau mwyaf cyffredin; mae
diffetheria, botwlism a thetanws i gyd
yn cael eu hachosi gan docsinau
bacteraidd.

**expected date of delivery (EDD):
*dyddiad y disgwylir y geni*** caiff ei
gyfrifo drwy gyfrif ymlaen 9 mis ac
ychwanegu 7 diwrnod o ddyddiad
cyntaf y mislif arferol diwethaf neu
gyfrif yn ôl 3 mis ac ychwanegu 7
diwrnod. Rhaid addasu ar gyfer cylch
rheolaidd hir drwy ychwanegu dyddiau
at y 28 diwrnod ac ar gyfer cylch
rheolaidd byr drwy dynnu dyddiau
oddi ar y 28.

expression: *allwasgiad* gwasgu allan. 1.
gwasgedd ar y groth i hwyluso
allwthiad y brych. *Gw. ALLWASGIAD
CREDÉ* (CREDÉ'S EXPRESSION). 2.
gwasgedd mecanyddol neu ddigidol ar

yr areola i gywasgu'r sinysau llaethol fel bod llaeth yn cael ei dynnu o'r fron.

expulsion: *allwthiad* gwthio allan dan orfodaeth, e.e. y ffetws o'r groth. *Allwthiad digymell (spontaneous e.):* y ffordd y gall ffetws nychlyd bach iawn gael ei orfodi allan trwy'r pelfis gyda'r ysgwydd yn cyflwyno fel bod y pen a'r bongorff yn cael eu geni gyda'i gilydd.

exsanguinate: *llwyr waedu* amddifadu o waed, megis ar ôl gwaedlif difrifol.

extension: *estyniad* ymestyn allan, hwyhau. Y gwrthwyneb o blygu. Fe'i defnyddir i ddisgrifio symudiadau arbennig ym mecanwaith yr esgor, e.e. yr un pan fo'r pen yn cael ei eni fel arfer. Mae ocsipwt y pen yn dianc o dan y bwa pwbig, a'i orfodi tuag i lawr gan gyfangiadau'r groth ac ymlaen gan gyhyrau llawr y pelfis, mae'r pen yn ymestyn, gan golynnu o dan y symffysis pwbis.

external os: *os allanol* yr agoriad o lwybr gwddf y groth i mewn i'r wain.

external version: *troad allanol* symudiad a gynlluniwyd i droi camgyflwyniad yn un sy'n fwy tebygol o arwain at eni trwy'r wain. Gall hyn fod yn droi cyflwyniad ffolennol yn un ceffalig, neu un adrawx neu arosgo i un orweddiad arhydol, un ai cyflwyniad ceffalig neu ffolennol. Mae cymhlethdodau yn cynnwys clymau

gwirioneddol yn y llinyn, abruptio placentae, trallod y ffetws; mewn nifer o achosion mae'r dull yn aflwyddiannus.

extra-: *all-* rhagddodiad sy'n golygu 'y tu allan'.

extracellular fluid: *hylif allgellog* hylif y tu allan i'r celloedd.

extrauterine pregnancy: *beichiogiad allgroth* yr ofwm ffrwythlon yn plannu'i hun tu allan i geudod y groth. Yn ddamcaniaethol, gall hyn fod yng ngheudod yr abdomen, yr ofari neu'r tiwb Fallopio. Mewn gwirionedd, mae bron pob achos o feichiogiad tu allan i'r groth yn perthyn i'r math tiwbaidd. Hefyd yn cael ei alw'n *FEICHIOGIAD ECTOPIG* (ECTOPIC PREGNANCY).

extravasation: *elifiad* rhedlif neu ollyngiad hylif o'i sianelau normal i mewn i'r meinwe sy'n ei amgylchynu, e.e. gwaed neu lymff yn dianc o bibell.

extrinsic: *allanol* o darddiad allanol. *Ffactor allanol (e. factor):* fitamin haematopoietig sy'n cyfuno gyda ffactor cynhenid er mwyn cael ei amsugno ac mae ei angen i'r erythrocyt aeddfedu; hefyd yn cael ei alw'n *FITAMIN B12* (VITAMIN B12) a *CYANOCOBALAMIN*.

extubation: *alldiwbiad* tynnu allan y tiwb a ddefnyddir i fewndiwbio.

exudation: *archwysu* hylif neu sylwedd lled-hylifol yn llifo allan, e.e. sebwm o'r chwarennau sebwm.

F

face: *wyneb* yn y ffetws, y rhan sy'n
ymestyn o'r mentwm neu'r ên i'r
gwrymiau swpraorbitol, wedi ei ffurfio
o 14 asgwrn, wedi ymdoddi i'w gilydd.

face presentation: *cyflwyniad wyneb*
cyflwyniad cephalig lle mae asgwrn cefn
a phen y plentyn wedi'u hymestyn a'r
wyneb yn gorwedd isaf yn y pelfis.
Mewn safle mentoflaen gall yr esgor fod
yn syml a'r geni'n ddigymell, yn
arbennig gyda gwraig a fu'n feichiog o'r
blaen sydd â baban bychan. Mewn safle
mento-ôl dim ond posibilrwydd bach
sydd o eni'n ddigymell, oni bai fod yr ên
yn cylchdroi tua'r blaen, ond mae risg
sylweddol o safle mento-ôl parhaus ac
esgoriad wedi'i rwystro. Mae'r nifer yn
1 mewn tua 500–600 genedigaeth. Gall
cyflwyniad wyneb fod yn ganlyniad
safle ocsipito-ôl pan fydd plygiant
annigonol yn achosi i'r diamedr
dwybarwydol gael ei ddal yn y diamedr
sacrocotyloid nes bod y pen yn cael ei
ymestyn. Mae pelfis android yn medru
achosi hyn. Gall anenceffali hefyd achosi
cyflwyniad wyneb.

Fel arfer gwneir toriad Cesaraidd os
yw'r diagnosis yn cael ei gadarnhau, yn
arbennig mewn gwraig nwlipara. Bydd
wyneb y baban wedi'i gleisio llawer ac
yn chwyddedig pan gaiff ei eni.

face-to-pubes: *wyneb at y pwbes* safle
ocsipito-ôl parhaus. Safle ocsipito ôl y
corun pan mae osgo'r pen yn filwrol,
heb ei blygu nac wedi'i ymestyn, ac
mae'r sincipwt, gan gyfarfod llawr y
pelfis yn gyntaf, wedi cylchdroi ymlaen
gan ddod â'r ocsipwt i geudod y
sacrwm. Sylwer mai *safle* cyflwyniad

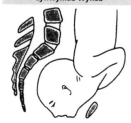

Cyflwyniad Wyneb

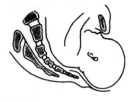

Esgor Wyneb at y Pwbes

corun yw wyneb at y pwbes, sy'n gwbl
wahanol i'r CYFLWYNIAD (FACE
PRESENTATION) WYNEB. *Gw. OCSIPITO-ÔL
PARHAUS* (PERSISTENT OCCIPITOPOST-
ERIOR). Mae oedi yn y cam cyntaf a'r ail
yn gyffredin. Mae rhoi'r fam mewn safle
unionsyth, megis ar ei chwrcwd, yn
medru ehangu'r allfa ddigon i hwyluso
genedigaeth drwy'r wain ond yn aml

95

mae llawr y pelfis yn cael ei ymestyn a'i rwygo'n ddifrifol. Weithiau bydd angen geni gyda chymorth gefel.

facial paralysis: *parlys yr wyneb* parlys cyhyrau'r wyneb, fel arfer ar un ochr yn unig, o ganlyniad i anaf i'r seithfed nerf creuanol (nerf yr wyneb), er enghraifft yn dilyn geneidigaeth gefel. Mae fel arfer yn gwella ohono'i hun o fewn ychydig ddyddiau.

factor: *ffactor* cyfrwng neu elfen sy'n cyfrannu tuag at gynhyrchu canlyniad. ***Ffactor gwrth-haemoffilig*** *(anti-haemophilic f., AHF):* ffactor VIII, un o'r ffactorau CEULO (CLOTTING). ***Ffactor gwrth-waedlif*** *(anti-haemorrhagic f.):* fitamin K. ***Ffactorau ceulo*** *(clotting f's),* ***ffactorau tolchennu*** *(coagulation f's):* ffactorau sy'n hanfodol i geulo gwaed normal, os ydynt yn absennol, neu bod rhy ychydig neu ormod ohonynt, gall hyn arwain at annormaledd y mecanwaith ceulo; mae o leiaf 12 ffactor wedi'u henwi. ***Ffactor allanol*** *Gw. ALLANOL* (EXTRINSIC). ***Ffactor mewnol*** *(intrinsic f.):* glycoprotein wedi ei secretu gan gelloedd parwydiol y chwarennau gastrig, sy'n angenrheidiol ar gyfer amsugno FITAMIN B12 (VITAMIN B12). Mae ei absenoldeb yn arwain at anaemia aflesol. ***Ffactorau rhyddhau*** *(releasing f's):* ffactorau a gynhyrchir mewn un adeiledd sy'n effeithio ar ryddhau hormonau o adeiledd arall. ***Ffactor rhesws*** *(rhesus f.):* antigenau a bennwyd yn enetig sy'n bresennol ar arwyneb erythrocytau. *Gw. FFACTOR RHESWS* (RHESUS FACTOR).

faeces: *ysgarthion* gweddillion bwyd a chynhyrchion gwastraff eraill a ysgarthir o'r perfedd.

Fahrenheit: *Fahrenheit* graddfa yn mesur tymheredd. Mae'n cofnodi pwynt rhewi dŵr fel 32˚, tymheredd normal y corff dynol fel 98.4˚, a phwynt berwi dŵr fel 212˚. Am gymhariaeth gyda Celsius, *Gw.* Atodiad 4.

faint: *llewyg* colli ymwybyddiaeth dros

dro o ganlyniad i ischaemia'r ymennydd; syncopi.

falciform: *crymanaidd* siâp cryman

fallopian tubes: *tiwbiau Fallopio* tiwbiau'r groth neu'r dwythelli wyau. Dau lwybr cul, bob un yn 10 cm o hyd, sy'n arwain o gornwa'r groth i'r ofariau.

Fallot's tetralogy: *pedwarawd Fallot* cyfuniad o 4 nam cynhenid ar y galon, sef stenosis pwlmonaidd, namau septal fentriglaidd, decstrosafle'r aorta, fel bod ei hagoriad yn gorwedd ar draws y septwm rhyngfentriglaidd ac yn derbyn gwaed o'r wythïen yn ogystal ag o'r rhydweli, a hypertroffedd fentriglaidd ar y dde.

false labour: *esgor ffug* cyfangiadau'r groth sy'n achosi anesmwythder ac yn dynwared yr esgor, ond heb wneud i wddf y groth ymledu. Credir eu bod yn ganlyniad i allu cynyddol y cyhyrau i gyfangu ond heb *ORUCHAFIAETH FFWNDWS* (FUNDAL DOMINANCE) normal y groth.

false pelvis: *pelfis ffug* y rhan rhwng cantel y gwir belfis a brigau'r ilia.

falx: *ffalcs* cryman, neu adeiledd siâp cryman.

falx cerebri: *ffalcs cerebri* plygiad siâp cryman yn y dura mater sy'n rhannu dau hemisffer cerebrol yr ymennydd.

familial: *teuluol* yn digwydd mewn teuluoedd. Cymhwysir y term i gyflyrau etifeddol megis haemoffilia a'r clefyd melyn acolwrig.

family: *teulu* grŵp o bobl sy'n byw gyda'i gilydd, neu a all fod yn perthyn i'w gilydd trwy briodas neu waed. *Teulu estynedig (extended f.):* teulu cnewyllol a'u perthnasau agos megis taid a nain y plant, modrybedd ac ewythrod. *Teulu niwclear (nuclear f.):* cwpl a'u plant drwy enedigaeth neu fabwysiad sy'n byw gyda'i gilydd ac sydd mewn fwy neu lai wedi'u hynysu o'u teulu estynedig. *Teulu un rhiant (single-parent family):* rhiant unigol a'i blant yn byw gyda'i gilydd fel uned deuluol.

family planning: cynllunio teulu trefniad, bwlch oed, a'r cyfyngiad ar y nifer o blant mewn teulu, yn dibynnu ar ddymuniadau ac amgylchiadau cymdeithasol y rhieni. *Gw. ATAL CENHEDLU* (CONTRACEPTION).

fascia: ffasgau llen neu fand o feinwe cysylltiol ffibraidd. Gall y ffibrau fod wedi'u cysylltu'n llac fel o amgylch organau a phibellau gwaed, neu mewn haenau trwchus a chryf, yn aml rhwng cyhyrau gan ffurfio'u cydfannau. **Ffasgau'r pelfis (pelvic f.):** mae ffasgau ceudod y pelfis mewn dwy haen; haenen barwydol, sy'n leinio'r waliau ac yn gorchuddio llawr y pelfis; a haenen berfeddol sy'n amgylchynu ac yn cynnal organau'r pelfis, parametriwm yw'r enw ar y rhan o amgylch y groth.

fat: braster 1. meinwe blonegog neu frasterog y corff. **2.** braster niwtral; triglyserid (neu triasyl-glyserol) sy'n gyfansoddyn o asidau brasterog a glyserol.

fat soluble: braster-hydawdd yn gallu cael ei hydoddi mewn brasterau, e.e. fitaminau.

favism: ffafiaeth anaemia haemolytig llym sy'n ganlyniad i fwyta ffa llydan (fava beans). *Gw. DEHYDROGENAS GLWCOS-6-FFOSFFAD* (GLUCOSE-6-PHOSPHATE DEHYDROGENASE).

febrile: twymynol â thwymyn; pyrecsaidd.

fecundation: ffrwythloniad *Gw. FFRWYTHLONIAD* (FERTILIZATION).

fecundity: ffrwythlonedd â'r gallu i gynhyrchu epil.

female genital mutilation: llurguniad organau rhywiol merched enwaediad merched sy'n golygu torri ymaith y labia majora, y labia minora a'r clitoris ac mewn rhai achosion, cau agoriad y wain yn rhannol. Mae'n gyffredin mewn rhai mannau megis y Sudan. Cyn beichiogrwydd gall achosi problemau gyda throethiad a chyfathrach rywiol; bydd angen gofal arbennig wrth esgor a geni ac efallai y bydd angen torri a gwahanu'r meinweoedd, neu bydd angen toriad Cesaraidd.

feminization: benyweiddio 1. datblygiad normal nodweddion rhywiol benywaidd. **2.** datblygiad nodweddion rhywiol benywaidd yn y gwrryw. **Benyweiddio ceilliau (testicular f.):** cyflwr lle mae'r unigolyn yn fenyw o ran ffenoteip ond heb y cromatin rhyw niwclear ac yn meddu ar gromosomau rhyw XY.

femoral: ffemwrol yn ymwneud â'r forddwyd. **Rhydweli ffemwrol (f. artery):** prif rydweli'r forddwyd, parhad o'r rhydweli iliag allanol. **Gwythïen ffemwrol (f. vein):** prif wythïen y forddwyd, parhad o'r wythïen bopliteaidd. Mae'n mynd i fyny'r goes trwy gesail y forddwyd, lle mae'n parhau fel gwythïen iliag allanol.

femur: asgwrn ffemwrol asgwrn y forddwyd, sy'n ymestyn o'r glun i'r pen-glin, gan ymgymalu gyda'r asgwrn disymud yn yr asetabwlwm.

fenestrated: ffenestrog gydag agoriad tebyg i ffenestr neu fenestra. Mae llafn gefel y fydwraig yn ffenestrog. **Brych ffenestrog (f. placenta):** neu *placenta fenestrata. Gw. BRYCH* (PLACENTA).

fentanyl: ffentanyl poenleddfwr mewnwythiennol neu fewngyhyrol ar gyfer poen yn ystod ac ar ôl llawdriniaeth.

Fentazin: Fentazin *Gw. PERFFENASIN* (PERPHENAZINE).

ferment: eples ensym, gydag arwaith penodol.

Fern test: prawf Fern cytoleg gwddf y groth a wneir i bennu faint o oestrogen sydd yn y mwcws cerfigol. Pan fo digon o oestrogen mae'r mwcws cerfigol sych yn ymddangos fel siâp rhedynen dan ficrosgop pŵer isel.

ferritin: fferitin y cymhlygyn haearn-apofferritin; un o'r ffyrdd y mae haearn yn cael ei storio yn y corff.

ferrous: fferrus yn cynnwys haearn yn ei

gyflwr ocsidiad plws dau. *Ffwmarad ff.* yr halwyn anhydrus o gyfuniad o haearn fferrus ac asid ffwmarig; fe'i defnyddir fel haematinig. *Glwgonad ff.* haematinig sy'n llai llidus i'r llwybr gastroberfeddol nag haematinigau eraill, ac fel arfer yn cael ei ddefnyddio fel amnewidyn pan na ellir goddef sylffad fferrus. *Sylffad ff.* yr haematinig a ddefnyddir fwyaf ar gyfer trin anaemia diffyg haearn. Credir ei fod yn llai llidus na symiau cyfatebol o halwyni fferrig ac yn fwy effeithiol.

fertile: *ffrwythlon* yn gallu cynhyrchu epil. *Cyfnod ff.* **1.** y 9 diwrnod bob ochr i ofwliad pan fo ffrwythloni'r ofwm mewn egwyddor yn bosibl. Fel arfer fe'i cymerir i fod yn 5 diwrnod cyn y diwrnod ei hun a'r 3 diwrnod ar ôl yr ofwliad, a asesir dros gyfnod o fisoedd drwy gofnodi'r tymheredd gwaelodol. **2.** y cyfnod ym mywyd gwraig pan fo ganddi'r potensial i gael plant. Fel arfer ystyrir hyn i fod rhwng 15 a 45 oed.

fertility: *ffrwythlondeb* y gallu i gynhyrchu epil. *Gw. hefyd* TANFFRWYTHLONDEB (SUBFERTILITY) ac ANFFRWYTHLONDEB (INFERTILITY).

fertilization: *ffrwythloniad* Cyfuniad o sbermatosoon a'r ofwm. Drwy'r digwyddiad hwn, a elwir hefyd yn genhedliad, mae bywyd newydd yn cael ei greu ac mae rhyw a nodweddion biolegol eraill yr unigolyn newydd yn cael eu pennu. Mae'r nodweddion hyn yn cael eu pennu gan y cyfuniadau o enynau a chromosomau sy'n bodoli. *Ff. in vitro:* ffrwythloniad artiffisial yr ofwm dan amodau lahordy. *Ff. in vivo:* yr hyn sy'n cymryd lle mewn ffordd artiffisial dan amgylchiadau byw, h.y. o fewn llwybr cenhedlu'r fam.

fetal: *ffetysol / y ffetws* yn ymwneud â'r ffetws. *Annormaledau'r ff.* Gw. CAMFFURFIAD (MALFORMATION). *Syndrom alcohol y ff.* syndrom, sy'n deillio o yfed llawer o alcohol yn ystod y beichiogiad. Yr arwyddion clinigol a

welir yw annormaledau nodweddion yr wyneb, graddau o arafwch y meddwl, ac mae'r babanod hyn yn aml yn fach am eu hoed. *Marwolaeth y ff.* Gw. MARWOLAETH MEWNGROTH (INTRAUTERINE DEATH). *Haemoglobin ff.* (haemoglobin f.) Mae'n wahanol i haemoglobin oedolion gan fod ganddo fwy o affinedd gydag ocsigen a'i fod yn medru cynnwys mwy. Mae'n ffurfio 85% o haemoglobin baban a enir wedi'r cyfnod llawn. *Synau calon y ff.* curiad calon y ffetws, gwrandewir arno a'i gyfrif trwy wal yr abdomen, y groth a hylif yr amnii. Gellir ei gofnodi'n barhaus â monitor calon y ffetws. *Oed y ff.* y ffordd fwyaf boddhaol o amcan-gyfrif hyn yw trwy GEFFALOMETREG (CEPHALOMETRY) uwchsain.

fetal blood sampling: *profi gwaed y ffetws* technec ar gyfer cael mesur bychan iawn o waed croen pen y ffetws er mwyn amcangyfrif ei pH ac weithiau nwyon y gwaed, er mwyn gwneud prawf am hypocsia, a ddangosir trwy asidosis. Gwerthoedd arferol yw pH o 7.25–7.4. Pan fo'r ffetws yn hypocsig mae'n dod yn asidotig; mae gwerthoedd o 7.20–7.24 yn dangos hypocsia cymedrol, tra bo pH sy'n is na 7.20 yn dangos hypocsia difrifol a bod angen esgoriad brys. Ceir sampl o waed croen pen y ffetws trwy gael delwedd o'r rhan sy'n cyflwyno trwy amniosgop trwy gwddf y groth sy'n ymledu. Mae'r rhan yn cael ei glanhau, ei sychu a'i chwistrellu ag ethyl clorid er mwyn achosi hyperaemia. Cesglir gwaed mewn tiwb capilari a cheir lefelau pH y ffetws o ddadansoddiad o'r sampl gwaed mewn peiriant cyfrifiadurol.

fetal distress: *trallod y ffetws* amlygiad clinigol hypocsia'r ffetws. Gall hyn gael ei achosi pan fydd rhywbeth yn ymyrryd ag anadlu'r fam megis mewn ffitiau eclamptig neu epilepsi; cylchrediad annigonol mewn achosion o fethiant y galon, anaemia dwys, gor-

Cromen Penglog y Ffetws

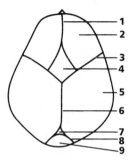

1. asiad y talcen
2. asgwrn y talcen
3. asiad y corun
4. ffontanél blaen neu bregma
5. asgwrn parwydol
6. asiad saethol
7. ffontanél ôl
8. asiad lambdoidaidd
9. asgwrn ocsipitol

Diamedrau Hydredol
(gyda diamedrau [cm])

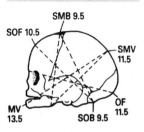

SMB 9.5
SOF 10.5
SMV 11.5
OF 11.5
MV 13.5
SOB 9.5

SOF: isocsipitodalcennol
    (suboccipitofrontal)
SMB: isfentobrematig
    (submentobregmatic)
MV: mentofertigol
    (mentovertical)
SOB: isocsipitobrematig
    (suboccipitobregmatic)
OF: ocsipitodalcennol
    (occipitofrontal)
SMV: isfentofertigol
    (submentovertical)

neu dan- bwysedd; diabetes mellitus neu haint y fam. Mae achosion yn y ffetws yn cynnwys trawma geni mewngreuanol, anghydnawsedd Rhesws difrifol yn arwain at anaemia enbyd, rhai annormaleddau cynhenid, heintiadau mewngroth, beichiogrwydd lluosog, camgyflwyno a chamsafle. Mae achosion crothol yn cynnwys gordonedd, neu dynnu'n ôl gormodol mewn esgoriad a rwystrir, gwahaniad rhannol o'r brych neu annigonolrwydd y brych. Mae'r ffactorau llinyn y bogail yn cynnwys cwymp y llinyn, clymau gwirioneddol, tyniant neu dorchi.

Gellir canfod trallod y ffetws trwy glustfeinio ar galon y ffetws un ai gyda stethoscop Pinard neu trwy gardio-tocograffeg, hylif amniotig wedi'i staenio â meconiwm, symudiadau cythryblus y ffetws. Mae angen geni'n syth unwaith i'r diagnosis gael ei gadarnhau. *Gw. hefyd CARDIOTOCO-GRAFFEG* (CARDIOTOCOGRAPHY).

fetal skull: *penglog y ffetws* adeiledd esgyrnog pen y ffetws. Y *gromgell* yw'r rhan fwyaf arwyddocaol mewn obstetreg, ac mae'n cynnwys yr ymennydd; mae wedi ei gwneud o 2 asgwrn y talcen wedi'u rhannu gan asiad y talcen, 2 asgwrn parwydol wedi'u gwahanu gan yr asiad saethol a'u gwahanu oddi wrth esgyrn y talcen gan yr asiad coronaidd, ac 1 asgwrn

99

ocsipitol wedi ei wahanu oddi wrth yr esgyrn parwydol gan yr asiad lambdoidaidd. Lle bo tri neu fwy o asiadau yn cyfarfod, ffurfir y ffontanél blaen neu'r *BREGMA* a ffurfir y ffontanél ôl neu'r *LAMBDA* o bilen. Teimlir asiadau a ffontanelau mewn archwiliad drwy'r wain yn ystod esgoriad ac maent yn caniatáu i'r fydwraig benderfynu ar safle'r pen yn y cyflwyniad ceffalig. *Gw.* y ffigur ac Atodiad 3.

Gwneir *bôn* y penglog o 2 asgwrn arleisiol, 1 asgwrn ethmoid, 1 asgwrn sffenoid a rhan o'r asgwrn ocsipitol, ond mae'n cynnwys agoriad a elwir yn foramen magnum y mae madruddyn y cefn yn pasio drwyddo. Gwneir yr wyneb o 14 asgwrn wedi'u hasio. Asesir diamedrau'r penglog er mwyn amcangyfrif y datblygiad yn yr esgor, ac fe'u mesurir yn hydredol neu'n ardraws. Hefyd gellir asesu cylchedd.

O fewn y penglog y mae'r ymennydd a'r pilenni mewngreuanol, y *FFALCS CEREBRI* (FALX CEREBRI) a'r *TENTORIWM CEREBELI* (TENTORIUM CEREBELLI) sy'n cario'r sinysau gwythiennol sy'n draenio gwaed o'r pen: y *SINYSAU HYDREDOL UWCH* ac *IS* (SUPERIOR and INFERIOR LONGITUDINAL SINUSES), y SINWS SYTH (STRAIGHT SINUS), y *SINWS ARDRAWS* (TRANSVERSE SINUS) a'r *GWYTHÏEN FAWR GALEN* (GREAT VEIN OF GALEN). Os yw'r geni neu'r *MOWLDIO* (MOULDING) yn ormodol gall y pilenni a'r sinysau gael eu rhwygo, gan achosi gwaedlif mewngreuanol.

fetoscopy: *ffetosgopeg* archwilio'r ffetws trwy wal y groth â ffetosgop.

fetus: *ffetws* epil mamal sydd heb ei eni. Yr embryo dynol o 8fed wythnos y beichiogrwydd hyd at amser y geni. *Ff. papuraidd* un o ddau efaill sydd yn marw in utero mewn cyfnod cynnar o'r beichiogrwydd, ac yn cael ei wasgu'n fflat yn erbyn wal y groth. Fel arfer mae'n cael ei wthio allan gyda'r brych ac

mae'n debyg i ddarn o femrwn.

fever: *twymyn* pyrecsia. Tymheredd uchel y corff. Afiechyd a nodweddir gan byrecsia.

fibre: *ffibr* adeiledd tebyg i edau. Cell cyhyr. *Ff. dietegol* y rhan o fwyd a amlyncir na ellir ei dorri i lawr gan ensymau a suddion y perfedd ac, felly, mae'n pasio trwy'r coluddyn bach a'r colon heb gael ei dreulio. Llysiau, grawnfwydydd a ffrwythau yw prif ffynonellau ffibr yn y diet. Mae'n helpu atal rhwymedd.

fibrin: *ffibrin* protein anhydawdd a ffurfir gan arwaith thrombin ar ffibrinogen. Mae'n angenrheidiol yn y broses o geulo'r gwaed, lle mae'n ffurfio rhwydwaith o linynnau hir a bychan iawn lle mae celloedd gwaed yn cael eu dal.

fibrinogen: *ffibrinogen* protein a ffurfir yn yr iau (afu) ac sy'n cylchredeg ym mhlasma'r gwaed. Mewn niwed i'r meinwe mae'n cael ei actifadu gan *THROMBIN*, i ffurfio *FFIBRIN* (FIBRIN) ac felly'n arafu gwaedlif trwy dolchennu. Ymhlith darpariaethau sy'n cynnwys ffibrinogen dynol er mwyn codi lefelau ffibrinogen y gwaed ar ôl llawdriniaeth fawr, neu ar gyfer trin afiechydon neu gyflyrau gwaedlifol a gymhlethir gan *AFFIBRINOGENAEMIA* (AFIBRINOGEN-AEMIA) ceir plasma ffres wedi ei rewi a cryopresipitat. Anaml iawn y defnyddir ffibrinogen pur oherwydd y perygl o drosglwyddo hepatitis.

fibrinolysin: *ffibrinolysin* 1. *PLASMIN*. 2. cymysgedd o ensym proteolytig wedi ei ffurfio o proffibrinolysin (plasminogen) drwy weithrediad cyfryngau corfforol neu ginasau bacteraidd penodol; fe'i defnyddir i hydoddi thrombysau.

fibrinolysis: *ffibrinolysis* (ans. *ffibrinolytig*) hydoddi ffibrin drwy weithred ensymatig.

fibrocystic disease: *afiechyd ffibrocodennog* *Gw.* FFIBROSIS CODENNOG (CYSTIC FIBROSIS).

fibroid: *ffibroid* 1. wedi ei wneud o feinwe ffibrog. **2.** tiwmor anfalaen. Gall ffibroidau yn y groth fod yn isfwcaidd, interstitaidd neu'n is-serws. Weithiau mae ffibroid cerfigol yn digwydd. Mewn bydwreigiaeth maent yn fwyaf cyffredin mewn merched dros 30 mlwydd oed sy'n feichiog am y tro cyntaf. Yn ystod beichiogrwydd maent yn achosi trafferth mewn achosion prin, ond weithiau gallant achosi erthyliad neu fynd drwy ymddatodiad coch. Yn ystod esgoriad, mae ffibroidau, oni bai eu bod yn dod o wddf y groth, fel arfer yn cael eu tynnu allan o'r pelfis wrth i wddf y groth ymledu, ac nid ydynt yn achosi rhwystr. Gallai ffibroidau yn rhan safle'r brych ymyrryd â chyfangiadau'r groth ac achosi gwaedlif ôl-bartwm. Yn ystod y pwerperiwm ac ar ôl hynny gall ffibroidau leihau mewn maint i'r fath raddau fel nad yw hi'n debyg y bydd angen llawdriniaeth i'w tynnu allan.

fibromyoma: *ffibromyoma* ffibroid.

fibroplasia: *ffibroplasia* ffurfiant meinwe *ffibraidd*, megis wrth wella. **Ff. ôl-lentol:** cyflwr wedi ei nodweddu gan gynnydd a throellogrwydd fasau'r retina a phresenoldeb meinwe ffibraidd y tu cefn i'r lens, yn arwain at ddatgysylltiad y retina ac atal twf y llygad, fel arfer yn cael ei briodoli i ddefnyddio crynoadau rhy uchel o ocsigen wrth ofalu am fabanod cyn amser.

fibrosis: *ffibrosis (ans. ffibrotig)* ffurfiant meinwe ffibraidd, ymddatodiad ffibroid. **Ff. cystig:** anhwylder etifeddol wedi'i gyffredinoli gyda'r chwarennau ecsocrin yn camweithredu'n eang, clefyd cronig yr ysgyfaint, diffyg ar y pancreas, lefelau uchel o electrolytau mewn chwys, ac weithiau sirosis bustlaidd. *Gw. hefyd* FFIBROSIS CODENNOG (CYSTIC FIBROSIS).

fibula: *ffibwla* yr asgwrn ochrol a'r lleiaf o ddau asgwrn y goes.

filter: *hidlen* sylwedd mandyllog sy'n caniatáu i hylif a defnyddiau mewn

hydoddiannau basio drwyddo, ond sy'n dal solidau yn ôl mewn hydoddiant. Hidlen o gellwlos asetad sy'n tynnu bacteria allan ac felly yn diheintio hydoddiant, megis mewn *ANALGESIA EPIDWRAL* (EPIDURAL ANALGESIA).

filtrate: *hidlif* hylif sydd wedi pasio trwy hidlen.

fimbria: *fimbria* rhidens tebyg i fysedd. Mae rhan eithaf y tiwb Fallopio sy'n debyg i ridens yn cael ei ddisgrifio fel ffimbriaidd.

first degree perineal lacerations: *rhwygiadau perineol gradd gyntaf* *Gw.* RHWYGIADAU PERINEOL (PERINEAL LACERATIONS).

first stage of labour: *cam cyntaf yr esgor* y cyfnod o ddechrau'r esgor hyd nes i wddf y groth ymledu'n gyflawn neu'n llwyr.

fission: *ymholltiad* ymrannu neu hollti. Atgenhedlu drwy i gell ymrannu yn ddwy ran gyfartal. *Y. niwclear* hollti niwclews atom.

fissure: *agen* hollt. Gall hon fod yn normal, e.e. agen cerebrol, neu o ganlyniad i glefyd, e.e. agen refrol.

fistula: *ffistwla* llwybr annormal rhwng dau geudod neu rhwng ceudod ac arwyneb y corff. **Ff. recto-weiniol** agoriad rhwng y wain a'r rectwm, fel arfer o ganlyniad i rwygiadau difrifol ac/neu esgeulus o'r corffyn perineol. **Ff. fesigo-weiniol** agoriad rhwng y bledren a'r wain, a all fod o ganlyniad i bwysau estynedig mewn esgoriad wedi'i esgeuluso.

fit: *ffit* trawiad. Confylsiwn, megis mewn eclampsia neu epilepsi.

flaccid: *llipa* llac; heb dyndra. Cyflwr y cyhyrau mewn baban sy'n dioddef o asffycsia difrifol.

flagellum: *fflagelwm (llu. fflagela)* y ffilament protoplasmig tebyg i chwip sy'n galluogi rhai bacteria i symud. *Trichomonas vaginalis*, protosoad, sydd hefyd â fflagelwm.

Flagyl: *Flagyl* *Gw.* METRONIDASOL

(METRONIDAZOLE).

flank: *ystlys* ochr yr abdomen, rhwng yr asennau a'r grib iliag.

flat pelvis: *pelfis fflat* pelfis lle mae diamedr blaen-ôl yr ymyl yn llawer byrrach na'r diamedr ardraws. Mae dau wedi cael eu disgrifio: y platypeloid a'r llechog. *Gw.* PELFIS (PELVIS).

flatulence: *gwynt* presenoldeb nwy neu aer yn y stumog neu'r coluddyn; weithiau mae'n achosi poen difrifol, ond fel arfer dim ond anghysur.

flatus: *fflatws* nwy yn y perfedd.

fleshy mole: *môl cnawdol* màs o waed wedi ceulo yn amgylchynu embryo marw sy'n cael ei ddargadw yn y groth.

flexion: *plygiant* plygu. Symudiad aelod neu organ allan o aliniad. *Gw.* BLAENBLYGIANT (ANTEFLEXION) ac OL-BLYGIANT (RETROFLEXION). Plygiant yw osgo normal y ffetws yn y groth.

'flooding': *'gorlifo'* gwaedu difrifol o'r groth. Term lleyg a ddefnyddir i ddisgrifio MENORAGIA (MENORRHAGIA), METRORAGIA (METRORRHAGIA) a gwaedu difrifol mewn erthyliad naturiol.

flora: *fflora* *Ff.'r coluddion* y bacteria sydd fel arfer yn bodoli yn lwmen y coluddyn.

flucloxacillin: *fflwclocsasilin* gwrthfiotig sy'n weithredol yn erbyn y rhan fwyaf o staffylococi a streptococi, gan gynnwys y staffylococi sy'n cynhyrchu penisilinas. Gall gael ei roi trwy'r geg, yn fewnsynghyrol neu'n fewnwythiennol.

fluid: 1. *llifydd.* 2. *hylif* 1. hylif neu nwy; 2. unrhyw hylif yn y corff. *Hylif amniotig* yr hylif o fewn yr amnion sy'n golchi'r ffetws sy'n datblygu ac yn ei amddiffyn rhag niwed mecanyddol. *Hylifau'r corff* yr hylifau o fewn y corff, wedi eu gwneud o ddŵr, electrolytau ac anelectrolytau sydd yn symud yn barhaus. *Hylif mewngellol* hylif o fewn pilenni'r celloedd yw tua dwy ran o dair o holl hylifau'r corff. Mae'r draean arall

y tu allan i'r gell ac mae'n cael ei alw'n *h. allgellol. Hylif cerebrosbinol* hylif sy'n cael ei gadw o fewn fentriglau'r ymennydd, y gwagle isaracnoid, a llwybr canol madruddyn y cefn. *Cydbwysedd yr h. cyflwr* pan fo cyfaint dŵr y corff a'i hydoddion (electrolytau ac anelectrolytau) o fewn ffiniau normal ac mae dosbarthiad normal hylifau o fewn yr adrannau mewngellol ac allgellol. Dylai cyfanswm cyfaint hylif y corff fod yn 60% o bwysau'r corff. Cedwir cofnod o gydbwysedd hylifau pob gwraig sydd yn dueddol o ddioddef, neu'n dioddef yn barod o amhariad yng nghydbwysedd hylifau'r corff, e.e cyneclampsia difrifol. Cofnodir yn gywir pob cymeriant ac allbwn ar *siart cydbwysedd hylifau.*

fluorescent treponemal antibody test: *prawf gwrthgyrff treponemal fflwroleuol* prawf serolegol ar gyfer syffilis; y cyntaf i ddod yn bositif ar ôl heintiad.

'flying squad': *'carfan wib'* *Gw.* UNED OBSTETREG ARGYFWNG (EMERGENCY OBSTETRIC UNIT).

folate: *ffolad* term cyffredinol a ddefnyddir i ddisgrifio grŵp mawr o gyfansoddion, h.y.y ffoladau sy'n dod o'r cyfansoddyn gwreiddiol, *ASID FFOLIG* (FOLIC ACID). Mae ffoladau yn angenrheidiol ar gyfer amrywiaeth o adweithiau biocemegol yn y corff, y mae angen yr un pwysicaf ar gyfer synthesis DNA. Gellir mesur lefelau ffoladau yn y serwm a chelloedd coch y gwaed ac fe'u defnyddir i asesu storau'r corff; ceir lefelau isel o'r ddau mewn anaemia megaloblastig o ganlyniad i ddiffyg ffoladau.

folic acid: *asid ffolig* ansoddyn o'r cymhlygyn fitamin B, sy'n angenrheidiol er mwyn i gelloedd coch y gwaed ddatblygu'n normal. Mae diffyg asid ffolig yn ystod beichiogrwydd yn achosi anaemia megaloblastig wrth i gelloedd y ffetws sy'n ymrannu'n gyflym gystadlu am asid ffolig er mwyn ffurfio cnewyll celloedd. Mae llysiau gwyrdd, iau (afu) a burum yn ffynonnellau pwysig o asid ffolig yn y diet. Mae hefyd yn cael ei gynhyrchu yn synthetig. Gall diffyg asid ffolig ddeillio o anallu'r corff i ddefnyddio'r fitamin. Anogir merched sy'n bwriadu beichiogi i gymryd ychwanegion asid ffolig cyn cenhedlu er mwyn lleihau'r perygl o namau ar diwb niwral y ffetws.

follicle: *ffoligl* coden neu chwarren fach iawn. *Ff. Graaf:* fesiglau bach sy'n ffurfio yn yr ofari, mae pob un yn cynnwys wy. Mae un ffoligl yn aeddfedu yn ystod pob cylchred fislifol, sy'n cael ei reoli gan yr hormonau pitwidol. *Gw.* GONADOTROFFIG (GONADOTROPHIC).

follicle-stimulating hormone (FSH): *hormon ysgogi ffoligl (FSH)* hormon sy'n cael ei ryddhau gan y chwarenn bitwidol flaen, sy'n ysgogi un neu fwy o *FFOLIGLAU GRAAF* (GRAAFIAN FOLLICLES) i aeddfedu, yn ystod pob cylchred fislifol.

fomites: *magwrfeydd* sylweddau neu wrthrychau sy'n trosglwyddo organebau heintus trwy halogiad.

fontanelle: *ffontanél* bwlch pilennog lle mae dau asiad neu fwy yn cyfarfod rhwng esgyrn creuan y ffetws neu'r baban newydd-anedig. *Ffontanél blaen (anterior f.)* y bregma. *Ffontanél ôl (posterior f.)* y lambda. *Gw.* PENGLOG Y FFETWS (FETAL SKULL).

footling presentation: *cyflwyniad troediog* math o gyflwyniad ffolennol pan fo un neu'r ddwy droed yn gorwedd o flaen y ffolenni. *Gw. hefyd* CYFLWYNIAD FFOLENNOL (BREECH PRESENTATION).

foramen: *fforamen* agoriad neu dwll, yn arbennig mewn asgwrn. *Ff. magnwm* yr agoriad yn yr asgwrn ocsipitol drwy'r hwn y mae'r medwla oblongata yn dod yn barhad o fadruddyn y cefn. *Ff. caead* y twll mawr yn os disymud y pelfis. *Ff. ofale* yr agoriad rhwng dau atriwm calon y ffetws.

forceps: *gefel* offer llawfeddygol gyda dau lafn a ddefnyddir i godi neu gywasgu gwrthrych: e.e. *G. gorchuddio, g. dyrannu, g. rhydweli,* yn cywasgu llefydd sy'n gwaedu yn ystod llawdriniaeth. *G. bydwreigiaeth* yn cael eu defnyddio yn ail gam yr esgor i dynnu pen y plentyn, mewn achosion pan fo'r math yma o eni yn fwy diogel i'r fam neu'r plentyn. Mae rhain yn cynnwys gefel *KJELAND, NEVILLE BARNES* a *WRIGLEY. G. fwlselwm* gyda phen tebyg i grafanc.

foreskin: *blaengroen* y croen sy'n gorchuddio blaen y pidyn.

forewaters: *blaenddwr* yr hylif amni sy'n cael eu cadw'n y pilenni sy'n gorwedd o dan y rhan o'r ffetws sy'n cyflwyno. Y rhan o'r sach o bilenni sydd y tu cefn i'r rhan sy'n cyflwyno yw'r *ÔL-DDWR* (HINDWATERS).

formaldehyde: *fformaldehyd* nwy diheintio pwerus sydd â fformalin fel hydoddiant.

formalin: *fformalin Gw.* FFORMALDEHYD (FORMALDEHYDE).

formula: *fformiwla* **1.** presgripsiwn neu rysáit, yn arbennig ar gyfer bwyd baban. **2.** Grŵp o symbolau sy'n gwneud gosodiad arbennig.

fornix: *ffornics (llu. ffornicsau)* bwa. Bwâu'r wain yw'r cilfachau yng nghromgell y wain o flaen (*ff. blaen*), tu ôl (*ff. ôl*) ac wrth ochrau (*ff. ochrol*) gwddf y groth.

Fortral: *Fortral Gw.* PENTASOCIN HYDRO-CLORID (PENTAZOCINE HYDROCHLORIDE).

fossa: *pant* mân-bant neu gafn, e.e. y pant iliag, sydd yn bant ar arwyneb mewnol yr asgwrn iliag.

foster children: *plant maeth* plant sydd yng ngofal *RHIENI MAETH* (FOSTER PARENTS).

foster parents: *rhieni maeth* pobl sy'n cael eu gwobrwyo am ofalu am blant nad ydynt yn perthyn iddynt o fewn ystyr y Ddeddf Plant.

Fothergill's operation: *llawdriniaeth*

Fothergill llawdriniaeth Manceinion ar gyfer cwymp y groth a'r wain.

Foundation for the Study of Infant Death (SID): *Sefydliad ar gyfer Astudio Marwolaeth Babanod (SID)* elusen gofrestredig, a sefydlwyd yn 1971, s'yn rhoi cefnogaeth i rieni y mae eu plant yn ôl pob golwg wedi 'marw yn y crud.' Mae hefyd yn noddi ymchwil i'r syndrom anodd ei esbonio hwn.

fourchette: *fforchig* plyg o groen rhwng y rhannau ôl eithaf y labia minora.

fracture: *torasgwrn* toriad, fel arfer mewn asgwrn; anaf geni posibl, ond anarferol. Weithiau mewn esgoriad ffolennol gall y clafigl, yr hwmerws neu'r ffemwr fod wedi'u torri, ac weithiau ar ôl unrhyw enedigaeth anodd gellir gweld torasgwrn pantiog yn y penglog. Mae hwn fel arfer yn gwella'n dda.

fraenum, frenum, frenulum: *ffrwyn* gewyn bychan sy'n rheoli symudiad organ, e.e. y *ff. linguae*, y cysylltiad pilennog rhwng gwaelod y geg ac arwyneb isaf y tafod. *Gw. CWLWM TAFOD (TOUNGE TIE).*

fragilitas ossium: *fragilitas osiwm OSTEOGENESIS IMPERFECTA.* Esgyrn bregus brau.

Frankenhauser's plexus: *plecsws Frankenhauser* ganglion gerllaw gwddf y groth y mae nerfau sympathetig a parasympathetig yn cyflenwi'r wain, y groth ac ymysgaroedd eraill y pelfis ohono.

friable: *brau* yn hawdd ei rwygo, ei dorri neu ei falurio. Mae'r corion sydd yn cydio yn y brych yn frau, ac mae'n aml yn cael ei rwygo, gyda rhannau ohono'n cael eu dargadw yn y groth.

Friars' balsam: *balm Friars* trwyth cyfansawdd o bension. Mae'n gweithredu fel moddion llacio pan gaiff ei fewnanadlu fel anwedd.

Friedman test: *prawf Friedman* un o'r profion beichiogrwydd biolegol. Mae wrin gwraig feichiog yn cynnwys gormodedd o'r *HORMON GONAD-OTROFFIG (GONADOTROPHIC HORMONE).* Os yw'r wrin yn cael ei chwistrellu'n fewnwythiennol i mewn i gwningod benywaidd, mewn archwiliad post mortem 48 awr yn ddiweddarach bydd yr ofarïau'n dangos tystiolaeth o ffoliglau wedi rhwygo. Mae'r prawf yma tua 98% yn gywir, ond i bob pwrpas mae wedi cael ei ddisodli gan brofion imiwnolegol.

frigidity: *oerni* diffyg gwres; yn arbennig diffyg ymateb rhywiol merched i symbyliad corfforol, o ganlyniad i achosion seicolegol.

frontal: *y talcen / talcennol* yn ymwneud â'r talcen. Yn y ffetws mae dau *asgwrn y talcen* yn ffurfio'r talcen. *Asiad y talcen* yw'r sianel bilennog rhwng y ddau asgwrn yma. *Cur pen talcen* mewn beichiogrwydd gall fod yn symptom difrifol o *GYNECLAMPSIA (PRE-ECLAMPSIA)* dwys neu ddechrau *ECLAMPSIA* yn cael ei achosi gan oedema cerebrol.

fulminating: *ffrwydrol* yn torri allan, yn ffrwydro'n sydyn. Defnyddir y term gyda chyflyrau ac afiechydon sy'n ymddangos yn sydyn ac yn ddifrifol iawn. Mewn obstetreg, mae cyflyrau o'r fath yn cynnwys cyneclampsia difrifol ac eclampsia, pan fônt yn digwydd yn sydyn iawn.

fundal: *y ffwndws / ffwndaidd* yn ymwneud â'r ffwndws, fel arfer, mewn obstetreg, o'r groth. *Goruchafiaeth y ff.* mae symudiad normal y groth o fath sy'n golygu bod y cyfangiadau yn deillio o reoliadur yn y ffwndws, a'r don o gyfangiadau yn graddol wanhau wrth iddi basio dros rannau uchaf ac isaf y groth. *Pwysedd y ff.* dull a ddefnyddir mewn achosion prin, o ddefnyddio'r *FUNDUS UTERI* wedi'i gyfangu, yn dilyn disgyniad y brych a'r pilenni i mewn i'r wain, fel piston i ddiarddel y brych a gorffen trydydd cam yr esgor.

fundus: *ffwndws* gwaelod organ, neu'r

rhan sydd bellaf o'r agoriad. *Ff. uteri* top y groth – y rhan sydd bellaf o wddf y groth.

fungus: *ffwng* term cyffredinol am grŵp o organebau ewcaryotig (madarch, burumau, llwydni, a.y.y.b). Mae llindag yn gyflwr ffyngol.

funic: *ffwnig* yn ymwneud â'r ffwnis, h.y. llinyn y bogail. *Souffle ff.* sŵn sibrwd ysgafn sy'n cydamseru gyda synau calon y ffetws ac yn dod o linyn y bogail.

funis: *ffwnis* llinyn y bogail.

funnel pelvis: *pelfis twndis* pelfis ar siâp twmffat, h.y yn culhau wrth fynd yn is. Mae hyn yn nodweddiadol o *BELFIS ANDROID* neu o'r math gwrywaidd (ANDROID PELVIS), lle mae'r allfa yn llawer llai na'r cantel.

Furadantin: *Furadantin* Gw. *NITRO-FFWRANSION* (NITROFURANTION).

furosemide (frusemide): *furosemide (frusomide)* diwretig sy'n gweithredu drwy flocio ailamsugniad sodiwm a chlorid yn nolen esgynnol Henle; caiff ei ddefnyddio i drin oedema a methiant llym yr arennau. Gellir ei roi yn fewnwythiennol neu yn fewngyhyrol mewn dosiau o 20–40mg. Fel arfer fe'i defnyddir yn unig ar gyfer gwragedd gydag oedema'r ysgyfaint ac weithiau, oligwria. Gall atal llaethiad.

Fybogel: *Fybogel* Gw. *ISPAGHULA* (ISPAGHULA).

G

gag: *1. ffrwyn / gag. 2. cyfog gwag*
1. offeryn ar gyfer dal y genau ar agor.
2. cyfogi gwag, neu geisio chwydu.
Atgyrch cyfog gwag (g. reflex): codi'r
daflod feddal a chyfogi gwag a geir trwy
gyffwrdd cefn y tafod neu wal y
ffaryncs; hefyd yn cael ei alw'n adwaith
ffaryngeaidd.

gait: *cerddediad* ffordd o gerdded neu
osgo. Dylid edrych ar hyn mewn gwraig
feichiog. Gall godi amheuaeth ynghylch
anffurfiant y pelfis.

galact-, galacto-: *galact-, galacto-* elfen
mewn gair yn golygu 'llaeth.'

galactischia: *galactiscia* secretiad llaeth
yn cael ei atal.

galactogogue: *blithogydd* cyfrwng y
dywedir ei fod yn cynyddu secretiad
llaeth.

galactorrhoea: *galactorhoea* llif
gormodol o laeth o'r fron.

galactosaemia: *galactosaemia* anhwyl-
der biocemegol wedi'i bennu gan y
genynnau, yn tarddu o ddiffyg ensym
sy'n angenrheidiol ar gyfer
metaboleiddio galactos yn gywir, gan
arwain at lefelau uchel o galactos yn y
gwaed a'r meinweoedd. Mae hyn yn
arwain at ddiffyg cynnydd, hepato-
megaledd a'r clefyd melyn, ac yn y pen
draw ar arafwch meddwl a marwolaeth
os na chaiff y cyflwr ei drin. Mae'r
driniaeth yn cynnwys osgoi'r holl
fwydydd sy'n cynnwys galactos neu
lactos o'r diet.

galactose: *galactos* MONOSACARID
(MONOSACCHARIDE) sy'n deillio o
dreuliad LACTOS (LACTOSE). Mae'r iau
(afu) yn ei drawsnewid yn glwcos.

**galactose-1-phosphate uridyl transfer-
ase:** *galactos-1-ffosfad wridyl trans-
fferas* ensym sy'n trawsnewid galactos
yn glwcos. Mae prinder yr ensym yn
arwain at galactosaemia clasurol.

galea aponeurotica: *galea aponewrotica*
tendon y cyhyr ocsipitodalcennol, sy'n
ffurfio haen o groen y pen.

Galen, vein of: *gwythïen Galen* Gw.
GWYTHÏEN FAWR GALEN (GREAT VEIN OF
GALEN).

gallbladder: *coden y bustl* coden wedi'i
lleoli ar wyneb isaf yr iau (afu), sy'n dal
ac yn crynhoi'r bustl sy'n cael ei secretu
gan yr organ honno.

gamete: *gamet* cell atgenhedlol
wrywaidd neu fenywaidd.

Gamete intrafallopian transfer (GIFT):
*trosglwyddo gametau i'r tiwbiau
Fallopio (GIFT)* triniaeth anffrwyth-
londeb sy'n golygu cael oosytau o'r ofari
gyda laparosgopeg a rhoi'r oosytau
mewn didyniant gyda sberm yn y
tiwbiau Fallopio. Mae'n addas ar gyfer
gwragedd sy'n anffrwythlon heb
eglurhad am hynny a'r rhai hynny
gydag o leiaf un tiwb Fallopio agored,
iach pan fo paramedrau'r sberm
gwrywaidd yn agos at fod yn normal.
Gw. hefyd TROSGLWYDDO SYGOTAU I'R
TIWBIAU FALLOPIO (ZYGOTE INTRA-
FALLOPIAN TRANSFER).

gamgee tissue: *meinwe Gamgee* gwlân
amsugnol wedi ei orchuddio gyda
rhwyllen ac yn cael ei ddefnyddio ar
gyfer gorchuddio briwiau, etc.

gamma globulin: *globwlin gama*
globwlin γ, dosbarth o broteinau plasma
sydd wedi eu gwneud bron yn llwyr o

IgG, protein *IMIWNOGLOBWLIN* (IMMUNOGLOBULIN) sy'n cynnwys y gweithgaredd gwrthgyrff mwyaf. Ceir darpariaethau masnachol o globwlin gama allan o serwm gwaed ac fe'u defnyddir ar gyfer atal, addasu, a thrin gwahanol afiechydon heintus. Mae'r math yma o globwlin gama yn cynnwys bron yr holl wrthgyrff y gwyddom eu bod yn cylchredeg yn y gwaed. Gall roi imiwnedd goddefol, fel arfer am rua 6 wythnos, yn erbyn heintiau y mae gan y rhan fwyaf o'r boblogaeth wrthgyrff ar eu cyfer. Gellir defnyddio rhai mathau arbennig o gama globwlin ar gyfer codi ymwrthiant y corff i'r frech goch, clwy'r pennau/y dwymyn doben a polio-myelitis. Gellir rhoi globwlin gama sy'n cynnwys crynodiad uchel o wrthgyrff gwrth Rhesws i fam sy'n Rhesws negatif, o fewn 72 awr cyn y geni er mwyn ei hatal rhag ffurfio'i gwrthgyrff ei hun.

ganglion: *ganglion* canolfan nerfau y mae ffibrau nerfol yn dod ohono.

gangrene: *madredd* marwolaeth meinwe, fel arfer yn berthnasol i ran eang neu organ benodol. *Madredd sych (dry g.):* o ganlyniad i fethiant cyflenwad gwaed y rhydweliau, e.e. y broses sy'n golygu bod llinyn y bogail yn sychu ac yn gwahanu o'r bogail tua 5–7 diwrnod ar ôl yr enedigaeth. *Madredd llaith (moist g.):* yn cael ei achosi gan newidiadau madreddol, e.e. haint llinyn y bogail, pan fo'n aros yn llaith, yn mynd yn afiach ac mae'r ymwahaniad yn cael ei oedi. *Gw. hefyd MADREDD NWY* (GAS GANGRENE).

Gardnerella: *Gardnerella* genws o facteria Gram-negatif siâp rhoden sydd ag un rhywogaeth, *G. vaginalis* (yn cael ei alw gynt yn Haemophilius vaginalis). Mae'n cael ei ganfod yn y llwybr cenhedlol benywaidd normal ac mae'n organeb sy'n achosi faginitis ansbesiffig. Haint Gardnerella yw un o'r clefydau cysylltiad rhywiol mwyaf cyffredin a heintus. Y prif symptom yw'r cynnydd mewn rhedlif o'r wain sy'n denau ac yn llwyd gydag arogl pysgod, yn arbennig ar ôl cyfathrach rywiol. Rhoddir triniaeth gyda metronidazole ar gyfer y wraig a'i phartner rhyw.

gargoylism: *gargoiliaeth* math o *MWCOPOLISACARIDOSIS* (MUCOPOLY-SACCHARIDOSIS).

gas: *nwy* mater ar ei ffurf leiaf dwys, nad yw'n solid nac yn hylif, lle mae'r moleciwlau yn symud yn barhaus. Anwedd. Mae'r aer yn gymysgedd o nifer o nwyon: ocsigen, nitrogen, mymryn o garbon deuocsid, argon a heliwm.

'gas and oxygen' analgesia: *analgesia 'nwy ac ocsigen'* *Gw. ANALGESIA MEWNANADLIAD* (INHALATION ANAL-GESIA) ac ENTONOX.

gas gangrene: *madredd nwy* heintiad meinweoedd wedi'u difrodi gan organeb anaerobig Clostridium welchii. Gall y groth gael ei heintio yn y ffordd hon yn dilyn erthyliad troseddol, ac, mewn achosion prin iawn, yn dilyn esgor.

gastric: *gastrig* yn ymwneud â'r stumog.

gastritis: *gastritis (llid ar y stumog)* llid ar leinin y stumog.

gastro-: *gastro-* rhagddodiad sy'n golygu 'yn ymwneud â'r stumog.'

gastroenteritis: *gastroenteritis* llid ar leinin y stumog a'r coluddyn. Cyflwr llym o ddolur rhydd a chwydu yn arbennig o beryglus mewn babanod, gan achosi dadhydradiad cyflym a difrifol. Dylid cadw unrhyw faban yr amheuir fod y cyflwr hwn arno ar wahân i fabanod eraill. Y driniaeth yw rhoi hylifau trwy'r geg neu'n fewn-wythiennol, er mwyn trin y dadhydradiad, cywiro cydbwysedd yr electro-lytau a thrin yr haint.

gastrointestinal: *gastroberfeddol* yn ymwneud â'r stumog a'r coluddion.

gastrojejunostomy: *gastrojewnostomi* anastomosis llawfeddygol y stumog i'r jejwnwm. Defnyddir y driniaeth hon weithiau er mwyn mynd heibio i rwystr mewn achosion o atresia dwodenaidd yn y baban newydd-anedig.

gastroschisis: *gastroschisis* agen gynhenid yn wal yr abdomen.

gastrostomy: *gastrostomi* creu agoriad i mewn i'r stumog. Gwneir hyn er mwyn gweini bwyd a hylifau pan fo culfan yr oesoffagws neu gyflwr arall yn gwneud llyncu yn amhosibl.

gate control theory of pain: *damcaniaeth adwy rheoli poen* mae'r ddamcaniaeth hon yn cynnig bod mecanwaith niwral yng nghyrn dorsal madruddyn y cefn yn gweithio fel adwy sy'n gallu cynyddu neu leihau llif yr ysgogiadau nerfol o'r ffibrau perifferol i'r brif system nerfol. Safle'r adwy sy'n penderfynu faint o wybodaeth sy'n cael ei thrawsyrru i'r ymennydd ac felly'n penderfynu faint o boen a gynhyrchir. Mae dylanwadau megis pryder a disgwyliadau yn achosi i'r adwy agor ac felly'n cynyddu'r lefel o boen a deimlir, tra gall ffactorau eraill achosi i'r adwy gau, gan o ganlyniad leihau'r boen. Cynigiwyd y ddamcaniaeth yn gyntaf gan Melzach a Wall ym 1965 ond mae cryn dipyn o ymchwil i ffisioleg a seicoleg poen wedi cael ei wneud ers hynny. Gwelwyd bod ysgogiadau trydanol a roddir ar ffibrau nerfol yn y croen yn gwanhau trosglwyddiad ysgogiadau poenus o'r system nerfol amgantol i'r brif system nerfol, gan felly 'gau'r' adwy. Hyn, ynghyd â rhyddhau endorffinau o'r ymennydd, yw'r rheswm bod TENS (YSGOGIAD NERFOL TRAWSGROENOL TRYDANOL: TRANS-CUTANEOUS ELECTRICAL NERVE STIMULATION) yn ddull effeithiol o leddfu poen.

gauze: *rhywyllen* defnydd cotwm tenau gyda thyllau rhywllog mawr, a ddefnyddir ar gyfer gorchuddion.

Geiger counter: *mesurydd Geiger* offeryn a ddefnyddir i ganfod sylweddau ymbelydrol.

gemellology: *gemeloleg* yr astudiaeth wyddonol o efeilliad a gefeillio.

Gemeprost: *Gemeprost* pesari a ddefnyddir i feddalu ac ymledu gwddf y groth er mwyn hwyluso gweithredoedd trawsgerfigol yn ystod y trimestr cyntaf. Rhoddir 1mg 3 awr cyn y llawdriniaeth. Mae'n cael ei ddefnyddio hefyd ar gyfer terfynu beichiogrwydd yn yr ail drimestr; rhoddir 1mg bob 3 awr gydag uchafswm o 5 dos, os yw'n angenrheidiol gellir cychwyn ail gwrs 24 awr yn ddiweddarach.

gender: *rhyw person* rhyw; y categori y mae unigolyn yn perthyn iddo ar sail ei ryw.

gene: *genyn* uned sengl o ffactorau etifeddol sydd wedi'u lleoli mewn safle pendant ar GROMOSOM (CHROMOSOME). Mae genynnau wedi'u gwneud o ASID DEOCSIRIBONWCLEIG (DNA) (DEOXYRIBONUCLEIC ACID (DNA), sy'n cynnwys cadwyn ddeuol gymhleth o foleciwlau sy'n cario cod genynnol unigolyn, ac felly'n rheoli pob nodwedd. Trwy god genetig DNA maent hefyd yn rheoli swyddogaethau dydd i ddydd ac atgynhyrchu pob cell yn y corff. Er enghraifft, y genynnau sy'n rheoli synthesis proteinau strwythurol ac hefyd yr ensymau sy'n rheoli gwahanol adweithiau cemegol sy'n cymryd lle mewn cell. Mae'r genyn yn gallu dyblygu ei hun. Pan fo cell yn lluosogi drwy fitosis mae pob epilgell yn cario set o enynnau sy'n replica union o enynnau'r gell gysefin. Mae'r nodwedd ddyblygu hon yn egluro sut mae genynnau yn gallu cludo nodweddion etifeddol trwy genedlaethau dilynol heb newid. Mewn achosion prin ceir genyn annormal neu sy'n mwtanu. Enghraifft o gyflwr sy'n deillio o ddau enyn annormal ENCILIOL (RECESSIVE) yw FFENYLCETONWRIA (PHENYLKETONURIA).

General Medical Council (GMC): *Cyngor Meddygol Cyffredinol* corff rheoli holl ymarferwyr meddygol y Deyrnas Unedig; yn cyfateb yn feddygol i'r Cyngor Nyrsio a Bydwreigiaeth.

general practitioner obstetrician (GPO): *meddyg teulu obstetregol (GPO)* meddyg teulu sy'n cymwys neu â phrofiad mewn obstetreg, sydd wedi cytuno i gyflenwi gwasanethau mamolaeth ar gais. Nodir hyn gan y rhagddodiad 'M' cyn y cofnod addas yn y Rhestr Meddygon Teulu.

generic: *generig* 1. yn perthyn i genws. 2. heb enw masnachol; yn cyfeirio at gyffur nad yw'n cael ei amddiffyn gan nod masnachol, fel arfer mae'n disgrifio adeiledd cemegol cyffur.

genetic counselling: *cynghori ar eneteg* gwneir hyn mewn rhai clinigau, lle mae'r genetegydd yn egluro faint o siawns sydd i glefyfan genetig godi eto, a gall gynghori cyplau os oes perygl i unrhyw blant fyddai'n cael eu geni iddynt.

genetics: *geneteg* astudiaeth etifeddeg.

genital: *cenhedlol* yn ymwneud ag organau atgenhedlu.

genitalia: *organau cenhedlu* yr organau sy'n ymwneud ag atgenhedlu.

genitourinary: *cenhedlol-droethol* yn ymwneud â'r organau cenhedlol a throethol.

genotype: *genoteip* dosbarthiad o wneuthuriad genetig unigolyn. *Gw. GENYN (GENE).*

gentamicin: *gentamicin* cymhlygyn gwrthfiotig, sy'n effeithiol yn erbyn sawl bacteriwm Gram-negatif, yn arbennig rhywogaethau *Pseudomonas*, yn ogystal â rhai bacteria Gram-positif, yn arbennig *Staphylococcus aureus*. Dylid ei osgoi yn ystod beichiogrwydd oherwydd y perygl o niwed i nerf VIII y ffetws. Mae'n cael ei ddefnyddio ar gyfer septicaemia, sepsis y newyddanedig, ac yn arbennig heintiau'r brif system nerfol.

gentian violet: *trwyth glas* llifyn gwrthfacteria, gwrthffwngaidd, a gwrthlyng-

hyrol, a roddir ar y croen i drin heintiadau'r croen a'r pilenni mwcaidd sy'n gysylltiedig â bacteria Gram-positif a llwydni, ac yn cael ei gymryd drwy'r geg mewn heintiau llyngyr edau a chlefyd yr euod.

genu: *genw* y pen-glin.

genupectoral position: *safle genwbectoraidd* safle pen-glin i'r frest, h.y. gyda'r wyneb i lawr ac yn gorwedd ar y pengliniau a'r frest. *Gw. SAFLE* (POSITION).

genus: *genws* grŵp dosbarthu anifeiliaid neu blanhigion sy'n cynnwys un neu fwy o rywogaethau.

German measles: *brech Almaenig* *Gw. RWBELA* (RUBELLA).

germicide: *germladdwr* cyfrwng sy'n gallu dinistrio micro-organebau.

gestagen: *gestagen* unrhyw hormon sy'n weithredol yn hybu beichiogrwydd.

gestalt: *cyfanwaith* ffurfwedd ganfyddiadol gyflawn. Therapi cyfanwaith (g. theory): dull seicotherapiwtig sy'n annog yr unigolyn i beidio trin ei broblemau'n ddeallusol ac i ffocysu ar feddyliau a theimladau yn lle hynny, a thrwy hynny gael mewnwelediad a chydbwysedd emosiynol.

gestation: *cyfnod cario* beichiogrwydd. *Hyd y cyfnod cario (g. period):* yn yr hil ddynol tua 40 wythnos ers diwrnod cyntaf y cyfnod mislif normal diwethaf neu 38 wythnos ers dyddiad y cenhedliad. *Cyfnod cario ectopig (ectopic g.):* beichiogrwydd tu allan i'r groth. *Coden cyfnod cario (g. sac):* y brych a'r pilenni yn cynnwys yr hylif amnii a'r ffetws yn ystod y beichiogrwydd.

gestational: *cario (ans) / y cyfnod cario* yn ymwneud â'r cyfnod cario. *Gorbwysedd cyfnod cario (g. hypertension):* pwysau gwaed uwch yn ystod beichiogrwdd, a all ddatblygu i fod yn gyneclampsia neu'n eclampsia. *Diabetes cyfnod cario (g. diabetes):* yr hen derm am sefyllfa pan fo gan wraig oddefedd glwcos diffygiol yn ystod beichiogrwydd. Mae'r prawf goddefedd glwcos yn mynd yn ôl i'r normal ar ôl yr esgor ond gall y gwragedd hyn ddatblygu diabetes clinigol amlwg yn nes ymlaen yn eu bywydau.

GIFT: *GIFT* Gw. TROSGLWYDDO GAMETAU I'R TIWBIAU FFALOPIO (GAMETE INTRA-FALLOPIAN TRANSFER).

gigantism: *cawraeth* gordyfu annormal yr holl gorff neu rannau ohono, o ganlyniad i orweithgaredd yr hormon twf pitwidol blaen.

Gigli's operation: *llawdriniaeth Gigli* pwbiotomi. *Gw.* SYMFFYSIOTOMI (SYMPHYSIOTOMY).

Gigli's saw: *llif Gigli* offeryn gyda weiren denau ar gyfer llifio drwy asgwrn.

Gingerbread: *Gingerbread* mudiad gwirfoddol sy'n cynorthwyo teuluoedd un rhiant.

gingivitis: *llid y deintgig* llid a gwaedu y deintgig.

girdle: *gwregys* gwregys. *Gwregys y pelfis (pelvic g.):* cylch o esgyrn y pelfis a ffurfir gan y ddau asgwrn disymud a'r sacrwm.

glabella: *glabela* y rhan ar asgwrn y talcen uwchben y trwyn a rhwng yr aeliau.

gland: *chwarren* casgliad o gelloedd sy'n arbenigo mewn secretu neu ysgarthu defnyddiau nad ydynt yn berthnasol i'w hanghenion metabolaidd eu hunain. Mae chwarennau endocrin yn secretu hormonau i mewn i lif y gwaed, e.e. mae'r chwarren thyroid yn secretu thyrocsin. Mae chwarennau ecsocrin yn rhyddhau eu secretiad trwy un neu fwy o'r dwythelli, e.e. y fron neu'r iau (afu).

glans: *glans* corffyn siâp mesen, megis pen crwn y pidyn a'r clitoris.

globin: *globin* ansoddyn protein haemoglobin; hefyd unrhyw aelod o grŵp o broteinau sy'n debyg i'r globin nodweddiadol.

globulin: *globwlin* israniad o broteinau plasma. Rhennir y globwlin ymhellach i globwlinau alffa (α), beta (β) a gama (γ). *Gw.* hefyd GLOBWLIN GAMA (GAMMA GLOBULIN) ac *IMIWNOGLOBWLIN* (IMMUNOGLOBULIN).

glomerulus: *glomerwlws* y cudyn o gapilarïau sydd yn ymweinio yn nhiwbyn yr aren yn ei fan cychwyn yn y cortecs arennol.

glossal: *tafodol* yn perthyn i'r tafod.

glottis: *glotis* cyfarpar llais y larynccs, wedi ei wneud o'r gwir dannau llais a'r agoriad sydd rhyngddynt.

glucagon: *glwcagon* hormon polypeptid sy'n cael ei secretu gan gelloedd alffa ynysoedd Langerhans mewn ymatebi hypoglycaemia neu i ysgogiad gan hormon twf. Mae'n cynyddu crynodiad glwcos yn y gwaed drwy ysgogi glycogenolysis yn yr iau (afu) ac mae'n cael ei roi er mwyn lliniaru coma hypoglycaemia sydd o unrhyw achos, yn arbennig hyperinswliniaeth

glucocorticoid: *glwcocorticoid* unrhyw sylwedd corticoid sy'n cynyddu glwconeogenesis, gan godi'r crynodiad o glycogen yn yr iau (afu) a siwgr yn y gwaed, h.y. cortisol (hydrocortison), cortison a corticosteron.

glucose: *glwcos* decstros, monosacarid a geir mewn llawer o ffrwythau ac mewn mêl. Dyma'r monosacarid y mae carbohydradau yn cael eu rhydwytho iddo trwy dreuliad, ac felly mae'n cael ei ganfod yn y gwaed. Mae metabolaeth glwcos yn cynhyrchu egni ar gyfer celloedd a corff; rheolir cyfradd metabolaeth gan inswlin. Storir glwcos nad oes ei angen ar gyfer egni ar ffurf glycogen fel ffynhonnell o egni potensial, sydd ar gael yn barod pan fo'i angen. Storir y rhan fwyaf o glycogen yn yr iau (afu) a chelloedd a chyhyrau. Lefel ymprydio normal ar gyfer glwcos yn y gwaed yw rhwng 70 a 90mg ym mhob 100ml (5.6–3.9 mmol/l). Gall lefelau anarferol o uchel o glwcos yn y gwaed (hyperglycaemia) fod yn arwydd o afiechydon megis *DIABETES MELLITUS*,

HYPERTHYROIDIAETH (HYPERTHYROID-ISM) a *HYPERBITWIDIAETH* (HYPERPIT-UITARISM). Gwneir *PRAWF GODDEFEDD GLWCOS* (GLUCOSE TOLERANCE TEST) i asesu gallu'r corff i fetaboleiddio glwcos. Mae glwcos yn bresennol yn nhroeth merched sydd â diabetes mellitus nad ydyw wedi cael ei drin. Mewn meddygaeth gwneir defnydd helaeth o glwcos, gan ei fod yn ffynhonnell ragorol o egni ac y gellir ei roi trwy'r geg neu'n fewnwythiennol.

glucose tolerance test (GTT): *prawf goddefedd glwcos (GTT)* prawf o allu'r corff i ddefnyddio carbohydradau. Mae'n cael ei ddefnyddio i ganfod annormaledau metabolaeth carbo-hydradau fel sy'n digwydd mewn diabetes mellitus. Rhaid i'r prawf gael ei wneud pan fo glwcos wedi cael ei glirio o'r system wrth i'r cleient beidio â bwyta (ymprydio) a chymerir sampl gwaed i fesur y glwcos yn y gwaed wrth ymprydio. Rhoddir 75 g o glwcos trwy'r geg. Yna cymerir samplau gwaed yn ysbeidiol ar gyfer amcangyfrif y glwcos. Byddai canfyddiadau annormal fel a ganlyn:

glwcos gwaed wrth ymprydio dros 7.0 mmol/litr

glwcos yn y gwaed ar ôl dwy awr dros 10.0 mmol/litr.

glucose-6-phosphate dehydrogenase (G6PD): *dehydrogenas glwcos-6-ffosffad (G6PD)* ensym pwysig, yn arbennig mewn celloedd coch. Mae absenoldeb yr ensym yma yn arwain at ymosodiadau o *HAEMOLYSIS* ac anaemia difrifol neu farwol. Gall bwyta ffa llydan achosi ymosodiad o'r fath (ffafiaeth), ac mae'r afiechyd yn gyffredin ymysg hiliau lliw, ac yng Ngwledydd Môr y Canoldir. Mae'n cael ei etifeddu fel nodwedd *ENCILIOL* (RECESSIVE) X-gysylltiedig.

glucuronyl transferase: *glucuronyl transfferas* ensym yn yr iau sy'n troi bilirwbin sy'n hydawdd mewn braster neu bilirwbin tocsig i'r math sy'n hydawdd mewn dŵr, nad yw'n docsig.

glutaraldehyde: *glwtaraldehyd* anti-septig a ddefnyddir i drin defaid firaol.

gluteal: *glwteaidd* yn perthyn i'r ffolennau.

glycerol: *glyserol* tawddgyffur a ddefnyddir fel symbylydd rhefrol.

glycogen: *glycogen* polysacarid. Yn y ffurf hon mae carbohydrad yn cael ei storio yn yr iau (afu) ac yn y cyhyrau.

glycosuria: *glycoswria* glwcos yn yr wrin. Gall glycoswria yn ystod beichiogrwydd fod yn: *(a)* ymborthol, yn ymwneud â bwyta swm mawr o garbohydrad a'r anallu i'w storio; *(b)* arennol, yn deillio o ostwng y trothwy arennol ar gyfer siwgr – nid yw y naill na'r llall o bwysigrwydd difrifol; *(c)* o ganlyniad i *DIABETES MELLITUS*, sy'n achosi nifer o beryglon i'r fam ac i'r plentyn. Er mwyn gwneud diagnosis gwahaniaethol, dylai bydwraig fod amser adrodd pan fo glycoswria yn bresennol.

gnathic: *genol* yn perthyn i'r ên neu'r bochau.

goblet cell: *cell gobled* cell siâp gobled, a welir yn epitheliwm ciwbigol y tiwbiau Fallopio. Mae'r celloedd hyn yn cynhyrchu secretiad sy'n cynnwys glycogen er mwyn rhoi maeth i'r ofwm.

goitre: *y wen* helaethiad y chwarren thyroid, gan achosi chwyddo amlwg ar flaen y gwddf, sydd weithiau yn arwain at bwysau ar y trachea.

gonad: *gonad* yr organ sy'n cynhyrchu ofa neu sbermatosoa; yn y fenyw yr ofari ac yn y gwryw y ceilliau.

gonadotrophic: *gonadotroffig* yn ysgogi'r gonadau. Hormonau gonad-otroffig (g. hormones): rhai pen blaen y llabed bitwidol neu'r brych.

gonadotrophin: *gonadotroffin* unrhyw hormon sydd ag effaith ysgogol ar y gonadau. Secretir dau hormon o'r fath gan y llabed bitwidol blaen: yr hormon ysgogi ffoliglau a'r hormon lwteineiddio. *Gonadotroffin corionig (chorionic g.)*: hormon ysgogi gonadau a gynhyrchir gan gelloedd cytotroffoblast y meinwe corionig sydd yn ddiweddarch yn ffurfio'r brych. Mae profion beichiogrwydd biolegol ac imiwnolegol yn dibynnu ar ganfod gonadotroffin corionig dynol (HGC) yn yr wrin.

gonococcal: *gonocôaidd* yn perthyn i neu'n cael ei achosi gan y gonococws. *Ofthalmia gonocôaidd (g. ophthalmia):* conjynctifitis llym yn deillio o haint gonocôaidd. Gall hyn, yn digwydd mewn babanod newydd-anedig, arwain at friwio'r gornbilen, ac ar un adeg dyma'r achos mwyaf cyffredin o ddallineb mewn babanod a phlant ifanc. *Gw.* OFFTHALMIA NEONATORWM (OPHTHALMIA NEONATORUM).

gonococcus: *gonocôws* *Neisseria gonorrhoeae.* Y diplocôws Gram-negatif mewngellol sy'n achosi gonorrhoea.

gonorrhoea: *gonorrhoea* clefyd cysylltiad rhywiol o ganlyniad i haint gan y gonocôws, fel arfer yn cael ei ddal drwy gyfathrach rywiol, sy'n heintio pilen fwcaidd gwddf a groth, yr wrethra a chwarennau Bartholin. Weithiau gall yr haint ledaenu gan achosi salpingitis neu septicaemia. Y cyfnod magu yw 1–16 diwrnod. Gall achosi rhedlif crawnllyd o'r wain neu'r wrethra a phoen llosgi gyda throethiad, ond yn amlach nid oes symptomau. Bydd penisilin yn rhoi iachâd cyflym. Dylid ymchwilio i ddioed unrhyw redlif o'r wain yn ystod beichiogrwydd sy'n achosi poen dolurus neu gosi poenus neu'n gysylltiedig â phoen. Gall profion taeniad a meithriniadau gael eu defnyddio i wneud diagnosis.

Goodell's sign: *arwydd Goodell* meddalu'r cervix uteri a'r wain; arwydd o feichiogrwydd.

Graafian follicle: *ffoligl Graaf* adeiledd cystig sy'n datblygu yn y cortecs ofaraidd yn ystod a gylchred fisiffol. Mae ganddo orchudd allanol neu theca

Ffoligl Graaf

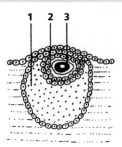

1. hylif ffoliglaidd
2. celloedd granwlosa
3. ofwm

ffolicwli a leinin o gelloedd granwlosa, sydd hefyd yn amgylchynu'r ofwm, sy'n gorwedd o fewn y ffoligl. Pan fo'n aeddfed, mae'r ffoligl yn ymdorri, gan ryddhau'r ofwm (ofwliad) ac yn datblygu yn *CORPWS LWTEWM* (CORPUS LUTEUM). Mae'r ffoligl Graaf yn secretu nifer o hormonau oestrogenaidd.

gram: *gram* uned o bwysau'r system fetrig. Y byrfodd amdano yw 'g'.

Gram stain: *staen Gram* staen arbennig a ddefnyddir mewn bacterioleg. Dywedir bod micro-organebau sy'n ei ddargadw yn Gram-positif (+), a'r rhai sy'n ei golli yn Gram-negatif (-).

grand mal: *grand mal* trawiad epileptig mawr sy'n digwydd gyda cholli ymwybyddiaeth a symudiadau confylsiwnaidd, yn wahanol i'r *PETIT MAL,* sef trawiad bach.

grande multigravida: *grande multigravida* gwraig yn ei phedwerydd beichiogrwydd neu un diweddarach, ond sydd ddim o angheuraid wedi esgor ar blant byw yn y beichiogiadau blaenorol.

grande multipara: *grande multipara* gwraig sydd wedi rhoi genedigaeth sawl gwaith. Fel arfer un sydd wedi cario 4 plentyn neu fwy. Gall cynnydd yn nifer yr esgoriadau arwain at fwy o berygl a bydd problemau yn ystod y beichiogrwydd, yr esgor a'r pwerperiwm.

granulation: *gronyniad* dyma broses sy'n caniatáu i glwyf wella. Mae gronyniadau yn ymddangos fel ymestyniadau bach coch ar arwyneb yr anaf, gan ddod â chyflenwad cyfoethog o waed i'r arwyneb sy'n gwella.

granulosa cells: *celloedd granwlosa* celloedd leinin yn ffoligl Graaf, sy'n secretu oestradiol.

granulosa lutein cells: *celloedd granwlosa lwtein* celloedd granwlosa ar ôl yr ofwliad. Maent yn secretu oestradiol a phrogesteron.

gravid: *beichiog* yn disgwyl plentyn (ansoddair).

gravida: *gwraig feichiog* gwraig sy'n disgwyl plentyn (enw). *Gw. PRIMI-GRAVIDA* a *MULTIGRAVIDA*.

Gravigard: *Gravigard* dyfais fewngroth atal cenhedlu.

Gravindex: *Gravindex* prawf beichio-grwydd imiwnolegol.

gravity: *dwysedd pwysau* dwysedd sbesiffig sylwedd yw ei bwysau o'i gymharu â màs cyfaintâ cyfatebol o ddŵr. Dwysedd sbesiffig dŵr yw 1000, a dwysedd wrin normal yw tua 1010–1020. Cynydda hyn os oes mwy o solidau yn cael eu hydoddi yn yr wrin, e.e. siwgr, ac mae'n lleihau pan nad yw'r swm normal o wrea yn cael ei secretu, e.e neffritis cronig.

Great Vein of Galen: *Gwythïen Fawr Galen* gwythïen gerebrol fawr sy'n pasio o ganol yr ymennydd canol ac yn treiddio i mewn i gyswllt â sinws hydredol is a'r sinws syth. Gall mowldio pen a fetws yn eithafol, yn annormal neu yn gyflym wrth esgor achosi i'r pilenni cerebrol a'r gwythiennau cerebrol rwygo gan achosi gwaedlif mewngreuanol.

grey syndrome: *syndrom llwyd* cyflwr sydd â photensial i ladd a welir mewn babanod newydd-anedig, yn arbennig babanod cyn amser, o ganlyniad i adwaith i gloram ffenicol, wedi ei nodweddu gan ddulasedd lliw lludw, chwydu, chwyddiant yr abdomen, hypothermia a sioc.

grief: *galar* hiraeth, fel arfer yn cael ei achosi gan farwolaeth. Gall y broses alaru normal gymryd 2 neu 3 blynedd ac fel arfer mae'n dilyn patrwm o fethu teimlo a gwadu, dicter, euogrwydd, bargeinio ac iselder, ac yn olaf derbyn ac ailymaddasu.

groin: *gafl* cysylltle blaen y fforddwyd a'r bongorff.

group practice: *practis grŵp* meddygfa meddygon neu fydwragedd lle mae grwpiau o feddygon neu fydwragedd (bydwragedd annibynnol yn aml) yn gweithio mewn tîm gyda'i gilydd.

growth hormone: *hormon twf* sylwedd sy'n ysgogi twf, yn arbennig secretiad y *CHWARREN BITWIDOL* (PITUITARY GLAND) flaen sy'n dylanwadu ar fetabolaeth protein, carbohydrad a lipid yn uniongyrchol, ac yn rheoli graddfa twf y sgerbwd a'r ymysgaroedd. Mae cynnydd yng nghynhyrchiad hormon twf mewn babanod mamau sydd â diabetes sydd heb gael ei reoli'n dda.

guardian ad litem: *gwarcheidwad ad litem* dyma berson, fel arfer o adran gwasanaethau cymdeithasol awdurdod lleol, sy'n cael ei benodi gan y llys i ofalu am fuddiannau plentyn cyn i'w Orchymyn Mabwysiadu llawn gael ei ganiatáu. Yn y cyfamser mae'r plentyn ym meddiant parhaus y darpar rieni mabwysiadol tebygol, ac mae'r gwarcheidwad ad litem yn ymweld â hwy ac yn cyflwyno ei fyd yn sicrhau y bydd y cartref yn foddhaol, ac mae'n rhoi adroddiad manwl i'r llys.

guardian Caldicott: *gwarcheidwad Caldicott* aelod a enwir o ymddiriedolaeth GIG sy'n gyfrifol am gytuno ar brotocolau mewnol a'u hadolygu lle mae'r protocolau yn rheoli ac yn gwarchod y ffordd y mae'r staff o fewn y system gofal iechyd yn defnyddio gwybodaeth am gleifion a nodwyd. Rhaid i brotocolau gyfarfod â'r gofynion cenedlaethol a rhaid eu monitro'n rheolaidd.

gum gingiva: *gingifa'r deintgig* yn ystod beichiogrwydd mae'r oestrogen yn dueddol o wneud i'r deintgig ddargadw hylif ac maent yn chwyddo ac yn teimlo fel sbwng.

gumma: *gwma* tiwmor bach syffilitig sy'n crawnio a welir yn nhrydydd cam neu gam trydyddol syffilis yn unrhyw ran o'r corff.

Guthrie test: *prawf Guthrie* prawf gwaed a wneir ar faban newydd-anedig rhwng diwrnod 6 ac 14 ei fywyd er mwyn gwneud diagnosis o *FFENYL-CETONWRIA* (PHENYLKETONURIA). Rhaid i'r baban fod wedi sefydlu'i hun ar fwyd

llaeth cyn y gwneir y prawf. Os yw'r baban yn derbyn gwrthfiotigau yna gohirir y prawf.

gynae-: *gynae-* rhagddodiad yn golygu 'benyw.'

gynaecoid: *gynaecoid* fel benyw. Gyda nodweddion benywaidd. *Pelfis gynaecoid (g. pelvis):* pelfis o ffurfiant benywaidd nodweddiadol.

gynaecologist: *gynaecolegydd* meddyg sy'n arbenigo yn iechyd gwragedd, yn enwedig cyflyrau yn ymwneud â'r llwybr cenhedlu.

gynaecology: *gynaecoleg* cangen o feddygaeth sy'n trin afiechydon llwybr cenhedlol y fenyw.

gynandroid: *gynandroid* deurywiad neu ffug ddeurywiad benywaidd.

gynandromorphism: *gynandroforffedd (ans. gynandroforffaidd)* presenoldeb cromosomau'r ddau ryw ym meinweoedd gwahanol y corff, sy'n cynhyrchu mosaig o nodweddion rhywiol gwrywaidd a benywaidd.

H

habitual abortion: *erthylu cyson* dilyniant o 3 neu fwy o erthyliadau digymell. Triniaethau posibl yw therapi hormon, *CYLCHU GWDDF Y GROTH* (CERVICAL CERCLAGE) neu wrthfiotigau, yn dibynnu ar yr achos. *Gw. hefyd* ERTHYLIAD (ABORTION).

haem: *haem* y protoporffyrin haearn amhrotein anhydawdd sy'n ansoddyn o haemoglobin, pigmentau anadlu eraill a nifer o gelloedd. Mae'n gyfansoddyn haearn o brotoporffyrin ac mae'n gyfrifol am briodweddau cludo ocsigen y moleciwl haemoglobin.

haema-, haemo-, haemato-: *haema-, haemo-, haemato-* rhagddodiaid sy'n dynodi neu'n cyfeirio at waed.

haemagglutination: *haemgyfludiad* cyfludiad erythrocytau.

haemagglutinin: *haemgyfludydd* gwrthgorff sy'n achosi i'r erythrocytau gyfludo.

haemangioma: *haemangioma* tiwmor wedi'i wneud o bibellau gwaed wedi'u clystyru gyda'i gilydd. Gall haemangiomau fod yn bresennol ar enedigaeth mewn sawl rhan o'r corff. Maent yn aml yn ymddangos fel rhwydwaith o gapilarïau bychain, llawn gwaed, sy'n agos at arwyneb y croen, gan ffurfio man geni fflat sy'n goch neu'n biws ('maen mefus' neu 'fafon'), sy'n tueddu i ddiflannu yn ystod plentyndod. Mae'r math o haemangioma sy'n cael ei alw yn un 'gwin port' yn dueddol o aros.

haematemesis: *haematemesis* chwydu gwaed. Mewn babanod newydd-anedig gall fod yn arwydd o GLEFYD HAEMORAGAIDD (HAEMORRHAGIC DISEASE) neu yn ganlyniad i lyncu gwaed y fam. Gellir gwahaniaethu rhwng gwaed y ffetws a gwaed y fam drwy *BRAWF SINGER* (SINGER'S TEST).

haematinic: *haematinig* 1. gwella safon y gwaed. 2. cyfrwng sy'n gwella safon y gwaed, gan gynyddu lefelau haemoglobin a'r nifer o erythrocytau; enghreifftiau o hyn yw paratoadau haearn, echdynnyn iau (afu) a fitaminau cymhlygyn B.

haematocele: *haematocel* casgliad o waed mewn ceudod. *H. y pelfis:* casgliad o waed yng nghoden Douglas, fel arfer o ganlyniad i erthyliad tiwbaidd neu rwyg.

haematocolpos: *haematocolpos* gwaed yn cronni yn y wain

haematocrit: *haematocrit* *Gw.* CYFAINT CELL LAWN (PACKED CELL VOLUME).

haematology: *haematoleg* y wyddor sy'n ymwneud â natur, swyddogaeth a chlefydau'r gwaed.

haematoma: *haematoma* casgliad lleoledig o waed sydd wedi llifo allan i mewn i organ, lle gwag neu feinwe. Gall haematoma'r wain, y fwlfa neu'r perinëwm ddigwydd o ganlyniad i drawma yn ystod genedigaeth. Gall trawma i'r ffetws yn ystod yr esgor arwain at geffalhaematoma, sydd yn ganlyniad i rwygo'r pibellau gwaed bach rhwng y penglog a'r pericraniwm. Mae'n datblygu o fewn ychydig oriau i'r enedigaeth ac nid yw'n croesi llinellau asio.

haematometra: *haematometra* croniad o waed yn y groth.

haematopoiesis: *haematopoiesis* ffurfiant

a datblygiad celloedd y gwaed, fel arfer yn digwydd ym mêr yr esgyrn. Hefyd gall ddigwydd yn y ddueg, yr iau (afu) a'r nodau lymff; bryd hynny mae'n cael ei alw'n haematopoiesis allfedwlaidd.

haematoporphyrin: *haematoporffyrin* deilliad dihaearn o haem, cynnyrch dadelfeniad haemoglobin.

haematosalpinx: *haematosalpincs* croniad o waed yn y tiwb Fallopio.

haematuria: *haematwria* gwaed yn yr wrin, o ganlyniad i anaf, heintiad neu glefyd yn unrhyw un o'r organau troethol.

haemoconcentration: *haemogrynodiad* colli hylif o'r gwaed i'r meinweoedd, fel sy'n gallu digwydd gyda sioc neu ddadhydradiad.

haemodialysis: *haemodialysis* dull gweithredu a ddefnyddir i dynnu gwastraff tocsig o waed claf sydd â methiant cronig neu aciwt yr aren.

haemodilution: *haemowanediad* cynnydd y plasma yn y gwaed mewn cyfrannedd â'r celloedd. Mae hyn yn digwydd fel arfer yn ystod beichiogrwydd, wrth i gyfaint y gwaed gynyddu (*Gw.* HYDRAEMIA), neu mewn gwaedlif, pan fo hylif yn cael ei dynnu o'r meinweoedd i mewn i'r gwaed er mwyn cynnal cyfaint y gwaed sy'n cylchredeg.

haemoglobin: *haemoglobin* pigment sydd yng nghelloedd coch y gwaed sy'n caniatáu iddynt gludo ocsigen o amgylch y cylchrediad. Mae'n gyfansoddyn o'r haearn fferrus sy'n cynnwys pigment haem wedi'i gyfuno gyda'r protein globin. Mae pob moleciwl haemoglobin yn cynnwys 4 atom o haearn fferrus, 1 ym mhob grŵp haem, a gall gyfuno gyda 4 moleciwl o ocsigen. Mae haemoglobin ocsigenedig (ocsihaemoglobin) yn lliw coch llachar; mae haemoglobin gyda'r ocsigen wedi'i ddatgyfuno (deocsihaemoglobin) yn dywyllach. Mae gan haemoglobin y ffetws yn y groth HbF, a ffurfir yn yr

iau (afu) a'r ddueg, affinedd uwch gydag ocsigen. Pan fo erythropoiesis yn symud i fêr yr esgyrn yn ystod blwyddyn gyntaf bywyd, bydd haemoglobin oedolion HbA ac HbA$_2$ yn dechrau cael eu cynhyrchu.

haemoglobinopathy:
haemoglobinopathi unrhyw anhwylder haematolegol sy'n cael ei achosi gan newid yn adeiledd moleciwlaidd haemoglobin sydd wedi'i bennu yn unol â geneteg, gydag annormaleddau nodweddiadol clinigol ac mewn labordai ac yn aml anaemia amlwg. Y prif haemoglobinopathïau sy'n cymhlethu beichiogrwydd yw CLEFYD CRYMAN-GELL (SICKLE CELL DISEASE) a THALASAEMIA (THALASS-AEMIA).

haemolysin: *haemolysin* GWRTHGORFF (ANTIBODY) gyda CHYFLENWAD (COMPLEMENT) sy'n rhyddhau haemoglobin o gelloedd coch y gwaed.

haemolysis: *haemolysis* rhyddhau haemoglobin o gyfyngiadau cell goch y gwaed. Mewn gormodedd gall achosi ANAEMIA a'r CLEFYD MELYN (JAUNDICE). Mae rhai microbau, megis y streptocows haemolytig beta yn ffurfio sylweddau a elwir yn haemolisynau sydd â'r swyddogaeth benodol o ddinistrio corfflud coch y gwaed. Mewn adwaith trallwyso neu mewn clefyd HAEMOLYTIG (HAEMOLYTIC) yn y baban newydd anedig, mae anghydnawsedd yn gwneud i gelloedd coch y gwaed glystyru ati ei gilydd. Mae'r celloedd cyfludedig yn ymddatod ymhen amser, gan ryddhau haemoglobin i mewn i'r plasma. Gall achosi niwed i'r aren wrth i'r haemoglobin grisialu a rhwystro'r tiwbynnau arennol gan wneud i'r aren stopio gweithio ac achosi wraemia. Mae gwenwyn nadroedd a rhai mathau o wenwyn llysieuol a chemegol eraill yn haemolysinau.

haemolytic: *haemolytig* yn perthyn i, yn cael ei nodweddu gan, neu'n cynhyrchu HAEMOLYSIS. *Clefyd haemolytig y baban newydd-anedig (h. disease of the newborn):* dyscrasia gwaed yn y baban newydd-anedig a nodweddir gan haemolysis erythrocytau, fel arfer o ganlyniad i anghydnawsedd rhwng gwaed y baban a gwaed y fam. Mae gan y ffetws waed Rh-positif ac mae gan ei fam waed Rh-negatif. Cydag anghydnawsedd Rh mae'r fam yn adeiladu gwrthgyrff yn erbyn celloedd y ffetws; mae'r gwrthgyrff hyn yn mynd trwy'r brych gan fynd i mewn i gylchrediad y ffetws. Yno maent yn dinistrio erythrocytau'r ffetws yn gyflym iawn. I wneud iawn am ddinistr cyflym celloedd coch y gwaed, cynhyrchir mwy o fêr yr esgyrn a rhyddheir celloedd coch y gwaed anaeddfed (erythroblastau) yn gynnar. O ganlyniad, adwaenir y cyflwr hefyd fel erythroblastosis ffetalis.

haemophilia: *haemoffilia* clefyd etifeddol sy'n golygu oedi yn nholcheniad y gwaed. Mae'n amlygu ei hun mewn dynion yn unig, ond mae'n cael ei drosglwyddo gan y fenyw fel genyn enciliol sy'n gysylltiedig â rhyw. Mae gan dros 80% o'r holl gleifion sydd â haemoffilia y math A o haemoffilia a nodweddir gan ddiffyg y ffactor ceulo VIII. Achosir haemoffilia B (clefyd Christmas) sy'n effeithio ar 15% o holl gleifion sydd â haemoffilia, gan ddiffyg ffactor IX. Bwriad y driniaeth yw cynyddu lefelau y ffactor ceulo diffygiol a'i gynnal er mwyn atal gwaedu lleol.

Haemophilus: *Haemophilus* genws o facteria pathogenig sy'n cynnwys *H. ducreyi,* organeb siancr meddal, a *H. influenzae,* sy'n gysylltiedig â ffliw.

haemopoiesis: *haemopoiesis* gw. HAEMATOPOIESIS.

haemoptysis: *haemoptysis* pesychu gwaed o'r ysgyfaint. Mae'n wahanol i waed a chwydir oherwydd ei liw coch llachar a'i nodwedd ewynnog.

haemorrhage: *gwaedlif* gwaed yn dianc o'i bibellau a'r tu allan neu o fewn y corff.

Gwaedlif antepartwm (antepartum h.): gwaedu cyn genedigaeth, fel arfer gwaedu yn ystod beichiogrwydd ar ôl cyfnod cario o 24 wythnos. Yr achosion yw *(a) gwaedlif damweiniol (accidental h.)* neu frych sydd yn ei leoliad arferol yn gwahanu oddi wrth wal y groth *(b)* gwaedu o frych nad yw yn ei leoliad arferol h.y. brych yn y blaen *(c)* digwyddiadau damweiniol. *Gwaedlif ymenyddol (cerebral h.):* o ganlyniad i rwyg mewn pibellwaed ymenyddol, gall ddigwydd mewn beichiogrwydd sydd â chysylltiad â chyflwr gorbwysedd e.e eclampsia, gorbwysedd direswm. *Gwaedlif cudd (concealed h.):* gwaedu lle mae maint y gwaed sydd i weld yn cael ei golli yn llawer llai na'r hyn sy'n cael ei golli mewn gwirionedd; nid yw'r arwyddion clinigol yn cyd-fynd â'r colli gwaed sy'n cael ei fesur. Yn y plentyn mae *gwaedlif mewngreuanol (intracranial h.)* yn digwydd yn ystod esgoriad anodd o ganlyniad i rwyg yn y cysylltie rhwng y TENTORIUM CEREBELLI a'r FALX CEREBRI a'r pibellau gwaed y maent yn eu cynnwys. Mae *gwaedlif mewnfentrigol (intraventricular h.)* yn digwydd mewn babanod bach neu gyn-amser. *Gwaedlif petechial (petechial h.):* gwaedlif isgroenol yn digwydd wrth fel smotiau bach iawn. Weithiau cânt eu gweld ar y newydd-anedig pan fo llinyn y bogail wedi ei glymu'n dynn o amgylch y gwddf, neu ar ôl esgoriad anodd. *Gw. hefyd* GWAEDLIF ÔL-ENEDIGOL (POSTPARTUM HAEMORRHAGE).

haemorrhagic: *gwaedlifol* wedi'i nodweddu gan waedlif. *Clefyd gwaedlifol y baban newydd-anedig (h. disease of the newborn):* cyflwr sy'n digwydd yn ystod wythnos gyntaf bywyd. Mae'r gwaedlif fel arfer o'r coludd, yn ymddangos fel haematemesis neu fel melaena. Gall gwaedu ddigwydd hefyd o'r bogail, mannau clwyfo neu'n fewnol fel haematuria.

Mae'n cael ei gysylltu â lefel anarferol o isel o brothrombin y gwaed. Caiff ei drin drwy roi fitamin K (phytomenadion, 1ml yn fewngyhyrol) ac, os yw'n angen-rheidiol, drallwyso gwaed. Dylid gwahaniaethu yn glir rhyngddo â chlefyd haemolytig y baban newydd-anedig.

haemorrhoids: *haemoroidau* clwyf y marchogion. Gwythiennau chwyddedig yn y rectwm isaf a'r llwybr (mewnol), neu o amgylch agorfa'r anws (allanol). Mae'n gyffredin iddynt helaethu a mynd yn boenus yn ystod beichiogrwydd o ganlyniad i effaith ymlaciol a secretiad uchel o *PROGESTERON* (PROGESTERONE) ar gyhyrau esmwyth waliau'r wythren. Mae rhwymedd, cynnydd cyffredinol mewn fasgwleiddiad a gorlenwi yn cynyddu ymlediad y gwythiennau gan achosi anghysur. Lleddfir y symptomau drwy roi eli poenleddfol lleol neu dawddgyffur, yn arbennig os defnyddir carthydlyn ysgafn i feddalu'r ysgarthion. Mae geni o'r gwain yn gwaethygu'r cyflwr wrth i bwysau uniongyrchol pen y ffetws gynyddu gorlenwad y gwythiennau a stasis. Yn ystod y pwerperiwm maent fel arfer yn gwella'u hunain yn ddigymell wrth i lefelau hormonau ddisgyn ac yn anaml y credir bod angen triniaeth feddygol neu lawfeddygol.

haemostasis: *haemostasis* atal gwaed.

haemostatic: *haemostatig* unrhyw gyffur neu gyfrwng arall sy'n gallu atal gwaedu. Gelwir y rhai hynny sy'n gweithio trwy adweithio i'w rhinweddau tynhau yn styptigion.

hair analysis: *dadansoddiad gwallt* fe'i defnyddier yn ychwanegol at brofion eraill mewn gofal cyn beichiogi er mwyn asesu statws maethol a chanfod crynodiadau o hyd at 18 metel. Gall lefelau uchel o rai metelau megis plwm fod yn gysylltiedig ag annormaleddau cynhenid. Gellir trin diffygion megis rhai sinc gyda chyngor dietegol a/neu ychwanegion.

hallucination: *rhithwelediaeth* ymwybyddiaeth ffug pan fo claf yn credu ei fod yn gweld, yn arogleuo, yn clywed, yn blasu neu'n teimlo gwrthrych neu berson pan nad oes sylfaen i'r gred yn yr amgylchedd allanol. Mae'r cyflwr yma yn *SEICOSIS* (PSYCHOSIS), a gall fod yn *organig*, o ganlyniad i docsinau bacteria, cyffuriau, thyrotocsicosis, yn *seicogenig* neu'n *weithredol* pan nad oes newidiadau i'w gweld yn y brif system nerfol. Gall unrhyw fath o straen, megis geni plentyn, gychwyn y cyflwr mewn person sydd â thueddiad etifeddol. *Gw. hefyd SEICOSIS PWERPERAIDD* (PUERPERAL PSYCHOSIS).

halothane: *halothan* hylif di-liw, anfflamadwy, anweddol a mae ei anwedd yn cael ei fewnanadlu er mwyn cynhyrchu *ANAESTHESIA* cyffredinol. Nid yw'n cael ei ddefnyddio'n aml ar gyfer anaesthesia obstetrig gan y gall achosi gwaedlif ar ôl y geni o ganlyniad i laesiad y croth. Mae'n hysbys fod mwy nag un anaesthetig halothan o fewn cyfnod o 6 mis wedi arwain at fethiant hepatig.

hamamelis: *hamamelis* eli rhisgl collen ystwyth, a ddefnyddir fel tynhawr, yn arbennig ar gyfer clwyf y marchogion neu oedema'r fwlfa.

hand presentation: *cyflwyniad llaw* gall y llaw fod yn cyflwyno wrth esgor lle ceir gorweddiad arosgo heb ei gywiro gyda chyflwyniad yr ysgydd a chwymp y fraich, neu mewn *CYFLWYNIADAU CYFANSAWDD* (COMPOUND PRESENTATIONS). Wrth archwilio'r wain gellir gwahaniaethu rhwng llaw a throed oherwydd gallu bawd y llaw i dynnu yn ôl, absenoldeb sawdl amlwg a'r ffaith fod bysedd y llaw yn hirach na rhai'r droed.

handicap: *anfantais* anfantais sydd gan unigolyn penodol, o ganlyniad i nam neu anabledd sy'n ei gyfyngu neu'n ei

atal rhag cyflawni swyddogaeth sy'n
normal i'r unigolyn hwnnw.

haploid: *haploid* gyda hanner y nifer o
gromosomau a welir yn nodweddiadol
yng nghelloedd somatig (diploid)
organeb.

hard chancre: *siancr caled* briw syffilitig
yn ei gam cyntaf. Mae'n gyffwrdd-
ymledol; gellir ei weld ar y labiwm.

hare lip: *gwefus fylchog* Gw. GWEFUS
HOLLT (CLEFT LIP).

Hartmann's solution: *hydoddiant
Hartmann* hydoddiant yn cynnwys
sodiwm clorid, sodiwm lactad, a
ffosffadau calsiwm a photasiwm; yn cael
ei ddefnyddio'n fewnwythiennol fel
alcalydd systematig ac fel hylif ac
ailgyflenwr electrolytau.

hashish: *hashish* echdynnyn o'r
planhigyn cywarch, *Cannabis sativa*, sy'n
cael ei smygu neu ei gnoi ar gyfer ei
effeithiau ewfforig. Enw arall arno yw
mariwana. Mae effeithiau'r cyffur yn
ystod beichiogrwydd yn aneglur gan ei
fod yn cael ei ddefnyddio yn aml ar y
cyd gyda smygu ac yfed alcohol. Gall y
canlyniadau niweidiol i'r fam a'r ffetws
fod yn ganlyniad y cyfuniad o
sylweddau.

head circumference: *mesur cylch y pen*
mesuriad cylch pen y ffetws sydd wedi'i
blygu'n dda yw'r isocsipitobregmatig
sy'n mesur 33 cm, ac mewn pen nad
ydyw wedi'i blygu, yr ocsipitoblaen,
sy'n mesur 35 cm.

head fitting: *ffitio'r pen* ymgais i ffitio
pen y ffetws nad yw wedi cydio i mewn
i gantel pelfis y fam, fel y gellir cael
gwared â'r anghyfartaledd rhwng y pen
a'r cantel os gellir gwneud i'r pen gydio
dan bwysau. Yn yr holl achosion
amheus, mae pelfimetreg pelydr-X yn
darparu gwybodaeth lawer cywirach a
manylach am y pelfis.

headache: *cur pen* poen yn y pen, (yn
nhafodieithoedd y de: pen tost).
Symptom amrywiaeth eang o anhwyl-
derau. Mae merched yn aml yn cael cur

pen yn ystod trimestr cyntaf y
beichiogrwydd yn deillio o ymlediad
pibellau gwaed yr ymennydd o
ganlyniad i swyddogaeth progesteron.
Ni ddylid fyth anwybyddu cur pen yn
ystod beichiogrwydd gan y gall fod yn
gysylltiedig â chyneclampsia, er ei fod
yn symptom diweddar. Mae'n arbennig
o arwyddocaol os oes arwyddion
prodromaidd eraill o eclampsia yn
bresennol, e.e. pwysau gwaed diastolig
uwch, smotiau neu fflachiadau o flaen
y llygaid, neu boen epigastrig. *Cur pen
sbinol (spinal h.):* cymhlethdod achlys-
urol o anaesthesia epidwral pan fo'r
dura mater yn cael ei dyllu gan
drywaniad anfwriadol gyda cholli hylif
cerebrosbinol yn ganlyniad i hyn. Gall
y cur pen barhau am tua wythnos.

headbox: *blwch pen* blwch perspecs a
roddir dros ben baban ac y gellir rhoi
ocsigen ychwanegol i mewn yndo.

Heaf test: *prawf Heaf* math o brofi
twbercwlin.

healing: *gwella / cau* adfer adeiladedd a
swyddogaeth meinweoedd sydd wedi'u
niweidio neu eu heintio. Mae'r prosesau
gwella'n cynnwys ceulo gwaed, llid, ac
atgyweirio.

health: *iechyd* mae Mudiad Iechyd a Byd
(WHO) yn datgan bod 'iechyd yn
gyflwr o fodlonrwydd a lles corfforol,
meddyliol a chymdeithasol ac nid yn
unig absenoldeb clefyd neu lesgedd.'

Health and Safety at Work Act, 1974:
*Deddf Iechyd a Diogelwch yn y
Gwaith, 1974* daeth y ddeddf hon i
rym yn 1975. Mae'n ddeddfwriaeth
gynhwysfawr yn ymwneud â lles,
iechyd a diogelwch pob cyflogwr a
gweithiwr cyflogedig, ar wahân i
weithwyr domestig mewn tŷ preifat.

health centre: *canolfan iechyd* canolfan
sydd wedi'i lleoli'n strategol yn y
gymuned, er mwyn darparu'r amrediad
llawn o ofal iechyd cychwynnol, gyda
gwasanaethau'r meddyg teulu fel canol-
bwynt. Gall hefyd ddarparu adnoddau

ar gyfer llawdriniaethau bach.

health education: *addysg iechyd* gwahanol ddulliau o addysgu sydd â'r bwriad o atal clefydau. Mae gan fydwragedd ac ymwelwyr iechyd gyfrifoldebau penodol a chyfleoedd i hybu iechyd da, yn arbennig gyda mamau a babanod ifanc.

Health Education Authority: *Awdurdod Addysg Iechyd* awdurdod iechyd arbennig sy'n gyfrifol am roi cyngor awdurdodedig ar raddfa genedlaethol a lleol ar amrywiaeth eang o faterion addysg iechyd trwy gyfrwng ymgyrchoedd a chyhoeddiadau (y Cyngor Addysg Iechyd gynt). Bellach mae'n rhan annatod o'r gwasanaeth iechyd ac felly mae'n gweithio gyda gwaurddodau iechyd eraill i gynllunio polisïau a blaenoriaethau'r gwasanaeth iechyd.

health education officer: *swyddog addysg iechyd* swyddog a benodwyd i ddarparu adnoddau addysg iechyd i'r cymuned.

health visitor (HV): *ymwelydd iechyd* nyrs gofrestredig sydd hefyd â chymhwyster ymwelydd iechyd ar ôl dilyn cwrs blwyddyn llawn amser mewn meddygaeth ataliol a chymdeithasol. Prif faes cyfrifoldeb yr ymwelydd iechyd yw addysg iechyd a gofal ataliol i famau a phlant o dan 5, er bod rhai'n arbenigo mewn gofal ataliol ar gyfer yr henoed, pobl anabl a grwpiau arbennig eraill. Mae'n fydwraig yn cydweithio gyda'r ymwelydd iechyd pan fo'n trosglwyddo'r fam a'r baban i'w gofal rhwng 10 a 28 diwrnod ar ôl y geni.

hearing test: *prawf clyw* Gw. CRUD YMATEB CLYBODOL (AUDITORY RESPONSE CRADLE). Prawf clyw a wneir gan yr ymwelydd iechyd ar bob baban pan fydd yn 7 mis oed.

heart: *calon* yr organ sy'n pwmpio gwaed i mewn i'r rhydweliau er mwyn ei drosglwyddo i bob rhan o'r corff. Mae allbwn y galon yn cynyddu'n sylweddol yn ystod beichiogrwydd oherwydd *(a)*

bod llawer o dwf ym maint a chylchrediad y groth, *(b)* bod cyfaint y gwaed yn cynyddu'n sylweddol, *(c)* bod y fetabolaeth yn cynyddu, a *(d)* bod y corff yn mynd yn drymach. *Clefyd y galon yn ystod beichiogrwydd (heart disease in pregnancy):* mae merched sy'n cael eu geni gyda chlefyd cynhenid y galon bellach yn byw i fod yn oedolion ac efallai byddant yn beichiogi, ond yn y gorffennol stenosis mitraidd o ganlyniad i dwymyn gwynegon neu gorea pan oeddynt yn blant oedd y prif fath o glefyd y galon fyddai gan ferched beichiog. Rhennir gofal cyn y geni, wrth esgor ac ar ôl y geni rhwng yr obstetregydd a'r cardiolegydd, a dylai'r gwragedd hyn roi genedigaeth mewn uned famolaeth ymgynghorol. Mae pedair gradd o glefyd y galon, ac yn ystod beichiogrwydd gall cyflwr y fam ddirywio o leiaf un gradd. *Namau ar y galon (h. defects):* anhwylderau, y mae rhai ohonynt yn gynhenid. Mae TETROLEG FALLOT (FALLOT'S TETRALOGY) a DUCTUS ARTERIOSUS PATENT (PATENT DUCTUS ARTERIOSUS) yn enghreifftiau o namau cynhenid y galon. *Methiant y galon (h. failure):* anallu'r galon i gyflawni ei swyddogaeth o bwmpio digon o waed i sicrhau llif normal trwy'r gylchred. *Murmur y galon (h. murmur):* unrhyw sŵn yn ardal y galon ar wahân i sŵn normal y galon.

heartburn: *dŵr poeth* teimlad llosg yn y frest, yn cael ei achosi gan ailchwydiad gastro-oesoffagaidd, h.y. ailchwydiad cynnwys y stumog i'r oesoffagws. Mae'n anhwylder trafferthus iawn yn ystod beichiogrwydd, yn cael ei achosi wrth i gardia'r stumog ymlacio. Mae magnesiwm trisilicaidd a chymysgeddau alcalïaidd eraill yn ei leddfu dros dro. Gellir lleddfu dŵr poeth sy'n drafferthus yn ystod y nos os defnyddiar sawl clustog i gynnal y fam wrth iddi gysgu. Gall osteopathi, aciwbigo neu homeopathi fod yn driniaethau effeithiol.

heat shield: *tarian wres* tarian berspecs y gellir ei rhoi dros faban â phwysau geni isel ac/ neu sy'n sâl mewn crud cynnal er mwyn atal colli gwres pelydrol a darfudol.

Hegar's dilators: *lledwyr Hegar* cyfres o ledwyr graddedig a ddefnyddir i ledu gwddf y groth.

Hegar's sign: *arwydd Hegar* prawf ar gyfer beichiogrwydd nas defnyddir yn aml oherwydd ei fod yn anghyffyrddus i'r wraig, ac sydd bellach yn ddiangenraid ar gyfer gwneud diagnosis cywir. Gellir ei wneud rhwng wythnosau 6 a 10 y cyfnod cario pan fydd yr embryo yn rhan uchaf y groth yn unig. Mae'r rhan isaf uwchben gwddf y groth yn feddal iawn ac mewn archwiliad dwy law mae bron yn caniatáu i'r bysedd gyfarfod.

Hellin's law: *deddf Hellin* canlyniad un o bob 89 beichiogiad yw efeilliaid; ac un o bob 89^2, neu 7921, yw genedigaeth tripledi; un o bob 89^3, neu 704,969 yw pedrybleudau. Mae hyn yn fras yn gywir gan fod nifer y beichiogiadau digymell lle ceir efeilliaid yn y DU rhwng 1 o bob 80 ac 1 o bob 90 er bod triniaethau anffrwythlondeb wedi codi cyfradd y beichiogiadau lluosog.

HELLP syndrome: *syndrom HELLP* cymhlethdod tolcheniad difrifol gorbwysedd wedi'i ddwyn ymlaen gan feichiogrwydd (cyn-eclampsia), a nodweddir gan haemolysis, proteinau iau (afu) uwch a phlatennau isel [*Haemolysis, Elevated Liver proteins and Low Platelets*]. Gwneir y diagnosis drwy brofion gwaed biocemegol ar gyfer ffilm gwaed, lefelau platennau ac astudiaethau tolcheniad.

Heminevrin: *Heminevrin* Gw. CLOMETH-IAZOLE EDISILATE (CHLOMETHIAZOLE EDISILATE).

hemiplegia: *hemiplegia* parlys un ochr y corff.

hemisphere: *hemisffer* hanner sffêr. Un o ddau hanner y cerebrwm.

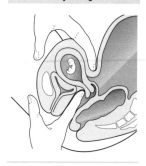

Arwydd Hegar

heparin: *heparin* gwrthdolchennydd a ffurfir yn yr iau (afu) ac sy'n cylchredeg yn y gwaed. Wrth gael ei roi fel pigiad yn fewnwythiennol mae'n atal y trawsnewidiad o brothrombin i thrombin, ac fe'i defnyddir i atal a thrin thrombosis. Gellir ei roi hefyd yn isgroenol, un ai yn ysbeidiol neu'n barhaus. Mae'n cael ei secretu o'r corff yn gyflym iawn. Defnyddir protamin sylffad i wrthweithio dos ormodol, ond os defnyddir gormod ohono gall ef ei hun weithredu fel gwrthdolchennydd.

hepatic: *hepatig* yn perthyn i'r iau (afu).

hepatitis: *hepatitis* llid yr iau (afu). Fel arfer o ganlyniad i heintiad feirws. Mae dau fath o hepatitis firaol. Mae Firws A yn achosi hepatitis heintus sydd ar y cyfan yn effeithio ar blant ac oedolion ifanc. Mae fel arfer yn glefyd ysgafn sy'n digwydd mewn epidemigau ac nid yw'n achosi cymlethdodau difrifol yn ystod beichiogrwydd. Mae Firws B yn achosi hepatitis y serwm sy'n effeithio ar bobl o bob oed ac yn cymhlethdod difrifol mewn beichiogrwydd. Trosglwyddir y clefyd gan y gwaed ac mae perygl difrifol y gall bydwraigedd a meddygon ddal yr haint os oes ganddynt grafiad sy'n fan mynediad i waed heintiedig. Y cyfnod magu yw 50 i 160 diwrnod a nodweddir y clefyd gan dwymyn isel, annifyrrwch, anorecsia amlwg, cyfog, chwydu a'r clefyd melyn. Mae angen gorffwys mewn gwely mewn ystafell sengl gydag adnoddau ymolchi ar wahân. Os yw'r fam yn gwaedu neu yn esgor, caiff ei arwahanu'n gaeth a rhoddir rhagofalon arbennig mewn grym i atal yr haint rhag lledu. Mae necrosis hepatig llym yn gymhlethdod difrifol. Dylid rhoi brechlyn hepatitis B i faban sydd â mam gyda hepatitis B o fewn 24 awr i'r enedigaeth ac fe'i caiff eto pan fo'n 1 mis oed ac yn 6 mis oed. Mae dyletswydd statudol i roi gwybod i'r awdurdodau am achos o glefyd melyn heintus. Bellach cynigir brechlyn yn erbyn hepatitis B yn rheolaidd i weithwyr gofal iechyd.

hepatomegaly: _hepatomegaleg_ chwyddo'r iau (afu).

hepatosplenomegaly: _hepatospleno- megaleg_ chwyddo'r iau (afu) a'r ddueg.

herbal medicine: _meddyginiaeth lysieuol_ math o feddyginiaeth gyflenwol neu amgen pan ddefnyddir planhigion ar gyfer eu priodweddau therapiwtig. Mae nifer o feddyginiaethau llysieuol sy'n gallu trin anhwylderau yn ystod beichiogrwydd a geni plant yn llwyddiannus, ond dylid cynghori'r fam i ofyn am gymorth arbenigol gan fod yna hefyd lawer o gymysgeddau llysieuol nas argymhellir yn ystod beichiogrwydd. Enw arall arno yw ffytotherapi.

hereditary: _etifeddol_ yn gallu cael ei drosglwyddo, neu wedi'i drosglwyddo, o riant i'w epil; wedi'i bennu yn ôl genynnau.

heredity: _etifeddeg_ yr epil yn etifeddu nodweddion corfforol neu feddyliol gan rieni a chyndadau. Geneteg yw'r enw ar wyddor etifeddeg. Trosglwyddir y nodweddion etifeddol yn y genynnau, llawer ohonynt yn ôl deddfau a ddisgrifiwyd gyntaf gan Gregor Mendel, mynach o Forafia. _Gw. hefyd_ ETIFEDDIAD (INHERITANCE).

hermaphrodite: _deurywiad_ gyda nodweddion y ddau ryw. Mewn bodau dynol gellir cael datblygiad rhannol organau rhyw y gwryw a'r fenyw. Mae gwir ddeurywiad yn brin, mae FFUG DDEURYWIAID (PSEUDOHERMAPHRO-DITES) yn gyffredin fwy cyffredin.

hernia: _hernia_ ymwthiad allan o beritonëwm ac adeileddau abdomenol eraill trwy nam yn wal y ceudod. _Hernia'r llengig (diaphragmatic h.):_ ymwthiad allan o unrhyw gynnwys abdomenol i mewn i'r thoracs, e.e. y stumog, y coludd. Gall ddigwydd fel camffurfiad cynhenid difrifol, ac os hynny bydd angen llawdriniaeth frys. _Hernia'r ffemwr (femoral h.):_ ymwthiad allan, fel arfer fel dolen o'r perfedd trwy'r llwybr ffemoraidd. Mae'n fwy cyffredin mewn benywod. _Hernia bwlch (hiatus h.):_ ymwthiad allan rhan o'r stumog trwy'r llengig i mewn i'r thoracs. Gall hyn fod yn gyfrifol am ddŵr poeth difrifol mewn beichiogrwydd. _Hernia'r arffed (inguinal h.):_ ymwthiad allan y perfedd trwy'r llwybr arffedol i mewn i'r forddwyd neu'r ceillgwd. Mae'n fwy cyffredin o lawer mewn dynion, a gall fod yn bresennol ar enedigaeth. _Hernia wmbilig (umbilical h.):_ y perfedd yn ymwthio allan trwy'r bwlch yn y recti wrth y bogail. Mae'n gyffredin mewn babanod o dras Affricanaidd. Mae bron bob tro yn gwella'n ddigymell.

heroin: _heroin_ narcotig wedi ei wneud o forffin. Mae'n cael ei ddefnyddio'n feddygol fel poenleddfwr a'i gamddefnyddio'n anghyfreithlon er mwyn ei effeithiau ewfforig. Mae gan y cyffur allu mawr i gaethiwed corfforol a gall cael ei arogli, ei ysmygu neu ei chwistrellu'n isgroenol neu'n fewnwythiennol.

herpes: *herpes* echdoriad llidus ar y croen a nodweddir gan fesiglau bach. *Herpes gestationis:* echdoriad croen o darddiad anhysbys yn digwydd weithiau yn y beichiogrwydd cynnar neu ganol ac yn achosi cosi poenus iawn. *Herpes simplex* neu *labialis:* dolur 'annwyd' ar yr wyneb neu'r wefus, yn gysylltiedig ag annwyd pen a thwymyn. *Herpes yr organau rhywiol* (genital h.): fel arfer yn cael ei achosi gan fath 2 y firws. Mae anafiadau yn ymddangos ar wddf y groth, y fwlfa a'r croen o amgylch ar ferched ac ar bidyn dynion. Argymhellir toriad Cesaraidd ar gyfer y rheiny sydd â herpes clinigol y llwybr cenhedlu o fewn 2 wythnos cyn yr enedigaeth er mwyn atal herpes yn y newydd-anedig. Mae *herpes simplex* cynhenid yn gyflwr difrifol iawn gyda brech bothellog gyffredinol. Mae'r baban yn marw o enceffalitis. *Herpes zoster:* yr eryr. Cyflwr eithriadol o boenus, a achosir gan firws brech yr ieir, pan fo'r echdoriad yn dilyn cwrs nerf y croen.

heterogenous: *heterogenaidd* annhebyg. Wedi ei wneud o wahanol nodweddion.

heterosexual: *heterorywiol* **1.** yn perthyn i, yn nodweddiadol o, neu wedi'i anelu tuag at y rhyw arall. **2.** person gyda diddordeb erotig wedi'i anelu at y rhyw arall.

heterozygous: *heterosygaidd* yn cario genynnau annhebyg. Yn cael ei ddefnyddio'n gyffredin i ddisgrifio dyn y mae ei waed yn Rhesws positif, ond a all drosglwyddo genynnau Rhesws positif neu Rhesws negatif i'w blant. cf. homosygaidd.

heuristic: *hewristig* yn annog neu'n hybu ymchwil; yn arwain at ddarganfyddiad.

hexachlorophene: *hecsacloroffen* antiseptig a ddefnyddir yn eang ym maes bydwreigiaeth.

hiatus: *bwlch* Lle gwag neu ofod. *Hernia bwlch* (hiatus h.). Gw. HERNIA.

hibitane: *hibitane* Gw. CLORHECSIDIN (CHLORHEXIDINE).

higher education institutions: *sefydliadau addysg uwch* prifysgolion a cholegau sy'n darparu rhaglenni academaidd hyd at lefel diploma a gradd, gan gynnwys rhaglenni bydwreigiaeth a nyrsio.

hilot: *hilot* Gw. CYNORTHWYWR GENI TRADDODIADOL (TRADITIONAL BIRTH ATTENDANT).

hindwaters: *olddwr* wrth esgor mae'r hylif amniotig wedi'i rannu i'r olddwr a'r blaenddwr. Pan fo pen y ffetws sydd wedi'i blygu'n dda yn disgyn i mewn i wddf y groth, mae'n rhannu'r goden fach o hylif amniotig yn y blaen, y blaenddwr, oddi wrth y gweddill sy'n amgylchynu'r corff, sef yr olddwr.

Hirschsprun's disease: *clefyd Hirschsprun* absenoldeb cynhenid y nerf ganglia parasympathetig yn yr anorectwm neu'r rectwm procsimaidd, sy'n arwain at ddiffyg peristalsis yn y rhan o'r colon sydd wedi'i effeithio ac felly'n achosi i'r colon helaethu'n ddirfawr ac yn achosi, rhwymedd a rhwystr. Mae angen llawdriniaeth ar achosion difrifol. Fe'i gelwir hefyd yn fegacolon anganglionig a megacolon cynhenid.

hirsute: *blewog* gyda llawer o flew.

histamine: *histamin* sylwedd cemegol a gynhyrchir pan fo meinwe'n cael ei niweidio. Credir ei fod yn ffactor sy'n achosi sioc anaffylactig a nodweddir gan ymlediad ac athreiddedd cynyddol y capilarïau. Mae cyffuriau gwrth-histamin yn gwrthweithio rhai o'r effeithiau hyn.

histogram: *histogram* graff lle cynrychiolir gwerthoedd a geir o astudiaeth ystadegol gan linellau neu symbolau a osodir yn llorweddol neu'n fertigol, i ddynodi amlder y dosraniad.

histology: *histoleg* delweddu adeiledd bychan bach, cyfansoddiad a swyddogaeth meinweoedd ac organau.

history taking: *nodi hanes* synopsis

manwl o hanes y wraig a'i ffordd o fyw, a gofnodir gan y fydwraig yn yr apwyntiad cyntaf, ac sy'n ffurfio sylfaen i'r gofal a gynllunnir ar gyfer y beichiogiad presennol, yr esgor a'r geni. Gofynnir cwestiynau am hanes personol y wraig a hanes meddygol, llawdriniaethol ac obstetreg ei theulu, a cheir gwybodaeth ynglŷn â'r beichiogrwydd presennol a'i ffordd o fyw.

Hodge pessary: *pesari Hodge* pesari a ddefnyddir i gynnal safle'r groth yn dilyn cywiro atchweliad. *Gw.* PESARI (PESSARY).

Hogben test: *prawf Hogben* prawf beichiogrwydd, a ddefnyddir yn anaml iawn ers i brofion imiwnolegol gael eu cyflwyno. Chwistrellu wrin beichiogrwydd i mewn i goden lymff dorsal y llyffant *Xenopus*. Os oes hormon gonadotroffig yn bresennol yn yr wrin, bydd y llyffant yn ofylu o fewn 8–15 awr ar ôl y pigiad. Yna dywedir fod y prawf yn gadarnhaol yn dangos beichiogrwydd.

holism: *cyfaniaeth* athroniaeth sy'n ystyried bod yr unigolyn yn gyfangorff gweithredol yn hytrach na chlwstwr cyfansawdd o systemau gwahanol.

holistic: *cyfannol* yn perthyn i grynswth, neu i'r cyfan. Cydnabyddir bod anghenion corfforol, emosiynol, seicolegol, cymdeithasol ac ysbrydol cleient yn gyd-ddibynnol ac mae'n cael ei drin fel person cyflawn, yn hytrach na ffocysu ar un broblem neu gyflwr yn unig.

Homan's sign: *arwydd Homan* poen a deimlir yng nghroth y goes pan fo'r droed wedi'i phlygu am i fyny gyda'r goes wedi'i hymestyn. Mae'n arwydd o thrombosis gwythïen ddofn yng nghroth y goes.

home birth: *geni yn y cartref* geni yn y cartref wedi'i gynllunio (planned h.b.): gall merched ddewis geni eu babanod gartref a derbyn gofal gan fydwraig cymuned a meddyg teulu, neu weithiau gan FYDWRAIG ANNIBYNNOL (INDEPENDENT MIDWIFE). Mae'r fydwraig dan

rwymedigaeth gyfreithiol i roi'r gofal priodol i unrhyw wraig o fewn ardal ei gwaith, hyd yn oed os yw dymuniad y fam i gael geni yn y cartref yn mynd yn groes i gyngor y fydwraig neu'r meddyg. *Geni yn y cartref heb ei gynllunio* (unplanned h.b.): mae'n digwydd pan fydd baban y bwriadwyd iddo gael ei eni yn yr ysbyty yn cael ei eni gartref yn annisgwyl neu cyn amser, neu pan fo'r beichiogrwydd wedi cael ei gadw'n gudd.

home help service: *gwasanaeth cymorth cartref* cangen o'r adran gwasanaethau cymdeithasol, sy'n rhoi gofal domestig a chymorth cadw tŷ i'r rhai sydd ei angen. Mae un ai ar sail tymor byr neu dymor hir, a thelir amdano yn ôl modd.

homeostasis: *homeostasis* tueddiad systemau biolegol i gadw sefydlogrwydd tra'n addasu'n barhaus hefyd i amgylchiadau sy'n optimaidd ar gyfer goroesi. I roi dwy enghraifft yn unig, trwy fecanweithiau homeostatig y mae tymheredd y corff yn cael ei gadw o fewn amrediad normal, ac y mae maetholynnau yn cael eu cyflenwi i'r celloedd fel bo'r angen. Y ddau reolydd homeostatig sylfaenol yw: **1.** rheolyddion adborth negatif; a **2.** switsh ymlaen ac i ffwrdd, lle mae ymateb naill ai'n digwydd neu ddim yn digwydd. Yn gyffredinol rheolir secretiadau hormonaidd o'r chwarennau ENDOCRIN (ENDOCRINE) gan y systemau rheoli adborth dolen gaeëdig, tra bo ymateb y system nerfol o'r math ymlaen ac i ffwrdd.

homoeopathy: *homeopathi* math o feddyginiaeth gyflenwol neu amgen sydd yn trin trwy roi dosiau bach iawn o sylweddau a fyddai, mewn mesur mawr, yn achosi'r symptomau a bwriedir iddynt eu trin (yn aml cyfeirir at hyn fel trin tebyg gyda'i debyg). Rhaid cydweddu'r feddyginiaeth a ddewisir yn union â symptomau'r unigolyn. *Gw. hefyd* ARNICA.

homogeneous: *homogenaidd* gyda'r un natur neu o'r un cyfansoddiad drwyddo.

homologous: *homologaidd* gyda'r un adeiledd neu batrwm.

homosexual: *1. cyfunrhywiol 2. dyn cyfunrhywiol (am ddyn); lesbiad (am ferch)* 1. yn ymwneud â'r un rhyw. 2. unigolyn sydd yn gweld person o'r un rhyw yn rhywiol atyniadol. Defnyddir y term 'hoyw' sy'n cyfateb i 'gay' yn Saesneg mewn cywair mwy anffurfiol erbyn hyn.

homosexuality: *cyfunrhywioldeb* atyniad at a dymuniad i sefydlu perthynas rywiol gyda aelod o'r un rhyw. Gelwir cyfunrhywioldeb benywaidd yn lesbiaeth.

homozygous: *homosygaidd* gyda phâr o enynnau sydd yr un peth. Yn cael ei ddefnyddio'n fwyaf cyffredin mewn bydwreigiaeth mewn perthynas â genoteip dyn sy'n Rhesws positif. Os yw'n homosygaidd, ni all drosglwyddo ond genynnau Rhesws positif yn unig i'w epil. Bydd ei blant i gyd yn Rhesws positif hyd yn oed os yw'r fam yn Rhesws negatif. *Gw.* heterosygaidd.

hookworm: *bachlyngyr* llyngyren barasitig sy'n mynd i mewn i'r corff dynol trwy'r croen ac yn symud i mewn i'r coluddyn, lle mae'n cydio yn waliau'r coluddyn ac yn sugno gwaed er mwyn cael maeth. Mae nifer fawr o lyngyr yn gallu achosi colli llawer o waed ac anaemia. Mae'r haint i'w weld yn bennaf mewn ardaloedd tymherus lle mae'r amodau yn afiach, ac yn y trofannau a'r isdrofannau. Dylid gwisgo esgidiau y tu allan gan fod y bachlyngyr fel arfer yn mynd i mewn i'r corff trwy wadn y droed.

horizon: *gorwel* cyfnod anatomegol arbennig yn natblygiad yr embryo, y mae 23 ohonynt wedi cael eu diffinio, gan ddechrau gyda'r wy ungell wedi'i ffrwythlonni ac yn gorffen 7 i 9 wythnos yn ddiweddarach gyda dechrau'r cyfnod ffetysol.

hormone: *hormon* sylwedd cemegol a secretir i mewn i lif y gwaed gan chwarren endocrin, ac yn effeithio ar ryw ran arall o'r corff.

hospital delivery: *geni mewn ysbyty* fe'i argymhellir i unrhyw wraig y mae ei chyflwr meddygol yn anffafriol, neu y mae ei hanes obstetrig blaenorol neu bresennol yn awgrymu problemau posibl pan fydd yn esgor. Er hynny, mae gan y wraig yr hawl i wrthod y cyngor i eni'r baban mewn ysbyty, ac i ofyn am *ENI YN Y CARTREF* (HOME BIRTH).

hourglass constriction: *darwasgiad awrwydr* cylch culhau yn y groth, sy'n digwydd yn nhrydydd cam yr esgor ac yn carcharu'r brych. Mae'n achos anghyffredin o ddargadw'r brych. Caiff ei liniaru drwy fewnanadlu amyl nitrit, neu drwy anasthesia. *Gw. hefyd CYLCH DARWASGU* (CONSTRICTION RING).

Darwasgiad Awrwydr

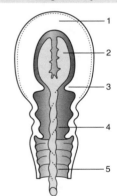

1. segment uchaf y groth;
2. brych; 3. darwasgiad awrwydr;
4. segment is y groth; 5. y wain.

Housing Department: *Adran Dai* adran o'r awdurdodau lleol, sy'n gyfrifol am ddarparu cartrefi.

human chorionic gonadotrophin (HCG): *gonadotroffin corionig dynol* hormon a gynhyrchir gan y *TROFFOBLAST* (TROPHOBLAST). Gall profion beichiogrwydd ganfod ei bresenoldeb yn yr wrin ymhen 30 diwrnod ar ôl cenhedlu. Mae'r lefel yn codi mewn beichiogrwydd lluosog ac mewn achosion o garsinoma'r corion. Credir ei fod yn un o'r hormonau sy'n gyfrifol am gyfog a chwydu yn gynnar yn y beichiogrwydd.

Human Fertilization and Embryology Act 1990: *Deddf Ffrwythloni Dynol ac Embryoleg 1990* fersiwn diwygiedig o Ddeddf Erthylu (Abortion Act) 1967. Rhaid i'r beichiogrwydd gael ei derfynu cyn 24 wythnos o feichiogrwydd gan feddyg cofrestredig, a bod ail feddyg yn cytuno y byddai'r wraig neu ei theulu yn dioddef trawma corfforol, meddyliol neu gymdeithasol pe bai'r beichiogrwydd yn parhau, neu os yw'r baban mewn perygl o annormaledd corfforol neu feddyliol dwys. Gellir terfynu'r beichiogrwydd ar unrhyw adeg os oes perygl difrifol i fywyd y fam pe bai'r beichiogrwydd yn parhau.

human immunodeficiency virus (HIV): *firws diffyg imiwnedd dynol (HIV)* feirws y credir yn gyffredinol ei fod wedi datblygu o fwtaniad feirws a geir mewn mwnciod, a welwyd gyntaf mewn dynion hoyw yn nechrau'r 1980au. Mewn rhai gwledydd yn Affrica, megis Uganda a Kenya, mae'r nifer o achosion ymysg merched beichiog mor uchel â 30%. Yn y DU y rhai hynny sydd fwyaf mewn perygl ohono yw mewnfudwyr sydd newydd gyrraedd o ardaloedd megis Affrica, yn arbennig i'r de o'r Sahara, camddefnyddwyr cyffuriau mewnwythiennol, a merched y mae eu partneriaid yn ddeurywiol neu yn haemoffilig. Cludir y feirws yn y gwaed ac mae'n

heintio celloedd T a macroffagau a chelloedd eraill yr ymennydd, gan arwain yn y diwedd i ddiffyg difrifol y system awtoimiwnedd. Wedi cyfnod o fod yn gudd sydd yn parhau rhwng 18 mis a sawl blwyddyn, mae'r *SYNDROM DIFFYG IMIWNEDD CAFFAELEDIG* (AQUIRED IMMUNE DEFICIENCY SYNDROME) yn datblygu a bydd marwolaeth yn dilyn yn gymharol fuan. Ni chredir fod beichiogrwydd yn cyflymu datblygiad y clefyd mewn merched sydd wedi'u heffeithio ond gall y feirws gael ei drosglwyddo i'r ffetws, un ai trwy drosglwyddiad trwy'r brych neu o ganlyniad i drawma yn ystod yr esgor – o ganlyniad i hyn dylid osgoi archwiliadau mewnwthiol megis cael prawf gwaed y ffetws neu roi electrodau ar groen y ffetws lle bo hynny'n bosibl. Gall toriad Cesaraidd leihau'r peryg o'i drosglwyddo, a rhoi sidofwdin (AZT) i'r fam. Gellir trosglwyddo'r feirws wrth fwydo o'r fron ac mewn gwledydd datblygedig mae'n un o'r ychydig resymau yn erbyn bwydo o'r fron; mewn gwledydd sy'n datblygu a rhai tanddatblygedig, mae'n debyg fod y perygl o gastroenteritis o ganlyniad i ddiffyg glanweithdra wrth baratoi bwyd artiffisial yn fwy na'r perygl o drosglwyddo HIV.

Mae profion sgrinio ar gyfer HIV yn seiliedig ar ganfod gwrthgorff y firws, felly bydd gwraig sy'n cael ei chanfod i fod yn HIV positif wedi cael ei heintio am 12 wythnos cyn y bydd y prawf yn gadarnhaol. Mae cwnsela a chynghori manwl yn hanfodol ar gyfer gwragedd sy'n gofyn am gael y prawf neu sydd angen ei gael. Mae rhoi'r profion fel rhan o'r drefn arferol yn parhau'n fater dadleuol er bod profi di-enw wedi cael ei wneud mewn rhai canolfannau er mwyn cael data ynglŷn â pha mor gyffredin yw'r firws.

Mae'n arfer da i fydwragedd weithio bob tro yn unol â chanllawiau diogelwch ar gyfer eu hamddiffyn eu hunain ac eraill rhag cael eu halogi gan gynhyrchion gwaed; pan fydd hi'n hysbys fod gwraig yn HIV positif gall rhagofalon arbennig fod yn angenrheidiol, ond mae'n llawer mwy tebygol y bydd bydwraig yn dod i gysylltiad â gwraig gyda HIV neu hyd yn oed haint hepatitis heb iddi wybod hynny.

human placental lactogen (HPL): *lactogen y brych dynol (HPL)* hormon a secretir gan y brych i gynorthwyo twf a datblygiad y fron. Credir hefyd ei fod yn ymdebygu i'r hormon twf a'i fod yn effeithio ar fetabolaeth carbohydrad.

humerus: *hwmerws* asgwrn rhan uchaf y fraich.

humid: *llaith* cyflwr rhwng gwlyb a sych.

humidity: *lleithder* faint o wlybaniaeth a geir yn yr atmosffer.

Huntingdon's disease (chorea): *clefyd (corea) Huntingdon* clefyd etifeddol prin sy'n dod i'r amlwg pan fo pobl rhwng 30 a 45 oed. Mae wedi ei nodweddu gan ddirywiad meddyliol, amhariad ar leferydd a symudiadau anwirfoddol cyflym a achosir gan newidiadau dirywiol yn y cortecs cerebrol a'r ganglia gwaelodol. Mae analluedd llwyr a marwolaeth yn dilyn.

Hutchinson's teeth: *dannedd Hutchinson* rhiciau nodweddiadol ar ochrau'r blaenddannedd uwch sy'n digwydd gyda syffilis cynhenid.

hyaline: *hyalin* yn debyg i wydr. *Pilen hyalin (h. membrane):* defnydd protein a geir yn alfeoli babanod gyda chlefyd pilen hyalin. Mae'r cyflwr hefyd yn cael ei adnabod fel *SYNDROM TRAFFERTH ANADLU* (RDS) – ni ellir gwneud diagnosis o glefyd pilen hyalin ond mewn archwiliad post mortem. Mae'r baban yn cael trafferth cynyddol i anadlu ar ôl cael ei eni, gyda sŵn chwyrnu wrth anadlu allan a'r asennau a'r sternwm yn encilio. Mae babanod sydd yn cael eu geni cyn amser neu yn

cael eu geni i famau diabetig mewn perygl yn arbennig. Caiff ei achosi gan ddiffyg *SYRFFACTYDD* (SURFACTANT) yn yr ysgyfaint ac mae'n dangos mewn archwiliad post-mortem. Mae'n cynnwys ffibrin gyda chelloedd coch, a chelloedd epithelaidd a phrotein marw.

hyaluronidase: *hyalwronidas* ensym sy'n gallu cyflymu amsugniad cyffuriau i mewn i feinweoedd y corff. Fe'i ceir yn y ceilliau ac mae'n bresennol yn y semen. Mae'n cynyddu athreiddedd meinweoedd cysylltiol ac yn gwasgaru celloedd y corona radiata o amgylch yr ofwm sydd newydd gael ei ryddhau, ac felly yn hwyluso mynediad y sbermatosoon a'r cenhedliad sy'n dilyn.

hydatidiform mole: *môl hydatidiffurf* môl fesiclaidd. Neoplasm diniwed o'r *TROFFOBLAST* (TROPHOBLAST), sy'n aml yn rhagflaenu *CORIOCARSINOMA* (CHORIOCARCINOMA). Mae'n ymddangos fel casgliad o fesiclau hydropig. Mae'n digwydd mewn 1 o bob 2000 beichiogrwydd. Mae arwyddion cynnar beichiogiad, yn arbennig cyfog a chwydu, yn ddifrifol yn aml, ond nid oes embryo nac datblygu. Rhaid gwagio'r groth gyda llawdriniaeth a rhaid i'r wraig gael ei phrofi yn ysbeidiol i sicrhau nad yw'r fesiclau yn aildyfu, gan y gallent ddatblygu i fod yn coriocarsinoma. Fel arfer, fe'i cynghorir i beidio â beichiogi am 2 flynedd.

hydraemia: *hydraemia* addasiad yn y gwaed lle mae gormodedd o blasma mewn perthynas â'r celloedd. Mae hyn i raddau yn ffisiolegol mewn beichiogrwydd.

hydralazine: *hydralasin* cyffur gwrthorbwysol a gymerir trwy'r geg neu'n fewnwythiennol. Nid yw'n cael ei argymell yn gynnar yn y beichiogrwydd nac mewn merched gyda tachycardia.

hydramnion, hydramnios: *hydramnion, hydramnios* croniad gormodol o hylif amniotig. *Gw. POLYHYDRAMNIOS* (POLYHYDRAMNIOS) a *OLIGOHYDRAMNIOS*

127

(OLIGOHYDRAMNIOS).

hydro-: *hydro-* rhagddodiad sy'n golygu dŵr neu hydrogen.

hydrocele: *hydrocel* chwyddo a achosir gan groniad o hylif, yn arbennig yn y tunica vaginalis sy'n amgylchynu'r ceilliau. Mae'n gyffredin iawn mewn babanod newydd-anedig ac fel arfer mae'n diflannu'n ddigymell.

hydrocephalus: *hydroceffalws* 'dŵr ar yr ymennydd'. Mwy na'r arfer o hylif cerebrosbinol yn chwyddo fentriglau'r ymennydd. Mae'n gamffurfiad cynhenid, ac mae graddfeydd difrifol ohono yn anghydnaws gyda bywyd, er mewn achosion llai dwys, gall y plentyn oroesi ac mewn sawl achos gellir ei drin â llawdriniaeth sy'n cyfeirio'r hylif cerebrosbinol o'r fentriglau i mewn i lif y gwaed. Weithiau caiff ei adnabod cyn y geni wrth ymchwilio i fethiant y pen i gydio neu'r rheswm am gyflwyniad ffoelennol parhaus neu trwy sylwi ar ben sy'n anarferol o fawr. Y dull mwyaf cywir o wneud diagnosis yw ceffalometreg cyfresol gyda *UWCHSAIN* (ULTRASOUND).

hydrochloric acid: *asid hydroclorig* symbol cemegol HCl. Asid cryf. Mae'n cael ei secretu i'r sudd gastrig. Sudd gastrig asidig iawn (pH o lai na 2.0), yn cael ei anadlu i mewn i'r ysgyfaint yw prif achos broncospasmau yn *SYNDROM MENDELSON* (MENDELSON'S SYNDROME).

hydrocortisone: *hydrocortison* un o'r hormonau a secretir gan gortecs y chwarren adrenal.

hydrogen: *hydrogen* nwy sy'n cyfuno gydag ocsigen i ffurfio dŵr (H_2O). H yw ei symbol.

hydrogen ion concentration: *crynodiad ïonau hydrogen* y gyfran o ïonau hydrogen yn y gwaed; dyma'r ffordd y mae pH y gwaed yn cael ei bennu.

hydrogen ions: *ïonau hydrogen* atomau hydrogen yn cario gwefr drydanol bositif. Cationau.

hydromeningocele: *hydromeningocel*

hydromyelomeningocele: *hydromyelomeningocel* nam ar yr asgwrn cefn a nodweddir gan bilenni a meinweoedd madruddyn y cefn yn ymwthio allan, gan ffurfio coden yn llawn hylif.

hydronephrosis: *hydroneffrosis* casgliad o wrin ym mhelfisau'r aren, yn peri i adeiledd yr aren grebachu, o ganlyniad i bwysau parhaus yr hylif, nes yn y diwedd bod yr organ gyfan yn un goden fawr. Gall y cyflwr fod (a) yn gynhenid, o ganlyniad i gamffurfiad yr aren neu'r wreter, neu (b) yn gaffaeledig, o ganlyniad i diwmor neu garreg yn rhwystro'r wreter, neu i gulfan yr wrethra fod yn pwyso ar y cefn.

hydrops fetalis: *hydrops fetalis* oedema difrifol y ffetws o ganlyniad i anghydnawsedd y gwaed, fel arfer yn arwain at ENI'N FARW (STILLBIRTH) neu farwolaeth y baban newydd-anedig.

hydrosalpinx: *hydrosalpincs* chwyddiant y tiwb Fallopio yn cael ei achosi gan hylif dyfrllyd.

hygiene: *hylendid* gwyddor iechyd. *Hylendid cymunedol (community h.):* cynnal iechyd y gymuned drwy ddarparu cyflenwad o ddŵr glân, iechydaeth effeithiol, a chartrefi da etc. *Hylendid personol (personal h.):* glendid a gofal am y corff a'r dillad.

hygroscopic: *hygrosgopig* yn amsugno lleithder yn barod iawn.

hymen: *hymen* plyg o groen, yn rhannol yn cuddio agoriad y wain mewn morwyn. Mae'r hymen yn cael ei rhwygo yn ystod cyfathrach rywiol, gan adael cudynnau bach o groen sy'n cael eu galw'n *carunculae myrtiformes*. *Hymen anrhydwll (imperforate h.):* pilen sy'n achludo agorfa'r wain yn llwyr.

hyoscine (scopolamine): *hyosin (sgopolamin)* cyffur sydd â phriodweddau gwrth-boer ac amnesig.

hyper-: *gor-, tra-, hyper-* rhagddodiad sy'n golygu 'gormodol' neu 'yn uwch na'r hyn sy'n normal'.

hyperbilirubinaemia: *gorbilirwbinaemia* gormodedd o bilirwbin yn y gwaed sy'n cylchredeg

hypercalcaemia: *hypercalcaemia* crynodiad annormal o uchel o galsiwm yn y gwaed. *Hypercalcaemia idiopathig (idiopathic h.):* cyflwr mewn babanod sy'n gysylltiedig â gwenwyniad Fitamin D, yn cael ei nodweddu gan lefelau uwch o serwm calsiwm, dwysedd uwch yn y sgerbwd, dirywiad meddyliol a neffrocalsinosis.

hyperdactyly: *hyperdactylaeth* presenoldeb bysedd ychwanegol ar y llaw neu'r droed.

hyperemesis: *gorgyfogi* chwydu gormodol. *Hyperemesis gravidarum:* cymhlethdod anghyffredin difrifol mewn beichiogrwydd, lle ceir chwydu difrifol a pharhaus. Nid yw aetioleg hyn yn cael ei ddeall yn llawn.

hyperglycaemia: *hyperglycaemia* gormod o glwcos yn y gwaed (oedolyn normal 3.3–5.3 mmol/l; 60–95mg /100ml). Mae hyperglycaemia parhaus yn arwydd o DIABETES MELLITUS.

hyperkalaemia: *hypercalaemia* gormodedd o botasiwm yn y gwaed.

hypernatraemia: *hypernatraemia* crynodiad gormodol o sodiwm yn y gwaed; fel arfer gwneir y diagnosis pan fydd sodiwm y plasma yn uwch na 150 mmol/l. Gall ddigwydd os yw'r baban yn cael gormod o halen yn ei fwyd neu os yw'n dadhydradu. Gall confylsiynau ddigwydd a gall arwain at niwed i'r ymennydd. Gellir atal y cyflwr drwy roi bwyd isel mewn sodiwm, hanner neu chwarter y cryfder arferol, i faban sy'n dioddef o ddolur rhydd.

hyperphenylalaninaemia:
hyperffenylalaninaemia gormodedd o ffenylalanin yn y gwaed, fel yn ffenylcetonwria.

hyperplasia: *hyperplasia* twf drwy fod celloedd yn lluosogi. Mae hyperplasia a *HYPERTROFFEDD* (HYPERTROPHY) yn digwydd yn y groth yn ystod beichiogrwydd.

hyperprolactinaemia:
hyperprolactinaemia lefelau uwch o brolactin yn y gwaed; mewn merched mae'n cael ei gysylltu ag anffrwythlondeb a gall arwain at galactoroea (llif llaeth gormodol neu ddigymell), ac adroddir ei fod yn peri annalluedd rhywiol mewn dynion.

hyperptyalism: *hypertyaliaeth* cynnydd annormal mewn secretu poer.

hyperpyrexia: *gordwymyn* tymheredd corff sy'n llawer iawn rhy uchel, h.y. dros 40°C (104°F)

hypertension: *gorbwysedd* pwysedd gwaed annormal o uchel. Gall fynn fod yn arwydd o unrhyw un o nifer o afiechydon, e.e. neffritis llym neu gronig, yr aorta yn culhau; neu gall fod wedi'i godi mewn unigolyn sydd fel arall yn iach; os felly yr enw arno yw *gorbwysedd heb achos (essential hypertension).* Nid yw'r hyn sy'n peri gorbwysedd heb achos yn hysbys, ond y mae'n afiechyd cyffredin iawn yn y boblogaeth o oedolion, ac oni bai ei fod yn cael ei drin a'i reoli, gall arwain at niwed i'r pibellau gwaed mewn organau hanfodol megis y galon, yr ymennydd a'r arennau. Mewn beichiogrwydd, ystyrir darlleniad o 140/90 mmHg fel terfyn uchaf yr hyn sy'n normal, neu gynnydd o 15–20 mmHg neu fwy uwch ben y lefel a gofnodwyd yn y trimester cyntaf. Ymhlith afiechyon gorbwysedd mewn beichiogrwydd mae cynaclampsia ac eclampsia sy'n dod yn sgil beichiogrwydd, a chyflyrau meddygol a oedd yn bod yn barod megis gorbwysedd heb achos a chlefyd arennol. Mae'r rheswm am orbwysedd yn sgil beichiogrwydd yn dal yn anhysbys. Mewn achosion difrifol caiff ei gymhlethu gan broteinwria a gall ddatblygu yn eclampsia sy'n cael ei nodweddu gan ffitiau epileptiffurf. Mae'r perygl y gall y fam a'r ffetws farw yn llawer uwch os digwydd hyn.

hyperthyroidism: *gorthyroidedd* thyrotocsicosis. Gweithgaredd gormodol y chwarren thyroid yn arwain at y cyfradd fetabolig weledol yn codi, ac yn aml, at ecsoffthalmos.

hypertonic: *hypertonig* 1. yn ymwneud â hypertonia neu dôn neu densiwn gormodol fel mewn pibell waed neu gyhyr. Mae *gweithgaredd hypertonig y groth* (*h. action of the uterus*) yn fath o weithgarwch annormal yn y groth lle mae tôn y cyhyr yn ormodol. Mae'r cyfangiadau yn eithriadol o boenus, y cyfnodau tawel yn fyr, gyda'r ymlacio yn annigonol, mae'r esgor yn hir ac yn flinderus iawn i'r fam ac mae'r ffetws yn aml yn mynd yn hypocsig. Dylai'r fam fod dan ofal obstetregydd. Bydd yn elwa o gael *ANALGESIA EPIDIWRAL* (EPIDURAL ANALGESIA) ac ocsytosin mewnwythiennol ond os na wneir cynnydd efallai y bydd angen toriad Cesaraidd arni. cf. hypotonig. 2. Defnyddir am hydoddiannau sy'n gryfach na heli ffisiolegol, e.e. heli hypertonig.

hypertrophy: *hypertroffedd* twf sy'n ganlyniad i gynnydd ym maint celloedd. *Gw. hefyd HYPERPLASIA.*

hyperventilation: *goranadlu* Anadlu gormodol lle mae gormod o garbon deuocsid yn cael ei dynnu o'r gwaed. Mae alcalosis resbiradol byrhoedlog yn ganlyniad cyffredin i hyn. Ymhlith y symptomau mae 'llewyg', crychguriadau neu'r galon yn curo'n drwm, y gwddf a'r tetanedd yn llawn, gyda sbasmau yng nghyhyrau'r dwylo a'r traed. Mae'r cyflwr hwn yn digwydd weithiau pan fydd gwraig yn goranadlu wrth esgor. Mae cysuro'r fam a dychwelyd at anadlu normal fel arfer yn ddigon i gywiro'r sefyllfa.

hyperviscosity: *gorludiogrwydd*

gludiogrwydd gormodol yn y gwaed. Mae'n digwydd mewn cyflyrau megis polycythaemia lle mae nifer y celloedd gwaed coch wedi cynyddu. Gall fod angen fenedoriad i dynnu gwaed er mwyn cael gwared â'r celloedd coch gormodol.

hypervolaemia: *hyperfolaemia* cynnydd annormal yng nghyfaint yr hylif (plasma) sy'n cylchredeg yn y corff.

hypnosis: *hypnosis* cyflwr sy'n edrych fel trwmgwsg lle mae'r person yn gweithredu yn unig dan ddylanwad rhyw awgrym allanol.

hypnotherapy: *hypnotherapi* ffurf ar feddygaeth gyflenwol lle defnyddir hypnosis i ddrin newidiadau yn ymddygiad y cleient. Gwneir hyn drwy greu cyflwr tebyg i berlewyg fel bo'r person wedi ymlacio'n well ac yn fwy agored i awgrymiadau, ac os yw'n berthnasol, gellir dwyn hen atgofion anghofiedig yn ôl i'r meddwl ymwybodol. Gellir felly drin cyflyrau sydd ag elfen seicolegol, megis newid ymddygiad arferol, enwresis neu gyflyrau o bryder dwys. Mae ymchwil wedi dangos ei effeithiolrwydd fel dull o newid canfyddiad y wraig o boen ac anghysur wrth esgor, ac mae hypnotherapi hyd yn oed wedi cael ei ddefnyddio fel dewis arall yn lle anaesthesia cyffredinol ar gyfer toriad Cesaraidd.

hypnotic: *hypnotig* asiant sy'n cynhyrchu cwsg.

hypo-: *hypo-, tan-, is-* rhagddodiaid sy'n golygu 'yn ddiffygiol yn' neu 'yn is na'r normal'.

hypocalcaemia: *hypocalcaemia* lefel isel o galsiwm yn y gwaed. Hen enw arno yw clwy'r llaeth. Gall *hypocalcaemia y newydd-anedig* (*neonatal h.*) ddigwydd o fewn 48 awr i'r geni neu rhwng y 5ed a'r 8fed diwrnod o fywyd. Gall confylsiynau ddigwydd yn yr ail achos, yn enwedig mewn babanod sy'n cael eu bwydo ar fformiwla llaeth buwch heb ei addasu. Mae cynnwys ffosfforws uchel yn y fformiwla yn cyfrannu at y cyflwr hwn. Ers y Report on Infant Feeding (HMSO, 1974), mae'r rhan fwyaf o laeth sy'n cael ei gynhyrchu'n artiffisial yn cael ei addasu i'w wneud mor agos at laeth y fron ag y mae modd. Mae'r cyflwr hefyd yn gymhlethdod anarferol o *DRALLWYSIAD CYFNEWID* (EXCHANGE TRANSFUSION).

hypocapnia: *hypocapnia* llai o garbon deuocsid yn y gwaed.

hypochondria: *hypocondria* gorofal morbid neu bryder rhywun am ei iechyd.

hypochondrium: *hypocondriwm* rhan o'r ABDOMEN.

hypochromic: *hypocromig* diffyg mewn pigmentiad lliw, fel gyda chelloedd gwaed coch os ydynt yn ddiffygiol mewn haearn.

hypodactyly: *hypodactylaeth* llai na'r nifer arferol o fysedd ar y llaw neu'r droed.

hypodermic: *tangroenol* o dan y croen. Fe'i defnyddir am bigiadau i'r meinwedd isgroenol. *Syrinj tangroenol (h. syringe):* syrinj plastig neu wydr, a ddefnyddir ar gyfer pigiadau tangroenol.

hypofibrinogenaemia: *hypoffibrinogenaemia* diffyg ffibrinogen yn y gwaed. Achos prin ond difrifol o waedlif postpartwm, yn aml yn gysylltiedig gyda cheulad mewnfasgwlaidd ymledol, abruptio placentae difrifol, emboledd hylif amniotig a marwolaeth yn y groth.

hypogastric arteries: *rhydweliau hypogastrig* canghennau o'r rhydweliau iliag mewnol, sydd yn y ffetws yn mynd i linyn a bogail i gario gwaed wedi'i ddadociosgeneiddio i'r brych.

hypogastrium: *hypogastriwm* Gw. ABDOMEN.

hypoglycaemia: *hypoglycaemia* siwgr gwaed annormal o isel. Gall ddatblygu mewn claf diabetig sy'n derbyn inswlin os nad yw'n cymryd digon o garbohydrad. Mae *hypoglycaemia yn y newydd-anedig (neonatal h.)* yn digwydd pan fo glwcos y gwaed yn is na 1.7mmol/l yn y baban cyfnod llawn ac yn llai na 1.2 mmol/l mewn babanod â phwysau geni isel. Gall ddigwydd yn fuan ar ôl i fam ddiabetig (neu sy'n ddiabetig yn ystod y cyfnod cario) roi genedigaeth i faban, pan fo'n cynhyrchu gormod o inswlin (hyperinswlinaemia) ar gyfer ei anghenion tu allan i'r groth. Gall ddigwydd hefyd o fewn 24–48 awr ar ôl genedigaeth mewn baban *BACH I'W OED CARIO* (SMALL FOR GESTATIONAL AGE) neu unrhyw faban ar ôl *MYGTOD* (ASPHYXIA) difrifol, o ganlyniad i ddiffyg *GLYCOGEN* yn yr iau. Gall ffitiau neu *APNOEA* ddigwydd a bydd niwed i'r ymennydd o ganlyniad. Gellir osgoi hypoglycaemia symptomatig drwy fwydo'n fuan a sgrinio'n aml gyda Dextrostix bob awr yn ystod dyddiau cynnar bywyd babanod sydd mewn perygl.

hypomagnesaemia: *hypomagnesaemia* cynnwys magnesiwm annormal o isel yn y gwaed, yn cael ei arddangos yn bennaf drwy orsensitifedd niwrogyhyrol.

hypomenorrhoea: *hypomenorhoea* mislif yn digwydd gyda mwy nag 1 mis rhwng bob un.

hyponatraemia: *hyponatraemia* diffyg sodiwm yn y gwaed; halen yn isel. Mae hyponatraemia'n bresennol pan fydd y crynodiad sodiwm yn llai na 135 mmol/l. Mae'r symptomau yn cynnwys gwendid yn y cyhyrau a phlyciau sydyn, yn cynyddu i gynfylsiynau os na chaiff ei drin.

hypopituitarism: *hypobitwidedd* diffyg secretiad o label flaen y chwarren bitwidol. Gall ddilyn gwaedlif postpartwm difrifol, gyda llaetha yn methu ac amenorrhoea ac anffrwythlondeb yn dilyn hynny.

131

SYNDROM SHEEHAN (SHEEHAN'S SYNDROME).

hypoplasia: *hypoplasia* rhan o organ sydd heb ddatblygu digon. ansoddair: *hypoplastig*.

hypoprothrombinaemia: *hypoprothrombinaemia* diffyg prothrombin yn y gwaed. Drwy leihau gallu'r gwaed i geulo, mae'n tueddu i hybu gwaedu. *Gw. CLEFYD HAEMORRHAGIG Y NEWYDD-ANEDIG* (HAEMORRHAGIC DISEASE OF THE NEWBORN).

hypospadias: *hypospadias* camffurfiad lle mae'r meatws wrinol yn agor ar ochr isaf y pidyn.

hypostatic: *hypostatig* yn ymwneud â llai o symud. Gall *niwmonia hypostatig* (*h. pneumonia*) ddatblygu os bydd claf sy'n wael neu'n oedrannus, neu un gyda eclampsia, yn orweddiog am gyfnodau hir.

hypotension: *isbwysedd* pwysedd gwaed o dan yr ystod arferol. *Isbwysedd osgo* (*postural h.*): cwymp dros dro yn y pwysedd gwaed pan fydd y claf yn sefyll, gan achosi pendro, ac weithiau, lewyg. Mae'n gyffredin mewn beichiogrwydd.

hypotensive: *isbwysol* yn ymwneud â phwysedd gwaed isel. *Cyffuriau isbwysol* (*h. drugs*) yw cyffuriau sy'n gostwng y pwysedd gwaed, e.e. hydralazine a bupivocaine, fel a ddefnyddir mewn anaesthesia epidwral.

hypothalamus: *hypothalamws* rhan o'r ymennydd yn gorwedd yn ymyl y trydydd fentrigl. Mae'n rheoli gweithgaredd a chwarren bitwidol, y system nerfol ymatebol a pharaymatebol, cymeriant bwyd a rheoleiddio tymheredd, ac mae'n bosibl fod iddo hefyd swyddogaethau eraill.

hypothermia: *hypothermia* tymheredd y corff yn disgyn i lefelau is na'r normal. Fe'i cynhyrchir yn artiffisial yn lle rhoi anaesthesia lleol neu gyffredinol neu yn ychwanegol at hynny. *Hypothermia'r newydd-anedig* (neonatal *h.*): gall y

Hypospadis cymedrol

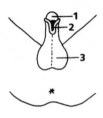

Hypospadis difrifol

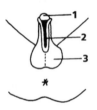

1. blaen pidyn; 2. genau'r wrethra; 3. ceillgwd.

baban newydd-anedig golli gwres yn gyflym oherwydd arwynebedd mawr y corff, yn enwedig os nad yw wedi cael ei sychu'n ddigonol ar ôl ei eni, ac mae'n waeth mewn babanod cyn pryd sydd heb fraster brown i'w cynorthwyo i gynnal eu gwres. Mae oeri difrifol yn peri i'r baban ddefnyddio egni ac ocsigen, ac os yw'r tymheredd yn gostwng o dan 35°C, mae niwed oerni'r newydd-anedig yn datblygu, sy'n medru arwain at farwolaeth.

hypothesis: *rhagdybiaeth* unrhyw ddamcaniaeth neu theori sy'n cael ei chyflwyno fel sail ar gyfer dadl neu drafodaeth.

hypothyroidism: *isthyroidedd* y cyflwr a gynhyrchir gan ddiffyg secretiad thyroid. Mewn plentyn, cretiniaeth; mewn oedolyn, mycsoedema.

hypotonia: *hypotonia* diffyg tôn y cyhyrau, yn aml yn cael ei ddefnyddio wrth gyfeirio at gyhyrau'r abdomen a'r groth.

hypotonic: *hypotonig* yn disgrifio hydoddiannau sy'n fwy gwanedig na heli ffisiolegol. *Gweithgaredd hypotonig y groth (h. uterine action)* yw cyfangiadau gwan, aneffeithiol y groth gyda'r esgor yn parhau'n hir oni bai bod ocsytosin mewnwythiennol yn cael ei ddefnyddio a hyn yn peri i'r cyfangiadau fel arfer ddod yn rhai normal. cf. hypertonig.

hypovolaemia: *hypofolaemia* cyfaint annormal o isel o waed yn cylchredeg.

hypovolaemic: *hypofolaemig* yn ymwneud â hypofolaemia. Gall *sioc hypofolaemig (h. shock):* neu sioc waedlifol, ddigwydd ar ôl gwaedlif antepartwm neu postpartwm. Mae angen triniaeth frys i gynnal llwybr anadlu, rhoi ocsigen ac amnewid hylifau yn fewnwythiennol. Mae cyfaint yr hylifau sydd ei angen yn cael ei amcangyfrif drwy ddefnyddio llinell bwysau gwythiennol ganolog. Mae'r fydwraig yn gyfrifol am gynorthwyo gyda'r driniaeth frys, cadw cofnodion cyfoes, cadw'r wraig mor dawel a digyffro ag y mae modd ac osgoi gorgynhesu'r fam.

hypoxaemia: *hypocsaemia* gwasgedd ocsigen isel yng ngwaed y rhydweliau; *PCO₂* isel.

hypoxia: *hypocsia* gwasgedd ocsigen llai ym meinweoedd y corff. *Gw. hefyd ANOCSIA (ANOXIA).*

hysterectomy: *hysterectomi* codi'r groth. *Hysterectomi abdomenol (abdominal h.):* codi'r groth drwy gyfrwng endoriad abdomenol. *Pan-hysterectomi:* hen derm am godi'r groth a'r adnecsa. *Hysterectomi rhannol (subtotal h.):* codi corff y groth yn unig. *Hysterectomi cyfan (total h.):* codi corff a gwddf y groth. *Hysterectomi drwy'r wain (vaginal h.):* codi'r groth *per vaginam. Hysterectomi Wertheim (Wertheim's h.):* yn ychwanegol at y groth, y tiwbiau Fallopio a'r ofaraïu, caiff y parametriwm, rhan uchaf y wain, a'r holl chwarennau lymffatig lleol eu codi: dull llwyddiannus o drin carsinoma gwddf y groth.

hysteria: *hysteria* seiconiwrosis, gydag amrywiaeth eang o symptomau, ond dim afiechyd organig.

hystero-oophorectomy: *hystero-oofforectomi* codi'r groth ac un o'r ofaraïu, neu'r ddwy ofari.

hystero-salpingectomy: *hystero-salpingectomi* codi'r groth ac un o'r tiwbiau Fallopio, neu'r ddau diwb.

hystero-salpingography: *hystero-salpingograffeg* radiograffeg y groth a thiwbiau'r groth ar ôl arosod cyfrwng cyferbynnu.

hysterotomy: *hysterotomi* endoriad i mewn i'r groth. Llawdriniaeth sy'n golygu endorri wal yr abdomen a'r groth er mwyn tynnu'r ofwm neu wagio cynnwys y groth cyn 24ain wythnos y beichiogrwydd ac ar ôl 12 wythnos.

I

iatrogenic: *iatrogenig* yn cael ei brysuro gan driniaeth.

ichthammol: *ichthamol* cynnyrch col tar wedi'i amonieiddio; defnyddir fel iriad ar gyfer rhai afiechydon y croen.

ichthyosis: *ichthyosis* annormaledd cynhenid prin ar y croen sy'n cael ei nodweddu gan gen a digroeniad y croen ar yr holl gorff.

icterus: *icterus* clefyd melyn. Y croen a'r pilenni mwcaidd yn cael eu staenio'n felyn oherwydd bod gormod o bigmentau bustl yn y gwaed ac yn y meinweoedd. *Icterus neonatorum:* clefyd melyn yn y baban newydd-anedig. *Icterus gravis neonatorum:* clefyd melyn difrifol yn y baban newydd anedig, yn cael ei achosi fel arfer gan *ISOIMIWNEIDDIAD* (ISOIMMUNIZATION) Rhesws.

identical: *unfath* yn union yr un fath. *Efeilliaid unfath (identical twins):* efeilliaid o'r un rhyw wedi datblygu o un wy wedi'i ffrwythloni. Enw arall arnynt yw *EFEILLIAID MONOSYGOTIG* (MONOZYGOTIC TWINS).

ideology: *ideoleg* 1. gwyddor datblygiad syniadau. 2. y corff o syniadau sy'n nodweddu unigolyn neu uned gymdeithasol.

idiopathic: *idiopathig* yn deillio o achos anhysbys

idoxuridine: *idoxuridine* analog sy'n atal firysau DNA rhag dyblygu; fe'i defnyddir ar y croen mewn ceratitiis herpes simplex.

ileocaecal valve: *falf ileolcaecal* y falf sydd ar gyswllt yr ilëwm a'r caecwm.

ileum: *ilëwm* rhan olaf y coluddyn bach,

yn terfynu yn y caecwm.

ileus: *ilëws* parlys mur y coludd, fel ei fod yn methu symud bwyd yn ei flaen. Rhwystr gweithredol. Cymhlethdod anghyffredin yn dilyn toriad Cesaraidd a llawdriniaethau abdomenol eraill. *Ilëws meconiwm (meconium i.): Gw. FFIBROSIS CODENNOG* (CYSTIC FIBROSIS)

iliac: *iliag* yn ymwneud â'r iliwm. *Brig iliag (i. crest):* brig asgwrn y glun. *Ffos iliag (i. fossa):* pant mawr bas sy'n ffurfio llawer o arwynebedd mewnol yr iliwm uwchben cantel y pelfis.

iliopectineal: *iliopectineol* yn ymwneud â'r iliwm a'r pwbes. *Llinell iliopectineol (i.line):* y gwrym sy'n croesi'r asgwrn disymud oddi wrth y cymal sacroiliag i'r *rhipyn iliopectineol (iliopectineal eminence)*, ymwthiad bychan sy'n nodi asiad yr iliwm a'r os pwbis.

ilium: *iliwm* y rhan uchaf lydan o'r asgwrn disymud.

imaging: *delweddu* cynhyrchu delweddau diagnostig, e.e. radiograffeg, uwchseingraffeg neu sintigraffeg.

immature: *anaeddfed* heb fod yn aeddfed. Heb fod wedi datblygu ddigon.

immune: *imiwn* wedi'i amddiffyn rhag clefydau heintus, meinwe estron, sylweddau estron diwenwyn ac *ANTIGENAU* eraill. *Prawf trypsin imiwn-adweithiol (IRT) (I.-reactive trypsin (IRT) test):* prawf gwaed a wneir er mwyn gwneud diagnosis o ffibrosis codennog.

immunity: *imiwnedd* Gallu'r corff i wrthsefyll clefydau heintus, meinweoedd estron, sylweddau diwenwyn estron ac *ANTIGENAU* eraill. Gellir

134

rhannu ymatebion imiwnolegol mewn pobl yn fras i ddau gategori: imiwnedd hiwmorol sy'n digwydd yn hylifau'r corff ac sy'n ymwneud â gweithgareddau gwrthgyrff a rhai cyflenwol; ac imiwnedd cell-gyfryngol neu gellol, sy'n ymwneud ag amrywiaeth o weithgareddau wedi'u cynllunio i ddinistrio neu o leiaf gadw o fewn terfynau'r celloedd y mae'r corff yn eu hadnabod fel rhai estron a niweidiol. Symbylir y ddau fath o ymateb gan lymffocytau sy'n tarddu ym mêr yr esgyrn fel bôn-gelloedd ac sy'n cael eu trosi yn nes ymlaen yn gelloedd aeddfed gyda phriodoleddau a swyddogaethau penodol. Y ddau fath o lymffocytau sy'n bwysig i sefydlu imiwnedd yw lymffocytau-T (celloedd-T) a lymffocytau-B (celloedd-B). Mae lymffocytau-B yn aeddfedu yn gelloedd plasma sy'n bennaf gyfrifol am ffurfio gwrthgyrff, ac felly ddarparu imiwnedd hiwmorol. Mae imiwnedd cellol yn dibynnu ar lymffocytau-T sy'n bennaf gyfrifol am fath o ymateb imiwn sy'n cael ei oedi fel sy'n digwydd pan gaiff organau sydd wedi'u trawsblannu eu gwrthod, amddiffyniad yn erbyn rhai clefydau bacteria sy'n datblygu'n araf, adweithiau alergaidd a rhai clefydau awtoimiwn. Caiff *imiwnedd caffaeledig (acquired i.)* ei gynhyrchu'n benodol mewn ymateb i *ANTIGEN*. Golyga newid yn ymddygiad celloedd ac mewn cynhyrchu gwrthgyrff. Cynhyrchir gwrthgyrff fel ymateb sylfaenol ac, ar ôl ychydig mae'r corff yn cael ei sensiteiddio. Cynhyrchir yr ymateb eilaidd yn gyflymach ac mae'n fwy amlwg. *Imiwnedd gweithredol (active i.):* gall hwn fod (a) yn naturiol, h.y. o glefydau heintus, neu (b) artiffisial, h.y. o roi pigiad o organebau byw neu farw neu eu cynnyrch ar ffurf gwenwynau a thocsoidau. *Imiwnedd goddefol (passive i.):* gall hyn fod (a) yn naturiol, e.e. imiwnoglobwlin G (IgG) y fam drwy'r

brych sy'n amddiffyn y baban rhag gwahanol glefydau heintus am ychydig fisoedd, ond gall gwrthgyrff annymunol megis imiwnoglobwlin gwrth-D hefyd gael eu trosglwyddo i'r ffetws; neu (b) caffaeledig, e.e. yr imiwnedd dros dro sy'n dilyn pigiad o wrthgyrff o darddiad dynol *(GAMA GLOBWLIN)* neu, yn fwy anarferol, o darddiad anifeilaidd. Mae *imiwnedd naturiol* neu *gynhenid (natural or innate i.)* fel arfer yn amhenodol. Fe'i rhoddir gan rwystrau cellol cyflawn o epitheliwm a gan sylweddau hiwcorol megis *COMPLEMENT* a *LYSOZYME*. Effeithir arno gan ffactorau genetig, oed, hil a lefelau hormonau.

immunization: *imiwneiddiad* gwneud yn imiwn. *Rhaglen imiwneiddio (i. programme): Gw.* Atodiad 9.

immunoglobulin: *imiwnoglobwlin* gwrthgorff. Math o gyfansoddyn cemegol a geir yn bennaf mewn *GLOBWLIN GAMA* (GAMMA GLOBULIN). Mae imiwnoglobwlinau yn gydrannau pwysig yn y system ymateb imiwnedd anianol. Cânt eu syntheseisio gan lymffocytau a chelloedd plasma ac fe'u ceir yn y serwm ac mewn hylifau a meinweoedd eraill yn y corff. Y 5 dosbarth o imiwnoglobwlin (Ig) yw: IgA, IgD, IgE, IgG ac IgM. Ceir dau fath o IgA ac mae'n hysbys fod gan y ddau briodweddau gwrthfirws. Mae IgA secretaidd yn bresennol mewn hylifau anfasgwlar megis colostrwm a llaeth y fron. Ceir meintiau hybrin o IgD mewn serwm. Mae'n gweithredu fel derbynnydd arwyneb lymffocyt-B. Gelwir IgE y gwrthgorff adweithiol a gall fod mwy ohono gan bobl sydd ag alergedd. IgG yw'r un y ceir mwyaf ohono o'r pum dosbarth o imiwnoglobwlinau ac ef yw'r prif wrthgorff yn ymateb anianol eilaidd imiwnedd. Ef yw'r unig imiwnoglobwlin i groesi'r brych. Mae IgM yn ymwneud yn bennaf â'r ymateb gwrthgorff sylfaenol.

immunological pregnancy test: *prawf beichiogrwydd imiwnolegol* profion wrin yn defnyddio celloedd coch neu ronynnau latecs wedi eu gorchuddio â gonadotroffin chorionig dynol (HCG) yn hytrach na phrofion biolegol yn defnyddio anifeiliaid megis llygod, cwningod neu lyffaint. Ychwanegir gwrthserwm HCG i wrin, sydd, os yw'r wraig yn feichiog, yn cynnwys HCG. Mae'r gwrthgyrff HCG felly yn cael eu niwtraleiddio a phan ychwanegir celloedd coch neu ronynnau latecs wedi'u gorchuddio â HCG i'r wrin ni cheir cyfludiad. Os nad yw'r wraig yn feichiog bydd cyfludiad yn digwydd am nad yw'r gwrthgyrff HCG wedi cael eu niwtraleiddio.

impacted: *cywasgedig* gyda rhywbeth wedi'i yrru i mewn iddo, fel lletem neu 'wedge'; wedi mynd yn sownd mewn lle cyfyng, e.e. cyflwyniad ysgwydd cywasgedig.

imperforate: *annhyllog* heb agoriad. Anws annhyllog (i.anus): camffurfiad cynhenid sydd angen triniaeth lawfeddygol.

impetigo: *impetigo* pothelli (swigod) neu ddarnau cignoeth ar y croen, yn arbennig ar y bongorff a'r pen-ôl, a achosir fel arfer gan STAFFYLOCOCI (STAPHYLOCOCCI), yn fwy aml gan streptococci. Yn ei ffurf lem caiff ei alw yn PEMPHIGUS NEONATORUM ac mae'n hynod o gyffwrdd-ymledol.

implant: *mewnblannu* rhoi cyffuriau neu feinwe ym meinweoedd y corff.

implantation: *mewnblaniad* y weithred o blannu neu osod i mewn, e.e. yr ofwm wedi'i ffrwythloni yn yr endometriwm. *Gwaedu mewnblaniad (i. bleeding):* weithiau caiff ei alw yn waedu diosgol (decidual bleeding) neu nythiad (nidation). Gwaedu o'r wain ar adeg ac o safle mewnosod y blastocyst. Am fod hyn yn cyd-daro yn agos gyda'r amser y mislif cyntaf i gael ei golli gall arwain at gamgymh(?)rif y dyddiad y disgwylir y geni.

implementation: *gweithrediad* y trydydd cam yn y dull proses o ddarparu gofal bydwreigiaeth; daw'r ASESIAD a'r cynllunio o'i flaen a'r GWERTHUSIAD ar ei ôl.

impotence: *analluedd (ans. analluog)* absenoldeb pŵer rhywiol. Nid yw'r dyn yn medru cynhyrchu neu gynnal codiad y pidyn sy'n ddigon caled i gael cyfathrach rywiol yn llwyddiannus.

impregnate: *1. trwytho, 2. ffrwythloni*
1. dirlenwi neu lenwi yn llawn.
2. gwneud yn feichiog.

imprinting math o ddysgu cyflym sy'n benodol i'r rhywogaeth sy'n digwydd yn ystod cyfnod allweddol yn y bywyd cynnar pryd y caiff ymlyniad cymdeithasol a hunaniaeth eu sefydlu.

in vitro: *in vitro* o fewn gwydr, y gellir ei arsylwi mewn tiwb profi, mewn amgylchedd artiffisial.

in vitro fertilization: *ffrwythloniad in vitro* ffrwythloniad ofwm o dan amodau labordy; yna caiff yr ofwm wedi'i ffrwythloni ei ailosod o fewn croth y wraig; math o driniaeth anffrwythlondeb

in vivo: *in vivo* o fewn y corff byw.

incarcerated: *caeth* wedi'i garcharu. Wedi'i ddal yn sownd.

incarceration of the retroverted gravid uterus: *carchariad y groth feichiog atchweledig* defnyddir y term am groth feichiog atchweledig sydd wedi methu cywiro'i safle ohoni ei hun, ac sydd, erbyn wythnos 14 y beichiogrwydd, wedi tyfu mor fawr fel ei bod bellach wedi'i charcharu dan benrhyn y sacrwm, ac sy'n methu codi allan o'r pelfis. Gall arwain at ddargadw wrin yn llym, erthyliad, neu mewn achosion prin iawn, CODENIAD A GROTH (SACCULATION OF THE UTERUS).

incest: *llosgach* gweithgaredd rhywiol rhwng pobl sy'n perthyn mor agos fel bod priodas rhyngddynt wedi'i gwaharddgan y gyfraith neu gan y diwylliant.

Carchariad y Groth Feichiog Atchweledig

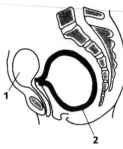

1. y bledren; 2. y groth feichiog.

incidence: *nifer yr achosion* y nifer o ddigwyddiadau arbennig sy'n digwydd o fewn poblogaeth mewn cyfnod penodol o amser, e.e. y nifer o fabanod marw-anedig i bob 1000 o fabanod wedi eu geni'n fyw y flwyddyn.

incidental haemorrhage: *gwaedlif atodol* gwaedu o'r wain sy'n ganlyniad achosion y tu allan i'r brych, megis polypau neu erydiad gwddf y groth, llid llym ar y wain ac weithiau carsinoma gwddf y groth. Mae'n anarferol, yn hawdd ei adnabod drwy wneud archwiliad sbecwlwm ac nid yw prin byth yn arwain at waedlif difrifol. Y driniaeth yw trin yr achos gwaelodol.

incompatibility: *anghydnawsedd* y cyflwr o fod yn anghydnaws, yn cyfeirio at waed, cemegolion etc.

incompatible: *anghydnaws* y naill yn gyrru'r llall i ffwrdd. Anaddas i'w cyfuno.

incomplete abortion: *erthyliad anghyflawn* erthyliad lle mae rhyw ran o gynnyrch y cenhedliad – fel arfer y brych – wedi cael ei ddargadw yn y groth. Mae'n un o achosion gwaedlif difrifol. *Gw. ERTHYLIAD* (ABORTION).

incontinence: *anymataliad* anallu i reoli gweithio'r corff. *Anymataliad wrin* (i. of urine): enwresis. *Anymataliad straen (stress i.):* wrin yn dianc yn anfwriadol oherwydd straen ar agorfa'r bledren, fel wrth besychu, tisian neu chwerthin. Gall *anymataliad ysgarthion* (faecal i.) ddigwydd yn dilyn geni plentyn os yw'r wraig yn cael rhwygiad o'r drydedd radd sy'n effeithio ar sffincter yr anws.

incoordinate: *anghydgordiol* yn ddiffygiol mewn harmoni. *Gweithred anghydgordiol y groth* (i. uterine action): methiant polaredd h.y. gallu segment uwch y groth i gyfangu a thynnu i mewn tra bo segment is y groth cyfangu ac yn ymledu. Canlyniad hyn yw fod y cyfangiadau yn wan ac yn aneffeithiol, hyd yn oed os ydynt yn aml ac yn rheolaidd, gan oedi'r cam cyntaf, a gwddf y groth yn ymledu'n wael, ac efallai yn afreolaidd. Defnyddir cyffuriau ocsitosig i gydgordio yn hytrach nag i gyflymu gwaith y groth.

incubate: *meithrin* rhoi mewn sefyllfa gyda'r gorau ar gyfer datblygu mater byw, drwy ddarparu tymheredd, lleithder a chrynodiad ocsigen addas.

incubation, incubation period: *cyfnod magu* yr amser rhwng bod bacteria pathogenaidd yn ymosod ar y corff a bod y clefyd yn ei amlygu'i hun yn glinigol.

Rhai cyfnodau magu cyffredin yw:

Brech yr ieir	14–15 diwrnod
Difftheria	2–4 diwrnod
Y frech goch Almaenig	17–18 diwrnod
Y frech goch	10–14 diwrnod
Clwy pennau / Y dwymyn doben	14–28 diwrnod
Y dwymyn goch	2–4 diwrnod
Y frech wen	10–14 diwrnod
Y pas	7–14 diwrnod

incubator: *1. crud cynnal, 2. ffwrn fagu*
1. cyfarpar sy'n darparu amgylchedd addas ar gyfer babanod isel eu pwysau

137

adeg y geni, neu fabanod sâl. **2.** cyfarpar wedi'i wresogi a ddefnyddir i feithrin micro-organebau mewn labordy.

independent midwife: bydwraig annibynnol bydwraig sy'n dewis gweithio ar sail hunangyflogedig, naill ai ar ei phen ei hun neu mewn partneriaeth, ac sy'n contractio yn uniongyrchol gyda'r mamau y mae'n gofalu amdanynt. Dylai sicrhau fod ganddi yswiriant indemniad digonol a bod ei hymarfer yn gyfoes, wedi'i seilio ar ymchwil ac o'r safonau uchaf posibl. Y mae hi yn bersonol atebol am ei hymarfer ac mae'n rhaid iddi hysbysu ei bwriad i ymarfer i oruchwyliwr y bydwragedd ym mhob un o'r ardaloedd lle mae hi'n gweithio.

indigenous: brodorol yn digwydd yn naturiol mewn man arbennig. *Bydwraig frodorol (i. midwife):* Gw. GWEINYDD GENI TRADDODIADOL (TRADITIONAL BIRTH ATTENDANT).

indomethacin: indomethacin asiant gwrthlidiol, poenleddfol, a gwrthdwymynol, a ddefnyddir mewn anhwylderau arthritis a chlefyd esgyrn dirywiol. Hefyd atalydd prostaglandin, felly yn lleihau gweithgaredd y groth. Gellir hefyd ei ddefnyddio mewn babanod newydd eu geni i drin DUCTUS ARTERIOSUS parod.

induction: ysgogi peri i ddigwydd. Fe'i defnyddir wrth gyfeirio at erthyliad, anaesthesia neu esgor. *Ysgogi'r esgor (i. of labour):* gellir gwneud hyn pan fo bywyd neu iechyd y fam neu'r ffetws mewn perygl os yw'r beichiogrwydd yn parhau. Ymhlith arwyddion ar gyfer ysgogi'r esgor mae diffyg twf neu iechyd gwael y ffetws, cyflwr meddygol yn y fam megis diabetes, gorbwysedd, clefyd y galon neu'r arennau, hanes obstetrig gwael, neu broblemau yn y beichiogrwydd presennol megis gwaedlif antepartwm, cyflwyniad ffolennol neu ôl-aeddfedrwydd. Asesir gwddf y groth i weld pa mor addawol yw gan

ddefnyddio SGÔR BISHOP (BISHOP'S SCORE); mae sgôr o 6 neu fwy yn dangos bod yr amgylchiadau yn ffafriol a bod yr ysgogi felly yn debyg o lwyddo; mae sgôr sy'n is na 6 yn dangos yr angen i eni'r baban drwy doriad Cesaraidd. Gellir ysgogi'r esgor drwy ddefnyddio pesariau prostaglandin, amniotomi, neu gyda syntocinon mewnwythiennol. *Gw. hefyd* SGÔR BISHOP (BISHOP'S SCORE).

inertia: syrthni marweidd-dra. *Syrthni'r groth (uterine i.):* gwell term fyddai 'gweithgaredd hypotonig y groth' ('hypotonic uterine action'). Anallu cyhyr y groth i gyfangu'n effeithlon. Achos cyffredin pam fod esgoriad yn cymryd amser hir.

inevitable: anochel yr hyn na ellir ei osgoi. *Erthyliad anochel (i. abortion):* y broses o erthylu pan fydd wedi mynd yn rhy bell i fedru ei hatal. *Gwaedlif anochel (i. [unavoidable] haemorrhage):* Gw. BRYCH YN Y BLAEN (PLACENTA PRAEVIA).

infant: baban plentyn ifanc o'i eni hyd at flwydd oed. *Bwydo baban (i. feeding):* bwydo o'r fron a bwydo artiffisial. *Baban cyn amser (preterm i.):* un a aned cyn cwblhau 37 wythnos cario.

infant mortality rate: cyfradd marwolaethau babanod y nifer o farwolaethau cofrestredig babanod o dan flwydd oed i ateb i bob 1000 o enedigaethau byw cofrestredig yn unrhyw flwyddyn.

infanticide: babanladdiad llofruddio baban.

infantile paralysis: parlys plant POLIOMYELITIS

infarct: marwgig ardal o necrosis mewn organ wedi'i achosi gan ischaemia lleol. Yn y brych yr achos yw rhwystr i'r cylchrediad lleol wedi'i beri gan ddyddodion ffibrin yn y gwagleoedd RHYNGFILAIDD (INTERVILLOUS), fel bod unrhyw FILYSAU (VILLI) cyfagos yn marw o ischaemia. Mae marwgig fel arfer yn digwydd lle ceir BRYCH YN

GWAHANU (ABRUPTIO PLACENTAE) ac mewn cyflyrau o orbwysedd megis cyneclamsia. Ar y dechrau ym y cyfnod llym maent i'w gweld fel marwgig coch dwfn, gan newid lliw wedyn drwy frown i felyn, i farwgig gwyn, ar ôl tua wythnos. Os ceir darnau mawr, gall y ffetws farw neu mai *BABAN BACH AM EI OED CARIO* (SMALL FOR GESTATIONAL AGE) ydyw, gyda holl gymlethdodau hynny.

infarction: cnawdnychiad ffurfiad marwgig. *Cnawdnychiad yr ysgyfaint (pulmonary i.):* necrosis meinwe'r ysgyfaint, yn dilyn embolws.

infection: heintiad micro-organebau pathogenaidd yn ymosod ar y meinweoedd. Ceir sawl cam yn y broses heintio: **1.** yr asiant achosol, sydd yn gorfod bod yn ddigon niferus a ffyrnig neu'n medru dinistrio meinwe normal; **2.** cronfeydd lle gall yr organeb ffynnu ac atgenhedlu; **3.** porth y gall y pathogen adael ei letywr drwyddo; e.e. drwy'r llwybr coluddol neu resbiradol; **4.** dull o drosglwyddo, e.e. y dwylo, cerrynt aer a *MAGWRFEYDD (FOMITES);* **5.** porth mynediad er mwyn i'r pathogenau fynd i mewn i'r corff, e.e. drwy glwyfau agored, y llwybrau resbiradol, coluddol ac atgenhedlol; 6. lletywr rhagdueddol; heb fod ag unrhyw imiwnedd iddo,neu heb fod yn medru gwrthsefyll ddigon i oresgyn yr ymosodiad gan y pathogenau. Mae'r corff yn ymateb i'r organebau yn ymosod drwy ffurfio *GWRTHGYRFF* (ANTIBODIES) a thrwy gyfres o newidiadau ffisiolegol sy'n cael eu galw yn llid (inflammation). *Heintiad aerobig (aerobic i.):* heintiad a achosir gan *AEROB. Heintiad o'r aer (airborne i.):* heintiad drwy fewnanadlu organebau wedi'u dal mewn aer a ddefnyddwyd dŵr neu ronynnau llwch. *Heintiad anaerobig (anaerobic i.):* heintiad a achosir gan *ANAEROB. Traws-heintiad (cross i.):* heintiad sy'n cael ei drosglwyddo rhwng cleifion. *Heintiad defnynnau (droplet i.):* heintiad sy'n digwydd

oherwydd bod pathogenau resbiradol sy'n cael eu dal ar ronynnau hylif a anadlwyd allan gan rhywun sydd eisoes wedi'i heintio yn cael eu hanadlu i mewn gan rywun arall. *Heintiad mewndarddol (endogenous i.):* **1.** sy'n digwydd pan fydd organebau sy'n bresennol ond yn cysgu yn cael eu hadfywio, fel sy'n digwydd gyda tiwbercwlosis.; **2.** sy'n cael ei achosi gan organebau sy'n bresennol yn y corff neu arno. *Heintiad alldarddol (exogenous i.):* sy'n cael ei achosi gan organebau nad ydynt yn bresennol fel arfer yn y corff ond sydd wedi cael mynediad o arwynebedd cyrff eraill neu o'r amgylchedd. *Heintiadau a gafwyd mewn ysbyty (hospital acquired i.):* rheiny a gafwyd yn ystod cyfnod mewn ysbyty. *Heintiad nosocomial (nosocomial i.):* heintiad a gafwyd mewn ysbyty. *Heintiad oportwnistig (opportunistic i.):* heintiad a achosir gan ficro-organeb nad yw fel arfer yn achosi afiechyd, ond a all wneud hynny pan fydd gallu gwraig i wrthsefyll afiechyd yn is na'r arfer, e.e. ar ôl gwaedlif difrifol ôl-enedigol. *Heintiad eilaidd (secondary i.):* heintiad gan bathogen ar ben haentiad a oedd eisoes yn bresennol. **Haentiad a drosglwyddir yn rhywiol** *(sexually transmitted i.):* haentiad a drosglwyddir drwy gyswllt agos â'r organau cenhedlu, y geg a'r rectwm.

inferior longitudinal sinus: sinws hydredol is sinws gwythiennol o fewn y tentoriwm cerebeli sydd, gyda'r sinws hydredol uwch yn draenio gwaed i ffwrdd o'r pen. Mae'n ymuno gyda Gwythïen Fawr Galen a'r sinws syth yn y confluens sinuum – pwynt sy'n rhwygo'n hawdd mewn sefyllfaoedd lle mae penglog y ffetws yn mowldio'n ormodol neu'n gyflym a gall arwain at rwygiadau tentoraidd a gwaedlif mewngreuanol, *Gw.* PENGLOG Y FFETWS (FETAL SKULL).

infertility: anffrwythlondeb anallu i feichiogi.

infestation: *pla* parasitiaid anifeilaidd ar y corff neu y tu mewn iddo.

infibulation: *inffibwleiddiad* y broses o gau, er enghraifft, uno ymylon clwyf gyda chlaspiau yn ystod llawdriniaeth. Fe'i gwneir fel rhan o'r broses LLURGUNIAD ORGANAU RHYWIOL MERCHED (FEMALE GENITAL MUTILATION) mewn rhai rhannau o'r byd, lle caiff y labia eu huno er mwyn lleihau'r agoriad cynteddol.

infiltration: *mewndreiddiad* peth hylif yn mynd i mewn ac yn gwasgaru. *Analgesia mewndreiddiad (i.analgesia):* chwistrellu lidocaine i mewn i'r meinweoedd.

inflammation: *llid* cyfres o newidiadau yn y meinweoedd sy'n nodi eu hadwaith i anaf, boed yn fecanyddol, yn gemegol neu'n facteriaidd, ar yr amod nad yw'r anaf yn peri marwolaeth i rhan yr effeithir arni. Yr arwyddion sylfaenol yw: gwres, chwydd, poen, cochni, a cholli defnydd. *Llid llym (acute i.):* Mae'n digwydd yn ddisymwth, mae'r arwyddion yn amlwg ac yn gynyddol. *Llid cronig (chronic i.):* Ffurf sy'n cynyddu'n araf ac yn ffurfio meinwe cysylltiol newydd.

influenza: *ffliw* heintiad firws epidemig llym ar y llwybr resbiradol. Mae'n digwydd fel arfer ar ffurf salwch cyffredinol llym gyda thwymyn, poenau cyffredinol, poen yn y coesau a'r breichiau a symptomau anadlu cymharol fân. Mewn achosion difrifol gall niwmonia ddilyn, fel arfer o ganlyniad i heintiad bacteriaidd eilaidd.

infra-: *is-* rhagddodiad yn golygu 'o dan'.

infundibulum: *inffwndibwlwm* adeiledd ar siâp twmffat. Pen ffimbriaidd y tiwb Fallopio.

infusion: 1. *trwythiad* 2. *arllwysiad* 1. Proses echdynnu elfennau hydawdd sylweddau (yn enwedig cyffuriau) trwy eu trwytho mewn dŵr 2. Triniaeth trwy gyflwyno hylif i'r corff, e.e. decstros neu hydoddiant halwynog.

ingestion: *amlynciad* cyflwyno bwyd a chyffuriau trwy'r geg.

inguinal: *arffedol, yr arffed* yn gysylltiedig a'r arffed. *Llwybr yr arffed (i. canal):* y llwybr drwy wal yr abdomen, uwchben GEWYN POUPART, y mae'r cortyn a'r pibellau sbermataidd yn mynd trwyddo i'r caill yn y gwryw, ac sy'n cynnws gewyn crwn y groth yn y fenyw. Hernia'r arffed (i. hernia), *Gw.* HERNIA.

inhalation: *mewnanadliad* anadlu aer, ager neu gyffuriau anweddol i'r ysgyfaint. *Anasthaesia mewnanadliad (i.anaesthesia):* anaesthaesia a geir trwy fewnanadlu cyffuriau. *Analgesia mewnanadliad (i. analgesia):* ocsid nitrus ac ocsigen a fewnanadlir o beiriannau wedi'u dylunio yn arbennig, ac a ddefnyddir i leddfu poen yn ystod cyfnod y gwewyr esgor. *gw.* ENTONOX.

inheritance: *etifeddiad* Trosglwyddo nodweddion neu briodoleddau o'r rhiant i'r epil.

inhibition: *ataliad* rhwystro neu gyfyngu ar.

inhibitor: *atalydd* asiant sydd yn ymyrryd ag adwaith neu'n ei atal.

iniencephaly: *iniencefffali* camffurfiad cynhenid gyda'r ymennydd yn ymwthio allan yn rhan yr ocsipwt.

injection: *pigiad* y weithred o gyflwyno hylif i'r corff trwy gyfrwng chwistrell neu offeryn arall. *Pigiad epidwral (epidural i.):* i mewn i'r gwagle epidwral. *Pigiad mewngroenol (intradermal i.):* i mewn i'r croen. *Pigiad mewn-gyhyrol (intramuscular i.):* i mewn i'r cyhyrau. *Pigiad mewnthecal (intrathecal i.):* i mewn i theca madruddyn y cefn. *Pigiad mewnwythiennol (intravenous i.):* i mewn i wythien. *Pigiad isgroenol (subcutaneous i.):* o dan y croen.

inlet (pelvic): *mewnfa (y pelfis)* y cantel, y fynedfa at y gwir belfis. *Gw.* PELFIS (PELVIS).

innate: *cynhenid* presennol yn yr unigolyn ar ei enedigaeth.

inner cell mass: màs y celloedd mewnol
Y grŵp celloedd o fewn ceudod y
blastocyst, y bydd eu bilen amniotig a'r
ffetws yn datblygu ohonynt.

innervation: nerfogaeth dosbarthiad
nerfau i organ neu ran o'r corff

innominate: disymud Ystyr y term
Saesneg yw 'heb enw'. **Rhydweli
ddisymud (i. artery):** cangen o fwa'r
aorta. **Asgwrn disymud (i. bone):** asgwrn
y glun yn cynnwys yr iliwm, yr isgiwm
a'r os piwbis wedi asio ynghyd. *Gw.
PELFIS (PELVIS).*

inoculation: brechiad cyflwyno sylwedd
amddiffynnol i'r corff e.e. gwrthdocsin
neu frechlyn

inquest: cwest ymchwiliad cyfreithiol
neu farnwrol i ryw fater o ffaith.
Cynhelir *cwest crwner (coroner's i.)* ym
mhob achos lle ceir marwolaeth
ddisymwth neu anesboniadwy er
mwyn pennu'r achos.

insemination: ymhadiad Cyflwyno had
i'r wain neu wddf y groth. *Ymhadiad
artiffisial (artificial i.):* ymhadiad trwy
ddull arall heblaw cyfathrach rywiol.

insertion: mewniad Man cyswllt
e.e.cyhyr wrth asgwrn neu'r llinyn i'r
brych

insidious: llechwraidd term a ddefnyddir
ar gyfer afiechyd neu gyflwr sy'n
datblygu bron iawn yn ddisylw.

insomnia: anhunedd anallu i gysgu

inspection: archwiliad edrych. Mae
archwiliad yn rhan o chwilio'r abdomen
cyn y geni: dylai'r fydwraig edrych ar
abdomen y fam i weld ei faint a'i siâp,
creithiau, *STRIAE GRAVIDARUM*,
presenoldeb y *LINEA NIGRA* ac unrhyw
symudiadau y mae'r ffetws yn eu
gwneud.

inspiration: mewnanadliad anadlu i
mewn.

instillation: diferiad arllwys hylif i
geudod fesul diferyn e.e. i'r llygad.

instruments: offer

insufficiency: annigonolrwydd Cyflwr
lle nad yw organ yn gweithio'n

ddigonol. *Annigonolrwydd y brych
(placental i.):* methiant y brych i gyflenwi
ei swyddogaeth yn ddigonol. Fe'i
cysylltir yn aml â chyneclampsia,
gorbwysedd heb achos, neffritis cronig,
ôl-amseredd ac ysymygu'n drwm.
Mae'n achosi bod y ffetws yn *FACH
MEWN PERTHYNAS Â I OED CARIO*
(SMALL FOR GESTATIONAL AGE) neu mewn
achosion eithafol hyd yn oed yn marw
yn y groth.

insufflation: aranadliad chwythu nwy,
hylif neu bowdwr i geudod. *Aranadlu
i'r tiwbiau Fallopio (i. of the fallopian
tubes):* chwythu carbon diocsid trwy'r
groth i mewn i'r tiwbiau Fallopio i gael
gwybod a ydynt yn agored. Defnyddir
lliw, sef glas methan, yn amlach a't y
diben hwn erbyn hyn.

insulin: inswlin yr *HORMON* a gynhyrchir
yn ynysoedd Langerhans yn y pancreas,
sydd yn rheoleiddio metabolaeth
carbohydrad. Os yw'n brin achosir
DIABETES MELLITUS. Defnyddir amryw
baratoadau o inswlin i drin diabetes.
Os cymerir dogn rhy uchel o inswlin ceir
HYPOGLYCAEMIA.

**integrated medicine: meddygaeth
integredig** term cyfoes yn cyfeirio at
gyfuno meddygaeth gyflenwol neu
amgen gyda gofal iechyd confensiynol.

Intention to Practice: Bwriad i Ymarfer
gofyniad statudol ar bob bydwraig
gofrestredig sy'n bwriadu ymarfer
bydwreigiaeth mewn bwrdd iechyd neu
ymddiriedolaeth arbennig. Caiff ffurflen
ddynodedig ei llenwi bob blwyddyn
neu unrhyw bryd pan fydd bydwraig
yn bwriadu darparu gofal bydwreig-
iaeth mewn ymddiriedolaeth wahanol
i'w un arferol.

inter-: rhyng- rhagddodiad yn golygu
'rhwng'.

interaction: rhyngweithiad ansawdd,
cyflwr neu broses ble mae (dau neu
fwy o bethau) yn gweithredu ar ei
gilydd. *Rhyngweithiad cyffuriau (drug
i.):* un cyffur yn gweithio ar effeithiol-

rwydd neu docsigedd un arall (neu rai
eraill).

intercellular: *rhyng-gellol* rhwng y
celloedd h.y. y lleoedd gwag yn y
meinweoedd.

intercostal: *rhyngasennol* rhwng yr
asennau. *Cyhyrau rhyngasennol (i.
muscles):* cyhyrau wal y frest.

intermittent: *ysbeidiol* gyda ysbeidiau
neu seibiau. Ddim yn barhaol e.e.
cyfangiadau'r groth i ganiatáu i ocsigen
fynd at y ffetws.

**intermittent mandatory ventilation
(IMV):** *awyriad mandadol ysbeidiol*
dull a ddefnyddir i ddidyfnu baban o
beiriant anadlu trwy ostwng pwysedd y
peiriant yn raddol ac yna'r cyfraddau
resbiradol.

**intermittent positive pressure
ventilation (IPPV):** *awyriad pwysedd
cadarnhaol ysbeidiol* ffurf ar therapi
resbiradol sy'n defnyddio *PEIRIANT
ANADLU* i drin cleifion sydd â'u
hanadlu'n annigonol. Yn achos babanod
bychan iawn, neu'r rhai hynny sydd â
syndrom trafferth anadlu difrifol, efallai
y bydd angen gwneud bron yr holl
waith anadlu drostynt. Mae'r
arwyddion bod angen rhoi awyriad
mecanyddol i fabanod yn cynnwys
apnoea difrifol, PO_2 o lai na 5kPa er
gwaethaf crynodiad uchel o ocsigen yn
yr awyr a fewnanadlir a PO_2 sydd yn
fwy na 12 kPa sydd yn gysylltiedig ag
asidosis nad yw'n ymateb i driniaeth.
Mae rhai paediatregwyr bellach yn
awyru pob baban â phwysau geni isel
am ryw 24 awr er nad oes trafferth
anadlu amlwg oherwydd credir bod
hyn yn atal y cyflwr rhag datblygu ac yn
atal cymhlethdodau megis gwaedlif
mewnfentriglaidd. Ymysg cymhleth-
dodau sy'n deillio o awyru babanod
bychan yw'r datblygiad o niwmo-
thoracs, heintiad, dysplasia bronco
ysgyfeiniol a retinopathi'r lens
oherwydd lefelau uchel o ocsigen ac
efallai carbon deuocsid.

internal os: *os mewnol* yr agoriad y
mae ceudod gwddf y groth yn cysylltu â
cheudod corff y groth trwyddo.

internal version: *troad mewnol* fel arfer
troad podalig mewnol. Troi'r plentyn
trwy ei drafod â llaw o fewn y groth er
mwyn gwneud i'r ffolennau gyflwyno.
Arferid gwneud hyn yn aml yn ystod y
geni ac fe'i gwneir ambell waith yn awr
i newid y ffetws o orweddiad arosgo i
orweddiad hydredol neu i gywiro
cyflwyniad talcen. Mae'n golygu rhoi
llaw i mewn i'r groth, cydio yn un o
draed y plentyn a gyda chymorth trafod
yr abdomen â llaw, tynnu'r droed trwy
wddf y groth i sefydlogi'r cyflwyniad.

**International Code of Marketing of
Breast Milk Substitutes:** *Cod
Rhyngwladol Marchnata Amnewid-
ion Llaeth y Fron* Gw. COD RHYNG-
WLADOL MARCHNATA AMNEWIDION
LLAETH Y FRON MUDIAD IECHYD Y BYD
(W.H.O. INTERNATIONAL CODE OF
MARKETING OF BREAST MILK SUBSTITUTES).

intersex: *rhyngrywiolyn* unigolyn sydd
ag abnormalrwydd yn y cromosomau
rhyw, y gonadau, yr hormonau rhyw
neu'r organau cenhedlu. Gw. SYNDROM
KLINEFELTER (KLINEFELTER'S SYNDROME)
a SYNDROM TURNER (TURNER'S
SYNDROME).

interspinous: *rhyngbigynnol* rhwng y
pigynnau isgïaidd. Gw. PELFIS.

interstitial: *gwagleol* Yn ymwneud â
gwagle yn y corff.

intertrigo: *llid rhwbio* llid erythematws y
croen sy'n digwydd ar arwynebau'r
croen sy'n agos i'w gilydd, megis
plygiadau'r arffed neu'r cesail. Fe'i
hachosir gan leithder, cynhesrwydd,
ffrithiant, dargadw chwys ac asiantau
heintus. Y driniaeth arferol yw
glanweithdra da a rhoi powdwr talcwm
yn cynnwys oxid sinc.

intervillous: *rhyngfilaidd* rhwng y
filysau (corionig). Mae'r gwagleoedd
rhyngfilaidd yn gadael i waed
rhydwelïol y fam lifo a rhaeadru o

amgylch filysau terfynol y brych a phrydd hynny bydd nwyon yn cyfnewid ac asidau amino, glwcos, mineralau a fitaminau yn cael eu cludo.

intestine: *coluddyn* y rhan honno o'r llwybr ymborth sy'n ymestyn o'r stumog i'r anws. *Coluddyn bach (small i.):* y 7m (20 tr.) gyntaf o'r pylorws i'r caecwm, sy'n cynnwys y dwodenwm, y jejwnwm a'r ilëwm. *Coluddyn mawr (large i.):* mae hwn yn 2 m (6 tr.) o hyd ac yn cynnwys y caecwm, y pendics fermifffurf, y colon esgynnol, ardraws, disgynnol, pelfig a'r rectwm. Mae'r llwybr yn cwblhau'r broses dreulio ac yn ysgarthu gwastraff.

intra-: *mewn-* rhagddodiad yn golygu 'y tu mewn i'.

intracellular: *mewngellol* o fewn cell. *Organebau mewngellol (i. organisms):* y rhai hynny sy'n mynd i mewn i gelloedd e.e. y gonococws. *Hylif mewngellol (i. fluid):* yr hylif o fewn celloedd y corff.

intracranial: *mewngreuanol* o fewn y greuan. *Pilenni mewngreuanol (i. membranes):* y meninges sydd yn gorchuddio'r ymenyddd. Mae plygiad fertigol yn y llinell ganol rhwng yr hemisfferau ymenyddol yn ffurfio'r falx cerebri. Mae hwn yn ymuno yn y cefn â phlygiad llorweddol, y tentorium cerebeli, sydd yn gwahanu'r cerebelwm a'r cerebrwm. Mae'r pilenni yn cynnwys pibellau gwaed (sinysau) ac mae pwysedd anghyffredin neu drawma wrth esgor yn gallu achosi i'r pilenni a'r sinysau rwygo a hynny'n achosi gwaedlif ymenyddol. *Pwysedd mewngreuanol (i. pressure):* y pwysedd a roddir gan yr hylif cerebrosbinol o fewn y gofod isaracnoid a fentriglau'r ymenyddd. Gellir ei fesur trwy fonitro pwysedd o fewn y fentriglau ymenyddol.

intragastric: *mewngastrig* o fewn y stumog. *Bwydo mewngastrig â thiwb:* bwydo trwy ddull artiffisial, fel arfer trwy diwb trwyn i'r stumog.

Pilenni a Sinysau Mewngreuanol

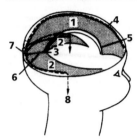

1. falx cerebri.
2. tentorium cerebelli.
3. gwythïen fawr gerebral.
4. sinws lledredol uwch.
5. sinws lledredol is.
6. sinws syth.
7. confluens sinuum.
8. sinysau ochrol yn gadael y penglog fel gwythiennau mewnol a gwddf.

intramuscular: *mewngyhyrol* o fewn neu i fewn i gyhyrau.

intrapartum: *mewnbartwm* yn llythrennol, o fewn yr esgoriad; yr amser rhwng cychwyn cam cyntaf yr esgor a gorffen ei drydydd cam.

intraperitoneal: *mewnberitoneol* o fewn y ceudod peritoneol. Trwy *gyfrwng trallwysiad mewnberitoneol (i. transfusion)* mae'n bosibl cyflwyno digon o gelloedd coch Rhesws-negatif i gymryd lle rhai o'r celloedd Rhesws-positif sydd wedi eu haemoleiddio er mwyn parhau bywyd y ffetws a effeithiwyd o fewn y groth.

intrauterine: *mewngroth* o fewn y groth. *Cyfarpar atal cenhedlu mewngroth (i. contraceptive device – IUCD):* dyfais

143

fecanyddol a osodir yng ngheudod y groth ar gyfer atal cenhedlu. Ni ddeellir yn iawn sut mae'r ddyfais yn gweithio ond mae'n cynyddu symudoldeb yn y tiwbiau, yn gwneud yr endometriwm yn llai ffafriol ar gyfer mewnblannu a gall hefyd gynyddu faint o brostaglandin sy'n cael ei gynhyrchu, gan gynyddu'r tebygolrwydd o fwrw'r ffetws allan yn gynnar. *Marwolaeth fewngroth (i. death):* marwolaeth y ffetws yn y groth. Yn gyffredinol fe'i defnyddir i gyfeirio at farwolaeth yn ystod beichiogrwydd yn hytrach nag yn ystod yr esgor. *Arafwch tyfiant mewngroth (i. growth retardation – IUGR):* tyfiant araf y ffetws o ganlyniad i frych annigonol ac yn arwain at faban sy'n FACH AM EI OED CARIO (SMALL FOR GESTATIONAL AGE), neu mewn achosion difrifol, yn cael ei eni'n farw. *Trosglwyddiad mewngroth (i. transfer):* trosglwyddo mam feichiog i uned famolaeth sydd ag adnoddau ar gyfer gofal dwys newydd-anedig, fel arfer ar gyfer merched sy'n esgor ymhell cyn pryd.

intravascular: *mewnfasgwlaidd* o fewn pibell, fel arfer o fewn pibell waed. *Tolcheniad mewnfasgwlaidd (i. coagulation):* ceulo'r gwaed o fewn y cylchrediad. *Gw.* TOLCHENIAD MEWNFASGWLAIDD GWASGAREDIG (DISSEMINATED INTRAVASCULAR COAGULATION).

intravenous: *mewnwythiennol* o fewn gwythïen.

intraventricular haemorrhage (IVH): *gwaedlif mewnfentriglaidd* gwaedlif ymenyddol difrifol sy'n digwyddd mewn babanod cyn amser a anwyd cyn 34 wythnos o'r cyfnod cario. Mae'n dechrau ar wal ochrol fentrigl yr ymenydd ac yn achosi cyfnodau o apnoea a marwolaeth. Bellach hwn yw'r cyflwr marwol mwyaf cyffredin mewn babanod â phwysau geni isel iawn (VLBW). Gellir rhoi diagnosis trwy ddefnyddio sgan TOMOGRAFFEG

CYFRIFIADUROL (COMPUTED TOMO-GRAPHY – CT). Ond yn fwy cyfleus gyda sganiwr uwchsain AMSER-REAL (REAL-TIME) symudol.

intrinsic: *cynhenid* yn perthyn i ansawdd adeiledd neu sylwedd, sydd yn gynhenid oddi fewn iddo'i hun.

introitus: *introitus* yr agoriad i unrhyw geudod yn y corff. *Introitus vaginae:* yr agoriad i'r wain.

intubation: *mewndiwbiad* cyflwyno tiwb. *Mewndiwbiad endotraceaidd (endotracheal i.):* cyflwyno tiwb neu gatheter i'r tracea. Gall meddyg neu fydwraig roi tiwb i mewn i dracea baban sydd yn mygu, gyda chymorth laryngoscop golwg uniongyrchol a chwythu ocsigen neu aer i mewn dan bwysedd rheoledig.

intussusception: *llawesiad* ymgwympiad un rhan o'r coluddyn i lwmen rhan arall sydd yn union wrth ei ochr gan achosi rhwystr o fewn y coluddyn. Gall ddigwydd yn ystod blwyddyn gyntaf bywyd.

inverse: *gwrthdro* y gwrthwyneb i'r hyn sy'n normal.

inversion of the uterus: *gwrthdroad y groth* cyflwr prin pan fo'r groth wedi'i throi tu chwith allan yn llwyr neu'n rhannol. *Gwrthdroad llym (acute i.):* mae'n digwydd yn ystod trydydd cam yr esgor *(a)* o ganlyniad i geisio gwneud ALLWASGIAD CREDÉ (CREDÉ'S EXPRESSION) pan fo'r groth wedi ymlacio; *(b)* trwy dyniant ar linyn y bogail pan fo'r groth wedi ymlacio ac nad yw'r brych wedi ymwahanu'n llwyr; a *(c)* yn ddigymell. Mae'n achosi sioc fawr. Dylid ei adleoli cyn gynted â phosibl.

involuntary: *anwirfoddol* yn annibynnol ar yr ewyllys.

involution: *infolytedd* yn dychwelyd i'w faint normal ar ôl ehangu e.e. y groth ar ôl yr esgor. Yn syth ar ôl yr esgor mae'r groth yn pwyso tua 0.9 kg. Wythnos yn ddiweddarach mae'n pwyso 0.45 kg ac ar ddiwedd y pwerperiwm 6–8 wythnos mae'n pwyso oddeutu 60g. yn unig. Mae'r hyd yn lleihau o oddeutu 17.5cm i ryw 7.5 cm. Mae'r broses hon yn digwydd oherwydd ischaemia ac *AWTOLYSIS* (AUTOLYSIS) ffibr y cyhyrau yn dilyn tynnu'n ôl oestrogen ac ysgogi synthesis proteinau. Mae'r cynhyrchion hydawdd yn cael eu gwaredu gan y llif gwaed. Mae'r pibellau gwaed o fewn y groth ble mae thrombosis wedi digwydd hefyd yn diflannu trwy awtolysis ac mae pibellau newydd yn ffurfio. Mae safle'r brych yn cyfangu yn gyflym i ddechrau, ac yna'n arafach ac yn diflannu erbyn y 6ed neu'r 7fed wythnos. *Gw. hefyd ISINFOLYTEDD* (SUBINVOLUTION).

iodide: *ïodid* Cyfansoddyn ïodin.

iodine: *ïodin* elfen anfetelaidd gydag aroglau nodweddiadol, a geir o wymon. *Trwyth ïodin (tincture of i.)* yw'r paratoad a ddefnyddir fynychaf. Defnyddir ïodin ymbelydrol i arfarnu gweithrediad y thyroid. *Gw. hefyd ISOTOP* (ISOTOPE).

ion: *ïon* Atom neu grŵp o atomau wedi'u gwefru'n drydanol a ffurfir pan fydd electorlyt yn toddi mewn dŵr. Mae ïonau hydrogen yn cludo gwefr bositif; mae ïonau hydrocsyl yn cludo gwefr negatif. Mae crynodiad ïonau hydrogen mewn hylif yn pennu ei adwaith, a fynegir fel ei pH.

iridology: *iridoleg* ffurf ar dechneg ddiagnostig a ddefnyddir mewn meddygaeth gyflenwol, ble credir bod irisau'r llygaid yn adlewyrchu holl rannau eraill y corff. Credir bod pob rhan o'r iris yn cyfateb i ran o'r corff; trwy ganfod newidiadau yn yr iris gall fod yn bosibl rhoi diagnosis o broblemau mewn man arall o'r corff.

iris: *iris* rhan liwiedig y llygad sydd yn cynnwys dwy haen o gyhyrau, ac wrth i'r rhain gyfangu mae maint cannwyll y llygad yn newid.

iritis: *llid y iris* cyflwr sy'n achosi poen, ffotoffobia, cyfangu cannwyll y llygad ac afliwiad yr iris.

iron: *haearn* elfen fetelig, sydd yn ansoddyn pwysig mewn haemoglobin. Mae cyfansoddion haearn a gymerir wrth fwyta yn cael eu newid i'w defnyddio yn y corff trwy weithrediad yr asid hydroclorig a gynhyrchir yn y stumog. Mae'r asid hwn yn gwahanu'r haearn o'r bwyd ac yn cyfuno ag ef mewn ffurf a all gael ei gymryd i mewn yn hawdd gan y corff. Mae Fitamin C yn gwella amsugniad haearn. Mae rhoi alcalïau yn amharu ar y gallu i amsugno haearn. Mae oedolion angen 15mg. o haearn newydd bob dydd. Mae anaemia oherwydd diffyg haearn yn broblem gyffredin, yn enwedig yn ystod beichiogrwydd oherwydd bod mwy o alwadau ar waed y fam. Cynghorir y fam i fwyta bwydydd sydd yn gyfoethog mewn haearn ac, os oes angen, rhoddir presgripsiwn ar gyfer ychwanegion haearn.

ischaemia: *ischaemia* annigonolrwydd y cyflenwad gwaed yn lleol.

ischial: *isgïaidd* yn perthyn i'r isgïwm

ischiocavernosus muscle: *cyhyr isgïogeudodol* cyhyr sy'n ymestyn o isgïwm y pelfis i'r clitoris neu'r pidyn, ac yn eu helpu i godi.

ischiococcygeus muscle: *cyhyr isgïogocygeol* cyhyr sy'n ymestyn o isgïwm y pelfis i'r cocycs; rhan gefn y cyhyr lefator ani.

ischium: *isgïwm* rhan isaf ôl asgwrn disymud y gwregys pelfig.

isoimmunization: *isoimwneiddiad* imiwneiddiad o fewn a rhywogaeth. Digwydd hyn mewn gwraig Rheswsnegatif os bydd celloedd Rhesws-positif o'i ffetws yn treiddio i'w chylchrediad trwy'r brych, gan achosi sensiteiddio ac yna cynhyrchu gwrthgyrff (gwrth-D) i'r celloedd coch hyn. Pan fydd y gwrthgorff yn mynd i mewn i gylchrediad y ffetws mae *HAEMOLYSIS* yn digwydd.

isolation: *arwahanu* gwahanu person

145

sydd â haint arno oddi wrth y rhai sydd heb eu heintio.

isometric: *isomedrig* yn cadw neu'n perthyn i'r un hyd; o ddimensiynau cyfartal.

isoniazid: *isoniasid* cyfansoddyn gwrthfacteraidd a ddefnyddir i drin tiwbercwlosis.

isotonic: *isotonig* o'r un cryfder neu dyndra. Mae *hydoddiant isotonig (i. solution)* o'r un pwysedd osmotig â'r hylif y caiff ei gymharu ag ef. Mae toddiant halwynog normal neu ffisiolegol yn isotonig â phlasma'r gwaed.

isotope: *isotop* elfen sydd â'r un rhif atomig, hynny yw nifer y protonau yn y niwclews, ond nifer gwahanol o *NIWTRONAU* (NEUTRONS). Mae hyn yn arwain at ansefydlogrwydd, gydag ymbelydredd yn cael ei ollwng yn aml, gan olygu y gellir canfod hyd yn oed symiau bychain iawn gyda rhifydd Geiger.

isoxsuprine hydrochloride: *isocsiwprin hydroclorid* symbylydd beta-adrenergig a ddefnyddir fel fasoymledydd mewn clefyd fasgwlaidd perifferol ac annigonedd cerebrofasgwlaidd. Caiff ei roi trwy'r wythïen i atal esgor cyn amser drwy ymlacio'r myometriwm.

ispaghula: *ispaghula* Carthydd a lyncir sy'n gweithio trwy gynyddu swmp carthion.

isthmus: *mwnwgl* Gw. CROTH (UTERUS).

J

Jacquemier's sign: *arwydd Jacquemier* leinin y wain yn troi'n las. Mae hyn i'w weld o wythnosau cyntaf beichiogrwydd oherwydd cynnydd yn y cyflenwad gwaed.

jaundice: *clefyd melyn* afliwiad melyn y croen, y sglerâu a'r pilenni mwcaidd, o ganlyniad i ormod o bigment bustl yn y gwaed a'r meinweoedd. Gall fod *(a)* yn haemolytig, pan fo'r pigment bustl yn dod o haemoglobin celloedd coch y gwaed wedi eu haemoleiddio, neu *(b)* yn rhwystrol, pan fo'r pigment bustl yn bresennol fel cyfansoddyn bustl. Gall y clefyd melyn ddigwydd yn ystod beichiogrwydd o ganlyniad i *HYPEREMESIS GRAVIDARUM* difrifol, cyneclampsia difrifol neu eclampsia a chrebachiad llym yr iau. Gall hefyd fod o ganlyniad i achosion sy'n cyd-ddigwydd megis hepatitis heintus, hepatitis serwm neu gyffuriau. Er eu bod yn brin, mae rhain yn gyflyrau peryglus a dylai bydwraig sy'n gweld clefyd melyn yn ystod beichiogrwydd, o dan unrhyw amgylchiadau, ymgynghori â meddyg. *Clefyd melyn llaeth y fron (breast milk j.):* cynnydd yn y bilirwbin nad yw wedi ymgyfuno mewn rhai babanod sy'n cael eu bwydo ar y fron o ganlyniad i bresenoldeb steroid yn llaeth y fron sy'n atal glucuronyl transferase rhag ymgyfuno. *Clefyd melyn heintus (infectious j.):* **1.** hepatitis heintus. **2.** clefyd melyn leptospiraidd. *Clefyd melyn ffisiolegol (physiological j.):* icterus ysgafn y newydd-anedig yn ystod dyddiau cyntaf bywyd. Nid yw'r baban newydd-anedig bellach angen y lefelau uchel o haemoglobin ffetysol sy'n cylchredeg, a oedd yn cynorthwyo gydag ocsigeniad yn y groth, ac mae angen dadelfennu celloedd coch y gwaed (haemoleiddio) i fewn i bilirwbin sy'n hydawdd mewn braster. Yna rhaid iddo ymgyfuno mewn bilirwbin sy'n hydawdd mewn dŵr er mwyn iddo gael ei ysgarthu. Mae angen ensym o'r iau (afu), sef glucueronyl transferase, ar gyfer y broses yma, ond o ganlyniad i anaeddfedrwydd cymharol y swyddogaeth hepatig yn y newydd-anedig, mae'r broses weithiau'n cael ei gohirio. Mae bilirwbin yn cronni yn y gwaed ac yn gollwng i'r meinweoedd, gan achosi staenio melyn ar y croen a'r sglerâu. Yn anaml iawn y mae angen rhoi triniaeth oni bai bod bilirwbin y serwm yn aros yn uchel, a gellir defnyddio ffototherapi i leihau lefel y bilirwbin nad yw wedi ymgyfuno, ac felly osgoi'r perygl o *KERNICTERUS*.

jejunum: *jejwnwm* rhan o'r coluddyn bach o'r dwodenwm i'r ilewm.

jelly: *jeli* sylwedd meddal, cydlynol, adlamol; fel arfer mâs coloidaidd lled-solid. *Jeli atal cenhedlu (contraceptive j.):* jeli heb fod yn seimlyd a ddefnyddir yn y wain i atal cenhedlu. *Jeli petrolewm (petroleum j.):* cymysgedd wedi'i bureiddio o hydrocarbonau lled-solid wedi'i gynhyrchu o betrolewm. *Jeli Wharton (Wharton's j.):* sylwedd meddal, rhyng-gellol tebyg i jeli llinyn y bogail, sydd yn inswleiddio'r wythïen a'r rhydwelïau, gan atal achludiad a hypocsia'r ffetws.

joint: *cymal* Man cyfarfod dau neu fwy o esgyrn. Prif swyddogaeth cymal yw galluogi'r ffrâm ddynol i symud a bod yn hyblyg.

joule (J): *joule (J)* yr uned ryngwladol (SI) sy'n mesur egni bwyd, ac mae'n disodli *CALORI*. Un joule = 4.2 calori.

jugular: *gyddfol, y gwddf* yn ymwneud â'r gwddf. *Gwythiennau'r gwddf (j. veins)*: mae tair o'r rhain, gwythiennau blaen, allanol a mewnol y gwddf a'u swydd-ogaeth yw cludo gwaed i ffwrdd o'r pen.

justominor pelvis: *pelfis justominor* pelfis gynaecoid bach; mae'r diamedrau i gyd yn llai ond mewn cyfrannedd.

juxta-: *cyf-* elfen mewn gair yn golygu wedi'i leoli yn ymyl, cyfagos.

juxtaposition: *cyfosodiad* gosod pethau wrth ochr ei gilydd neu yn agos at ei gilydd.

K

Kahn test: *prawf Kahn* prawf gwaed i ganfod syffilis.

kalaemia: *calaemia* presenoldeb potasiwm yn y gwaed.

kalium: *caliwm* potasiwm (symbol K).

kanamycin: *canamycin* gwrthfiotig sbectrwm llydan sy'n effeithiol yn erbyn llawer o facteria Gram-negatif a rhai Gram-positif a bacteria asid-gyflym.

kaolin: *caolin* clai Tsieina a dddefnyddir fel powdwr dwstio ac ar gyfer powltisiau.

Kaposi's sarcoma: *sarcoma Kaposi* reticwlosis malaen aml-ffocal sy'n metastasteiddio gyda nodweddion angiosarcoma, sy'n effeithio ar y croen yn bennaf. Mae sarcoma Kaposi yn un o brif nodweddion AIDS, yn enwedig mewn dynion cyfunrhywiol.

karyo-: *caryo-* elfen gair yn golygu niwclews.

karyotype: *caryoteip* cyfansoddiad cromosomal niwclews y gell; trwy ymestyniad, ffotomicrograff o gromosomau wedi'u trefnu yn ôl rhif.

Kegel exercises: *ymarferion Kegel* ymarferion penodol a enwyd ar ôl Dr Arnold H Kegel, gynaecolegydd a ddatblygodd yr ymarferion cyntaf i gryfhau cyhyrau'r pelfis a'r wain er mwyn rheoli anymataledd straen mewn gwragedd. Dylai pob gwraig mewn oed atgenhedlu gael ei hannog i wneud ymarferion llawr y pelfis sawl gwaith bob dydd, ac mor aml â deg gwaith y dydd yn ystod y pwerperiwm. Mae'r ymarfer yn cynnwys tynhau cyhyrau'r wain, llawr y pelfis a'r rectwm. Gellir profi effeithiolrwydd yr ymarfer o bryd i'w gilydd trwy geisio rheoli/atal llif wrin wrth basio dŵr. Er hynny dylid pwysleisio wrth wragedd na ddylent wneud yr ymarfer hwn yn rheolaidd wrth basio dŵr gan y gall hyn achosi i'r wrin lifo'n ôl i'r wreterau a gwneud y wraig yn fwy tebygol o ddal haint yn y llwybr wrinol.

keloid: *celoid* gordyfiant meinwe ffibraidd mewn craith.

keratin: *ceratin* protein gwydn sy'n ffurfio sylfaen pob meinwe corniog.

keratitis: *llid y gornbilen* llid ar ran allanol dryloyw pelen y llygad.

kernicterus: *clefyd melyn gwyllt* clefyd melyn cnewyllol. Staen melyn yn y celloedd cnewyllol yng nganglia gwaelodol yr ymennydd sy'n digwydd mewn babanod gyda chlefyd melyn difrifol, yn enwedig hwnnw a achosir gan ISOIMIWNEIDDIAD (ISOIMMUNIZATION) Rheswg. Yr arwyddion yw anniddigrwydd, ffitiau a symudiadau athetoid y breichiau a'r coesau. Gall fod yn farwol, neu gall y plentyn oroesi ond cael ei adael gyda rhyw nam meddyliol neu niwrolegol. Gall ddatblygu mewn unrhyw blentyn newydd-anedig ble mae'r pigment bustl serwm heb ymgyfuno yn codi uwchlaw $350 \, \mu mol/l \, (20mg/100ml)$ neu'n is mewn babanod cyn amser neu sy'n ddifrifol wael. Mae babanod sydd mewn perygl o ddatblygu'r clefyd hwn yn cael eu trin trwy roi un neu fwy o drallwysiadau iddynt neu ffototherapi i atal y clefyd rhag datblygu.

Kernig's sign: *arwydd Kernig* arwydd llid yr ymennydd. Pan fydd y forddwyd

149

yn cael ei chynnal ar ongl sgwâr i'r bongorff, nid yw'r claf yn medru sythu'r goes wrth gymal y pen-glin.

ketoacidosis: *cetoasidosis* cyflwr ble ceir anghydbwysedd electrolytau gyda chetosis a pH is y gwaed.

ketone bodies: *cyrff cetonig* aseton, asid asetoasetig ac asid β-hydrocsybwtrig; ar wahân i aseton (a all ddeillio yn ddigymell o asid asetoasetig), mae'r rhain yn gynhyrchion metabolaeth normal lipidau a phyrwfâd o fewn yr iau, ac maent yn cael eu hocsideiddio gan gyhyrau; os cynhyrchir gormod, bydd y cyrff hyn yn cael eu hysgarthu yn yr wrin, fel yn diabetes mellitus. Fe'u gelwir hefyd yn gyrff aseton.

ketonuria: *cetonwria* Presenoldeb cetonau yn yr wrin.

ketosis: *cetosis* Cyflwr ble mae gormod o getonau yn cael eu ffurfio o fewn y corff. Mewn newyn neu mewn DIABETES MELLITUS direol, mae cynnydd mawr ym metabolaeth asidau brasterog ac amharwyd ar fetabolaeth carbohydradau neu mae'n absennol, sy'n golygu bod llawer mwy o gyrff ceton yn cael eu cynhyrchu. Mae cynhyrchiant cyrff ceton yn cael ei leihau i'w lefel isel arferol ac mae cetoasidosis yn cael ei wrthdroi pan fo metabolaeth garbohydrad ddigonol yn cael ei hadfer. Yn aml iawn bydd gan gleient â chetosis aroglau melys neu 'fel ffrwythau' ar ei hanadl sy'n cael ei achosi gan aseton.

key worker: *gweithiwr allweddol* unigolyn (gweithiwr cymdeithasol yn aml) a ddynodir fel cydlynydd gweithredu ble mae nifer o bobl yn ymwneud â gofalu am unigolyn neu deulu. Y gweithiwr allweddol sydd hefyd yn gyfrifol am alw CYNHADLEDD ACHOS (CASE CONFERENCE).

kick chart: *siart ciciau* siart symudiadau i fod yn gywir. Siart ble mae'r fam ei hun yn cofnodi symudiadau'r ffetws dros gyfnod penodol o amser. Bernir bod tystiolaeth o 10 symudiad y dydd yn

dderbyniol. Byddai'n well i'r fam ffonio'r fydwraig neu'r meddyg os nad yw hi'n teimlo'r ffetws yn symud 10 gwaith y dydd. Ond gan fod hwn yn asesiad goddrychol fe'i cyfunir fel arfer â phrofion eraill ar les y ffetws.

kidneys: *arennau* dwy organ siâp ffa, wedi'u lleoli ger y fertebrae thorasig a'r meingefnol uwch a'r tu ôl i'r peritoneuwm. Mae'r aren yn cynnnwys cortecs a medwla ac yn cynnnwys tua miliwn o neffronau. Swyddogaeth yr arennau yw **1.** Cynnal cydbwysedd dŵr a chynnwys hydawdd y corff, a thrwy hynny gynnal y pwysedd osmotig **2.** Cadw pH y plasma yn gyson rhwng 7.35 a 7.45; a **3.** ysgarthu cynhyrchion gwastraff, yn enwedig nitrogen o fetabolaeth protein; rheoleiddio'r pwysedd gwaed trwy gyfrwng y mecanwaith renin-angiotensin-aldosteron. Mae'r arennau yn ymateb i isgemia trwy secretu ensym proteolytig o'r enw RENIN. Mae hwn yn gweithredu ar brotein plasma (is-gyflwr arennol) yn y gwaed i gynhyrchu ANGIOTENSIN I. Ensym trosi o'r ysgyfaint sy'n trosi angiotensin I i II sy'n achosi fasogyfyngiad eang, yn cynyddu gwrthiant periffferol ac yn codi'r pwysedd gwaed. Mae angiotensin II hefyd yn achosi cynnydd yn y pwysedd gwaed trwy ei ddylanwad ar sodiwm a dargadw dŵr, trwy beri bod mwy o aldosteron yn cael ei secretu o'r cortecs adrenal.

Kielland's forceps: *gefel Kielland* Gw. GEFEL KJELLAND (KJELLAND'S FORCEPS).

kilo-: *cilo-* y rhagddodiad yn dynodi 'mil', e.e. cilogram (kg) 1000 gram, cilomedr (km) 1000 metr, cilopascal (kPa) 1000 pascal, cilocalori (kcal) 1000 calori.

Kjelland's forceps: *gefel Kjelland* gefel obstetrig gyda chlo sy'n llithro a heb gromlin belfig, wedi'i chynllunio i'w rhoi ar ben y ffetws, beth bynnag fo'i safle yn y pelfis. Yna gellir cylchdroi'r pen i safle ocsipitoblaen â'r efel cyn iddo gael ei dynnu allan.

Klebsiella: *Klebsiella* genws bacteria Gram-negatif.

Klebs-Loeffler bacillus: *bacilws Klebs-Loeffler* bacilws difftheria.

Kleihauer test: *prawf Kleihauer* prawf microsgopig i ganfod celloedd y ffetws yng nghylchrediad y fam, a wneir fel arfer yn syth ar ôl yr esgor, fel, os yw'r fam yn Rhesws-negatif a'r ffetws yn Rhesws-positif y gellir rhoi immiwnoglobin gwrth-D i atal *ISOIMIWNEIDDIAD* (ISOIMMUNIZATION).

Klinefelter's syndrome: *syndrom Klinefelter* Enghraifft o ryngryw. Gwryw gydag un neu fwy o gromosomau x ychwanegol. Mae'r organau cenhedlu yn ymddangos yn normal hyd y glasoed, pan fydd y ceilliau yn methu â disgyn a'r dyn o ganlyniad yn anffrwythlon. Mae datblygiad bronnau yn digwybod hefyd.

Klumpke's paralysis: *parlys Klumpke* parlys o ran isaf y fraich a'r llaw gan arwain at arddwrn llipa. Mae'n ganlyniad anaf i ran isaf y *PLECSWS BREICHIOL*, yr wythfed nerf cerfigol a'r nerfau dorsal cyntaf. Gall ddigwyrdd wrth ddod â breichiau wedi'u hymestyn i lawr yn ystod esgoriad ffolennol, neu drwy roi tyniant gormodol wrth ryddhau'r ysgwydd flaen mewn esgoriad corun.

knee presentation: *cyflwyniad pen-glin* math o gyflwyniad ffolennol ble mae un neu'r ddau ben-glin o dan y ffolennau.

Kocher's forceps: *gefel Kocher* gefel rydweliol a ddefnyddir adeg yr enedigaeth i roi clamp ar linyn y bogail cyn gwahanu; gellir ei defnyddio hefyd wrth rwygo'r pilenni'n artiffisial.

Konakion: *Konakion* Gw. *PHYTOMENADIONE*

Koplik's spots: *smotiau Koplik* smotiau

bach coch llachar, afreolaidd ar fwcosa'r bochau neu'r tafod, gyda brycheuyn glaswyn bychan iawn yng nghanol pob un. Maent yn arwydd bod y frech goch yn dechrau.

Korotkoff's method: *dull Korotkoff* dull o ganfod y pwysedd gwaed systolig a diastolig trwy wrando ar y synau a gynhyrchir mewn rhydweli tra bo'r pwysedd mewn rhwymyn braich a enchwythwyd yn cael ei ostwng yn raddol. Disgrifiwyd y dull gyntaf gan Korotkoff, llawfeddyg o Rwsia ym 1905. Cychwyn tapio eglur rhythmig wrth ddadchwythu'r rhwymyn yw *Korotkoff 1* ac mae'n cynrychioli'r pwysedd systolig. Sŵn murmur neu sisial yw *Korotkoff 2*. Tapio mwy siarp a dwysach yw *Korotkoff 3*. Mae sŵn *Korotkoff 4* yn fwy pwl ac yn is ei draw ac yn ystod beichiogrwydd mae'n haws ei gofnodi na *Korotkoff 5*. Absenoldeb sŵn yw *Korotkoff 5* ac mewn pobl ifanc ac oedolion mae hyn fel arfer yn cynrychioli'r pwysedd diastolig. Yn ystod beichiogrwydd mae'n bosibl y clywir peth tapio pwl i lawr i 0 pan fo'r rhwymyn wedi'i ddadchwythu'n llawn. Mae'n bwysig bod bydwragedd yn ymwybodol o arferion lleol ar gyfer cofnodi pwysedd diastolig.

kraurosis vulvae: *crawrosis y fwlfa* y fwlfa'n sych ac wedi crebachu.

Kwashiorkor: *Kwashiorkor* cyflwr sy'n digwyrdd mewn babanod a phlant ifanc oherwydd diffyg protein difrifol. Mae symptomau'n cynnwys oedema, twf a datblygiad wedi'u hamharu, yr abdomen wedi chwyddo (boliog), newidiadau pathologol yn yr iau (afu) a newidiadau i bigment y croen a'r gwallt.

kyphosis: *cyffosis* crymedd ôl y meingefn; cefn crwca.

L

labetalol hydrochloride: *labetalol hydroclorid* atalydd derbynyddion adrenergig alffa a beta a ddefnyddir i drin gorbwysedd. Gellir ei roi trwy'r geg neu trwy arllwysiad i'r wythïen.

labial: *gwefusol* yn perthyn i'r gwefusau neu'r labia

labile: *anwadal* ansefydlog. Yn tueddu i amrywio. *Gorbwysedd anwadal (l. hypertension):* term a ddefnyddir mewn perthynas â gwraig y mae ei phwysedd gwaed yn amrywio rhwng normal a lefel cryn dipyn yn uwch.

labium: *labiwm (llu. labia)* gwefl. *Labium majus pudendi:* y plygiad cnawd mawr sy'n amgylchynu'r fwlfa. *Labium minus pudendi:* y plygiad llai o'i fewn.

labour: *esgor / esgoriad* Geni plentyn. Mae *esgoriad normal (normal l.)* yn digwydd yn ddigymell ar yr amser iawn gyda ffetws unigol mewn cyflwyniad corun ac mae drosodd o fewn 24 awr heb drawma i'r fam neu'r ffetws. Mae ffisioleg yn dibynnu ar y rhyngweithiad rhwng gweithrediad y groth, pelfis y fam a'r ffetws. Yn ystod *y cam cyntaf* mae gwddf y groth yn cael ei dileu ac yn ymledu. Mae'r cyfangiadau yn cryfhau yn y ffwndws; mae POLAREDD (POLARITY) yn y groth yn hwyluso'r cyfangiadau a GWRTHDYNIANT (RETRACTION) yn segment uwch y groth a chyfangu ac ymledu yn segment is y groth. Mae'r *ail gam* yn cychwyn pan fo'r cervix uteri wedi ymledu'n llawn ac mae'n cynnwys geni'r babi trwy lwybr y geni. Yn ystod *y trydydd cam* mae'r brych a'r pilenni yn cael eu gwahanu a'u

bwrw allan a rhaid rheoli gwaedlif. *Esgoriad wedi'i atal (obstructed l.):* cyflwr prin ble ceir rhwystr arnorchfygol i daith y ffetws, fel, er bod y groth yn gweithredu'n dda, nid yw'r rhan sy'n cyflwyno yn symud ymlaen ddim. Gall hyn fod oherwydd bod pelfis y fam wedi cyfangu, neu bod y gofod sydd ar gael wedi'i lenwi gan fâs fel tiwmor, neu oherwydd camgyflwyniad, camsafle neu abnormalrwydd yn y ffetws megis hydroceffalws. Mae perygl mawr y bydd y groth yn rhwygo, yn enwedig yn achos gwraig sydd wedi cael mwy nag un plentyn, ac y bydd y ffetws yn marw. Mae'r fam mewn poen a thrallod difrifol, gyda gwres uchel a'r galon yn curo'n gyflym, oligwria a chetonwria. Wrth archwilio'r abdomen ymddengys fod y groth wedi 'mowldio' o gwmpas y ffetws; mae'n teimlo'n hypertonig yn barhaus ac ni ellir teimlo rhannau'r ffetws. O gael gofal bydwraig ac obstetrig digonol mae'n bosibl atal y cyflwr hwn i raddau helaeth ac anaml iawn y'i gwelir ym Mhrydain ond mae'n bosibl ei weld mewn rhannau o'r byd ble nad oes gofal da ar gael. Dylid trin y boen, y dadhydradiad a'r sioc a dylid rhoi llawdriniaeth Gesaraidd. Os nad yw hyn yn bosibl cymerir camau i drafod y ffetws â llaw neu ei ddinistrio er mwyn ei dynnu allan i achub bywyd y fam. *Esgoriad sydyn (precipitate l.):* ble mae'r holl broses esgor yn cael ei chwblhau o dan ddwy awr. Mae gweithrediad y groth yn bwerus iawn ond efallai nad yw'r fam yn ymwybodol ohono. Mae'r fam mewn perygl o waedlif a gwrthdroad y groth, a'r ffetws mewn perygl oherwydd trawma ac anaf geni oherwydd bod y pen yn cael ei eni a'i fowldio'n gyflym iawn. *Esgoriad cyn amser (preterm l.):* geni sy'n digwydd ar ôl 24ain wythnos beichiogrwydd a chyn amser llawn. *Esgoriad digymell (spontaneous l.):* esgor sy'n digwydd heb gael ei gychwyn neu ei gyflymu'n artiffisial. *Esgoriad ffug (spurious l.):* cyfangiadau sy'n digwydd heb unrhyw newid yng nghyflwr gwddf y groth fel nad yw'r broses geni yn symud ymlaen. Fe'i gelwir hefyd yn esgoriad ffug.

laceration: *rhwygiad* rhwyg. *Rhwygiad perineol (perineal l.):* Gw. PERINEOL (PERINEAL)

lacrimal: *lacrimaidd* yn gysylltiedig â dagrau. *Dwythellau lacrimaidd (l. ducts):* agoriadau bychan ym mhen mewnol pob amrant, sydd yn cludo'r hylif i'r trwyn trwy gyfrwng y ddwythell nasolacrimaidd i gymysgu â secretiadau'r trwyn. *Chwarennau lacrimal (l. glands):* cyrff bychan wedi'u lleoli yn y ceudod creuol ar arwynebedd uchaf ac allanol pob pelen llygad. Eu swyddogaeth yw darparu'r hylif

Newidiadau Ffisiolegol yng Ngwddf y Groth yn ystod Cam Cyntaf yr Esgor

Gwddf y groth
heb ei dileu

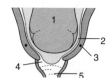

Gwddf y groth wedi'i dileu
ac ymledu'n rhannol

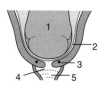

Gwddf y groth wedi'i
dileu yn rhannol

Gwddf y groth wedi
ymledu'n llawn

1. pen y ffetws; 2. pilenni; 3. agoriad mewnol; 4. agoriad allanol; 5. y wain.

Trydydd Cam Esgor

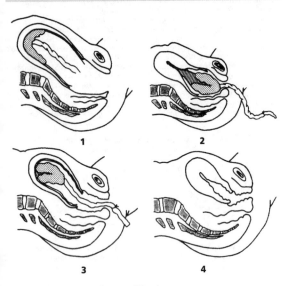

Y brych
1. Cyn geni'r plentyn. 2. Wedi gwahanu'n rhannol yn syth wedi'r geni.
3. Wedi gwahanu'n llwyr. 4. Cyfyngu a gwrthdynnu'r groth wedi ei allwthio.

(dagrau) sy'n cadw'r gyfbilen yn llaith ac yn rhydd o haint trwy LYSOSYM (LYSOZYME) ac eithrio yn y baban newydd-anedig.

lactalbumin: lactalbwmin y prif brotein yn llaeth y fron. Mae'n cael ei dreulio'n hawdd gan y baban.

lactase: lactas ensym a gynhyrchir gan gelloedd y coluddyn bach, sy'n rhannu LACTOS (LACTOSE) i'r MONOSACARIDAU (MONOSACCHARIDES) GLWCOS (GLUCOSE) a GALACTOS (GALACTOSE).

lactation: llaethiad Y bronnau yn secretu llaeth. **Cyfnod llaethiad** (l. period): y cyfnod y bydd plentyn yn yn cael ei fwydo ar y fron.

lacteals: lactealau lymffatigau'r coluddyn sydd yn amsugno brasterau hollt.

lactic acid: asid lactig asid a ffurfir yn y corff yn ystod hypocsia. Dyma'r prif asid sy'n ymddangos yng ngwaed

Ffisioleg Llaetha

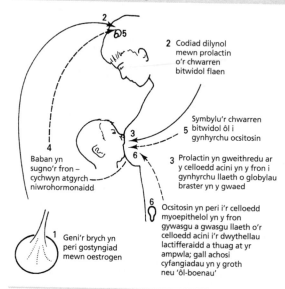

2 Codiad dilynol mewn prolactin o'r chwarren bitwidol flaen

5 Symbylu'r chwarren bitwidol ôl i gynhyrchu ocsitosin

3 Prolactin yn gweithredu ar y celloedd acini yn y fron i gynhyrchu llaeth o globylau braster yn y gwaed

4 Baban yn sugno'r fron – cychwyn atgyrch niwrohormonaidd

6 Ocsitosin yn peri i'r celloedd myoepithelol yn y fron gywasgu a gwasgu llaeth o'r celloedd acini i'r dwythellau lactifferaidd a thuag at yr ampwla; gall achosi cyfangiadau yn y groth neu 'ôl-boenau'

1 Geni'r brych yn peri gostyngiad mewn oestrogen

baban sy'n dioddef o ddiffyg ocsigen, ac sy'n gyfrifol am yr *ASIDAEMIA* uchel. Gall yr asid gael ei gynhyrchu yn y coluddyn hefyd wrth i lactos eplesu trwy weithrediad bacili.

lactiferous: *lactifferaidd* yn cludo llaeth.

lactobacillus acidophilus: *lactobacilws asidoffilws* bacilws Doderlein. Bacilws *GRAM-POSITIF* (GRAM-POSITIVE) sydd yn byw'n arferol yn y wain yn ystod blynyddoedd magu plant. Mae'n troi glycogen yn asid lactig, sydd yn rhwystro organebau eraill rhag tyfu; mae hefyd i'w gael yn helaeth yng ngharthion babanod a fwydir ar y fron.

lactoferrin: *lactofferrin* y protein sy'n clymu haearn a geir yn llaeth y fron. Mae'n cael effaith facteriostatig bwerus ar *ESCHERICHIA COLI.*

lactogen: *lactogen* unrhyw sylwedd sy'n hybu llaethiad. *Lactogen brych dynol (human placental l. – HPL):* hormon a secretir gan y brych, sydd yn diflannu o'r gwaed yn syth ar ôl y geni. Mae ei weithrediad yn lactogenig, yn lwteotroffig ac yn hybu tyfiant, ac mae'n cyfyngu ar faint o inswlin y mae'r fam yn ei gynhyrchu yn ystod y beichiogrwydd.

lactoglobulin: *lactoglobwlin* globwlin

155

sy'n digwydd mewn llaeth.

lactose: *lactos* siwgr llaeth, *DEUSACARID.* **Anoddefgarwch lactos** (l. intolerance): gall achosi dolur rhydd yn y baban newydd-anedig, gan y gallai'r lactos beidio ag ymwahanu os nad oes digon o *LACTAS* (LACTASE). Gellir ei drin drwy roi llaeth nad yw'n cynnwys lactos, ond siwgr arall. Ni ddylid ei ddrysu gyda *GALACTOSAEMIA.*

lactosuria: *lactosuria* Lactos yn yr wrin. Mae'r lactos yn rhydwytho hydoddiant Benedict, a rhaid gwahaniaethu rhwng lactoswria a glycoswria trwy wneud profion pellach. Bydd lactoswria yn aml yn digwydd yn ystod y cyfnod llaethiad, ac ambell waith ar ddiwedd y beichiogrwydd. Nid yw o bwys.

lactulose: *lactwlos* carbydd a gymerir trwy'r geg; weithiau rhaid disgwyl hyd at 48 awr cyn y bydd yn gweithio.

laked: *lacedig* yn disgrifio gwaed pan fydd haemoglobin wedi ymwahanu o'r celloedd gwaed coch.

LaLeche League: *Cynghrair LaLeche* Sefydliad a ffurfiwyd yn 1957 er mwyn cynorthwyo gwragedd i fwydo ar y fron.

Lamaze method: *dull Lamaze* dull o baratoi ar gyfer genedigaeth naturiol a ddatblygwyd gan yr obstetregydd Ffrengig Fernand Lamaze, ac wedi'i seilio ar y dechneg seicoproffylactig o Rwsia o hyfforddi'r meddwl a'r corff at ddiben addasu'r canfyddiad o boen yn ystod yr esgor a'r geni.

lambda: *lambda* fontanél ôl y benglog, wedi'i alw felly oherwydd ei fod yn debyg i'r llythyren Roeg lambda (λ).

lambdoidal suture: *asiad y lambda* yr asiad rhwng yr asgwrn ocsipitol a'r ddau asgwrn parwydol.

Lancefield classification: *dosbarthiad Lancefield* dosbarthiad haemolytig streptococci yn grwpiau ar sail gweithrediad serolegol.

Landsteiner's classification: *dosbarthiad Landsteiner* dosbarthiad grwpiau gwaed ble dynodir hwy yn O, A, B neu AB, yn dibynnu ar bresenoldeb neu absenoldeb aglwtinogenau A a B yn yr erythrocytau; fe'i gelwir hefyd yn ddosbarthiad rhyngwladol.

Langerhans' islets: *ynysoedd Langerhans* casgliadau o gelloedd arbenigol yn y pancreas, sy'n cynhyrchu inswlin sy'n rheoli metabolaeth carbohydradau. Mae afiechyd yng nghelloedd yr ynysoedd yn achosi *DIABETES MELLITUS.*

Langhans' cell layer: *haen celloedd Langhans* cytotroffoblast. Haen fewnol y *TROFFOBLAST* (TROPHOBLAST).

lanolin: *lanolin* braster gwlân a ddefnyddir fel sylfaen i eli.

lanugo: *lanwgo* y blew mân sy'n gorchuddio'r ffetws yn y groth. Mae'r rhan fwyaf ohono wedi diflannu erbyn i'r plentyn gael ei eni yn ei lawn amser.

laparoscope: *laparosgop* offeryn ar gyfer archwilio'r ceudod peritoneol.

laparoscopy: *laparosgopi* archwilio'r tu fewn i'r abdomen gyda chymorth *LAPAROSGOP* (LAPAROSCOPE)

laparotomy: *laparotomi* agor y ceudod abdomenol er mwyn archwilio.

Largactil: *Largactil* Gw. *CHLORPROMAZINE*

laryngoscope: *laryngosgop* offeryn endosgopig ar gyfer archwilio'r laryncs a thannau'r llais ac i gynorthwyo i fewnosod tiwb endotraceaidd.

larynx: *larycs* organ y llais, a leolir ym mhen uchaf y tracea. Mae ganddo ffrâm gyhyrog a chartilagaidd, wedi'i leinio â philen fwcaidd. Mae tannau'r llais sydd yn feinwe elastig yn ymestyn ar ei thraws. Gelwir y gofod rhwng y tannau yn glotis.

laser: *laser* dyfais sy'n trosglwyddo ymbelydredd electromagnetaidd o amrywiol amleddau yn belydryn bach, hynod ddwys a bron iawn yn annargyfeiriol o ymbelydredd monocromatig yn y parth gweladwy, gyda'r holl donnau yn gydwedd; daw o fwyhau golau trwy efelychu gollyngiad ymbelydredd. Mae'n gallu ysgogi gwres a phŵer anferth wrth ei ffocysu'n agos, fe'i defnyddir fel offeryn mewn llawdriniaeth, mewn diagnosis ac mewn astudiaethau ffisiolegol.

Lasix: *Lasix* Gw. FUROSEMIDE.

last menstrual period (LMP): *mislif diwethaf* rhaid gwybod dyddiad diwrnod cyntaf y mislif normal diwethaf er mwyn amcangyfrif dyddiad tebygol y geni. Dylai'r fydwraig sicrhau bod y wybodaeth a roddir gan y fam yn cyfeirio at waedu o'r wain a ddigwyddodd ar ôl y cyfnod amser disgwyliedig ar ôl y mislif blaenorol, ac a barhaodd am y nifer arferol o ddyddiau, gan y gall y fam gamgymryd colli ychydig bach o waed adeg y mewnblannu am fislif normal.

latent: *cudd* wedi'i guddio; ddim yn amlwg. *Cyfnod cudd* (*l. period*): cyfnod ble nad oes dim gweithgarwch i bob golwg, fel yn y rhan gyntaf o'r cam cyntaf o'r esgor.

lateral: *ochrol* yn gysylltiedig â'r ochr.

'laughing gas': *'nwy chwerthin'* NITRWS OCSID (NITROUS OXIDE)

lavage: *golchiad* golchi ceudod allan. *Golchiad colonig* (*colonic l.*): golchi allan y colon. *Golchiad gastrig* (*gastric l.*): golchi allan y stumog.

lavender oil: *olew lafant* olew aromatherapi hynod grynodol a ddefnyddir gan rai bydwragedd sydd wedi eu hyfforddi i'w ddefnyddio, er mwyn helpu i wella'r perinëwm ac i leddfu anghysur yn ystod yr esgor ac ar ôl y geni. Ni ddylid ei ddefnyddio ar y cyd ag anaesthesia epidwral oherwydd ei fod yn gostwng pwysedd y gwaed. Ni chymeradwyir ei ddefnyddio tan yn hwyr yn y beichiogrwydd oherwydd credir ei fod yn EMENAGOG (EMMEN-AGOGUE)

laxative: *carthydd* moddion sydd yn llacio cynnwys y perfedd ac yn hybu ysgarthu. Yn Saesneg mae carthydd sydd yn cael effaith ysgafn neu dyner ar y coluddion yn cael ei alw'n 'aperient'; mae un sy'n cael effaith gref yn cael ei alw'n 'cathartic' neu'n 'purgative'. Gall fod yn beryglus i wraig feichiog ddefnyddio carthyddion oherwydd gallant ysgogi gweithrediad y groth ac felly achosi gwaedu.

lead proffesional: *gweithiwr arweiniol* argymhellodd yr ADRODDIAD NEWID GENI 1993 (CHANGING CHILDBIRTH REPORT 1993) y dylai pob gwraig feichiog dderbyn gofal gan un gweithiwr proffesiynol sydd yn ysgwyddo'r rhan fwyaf o'r cyfrifoldeb am ei gofal, er y gall gweithwyr proffesiynol eraill fod yn ymwneud â hi hefyd. Gall y gweithiwr arweiniol fod yn fydwraig, obstet-regydd arbenigol neu obstetregydd sydd yn feddyg teulu, yn dibynnu ar anghenion a dymuniadau'r fam.

learning difficulty: *anhawster dysgu* term cyfoes ar gyfer nam meddyliol. Hefyd yn cael ei alw'n anabledd dysgu. Gall plant sydd yn dioddef o barlys yr ymennydd o ganlyniad i anaf geni fod ag anawsterau dysgu, a hefyd y rhai hynny sydda gydag anhwylderau cromosomol cynhenid megis Syndrom Down.

Leboyer method: *dull Leboyer* dull geni a argymhellwyd gan feddyg Ffrengig, Leboyer. Mae'n pwysleisio'n arbennig y dylai'r baban gael ei eni'n dyner ac yn dawel. Mae'r ystafell yn cael ei thywyllu ar gyfer y geni, ac mae'r baban yn cael ei eni mewn distawrwydd ac yn cael ei godi ar abdomen ei fam; wedyn rhoddir y baban mewn bath cynnes. Honnir y bydd y baban yn crio llai ac y bydd yn blentyn ac yn oedolyn mwy bodlon oherwydd bod sioc y geni wedi bod yn llai.

lecithin: *lecithin* moleciwl cymhleth o brotein ac asid brasterog a geir yn alfeoli'r ysgyfaint. Mae SYRFFACTYDD (SURFACTANT) yn lecithin ac mae'n helpu i gadw'r ysgyfaint ar agor. Mae'r lecithin a gynhyrchir yn ysgyfaint y ffetws yn llifo i'r hylif amniotig ble gellir ei fesur i roi syniad o aeddfedrwydd y ffetws. *Cymhareb lecithin/sffingomyelin* (*l./sphingomyelin ratio*): mae lecithin, ond nid sffingomyelin, yn cael ei gynhyrchu fwyfwy wrth i'r beichiogrwydd fynd yn ei flaen. Felly mae'r cymhareb yn cynyddu wrth i ysgyfaint y ffetws aeddfedu. Mae cymhareb o 2 neu fwy yn dangos nad oes ond ychydig, neu ddim perygl o drafferth anadlu yn y baban newydd-anedig. Y byrfodd yw Cymhareb: *L/S*.

Lee Frankenhauser plexus: *plecsws Lee Frankenhauser* rhwydwaith nerfau yn cynnwys y trydydd a'r pedwerydd nerf sacral, hypogastrig ac ofaraidd ac mewn perthynas â rhan gerfigol y groth.

Leeds test: *prawf Leeds* prawf sgrinio, yn debyg i BRAWF BART (BART) sydd a'r nod o ganfod gwragedd sydd â risg uwch na'r cyffredin o gario ffetws â Syndrom Down. *Prawf Gwaed Triphlyg* yw'r enw arall arno. Cymerir gwaed a'i ddadansoddi i weld a yw'n cynnwys protein alffaffeto, oestriol a gonadotroffin corionig dynol heb ymgyfuno, yn ogystal ag arwyddion eraill megis niwtroffil alcilin ffosffatas. Gwragedd â risg isel yw'r rhai hynny sydd â siawns llai na 1:250 o gael baban wedi'i effeithio. Mae'r rhai hynny â lefel risg mwy na 1:250 yn cael cynnig mwy o brofion diagnostig megis amniosentesis.

leiomyoma: *leiomioma* tyfiant cyhyr llyfn (ffibroidau), sy'n digwydd yn gyffredin yn y groth.

length: *hyd* mynegiant o ddimensiwn hiraf gwrthrych neu'r mesuriad rhwng ei ddau ben. Yr uned mesur hyd a dderbynnir yn rhyngwladol (SI) yw'r metr (m). *Hyd corun-sawdl* (*crown-heel l.*): y pellter o gorun y pen i'r sawdl mewn embryonau, ffetysau a babanod; yr un mesuriad mewn pobl hŷn yn eu sefyll. *Hyd corun-pen-ôl* (*crown-rump l.*): y pellter o gorun y pen i'r pen-ôl mewn embryonau, ffetysau a

babanod; yr un mesuriad mewn pobl hŷn pan fyddant yn eistedd. Wrth ei fesur trwy ddfryng uwchsain modd-B yn ystod 14 wythnos cyntaf y beichiogrwydd mae'n bosibl asesu aeddfedrwydd y ffetws; mae'n gywir o fewn 3 neu 4 diwrnod.

lesion: *difrod* anaf, briw neu newid strwythurol morbid mewn organ. Fe'i defnyddir fel term cyffredinol ar gyfer cyflwr morbid lleol.

'let down' reflex: *atgyrch 'llaetha'* y broses niwrogenig sydd yn ysgogi rhyddhau llaeth o'r bronnau, er enghraifft, pan fydd y fam yn clywed ei baban yn crïo.

leucine: *lewcin* asid amino hanfodol sy'n digwydd yn naturiol, mae'n rhaid ei gael er mwyn i'r baban dyfu ac i gael cydbwysedd nitrogen mewn oedolion.

leucocyte: *lewcocyt* corffilyn gwaed gwyn.

leucocytosis: *lewcocytosis* cynnydd yn nifer y lewcocytau yn y gwaed, fel rheol mewn ymateb i heintiad.

leucopenia: *lewcopenia* nifer y lewcocytau yn y gwaed wedi gostwng.

leucorrhoea: *lewcorea* rhedlif o'r wain sy'n wyn, yn fwcaidd ac nad yw'n cosi'n boenus. Fel arfer bydd chwarennau gwddf y groth yn secretu rhywfaint o hylif tebyg i ffwcws sydd yn lleithio pilenni'r wain. Yn aml bydd y rhedlif yn cynyddu adeg ofwliad, cyn y mislif a thrwy gydol beichiogrwydd. Mae'n cael ei ysgogi hefyd gan gyffro rhywiol. Dylai fod yn wyn, ac ni ddylai ddrewi na chosi'n boenus. Os yw'n drewi neu'n cosi dylid amau fod haint yno a dylid archwilio'r achos.

leukaemia: *lewcaemia* afiechyd y gwaed malaen, anghyffredin. Y nodwedd bennaf yw cynnydd amlwg mewn lewcocytau annormal. Yn ogystal ceir gostyngiad yn nifer yr erythrocytau a'r platennau gwaed, sy'n arwain at anaemia a mwy o ragdueddiad at haint a gwaedlif.

levallorphan: *lefalorffan* analog o leforffanol, sydd yn gweithredu fel gwrthweithydd i narcotigau poenleddfol.

levator: *lefator* cyhyr sydd yn codi rhan

levator ani: *lefator ani* llen lydan o gyhyr sydd yn ffurfio prif ran llawr y pelfis.

levonorgestrel: *lefonorgestrel* progestin a ddefnyddir ar y cyd gydag oestrogen fel pilsen atal cenhedlu eneuol.

libido: *libido* awydd rhywiol

Librium: *Librium* Gw. CHLORDIAZEP-OXIDE

lidocaine (lignocaine) hydrochloride (Xylocaine): *lidocain (lignocain) hydroclorid (Xylocaine)* cyffur a ddefnyddir ar gyfer mewndreiddiad analgesia a bloc nerfau. Gall bydwragedd ddefnyddio hyd at 1% hydoddiant i fewndreiddio'r perinëwm, cyn gwneud episiotomi a thrwsio'r perinëwm.

lie: *gorweddiad* y berthynas rhwng echelin hir y ffetws ac echelin hir croth y fam. Fel arfer mae'r rhain yn gyfochrog a dywedir bod y gorweddiad yn hydrolol. Mae'n annormal pan fo'r ffetws yn gorwedd ar draws croth y fam, mae'r gorweddiad yn un ardraws neu ar osgo ac oni bai bod hyn yn cael ei gywiro, bydd y broses esgor yn cael ei hatal.

ligament: *gewyn* band gwynn, ffibraidd o feinwe sydd yn cysylltu esgyrn neu'n cynnal organau mewnol. Mae'r gewynnau sydd yn cynnal y groth yn *(a) gewynnau cerfigol ardraws* neu *brif ewynnau* (*transverse cervical* or *cardinal l.*) (*b) gewynnau piwbocerfigol* (*pubocervical l.*) a *(c) gewynnau wterosacrol* (*uterosacral l.*). Mae'r *gewynnau crwn* (*round ligaments*) yn ymestyn o gornwa'r groth i'r labia majora. Plygiadau'r peritonewm yw'r *gewynnau llydan* (*broad ligaments*), sydd wrth ochr gewyn y groth ac yn gorchuddio'r tiwbiau Fallopio, felly nid ydynt yn ewynnau go iawn.

ligation: *ligiad* y broses o glymu gydag edau.

ligature: *edafedd clymu* edau, a wneir fel arfer o goludd, neilon neu weiren, a ddefnyddir i glymu pibellau gwaed.

light for dates: *ysgafn am y dyddiadau* Gw. BABAN BACH AM EI OED CARIO (SMALL FOR GESTATIONAL AGE BABY)

lightening: *ysgafnhad* y rhyddhad a brofir yn hwyr yn y beichiogrwydd pan fydd y rhan sy'n cyflwyno yn suddo i'r pelfis a'r ffwndws yn peidio â phwyso ar y diaffram, fel arfer ychydig ar ôl wythnos 36 mewn gwragedd sy'n cael eu plentyn cyntaf ac yn union cyn neu ar ôl dechrau'r broses esgor mewn gwragedd sydd wedi cael plentyn o'r blaen.

linea: *linea* llinell. *Linea alba:* y rhan dendonaidd yng nghanol wal yr abdomen a gosodir y transfersalis a rhan o'r cyhyrau arosgo o'i mewn. *Linea nigra:* y llinell bigmentaidd sydd yn aml yn ymddangos, yn ystod y beichiogrwydd, ar yr abdomen, rhwng yr wmbilicws a'r pwbis, weithiau'n ymestyn i fyny at y cartilag ensifform. Mae'r pigmentu'n digwydd oherwydd bod y chwarren bitwidol yn cynhyrchu mwy o hormon melanocytig. Mae'r llinell yn pylu ar ôl y geni pan fydd lefel hormonau'n gostwng.

lint: *lint* ffabrig cotwm wedi'i weu'n llac. Mae un ochr yn fflyffiog, a'r llall yn llyfn. Fe'i defnyddir i wneud gorchuddion ar gyfer llawdriniaethau.

lipase: *lipas* ENSYM (ENZYME) sy'n bresennol mewn sudd pancreatig, sydd yn hollti braster yn asidau brasterog.

lipid: *lipid* un o grŵp o sylweddau brasterog sy'n anhydawdd mewn dŵr ond yn hydawdd mewn alcohol neu glorofform. Rhan bwysig o'r diet. Yn bresennol fel arfer mewn meinweoedd y corff.

Lippe's loop: *dolen Lippe* dyfais atal cenhedlu fewngroth.

liquor amnii: *liquor amnii* yr hylif sydd

yn llenwi'r goden amniotig sy'n amgylchynu'r ffetws; mae ei gyfansoddiad yn debyg i hylif rhyng-gellol: tua 99% dŵr, yn cynnwys proteinau, brasterau a charbohydradau, sodiwm a photasiwm mewn hydoddiant, gyda malurion sy'n cynnwys celloedd epitheliol a ffetws wedi'u digennu, vernics caseosa, lanwgo ac amrywiol ensymau a phigmentau. Mae ganddo'r swyddogaethau canlynol; (a) mae'n gweithredu fel siocladdwr; (b) mae'n caniatáu tyfiant dirwystr; (c) mae'n gwasgaru pwysedd yn gyfartal dros y ffetws cyfan; (ch) mae'n caniatáu'r symudiad rhydd sydd ei angen i'r cyhyrau weithio; (d) mae'n atal safle'r brych rhag mynd yn llai. Mae'r cyfaint oddeutu un litr ar ôl 37–38 wythnos oed cario, ond mae hyn yn lleihau bron hanner ar ôl y cyfnod llawn. *Gw. hefyd* AMNIOCENTESIS (AMNIOCENTESIS).

Listeria: *Listeria* genws o facteria Gram-negatif. Mae'n peri afiechyd y llwybr anadlu uchaf, septicaemia ac afiechyd enceffalitig. Mae'n cael ei drosglwyddo drwy fwyta cynnyrch llaeth heintiedig heb ei bastwreiddio, neu drwy gyswllt uniongyrchol ag anifeiliaid heintiedig neu â phridd llygredig. Mae babanod newydd-anedig, merched beichiog, pobl oedrannus a'r rhai heb imiwnedd yn fwy tueddol i ddal yr haint.

lithopaedion: *lithopaedion* ffetws marw sydd wedi mynd fel carreg oherwydd dyddodiad halen calch. Mae hyn yn digwydd dim ond i ffetws sydd wedi datblygu y tu allan i'r groth ac felly mae'n beth prin iawn.

lithotomy position: *safle lithotomi* y wraig yn gorwedd ar ei chefn gyda'i chluniau a'i choesau wedi'u plygu a'u tynnu ar led a'u dal yn eu lle gan bolion lithotomi. Mabwysiedir y safle hwn ar gyfer geni â gefel neu eni ffolennol ac ar gyfer gwnïo'r perinëwm. Dylid cymryd gofal wrth godi coesau'r fenyw i'r

cyfrwyau ac allan ohonynt, bod y ddwy goes yn cael eu codi gyda'i gilydd (gan ddau berson o ddewis, un ar bob ochr) er mwyn osgoi'r posibilrwydd o afleoli'r clun oherwydd bod y cymal yn llac o dan ddylanwad relacsin a progesteron.

litmus paper: *papur litmws* papur sydd wedi'i drwytho mewn litmws, pigment a ddefnyddir i ganfod adwaith hylifau. Mae asidau yn troi litmws glas yn goch ac alcalïau yn troi litmws coch yn las.

litre: *litr* mesur cyfaint, 1000ml neu oddeutu 35 owns hylifol.

live birth: *genedigaeth fyw* baban sy'n cael ei eni'n fyw.

liver: *iau / afu* y chwarren fawr siâp lletem a leolir yn yr hypocondriwm a'r gastriwm de. Mae'n hanfodol i fywyd. Ei phrif swyddogaethau yw: (a) ffurfio bustl; (b) cynhyrchu proteinau plasma ac eithrio GLOBWLINAU GAMA (GAMMA GLOBULINS); (c) storio carbohydradau fel glycogen, haearn a fitaminau A, D, E a Kl (d) rheoleiddio metabolaeth braster, protein a charbohydrad; (e) dad-docsiceiddio cyffuriau a sylweddau eraill; (f) ffurfio a dinistrio ERYTHROCYTAU (ERYTHROCYTES); (g) cynhyrchu PROTHROMBIN (PROTHROMBIN); a FFIBRINOGEN (FIBRINOGEN); (h) cynhyrchu gwres; a (i) gweithredu ffagocytig ar facteria.

livid: *dulas* cyanotig. Mae'r lliw glas yn gysylltiedig â gorlenwad y gwythiennau a chyflenwad annigonol o ocsigen.

lobe: *llabed* rhan o organ, wedi'i gwahanu oddi wrth rannau cyfagos gan agennau.

lobule: *llabeden* (*ans.* **llabedennog**) segment neu labeden fechan, yn enwedig un o'r rhaniadau llai sy'n creu llabed.

local authority: *awdurdod lleol* y llywodraeth yn lleol.

local supervising authority (LSA): *awdurdod goruchwyliol lleol (AGLl)* sefydliad lleol, fel arfer yr awdurdod iechyd rhanbarthol, sydd yn gyfrifol am fonitro ymarfer bydwreigiaeth o fewn ei ardal. Gwneir hyn trwy benodi goruchwylwyr bydwreigiaeth, hwyluso addysg a hyfforddiant bydwragedd a rhoi cyfle iddynt gyfathrebu gyda'r goruchwylwyr, datblygu systemau i sicrhau bod pob bydwraig sydd yn gweithio o fewn yr ardal yn gymwys i ymarfer ac, os oes angen, gwahardd unrhyw fydwraig y teimlir ei bod wedi gweithredu mewn dull anniogel neu esgeulus rhag ymarfer. Mae gan yr awdurdod swyddog enwebedig a mae'n rhaid iddo ef neu hi fod yn fydwraig wrth ei (g)waith, i weithredu ei swyddogaethau. *Gw. hefyd GORUCH-WYLIWR BYDWRAGEDD* (SUPERVISOR OF MIDWIVES)

lochia: *lochia* y rhedlif o'r groth yn dilyn genedigaeth neu erthyliad. Mae'n cynnwys gwaed o safle'r brych, darnau mân o decidua neu amwisg, celloedd epitheliol wedi'u digennu o'r wain ac, i ddechrau, malurion o'r groth e.e. liquor amnii, vernics caseosa a meconiwm. *Lochia alba* (eithaf gwyn) yn cynnwys celloedd gwaed gwyn a mwcws. *Lochia rubra* (coch) gwaed ffres yn bennaf ac yna gwaed mwy hen. *Lochia serosa* (eithaf pinc) yn cynnwys llai o gelloedd coch a mwy o gelloedd gwyn. Gellir disgwyl i lochia barhau am 2–3 wythnos neu o bosibl dipyn hirach. Os yw'r lochia yn goch ac yn helaeth, dylid amau isinfolwted neu haint. Os yw'n drewi mae'n arwydd o haint. Unigol: Lochium (lochium)

locked twins: *efeilliaid clo* cyflwr ble mae efeilliaid yn gorwedd gyda'u cyrff a'u pennau wedi'u lleoli fel na ellir geni'r naill na'r llall yn naturiol; achos prin o esgoriad wedi'i atal.

locus: *locws* lle; safle; mewn geneteg, safle penodol genyn ar gromosom

longitudinal study: *astudiaeth hydredol* astudiaeth sy'n golygu gwneud arsylwadau o'r un grŵp o adegau dilynol mewn amser. Mae werthfawr

ar gyfer astudio datblygiad neu dwf dynol. Gall hefyd gael ei ddefnyddio i arsylwi newid dros amser o fewn cyfundrefn.

lordosis: *lordosis* cromlin arferol y meingefn tuag ymlaen yn fwy amlwg nag arfer. Mae rhywfaint o lordosis yn gyffredin yn ystod beichiogrwydd oherwydd llacrwydd cyhyr-ysgerbydol a achosir gan relacsin a progesteron. Mae ymddaliad gwael yn gwaethygu'r broblem a dylid rhoi cyngor ynghylch ymddaliad, ymarferion ac ymlacio. Mae pwysau'r groth yn tynnu'r corff ymlaen ac, er mwyn unioni hyn mae'r wraig yn gwyro'n ôl, ac felly'n taflu mwy o straen ar y cymalau sacroiliag sydd wedi ymlacio gan achosi poen cefn.

Lövset's manoeuvre: *llawiad Lövset* llawiad ble mae ysgwyddau'r ffetws yn cael eu geni pan fo'r breichiau wedi ymestyn yn ystod esgoriad ffolennol. Mae'n golygu troi'r ffetws trwy hanner cylch, gan gadw'r cefn i fyny, er mwyn dod â'r fraich ôl i safle blaen o dan y symffysis pwbis, ble gellir ei geni. Yna troir y ffetws trwy hanner cylch yn y cyfeiriad arall a genir y fraich arall yn yr un modd.

low-birth-weight baby: *baban isel ei bwysau geni* unrhyw faban sydd yn pwyso 2.5 kg neu lai adeg ei eni. Gall babanod ysgafn eu pwysau geni fod: **1.** cyn amser, os genir hwy cyn diwedd 37 wythnos gyfan o'r beichiogrwydd; neu **2.** Bychan am eu hoed cario, os yw'r pwysau geni islaw'r degfed canradd am oed cario. Mae rhai babanod cyn eu hamser ac yn fach am eu hoed cario.

lower uterine segment: *segment isaf y groth* y rhan o'r GROTH (UTERUS) sy'n gorwedd rhwng y plygiad peritoneol wterofesigol uwch ei phen a man cyfarfod y groth a gwddf y groth o dani.

lubricant: *iraid* eli, jeli neu sylwedd tebyg a roddir ar y dwylo, menig neu offer i'w gwneud yn llithrig ac i'w gwneud yn haws trin â llaw.

lumbar: *meingefnol* yn perthyn i'r lwynau. *Pigiad meingefnol (l. puncture):* cyflwyno nodwydd wag i'r gwagle isarachnoid, fel arfer rhwng y 4ydd a'r 5ed fertebra meingefnol, er mwyn echdynnu hylif cerebrosbinol. Gellir gwneud hyn at ddibenion diagnostig, er mwyn rhyddhau pwysedd neu i gyflwyno cyffuriau.

lumbosacral: *cefnsacrol* yn ymwneud â fertebra neu ardaloedd y meingefn a'r sacrwm.

lumen: *lwmen* y gwagle o fewn tiwb.

lumpectomy: *lwmpectomi* Cynnal llawdriniaeth i dorri allan y difrod yn unig (diniwed neu falaen) o'r fron.

lungs: *ysgyfaint* Pâr o organau conigol y system resbiradol. Mae'n cynnwys trefniant o diwbiau aer (bronchi a bronchiolynnau) yn diweddu mewn gwagleoedd aer (alfeoli); maent yn llenwi'r rhan fwyaf o'r ceudod thorasig. Mae'r ysgyfaint yn cyflenwi ocsigen a fewnanadlir o'r aer y tu allan i'r gwaed, ac maent yn gwaredu carbon deuocsid gwastraff yn yr awyr a anadlir allan, fel rhan o'r broses a elwir yn resbiradaeth.

lupus: *lwpws* afiechyd croen cronig sy'n dangos ei hun mewn sawl ffordd wahanol.

luteal: *lwteal* yn perthyn i'r corpws lwtewm.

lutein: *lwtein* y pigment melyn yn y corpws lwtewm.

luteinizing hormone: *hormon lwteineiddio* hormon a secretir gan labed flaen y chwarren bitwidol, gan weithredu, gyda hormon sy'n ysgogi'r ffoliglau, i beri i'r ffoliglau aeddfed ofwleiddio ac i gelloedd thecol a granwlosa'r ofari secretu oestrogen; mae hefyd yn ymwneud â ffurfio'r corpws lwtewm. Yn y gwryw mae'n ysgogi datblygiad celloedd gwagleol a ceilliau

a'u secretiad o destosteron.

luteotrophin: *lwteotroffin* prolactin.

lymph: *lymff* hylif y corff, a geir o'r hylif yng ngwagleoedd y meinwe ac a gludir mewn pibellau lymffatig yn ôl i lif y gwaed. Mae ei gyfansoddiad yn debyg i hylif meinwe. Ceir nodau lymff yn rheolaidd yng nghwrs y pibellau lymffatig. Eu swyddogaeth yw gweithredu fel hidlydd.

lymphatics: *lymffatigau* pibellau'n cludo lymff.

lymphocytes: *lymffocytau* celloedd gwaed gwyn, a ffurfir yn bennaf o'r meinwe lymffoid ym mêr yr esgyrn a'r thymws.

lymphoedema: *lymffoedema* cyflwr lle mae'r gwagleoedd rhwng y celloedd yn cynnwys symiau annormal o lymff oherwydd rhwystr sy'n atal y lymff rhag draenio.

lyse: *lysu* achosi ymddatodiad cell neu sylwedd.

lysin: *lysin* sylwedd sy'n hydoddi celloedd ac sy'n bresennol yn serwm y gwaed.

lysis: *lysis* 1. dirywiad graddol, e.e. mewn twymyn. 2. torri i lawr, fel mewn haemolysis; torri i lawr neu ddinistrio celloedd gwaed coch.

lysozyme: *lysosym* asiant gwrth-facteriol (Gram-positif) sy'n bresennol ym mhob meinwe a secretiad, yn enwedig mewn dagrau a llaeth y fron.

lytic cocktail: *coctel lytig* cyfuniad o chlorpromazine, promethazine a pethidine, y gellir ei ddefnyddio i drin cyneclampsia difrifol ac eclampsia. Gellir defnyddio promethazine a pethidine yn unig. Mae'n ysgogi cwsg dwfn, yn helpu'r cyhyrau i ymlacio ac yn gostwng y pwysedd gwaed. Fe'i defnyddir yn llai cyffredin erbyn hyn.

M

maceration: *briwio* y broses o feddalu solid trwy ei fwydo mewn dŵr. Mae briwio'n digwydd pan fydd ffetws marw yn cael ei gadw yn y groth am fwy na 24 awr. Y nodweddion yw afliwiad, meddaliad y meinweoedd, croen y ffetws yn pilio ac yn y diwedd y ffetws marw yn ymddatod. Mae'n dangos bod baban marw-anedig wedi bod yn farw *yn y groth* cyn dechrau'r broses esgor, a gall arwain at dolcheniad mewnfasgwlaidd wedi lledaenu.

Mackenrodt's ligaments: *gewynnau Mackenrodt* y gewynnau ardraws neu'r prif ewynnau sy'n cynnal y groth yng ngheudod y pelfis.

macro-: *macro-* rhagddodiad yn golygu 'mawr'.

macrocyte: *macrocyt* corffilyn gwaed coch annormal o fawr a geir yn y gwaed mewn anaemia megaloblastig adeg beichiogrwydd oherwydd diffyg asid ffolig.

macrophage: *macroffag* unrhyw un o'r celloedd mawr, un gnewyllol, hynod ffagocytig sy'n deillio o fonocytau a geir yn waliau pibellau gwaed ac mewn meinwe cysylltiol rhydd. Maent yn gydrannau o'r system reticwloendothelial ac yn dod yn weithredol symudol wrth i adwaith llidus eu hysgogi; maent hefyd yn rhyngweithio â lymffocytau i hwyluso cynhyrchu gwrthgyrff.

macroscopic: *macrosgopig* y gellir ei weld â'r llygad noeth.

magnesium: *magnesiwm* elfen. Symbol Mg. Metel glaswyn. Mae symiau bychan iawn yn hanfodol i fywyd, gan fod ei

angen i lawer o ensymau weithredu, yn enwedig y rhai hynny sydd yn ymwneud â ffosfforyleiddiad ocsidiol. Fe'i ceir mewn hylifau mewn- ac allgellol ac fe'i hysgarthir mewn wrin a charthion. Y lefel arferol mewn serwm yw oddeutu 1 mmol/l. Mae diffyg magnesiwm yn achosi sensitifedd y system nerfol gyda thetanedd, fasoymlediad, confylsiynau, cryndod, iselder ac ymddygiad seicotig. *Magnesiwm sylffad (magnesium sylphate):* carthydd halwynog (Epsom salts). Fe'i defnyddir i reoli confylsiynau eclampsia, a chafwyd ei fod yn fwy effeithiol na diazepam na ffenytoin. Mae'n cael ei argymell bellach gan Fudiad Iechyd y Byd ar gyfer trin eclampsia. Caiff ei roi yn fewnwythiennol; rhaid monitro lefelau gwaed yn rheolaidd i sicrhau eu bod yn aros o fewn yr ystod 2–4 mmol/l. Mae gwenwyndra yn arwain at golli atgyrchau'r fam, parlys y cyhyrau, ac ataliad y galon a'r ysgyfaint. *Magnesiwm trisilicad (magnesium trisilicate):* powdwr gwrthasid a ddefnyddir i drin dyspepsia, wlser peptig a dŵr poeth, ac i leihau asidedd cynhwysion y stumog cyn anaesthesia cyffredinol, yn enwedig yn ystod y geni i leihau'r risg o *SYNDROM MENDELSON* (MENDELSON'S SYNDROME).

magnetic resonance imaging (MRI): *delweddu cyseiniant magnetig* techneg ddelweddu seiliedig ar briodweddau *CYSEINIANT MAGNETIG NIWCLEAR* (NUCLEAR MAGNETIC RESONANCE) y niwclews hydrogen.

Gellir cael delweddau traws-doriadol mewn unrhyw blân a gall y delweddau gynrychioli un neu fwy o nifer o briodweddau.

maintenance order: *gorchymyn cynhaliaeth* gorchymyn llys yn ei gwneud yn ofynnol i berson roi taliad rheolaidd i rywun y mae ganddo/ganddi gyfrifoldeb drosto/i, e.e. tad plentyn.

mal-: *cam-* rhagddodiad yn golygu 'gwael', 'anghywir' neu 'sâl'. *Grand mal:* trawiad confylsiwn cyffredinol lle mae'r claf yn mynd yn anymwybodol. *Gw. hefyd* EPILEPSI (EPILEPSY). *Petit mal:* colli ymwybyddiaeth am ysbaid fer heb symudiadau confylsiwn. *Gw. hefyd* EPILEPSI (EPILEPSY).

malabsorption: *camsugno* amhariad ar y ffordd y mae'r coluddyn yn amsugno maetholion. *Syndrom camsugno (m. syndrome):* grŵp o anhwylderau lle mae'r coluddyn yn amsugno llai o gyfansoddion dietegol na'r norm ac felly mae gormod o faetholion yn cael eu colli yn y carthion.

malacia: *malacia* y meinweoedd yn meddalu. *Osteomalacia:* meinwe'r asgwrn yn meddalu; un effaith yw anffurfiant esgyrn y pelfis. Mae'n anghyffredin mewn gwledydd datblygedig.

malaise: *malaise* teimlad cyffredinol o fod yn anghysurus ac yn sâl.

malar: *malar* yn gysylltiedig ag asgwrn malar yr wyneb neu'r rhan gyfagos.

malaria: *malaria* Heintiad trofannol a ddelir o frathiadau mosgito ac sy'n arwain at bresenoldeb parasitau protosoan yng nghelloedd coch y gwaed. Gall pyliau o dwymyn, chwysu, crynu a rigor ddigwydd bob hyn a hyn dros nifer o flynyddoedd. Dylid cymryd moddion proffylactig cyn, yn ystod ac ar ôl teithio i unrhyw ran o'r byd ble ceir malaria.

male reproductive system: *system atgenhedlu wrywol* yn cynnwys dwy gaill (1). Cedwir y rhain o fewn y

System Genhedlol y Gwryw

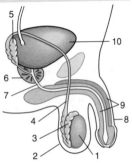

1. ceilliau; 2. ceillgwd; 3. epididymis;
4. vas deferens; 5. fesicl semen;
6. chwarren brostad; 7. wrethra;
8. pidyn; 9. cnodwe ymgodol;
10. y bledren.

ceillgwd (2) ac mae'r hadau yn ffurfio o'u mewn. Mae system o diwbiau mân, yr epididymis (3), yn casglu'r sberm a gludir wedyn gan diwb hir, y fas defferens (4). Mae hwn yn mynd ar hyd y llwybr arffedol a heibio'r bledren, i'r sberm gael ei storio yn y fesiglau seminol (5). Pan fydd alldafliad yn digwydd, bydd y chwarren brostad (6) yn ychwanegu hylif i'r sberm sydd yn cael eu cludo i'r wrethra (7) y tu fewn i'r pidyn wedi ymgodi (8). Yn ystod cyfathrach rhywiol mae'r sberm yn cael eu gosod yn fornics ôl y WAIN (VAGINA).

malformation: *camffurfiad* annormaledd anatomegol. Yn aml rhywbeth wedi'i anffurfio ydyw, un ai yn gynhenid neu'n gaffaeledig.

malignant: *malaen* yn tueddu i fynd yn gynyddol waeth ac i ddiweddu mewn marwolaeth; yn meddu ar briodweddau anaplasia, ymwthioledd a metastasis; fe'i defnyddir i ddisgrifo tyfiannau.

malnutrition: *diffyg maeth* cyflwr lle mae maeth yn ddiffygiol o ran ei swm neu ei ansawdd.

Malpighian body: *corffyn Malpighi* y glomerwlws a chwpan Bowman yn yr aren.

malposition: *camsafle* safle anghywir unrhyw organ neu ran mewn perthynas ag adeiladdau neu rannau cyfagos. Defnyddir y term mewn perthynas â ffetws gyda'r ocsipwt wedi'i gyfeirio at y naill neu'r llall o bedrantau ôl y pelfis.

malpractice: *camymarfer* unrhyw gamymddwyn proffesiynol, diffyg afresymol mewn sgil neu ffyddlondeb mewn dyletswyddau proffesiynol, neu ymddygiad anghyfreithlon neu anfoesol. Un ffurf ar esgeulustod yw camymarfer, ac mewn termau cyfreithiol gellir ei ddiffinio fel peidio â gwneud rhywbeth y byddai person rhesymol yn ei wneud, neu wneud rhywbeth na fyddai person rhesymol a doeth yn ei wneud. Mewn bydwreigiaeth canlyniad camymarfer yw anaf, dioddef diangen, neu farwolaeth y fam neu'r baban.

malpresentation: *camgyflwyniad* Unrhyw gyflwyniad y ffetws ac eithrio cyflwyniad y corun. Gall fod yn gyflwyniad ffolennol, wyneb, talcen neu ysgwydd. Os methir â gwneud diagnosis o'r cyflwr gall arwain at gymhlethdodau difrifol gan gynnwys esgor wedi'i atal, y groth yn rhwygo, neu farwolaeth y ffetws neu'r fam.

maltase: *maltas* ensym sy'n hollti siwgr sy'n trosi maltas yn glwcos. Yn bresennol mewn sudd pancreatig a sudd y coluddyn.

maltose: *maltos* siwgr (disacarid) a ffurfir pan gaiff startsh ei hydrolysu gan amylas.

mamma: *mama* y fron.

mammal: *mamolyn* aelod o is-adran o fertebratau, sydd yn cynnwys yr holl rai hynny sydd â gwallt/blew ar yn rhoi sugn i'w hepil.

mammary: *bronnol* yn gysylltiedig â'r bronnau.

mammilla: *mamila* y deth.

mammography: *mamograffi* radiograffeg o'r fron gyda neu heb chwistrellu sylwedd afloyw i'r dwythellau. Mae mamograffi syml, heb ddefnyddio cyfrwng cyferbyniad, yn ddull arferol o sgrinio er mwyn gwneud diagnosis o ganser ac anhwylderau eraill y fron.

Manchester operation: *llawdriniaeth Manceinion* trychu gwddf y groth, gyda colporaffi blaen ac ôl.

mandelic acid: *asid mandelig* asid ceto a ddefnyddir fel antiseptig wrinol mewn neffritis, pyelitis, a cystitis.

mandible: *mandibl* asgwrn siâp pedol sy'n ffurfio'r ên isaf.

mania: *mania* anhwylder meddwl a nodweddir gan uchel hwyliau a chyflymu'r prosesau meddwl i gyd, sy'n cyrraedd ei benllanw mewn trais yn aml. Gall ddilyn geni plentyn.

manic-depressive psychosis: *seicosis iselder manig* salwch meddwl a nodweddir gan mania neu *ISELDER* mewndarddol (endogenous *DEPRESSION*). Gall y pyliau amrywio rhwng mania ac iselder neu gall y wraig gael pyliau o mania neu iselder dro ar ôl tro.

manipulation: *trin â llaw* defnyddio'r dwylo mewn ffordd grefftus, megis wrth newid safle'r ffetws.

mannitol: *manitol* alcohol siwgr a geir yn gyffredin ym myd natur, yn enwedig mewn ffyngau; diwretig osmotig a ddefnyddir ar gyfer diwresis yn cael ei orfodi ac mewn oedema ymenyddol. Ni chymeradwyir ei ddefnyddio yn ystod beichiogrwydd. Fe'i defnyddir mewn achos o necrosis llym a tiwbiaid yn dilyn gwaedlif ar ôl geni. Ni ddylid fyth ei ychwanegu at waed cyfan.

manoeuvre: *llawiad* tebyg i drin â llaw. Gweithrediad arbennig â'r dwylo e.e. i hwyluso'r broses esgor neu i gyflymu'r brych. *Gw. LLAWIAD LÖVSET* (LÖVSET'S

MANOEUVRE) a *LLAWIAD MAURICEAU-SMELLIE-VEIT* (MAURICEAU-SMELLIE-VEITS MANOEUVRE)

manometer: *manomedr* offeryn i fesur pwysedd neu densiwn hylifau neu nwyon. *Gw. SFFYGMOMANOMEDR* (SPHYGMOMANOMETER).

Mantoux reaction: *adwaith Mantoux* adwaith i'r *prawf Mantoux* (*Mantoux test*), sy'n golygu rhoi pigiad mewngroenol o hen dwbercwlin i weld a oes rhagdueddi i ddal twbercwlosis. Os yw gwrym yn datblygu o fewn oriau mae hyn yn dangos adwaith gadarnhaol ac yn arwydd bod heintiad blaenorol wedi rhoi rhywfaint o imiwnedd.

manual: *â llaw* defnyddio llaw neu ddwylo. *Tynnu'r brych allan â llaw* (*m. removal of the placenta*): rhoi llaw i mewn i'r groth i symud brych a ddargadwyd. Efallai y bydd yn rhaid i fydwraig sy'n gweithio mewn ardaloedd anghysbell heb gymorth meddygol wneud y weithred hon mewn argyfwng. Rhoddir eli antiseptig ar y llaw yn gwisgo maneg ac fe'i rhoddir yn y wain gan ddilyn llinyn y bogail i'r groth a'r brych, gan gynnal y groth drwy wal yr abdomen â'r llaw arall. Wedi canfod ymyl rhydd ar y brych mae'r gweddill yn cael ei blicio oddi ar wal y groth a'i dynnu allan. Efallai y bydd angen cywasgu â'r ddwy law i reoli'r gwaedu. Mae mwy o berygl sioc pan wneir y weithred heb anaesthetig.

maple syrup urine disease: *clefyd wrin surop masarn* anhwylder genetig lle mae ensym sy'n angenrheidiol ym metabolaeth amino-asidau cadwynganghennog yn ddiffygiol. Yr arwyddion clinigol yw anabledd meddwl a chorfforol, anawsterau bwydo ac aroglau nodweddiadol ar yr wrin.

marasmus: *marasmws* diffyg maeth a cholli pwysau difrifol mewn babanod sy'n gysylltiedig â ffurf ar ddiffyg caloriau protein, ond fel arfer gan gadw archwaeth a bywiogrwydd meddwl.

Bernir ei fod yn perthyn i *KWASHIORKOR* (KWASHIORKOR).

Marcain: *Marcain* Gw. BUPIVACAINE.

Marfan's syndrome: *syndrom Marfan* anhwylder etifeddol y meinwe cysylltiol a nodweddir gan hyd annormal yr eithafion, yn enwedig bysedd y dwylo a'r traed, isddadleoliad y lens, anomaleddau cynhenid y galon ac annffurfiannau eraill.

marijuana, marihuana: *mariwana* paratoad o ddail a phennau blodeuog y *Cannabis sativa*, planhigyn cywarch sy'n cynnwys nifer o sylweddau sy'n weithredol yn ffarmacolegol. Mae hashish hefyd yn dod o'r planhigyn cywarch, o'r resin clir a secretir gan bennau planhigion wrth iddynt flodeuo a bernir ei fod yn gryfach na mariwana. Defnyddir y ddau gyffur oherwydd eu bod yn ysgogi ewfforia ac maent 3 neu 4 gwaith cryfach pan gânt eu smygu neu eu mewnanadlu na phan gânt eu llyncu. Mae'n anghyfreithlon bod ym meddiant mariwana mewn sawl gwlad gan gynnwys y DU. Mae peth tystiolaeth bod mariwana yn cynyddu'r perygl o erthylu digymell a namau cynhenid.

marrow: *mêr* y deunydd meddal, organig, tebyg i sbwng a geir yng ngheudodau'r esgyrn. Ei brif swyddogaeth yw cynhyrchu erythrocytau, lewcocytau a phlatenni. Weithiau ceir haint ym mêr yr esgyrn, megis anaemia aplastig, a achosir o bosibl wrth i'r mêr gael ei ddinistrio gan asiantau cemegol neu ormod o ddatguddio i belydrau-X. Ymysg afiechydon eraill sy'n effeithio ar fêr yr esgyrn ceir lewcaemia, anaemia afledol, myeloma a thyfiannau metastatig.

massage: *tylino'r corff* anwesu neu dylino'r corff mewn dull systematig at ddibenion therapiwtig. Gall tylino therapiwtig helpu rhywun i ymlacio, ysgogi'r cylchrediad a'r prosesau ysgarthu a gostwng y pwysedd gwaed. Mae rhai merched yn hoffi cael eu tylino yn ystod y broses esgor, er nad yw pob merch yn hoffi cael ei chyffwrdd ar yr adeg hon; mae tylino'r abdomen yn ysgafn ac mewn symudiad cylchol yn gallu bod yn help i leddfu anghysur wrth esgor, gan fod ysgogiadau cyffwrdd yn cyrraedd yr ymennydd cyn ysgogiadau poen. *Gw. hefyd EFFLEUR-AGE. **Tylino'r galon** (cardiac m.):* cywasgu'r galon yn ysbeidiol drwy roi pwysedd dros y sternwm (tylino caeëdig y galon) neu yn uniongyrchol ar y galon drwy agoriad ym mur y frest (tylino agored y galon).

mast cells: mastgelloedd celloedd meinwe cysylltiol mawr a geir yn y galon, yr iau (afu) a'r ysgyfaint. Maent yn cynnwys gronigion sy'n rhyddhau heparin, serotonin a histamin mewn ymateb i lid neu alergedd.

mastitis: mastitis llid y fron. Mae mastitis pwerperaidd yn haint sydd yn ganlyniad fel arfer i bresenoldeb staffylococi ac ambell waith streptococci, sydd yn mynd i mewn fel arfer drwy dethi wedi cracio. Mae rhan siâp lletem o'r frest yn mynd yn dyner, yn goch ac yn gynnes ac mae'r wraig yn teimlo'n gyffredinol sâl. Mae'r cyflwr yn ymateb yn gyflym i driniaeth â gwrthfiotigau. Os ceir oedi cyn rhoi triniaeth gall hyn arwain at grawniad a bydd rhaid ei dorri a'i ddraenio.

MAT B1: MAT B1 tystysgrif mamolaeth, a lofnodir gan y fydwraig neu'r meddyg, yn cadarnhau'r dyddiad y disgwylir geni. Rhaid i'r ferch gyflwyno'r ffurflen hon er mwyn hawlio budd-daliadau ariannol a chyflogaeth sy'n gysylltiedig â beichiogrwydd.

materia medica: materia medica gwyddor ffynhonnell a pharatoad cyffuriau a ddefnyddir mewn meddygaeth. *Materia medica homeopathig (homeopathic m.m.):* adnoddau sy'n manylu ar weithrediad ac effeithiolrwydd meddyginiaethau homeopathig ar ôl iddynt gael eu profi'n

drylwyr ar wirfoddolwyr iach, a'u defnyddio gan homeopathiaid i benderfynu'n union beth yw'r feddyginiaeth briodol ar gyfer y claient.

maternal: y fam / mamau yn perthyn i'r fam. *Marwolaeth y fam* (m. mortality): marwolaeth yn sgil beichiogrwydd neu eni plentyn. Y prif achosion yw anhwylderau gorbwysol a gwaedlifol. *Cyfradd marwolaethau mamau (m. mortality rate):* nifer marwolaethau mamau yn sgil beichiogrwydd neu eni plentyn fesul 1000 genedigaeth fyw neu farw a gofrestrwyd. Mae'r *YMCHWILIAD CYFRINACHOL* (CONFIDENTIAL ENQUIRY) i farwolaeth y fam yn rhestru'r holl farwolaethau felly sydd wedi digwydd yn y Deyrnas Unedig, ac fe'i cyhoeddir bob tair blynedd.

maternity: mamolaeth yn ymwneud â rhoi genedigaeth i blant. *Cynghrair Mamolaeth (M. Alliance):* elusen sy'n cynnwys amrywiaeth o gyrff sy'n gysylltiedig â mamolaeth sy'n ymgyrchu i gael gwell amodau i famau a babanod. Mae'n rhoi addysg, yn ymgymryd ag ymchwil ac yn cefnogi ymchwil ac yn cyhoeddi nifer o lyfrau a phamffledi. *Budd-daliadau mamolaeth (m. benefits):* Gw. Atodiad 7 am grynodeb. *Cynorthwy-ydd gofal mamolaeth (m. care assistant):* ymarferwr ategol nad yw yn fydwraig ond sydd wedi'i hyfforddi'n benodol i gynorthwyo mamau a bydwragedd.

Maternity Services Liason Commitee: Pwyllgor Cyswllt Gwasanaethau Mamolaeth sefydlir pwyllgorau lleol i wasanaethu buddiannau defnyddwyr y gwasanaethau mamolaeth drwy gael mwy o gyfathrebu dwy ffordd rhwng cynrychiolwyr y staff obstetrig, paediatrig, anaesthetig a bydweigiaeth a'r rhai sydd wedi defnyddio ac sy'n bwriadu defnyddio'r gwasanaethau, gan gynnwys aelodau o'r Cyngor Iechyd Cymunedol.

matrix: matrics sylwedd rhyng-gellol

meinwe, megis matrics yr asgwrn, neu'r meinwe y mae adeiledd yn datblygu ohono, fel matrics y gwallt neu'r ewin.

Matthews Duncan expulsion of placenta: *allwthiad brych Matthews Duncan* Gwthir y brych allan gydag ochr y fam yn gyntaf ar ddiwedd trydydd cam yr esgor. Ceir rhywfaint mwy o waedu ac mae'n debyg bod y brych yn gorwedd yn is yn y groth nag yn yr *ALLWTHIAD SCHULTZE* (SCHULTZE EXPULSION).

maturation: *aeddfediad* aeddfedu neu ddatblygu. Mewn bioleg, proses ymrannu celloedd pryd y mae nifer y cromosomau yn y gell genhedlu yn cael eu gostwng i hanner y nifer sy'n nodweddiadol o'r rhywogaeth.

Mauriceau: *Mauriceau* bydwraig wrywaidd enwog o Ffrainc. *Dull M.-Smellie-Veit (M.-Smellie-Veit manoeuvre):* dull o eni'r pen yn hwyr mewn genedigaeth ffolennol. Cynyddir y plygiant, a defnyddir tyniant yr ên a'r ysgwydd. Mae'r dull hwn yn rhoi gwell rheolaeth dros eni'r pen nag y mae dull *BURNS MARSHAL* mewn achosion lle nad yw genedigaeth gyda gefel yn bosibl.

Maxolon: *Maxolon* Gw. METOCLOPRAMIDE.

mean: *cymedr* cyfartaledd; gwerth rhifyddol hanner ffordd rhwng dau eithaf.

measles: *brech goch* afiechyd hynod o heintus a chyffredin gan firws; enwau eraill arno yw rwbeola neu morbilli. Rhoddir imiwneiddiad gyda brechlyn byw teneuedig (wedi'i gyfuno â brechlynnau clwy'r pennau/y dwymyn doben a rwbela) yn y DU yn flwydd oed.

meatus: *meatws* Agoriad neu lwybr. *Meatws clybodol (auditory m.):* yr agoriad sy'n arwain i'r llwybr clybodol. *Meatws wrinol (urinary m.):* agoriad ble mae'r wrethra yn agor i'r tu allan.

mechanism of labour: *mecanwaith yr esgor* y dilyniant o symudiadau sy'n galluogi'r ffetws i'w addasu ei hun i fynd trwy lwybrau'r fam yn ystod proses y geni.

meconium: *meconiwm* y deunydd sy'n bresennol yn llwybr coluddion y ffetws, a ysgarthir trwy'r rectwm yn ystod ychydig ddyddiau cyntaf bywyd. Mae'n ddu-wyrdd ei liw ac yn cynnwys pigmentau bustl a halwynau, mwcws, celloedd epitheliol a coluddyn ac, fel arfer, liquor amnii. *Anadlu meconiwm (m. aspiration):* mewnanadlu hylif yn cynnwys meconiwm a all ddigwydd mewn babanod sydd wedi bod yn hypocsig yn y groth, yn enwedig y rhai hynny y mae eu tyfiant ar ôl. *Meconium ileus:* y perfedd yn eithriadol o chwyddedig gan feconiwm wedi tewychu a geir mewn *FFIBROSIS CODENNOG* (CYSTIC FIBROSIS).

median: *canolwedd* a leolir yn y plân canolwedd neu yn llinell ganol corff neu adeiledd. *Nerf canolwedd (m. nerve):* nerf sy'n cychwyn ym mhlecsws y fraich ac yn nerfogi cyhyrau'r arddwrn a'r llaw. *Plân canolwedd (m. plane):* plân dychmygol sy'n mynd yn hydredol trwy'r corff o'r blaen i'r cefn gan ei rannu'n haneri de a chwith.

mediastinum: *mediastinwm* 1. septwm neu barwyd canolwedd 2. Y màs o feinweoedd ac organau sydd yn gwahanu'r sternwm yn y blaen a'r golofn fertebrol yn y cefn ac sy'n cynnwys y galon a'i horganau mawr, y tracea, oesoffagws, thymws, nodau lymff ac adeileddau a meinweoedd eraill. Fe'i rhennir yn barthau blaen, canol, ôl ac uwch.

medical herbalism: *llysieuaeth feddygol* Gw. MEDDYGINIAETH LYSIEUOL (HERBAL MEDICINE)

medicine: *1. moddion 2. meddygaeth 3. meddyginiaeth* 1. Moddion. Unrhyw gyffur neu ffisig 2. Meddygaeth. Celfyddyd a gwyddor gwneud diagnosis o afiechyd a'i drin a chynnal iechyd. 3. Trin afiechyd heb lawdriniaeth.

Medicines (Prescription Only) Order

1983: Gorchymyn Moddion (Presgripsiwn yn Unig) 1983 mae Atodiad 3, rhannau I a III o'r gorchymyn hwn yn manylu ar y moddion, sydd fel arfer ar gael yn unig ar bresgripsiwn wedi'i roi gan y meddyg, y gellir eu cyflenwi i fydwragedd sydd wedi hybysu eu bwriad i ymarfer, i'w defnyddio yn eu hymarfer. Mae'r rhain yn cynnwys poenleddfwyr, ocsytosigau, tawelyddion a chyffuriau ar gyfer adyfwio'r baban newydd-anedig.

Medicines Act 1968: Deddf Moddion 1968 sefydlodd system weinyddu a thrwyddedu i reoli'r broses o werthu a chyflenwi moddion i'r cyhoedd, fferyllwyr adwerthu a phacio a labelu cynhyrchion meddyginiaethol.

medium: cyfrwng 1. asiant y cyflawnir rhywbeth trwyddo neu yr anfonir ysgogiad trwyddo. **2.** sylwedd sy'n darparu amgylchedd maeth priodol i ficro-organebau dyfu; fe'i gelwir hefyd yn gyfrwng meithrin.

medroxyprogesterone acetate: asetad medrocsiprogesteron (Depo-Provera). Sylwedd atal cenhedlu dos sengl a roddir i mewn yn y cyhyr, sy'n effeithiol am 12 wythnos. Gall gael ei roi i wragedd yn dilyn brechiad rwbela neu i wraig y mae ei phartner wedi cael fasectomi. Mae perygl o waedu trwm os caiff ei ddefnyddio cyn y pumed wythnos ar ôl y geni.

medulla: medwla rhan ganol neu fewnol organ. *Medulla oblongata*: rhan isaf bôn yr ymennydd, sy'n gorwedd rhwng y pons varolii a madruddyn y cefn. Mae'n cynnwys y canolfannau hanfodol, h.y. y canolfannau cardiag, resbiradol a fasomotor.

mega (M): mega (M) elfen mewn gair sy'n golygu 'mawr'; fe'i defnyddir wrth enwi unedau mesuriad i ddynodi swm sydd yn 10^6 (miliwn) gwaith maint yr uned y mae'n gysylltiedig â hi, fel mewn megacuries (10^6 curie).

megalo-: megalo- rhagddodiad sy'n golygu 'mawr'.

megaloblastic anaemia: anaemia megaloblastig anaemia sy'n digwydd yn ystod beichiogrwydd, lle mae celloedd coch anaeddfed yn cylchredeg yn y gwaed. Mae'n digwydd oherwydd diffyg asid ffolig. Mae merched sydd yn epileptig ac yn cymryd *FFENYTOIN* (PHENYTOIN) dros gyfnod hir yn gallu mynd yn brin o asid ffolig.

megaloblasts: megaloblastiau celloedd gwaed coch anaeddfed mawr, cnewyllol, sydd fel arfer yn bresennol ym mêr yr esgyrn.

meiosis: meiosis y broses lle mae'r epitheliwm cenhedlol yn un o'r ofarïau neu'r ceilliau yn cynhyrchu gamet sy'n cynnwys un *CROMOSOM* (CHROMOSOME) yn unig o'r ddau bâr. Gelwir y rhif hwn yn haploid, sef 23 mewn pobl. Y rhif arferol mewn pobl yw'r diploid, sef 46 o gromosomau.

melaena: melaena presenoldeb gwaed tywyll, wedi'i newid, yn y carthion. Mae'n digwydd mewn afiechyd gwaedlifol yn y baban newydd-anedig a gall *HAEMATEMESIS* ddigwydd yr un pryd.

melanin: melanin pigment tywyll a geir mewn gwallt, haenen goroid, etc. Fe'i dyddodir weithiau mewn tyfiannau malaen. Mae mwy o bigmentu yn digwydd yn ystod beichiogrwydd oherwydd bod lefelau hormonau melanocytig yn uwch ac o ganlyniad ceir y *LINEA NIGRA (LINEA NIGRA)*, tywyllu areolae'r tethi ac, mewn rhai merched, *CLOASMA* (CHLOASMA) ar yr wyneb.

melanocyte-stimulating hormone (MSH): hormon melanocyt-ysgogol (MSH) peptid o'r chwarren bitwidol flaen sydd yn dylanwadu ar ffurfiant neu ddyddodiad melanin yn y corff.

membrane: pilen meinwe tenau sy'n gorchuddio arwyneb rhai organau ac yn leinio ceudodau'r corff. Mae *pilen fwcaidd (mucous m.)* yn cynnwys celloedd sy'n secretu, ac yn leinio'r holl geudodau a gysylltir yn uniongyrchol neu'n anuniongyrchol â'r croen. Pilenni'r ffetws (fetal membranes), y *CORION* (CHORION) a'r *AMNION* (AMNION).

menarche: *menarche* arwydd cyntaf bod mislifoedd yn cychwyn.

Mendel's laws: *deddfau Mendel* y patrwm, a ddangoswyd gyntaf gan fynach o Forafia, Gregor Mendel, lle mae nodweddion etifeddol yn cael eu trosglwyddo, rhai ohonynt yn drechol a rhai yn enciliol.

Mendelson's syndrome: *syndrom Mendelson* digwydd hyn pan fydd hyd yn oed cyfaint bach o sudd asid gastrig yn cael ei fewnanadlu yn ystod anaesthesia cyffredinol. Gall yr anaesthetegydd ofyn i'r fydwraig bwyso ar y *CRICOID* i osgoi hyn. Mae'n achosi coesi poenus iawn yn y bronci a'r alfeoli, yn arwain at sbasmau difrifol yn y bronci ac oedema'r ysgyfaint. Yr arwyddion yw dyspnoea eithafol, dulasedd a tachycardia. Gall arwain at bwysau gwaed isel iawn a marwolaeth.

meninges: *pilenni'r ymennydd* y pilenni sy'n gorchuddio'r ymennydd a madruddyn y cefn. Ceir tair ohonynt: y dura mater, arachnoid a pia mater.

meningitis: *llid yr ymennydd* llid ym mhilenni'r ymennydd.

meningocele: *meningocel* anffurfiant cynhenid y ffetws a nodweddir gan bilenni'r ymennydd yn ymwthio trwy'r penglog neu'r asgwrn cefn, gan ymddangos fel coden yn llawn hylif cerebrospinol. *Gw. hefyd SPINA BIFIDA* (SPINA BIFIDA).

meningoencephalocele: *meningoencephalocel* hernia ble mae pilenni'r ymennydd a sylwedd yr ymennydd yn ymwthio trwy ddiffyg yn y penglog.

meningomyelocele: *meningomyelocel* hernia lle mae pilenni'r ymennydd a madruddyn y cefn yn ymwthio trwy ddiffyg yn y golofn fertebral.

meniscocyte: *meniscocyt* cryman-gell.

menopause: *terfyn y mislif* pan fydd merch fel arfer yn peidio â chael mislifoedd. *Terfyn mislif artiffisial (artificial m.):* mislif yn peidio oherwydd llawdriniaeth neu driniaeth ymbelydredd.

menorrhagia: *menoragia* rhedlif mislifol gormodol.

menses: *menses* y mislif.

menstrual: *mislifol* yn perthyn i'r mislif. *Y cylch misol (m. cycle):* y gyfres o ddigwyddiadau yn yr endometriwm rhwng diwrnod cyntaf un mislif a diwrnod cyntaf yr un nesaf, 28 diwrnod fel arfer. Mae gwaedu mislifol yn digwydd ar ddiwrnod 1 o ganlyniad i ostyngiad yn lefelau progesteron, ac mae'n parhau am 4–5 diwrnod fel arfer. Yn ystod y cyfnod hwn mae'r endometriwm yn cael ei ddiosg at yr haen isaf. Yn y cyfnod secretu sy'n dilyn, mae lefelau oestrogen cynyddol o'r chwarren bitwidol yn gweithredu ar yr ofari i ysgogi un o'r ffoliglau Graaf i aeddfedu tra ar yr un pryd mae'r endometriwm yn tewychu yn barod i dderbyn ofwm wedi'i ffrwythloni. Unwaith y bydd y ffoligl wedi aeddfedu (fel arfer 14 diwrnod cyn y mislif nesaf), mae'n rhwygo i ryddhau'r ofwm (ofwleiddio) sydd yn cychwyn ar ei daith ar hyd y tiwb Fallopio at y groth. Ar yr un pryd mae lefel progesteron yn awr yn codi ac os bydd yr ofwm yn cael ei ffrwythloni, bydd yn cael ei chynnal i helpu'r embryo i fewnblannu a datblygu. Os na fydd cenhedlu'n digwydd bydd yr ofwm yn symud i'r groth ac yn sgil gostyngiad yng ngweithgarwch yr hormonau bydd yr endometriwm trwchus yn cael ei ddiosg ynghyd â'r ofwm a pheth gwaed. Oherwydd y newid yn lefelau hormonau mae'r ffoligl sydd wedi rhwygo yn dirywio a'r enw arno wedi hyn yw'r corpws lwtewm.

Newidiadau yn yr Endometriwm a'r Ffoliglau yn ystod y Cylch Misol
(o Weller B., 2000, *Baillière's Nurses' Dictionary*,
Baillière Tindall, t.140, gyda chaniatâd)

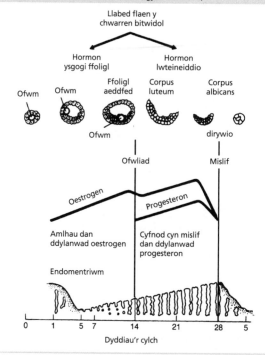

menstruation: *mislif* rhedlif gwaed o'r groth, yn digwydd oddeutu bob pedair wythnos gan ddechrau yn y glasoed a pharhau hyd y cylch misol olaf.

mental: *1. meddyliol 2. geneuol* 1. Yn perthyn i'r meddwl 2. yn perthyn i'r ên.

mentoanterior: *mentoflaen* gyda'r ên yn wynebu'r tu blaen yn y pelfis. Yn yr un modd mento-ochrol (mentolateral) a mento-ôl (mentoposterior).

mentum: *mentwm* yr ên; y safle sy'n penderfynu cyflwyniad yr wyneb.

171

meptazinol: *meptazinol* analgesia narcotig mwy diweddar yr honnir ei fod yn achosi llai o ostyngiad yn lefel anadlu na pethidine. Mae'n dechrau gweithio'n gymharol gyflym ond nid yw'r effaith yn para ond ryw 2–4 awr. Mae cyfog a chwydu a'n ddwy sgil-effaith eithaf cyffredin.

Meptid: *Meptid* Gw. MEPTAZINOL (MEPTAZINOL).

mercury: *mercwri* elfen. Symbol Hg. Metel hylifol trwm. Fe'i defnyddir mewn thermomedrau oherwydd ei fod yn ymledu mewn gwres, ac mewn SFFYGMOMANOMEDRAU (SPHYGMOMANOMETERS) oherwydd ei fod gymaint trymach na dŵr, felly nid oes angen oni tiwb byr i gofnodi amrywiad eang mewn pwysedd.

meridian: *meridian* llinell ddychmygol. Mewn meddygaeth Tsieineaidd draddodiadol mae'n cyfeirio at y llinellau egni trwy'r corff lle mae'r pwyntiau ar gyfer aciwbigo neu aciwbwyso wedi'u lleoli.

mesentery: *mesentery* (ans. *mesenterig*) plygiad pilennog sy'n cysylltu amryw o organau i wal y corff, yn enwedig y plygiad peritoneol sy'n cysylltu'r coluddyn bach i wal ddorsal y corff.

mesoderm: *mesoderm* celloedd sy'n gorwedd rhwng haenau celloedd yr ectoderm a'r entoderm yn yr embryo, y datblygir asgwrn, cyhyrau, y galon, gwaed, pibellau gwaed, gonadau, arennau a meinwe cysylltiol ohonynt.

mesosalpinx: *mesosalpincs* y peritonëwm sy'n gorchuddio'r tiwbiau Fallopio.

mesovarium: *mesofariwm* plygiad o beritonëwm sy'n cysylltu'r ofari i'r gewyn llydan.

meta-analysis: *meta-ddadansoddiad* dadansoddiad a gwerthusiad o ganlyniadau pob arbrawf y mae modd cael ato ar yr un pwnc.

metabolism: *metabolaeth* proses bywyd, ble mae celloedd meinwe yn cael eu torri i lawr drwy hylosgiad (catabolaeth) a phrotein newydd yn cael ei adeiladu o gynhyrchion treuliad (anabolaeth). *Metabolaeth waelodol (basal b.)* gw. CYFRADD METABOLAETH WAELODOL (BASAL METABOLIC RATE). *Gwall metabolaeth cynhenid (inborn error of m.):* anhwylder biocemegol sy'n cael ei greu gan y genynnau ble mae nam penodol yn yr ensymau sy'n creu bloc metabolig a all gael canlyniadau patholegol adeg y geni, fel mewn ffenylcetonwria, neu'n ddiweddarach mewn bywyd.

metastasis: *metastasis* (llu. *mestastases*) afiechyd yn cael ei drosglwyddo o un organ i un arall nad yw'n uniongyrchol gysylltiedig ag ef. Tyfiant celloedd malaen neu ficro-organebau pathogenig ymhell o'r safle cychwynnol.

metatarsum: *metatarswm* y rhan o'r droed rhwng y bigwrn a bysedd y troed. Ei ysgerbwd yw'r 5 asgwrn (metatarsalau) sy'n ymestyn o'r tarsws i'r ffalangau.

methadone hydrochloride: *methadon hydroclorid* cyfansoddyn synthetig gyda phriodweddau ffarmacolegol sy'n debyg o ran eu hansawdd i briodweddau morffin a heroin. Gellir rhoi presgripsiwn amdano i ferched beichiog sy'n gaeth i heroin fel cyffur cynnal.

methicillin-resistant Staphylococcus aureus (MRSA): *Staphylococcus aureus ymwrthodol i fethisilin* rhywogaeth o *S. aureus* sy'n gwrthsefyll gwrthfiotigau 'tebyg i fethisilin'. Mae pobl yn cario'r organeb yn y trwyn neu ar y croen heb arddangos symptomau. Caiff ei ledaenu drwy gysylltiad uniongyrchol. Nid oes angen triniaeth fel arfer ond rhoddir vancomycin yn fewnwythiennol i achosion difrifol.

methohexitone sodium: *sodiwm methohecsiton* anaesthetig mewnwythiennol.

methotrexate: *methotrexate* gwrthweithydd asid ffolig a ddefnyddir fel asiant gwrthneoplastig; fe'i defnyddir hefyd i drin psoriasis.

methyldopa: *methyldopa* cyffur sy'n gostwng pwysedd gwaed; fe'i defnyddir weithiau i drin gorbwysedd direswm mewn beichiogrwydd. Mae'n hysbys ei fod yn croesi'r brych, ond nid oes unrhyw dystiolaeth ei fod yn effeithio ar y ffetws.

metoclopramide: *metoclopramide* cyffur sy'n cynyddu gweithgaredd gastrig. Fe'i defnyddir i drin cyfog a chwydu, a dŵr poeth.

metopic suture: *asiad metopig* yr asiad talcennol.

metra: *metra* y groth.

metra-, metro-: *metra-, metro-* elfen mewn geiriau yn golygu 'croth'.

metre (m): *metr* yr uned Système Internationale (SI) sy'n mesur hyd a phellter; yn cyfateb i 39.371 modfedd.

metritis: *mitritis* llid y groth.

metronidazole (Flagyl): *metronidazole (Flagyl)* cyffur gwrth ficrobiol sy'n effeithiol wrth drin heintiau anaerobig, yn enwedig *trichomonas vaginalis*.

metropathia haemorrhagica: *metropathia haemorrhagica* afiechyd a nodweddir gan waedu gormodol diboen adeg y mislif a rhwng y mislifoedd a methiant i ofwleiddio ac felly methiant y corpws lwtewm i ddatblygu.

metrorrhagia: *metroragia* gwaedlif o'r groth yn annibynnol ar y mislif.

metrostaxis: *metrostacsis* gwaedlif ysgafn parhaus o'r groth.

Michel's clips: *clipiau Michel* clipiau metel bach i gau clwyfau ar y croen.

miconazole: *miconazole* asiant gwrth-ffwngaidd a ddefnyddir i drin heintiau dermatoffytig megis tarwden y traed a candidiasis fwlfofaginal, a roddir trwy'r geg ar gyfer candidiasis y geg a'r llwybr stumog-coluddion, ac yn systemig trwy arllwysiad mewnwythiennol i drin heintiau ffwngaidd systemig.

micro-: *micro-* 1. rhagddodiad yn golygu

'bach'. o faint microsgopig. **2.** y rhagddodiad yn nodi 'un filiynfed', e.e. microgram (μ), un filiynfed o gram.

microbe: *microb* (ans. *microbiol, microbig*) micro-organeb, yn enwedig bacteriwm pathogenig.

microcephaly: *microceffali* yn meddu ar ben annormal o fach. Mae esgyrn penglog plentyn microceffalig wedi'u hasgwrneiddio'n sylweddol, ac mae'r plentyn bob amser yn isnormal yn feddyliol.

microcytic: *microcytig* gyda chelloedd anarferol o fach. *Gw.* ANAEMIA (ANAEMIA).

micrognathia: *micrognathia* Gên isaf neu fandibl anarferol o fach. *Gw. SYNDROM PIERRE-ROBIN* (PIERRE-ROBIN SYNDROME).

Microgynon 30: *Microgynon 30* pilsen atal cenhedlu eneuol gyfun yn cynnwys oestrogen a progesteron. *Gw. ETHINYLOESTRADIOL.*

Micronor: *Micronor* pilsen atal cenhedlu sy'n cynnwys progesteron yn unig, a ddefnyddir (a) yn ystod cyfnod bwydo ar y fron a (b) ar gyfer cleifion lle ceir perygl o thrombosis neu sy'n dioddef sgil-effeithiau difrifol oddi wrth bilsenni sy'n cynnwys oestrogen.

micro-organism: *micro-organeb* organeb fyw fechan iawn, anifail neu lysieuyn, (megis firws neu facteriwm), y gellir ei gweld o dan ficrosgop.

microphage: *microffag* ffagocyt fach; lewcocyt niwtroffilig gweithredol symudol sy'n gallu cyflawni ffagocystosis.

micturition: *troethiad* Pasio wrin neu ddŵr.

midwife: *bydwraig* 'unigolyn sydd, wedi cael mynediad yn rheolaidd i raglen addysg fydwreigiaeth a gydnabyddir yn briodol yn y wlad y lleolir hi ynddi, wedi cwblhau yn llwyddiannus y cwrs astudiaethau a ragnodwyd mewn Bydwreigiaeth, ac sydd wedi ennill y cymwysterau angenrheidiol i gael ei ch/gofrestru a/neu ei th/drwyddedu'n gyfreithiol i ymarfer bydwreigiaeth. Rhaid ei bod hi (neu ef) yn gallu rhoi'r oruchwyliaeth, y gofal a'r cyngor angenrheidiol i ferched yn ystod beichiogrwydd, yr esgor a'r cyfnod ar ôl y geni, cymryd cyfrifoldeb am ofalu am enedigaethau a gofalu am y baban newydd-anedig a'r baban bach iawn. Mae'r gofal yn cynnwys mesurau ataliol, canfod cyflyrau annormal yn y fam a'r plentyn, galw am gymorth meddygol a gweithredu mesurau argyfwng os nad oes cymorth meddygol ar gael. Mae ganddi hi (neu ef) swyddogaeth bwysig yn darparu cyngor ar iechyd ac addysg iechyd, nid yn unig ar gyfer y cleifion, ond hefyd o fewn y teulu a'r gymuned. Dylai'r gwaith gynnwys addysg cyn y geni a pharatoad ar gyfer bod yn rhiant ac mae'n ymestyn i rai meysydd o fewn gynaecoleg, cynllunio teulu a gofal plant. Gall hi (neu ef) ymarfer mewn ysbytai, clinigau, unedau iechyd, o fewn y cartref neu mewn unrhyw wasanaeth arall'. Diffiniad a fabwysiadwyd gan Gydffederasiwn Rhyngwladol Bydwragedd ym 1972, a chan Ffederasiwn Rhyngwladol Gynaecolegwyr ac Obstetregwyr ym 1973, yn dilyn diwygio'r diffiniad a luniwyd gan Sefydliad Iechyd y Byd.

midwifery: *bydwreigiaeth* Yn ymwneud â geni plant. Bydwreigiaeth yw celfyddyd a gwyddor gofalu am ferched sy'n mynd trwy feichiogrwydd, esgor a pwerperal *normal*; *OBSTETREG (OBSTETRICS)* yw celfyddyd a gwyddor feddygol gofalu am ferched yn ystod beichiogrwydd, esgor neu gyfnod ar ôl y geni sy'n *annormal*.

miliaria: *miliaria* cyflwr y croen lle dargedwir chwys, sy'n llifo allahn ar wahanol lefelau yn y croen; fe'i gelwir hefyd yn wres pigog ('prickly heat') neu frech gwres.

military attitude: *osgo milwrol* osgo'r

ffetws nad yw wedi plygu nac wedi ymestyn.

milk: *llaeth* secretiad chwarennau'r bronnau. Cyfansoddiad cyfartalog llaeth buwch a llaeth dynol, fel canran yw:

	Llaeth buwch	Llaeth dynol
Protein	3.5	1.5
Braster	4.5	3.5
Carbohydrad	4.0	7.0
Halwynau mwynol	0.75	0.2
Dŵr	87.3	87.8

Mae'r canrannu hyn mewn llaeth dynol, yn enwedig braster, yn amrywio yn ôl yr amser o'r diwrnod a'r amser yn ystod cyfnod bwydo. Gellir paratoi *llaeth pasteuredig (pasteurized m.)* mewn dwy ffordd: *(a)* gwres uchel amser byr (HTST) lle cedwir y llaeth ar 73°C am 15 eiliad ac yna ei oeri'n gyflym; neu *(b)* lle cedwir y llaeth ar 63°–66°C am 30 munud yna ei oeri'n gyflym. *Llaeth wedi'i ddiheintio (sterilized m.):* cynheswyd hwn i 100°C am 15 munud i ladd yr holl facteria. *Llaeth a brofwyd am diwbercwlin (tuberculin-tested m.):* llaeth o fuchod sydd wedi'u hardystio i fod yn rhydd o diwberclwosis ac yn gorfod cael profion bacteriolegol llym.

milk flow mechanism, milk ejection reflex: *mecanwaith llif llaeth, adwaith allfwriad llaeth* mae hyn yn digwydd tua 30–40 eiliad ar ôl i'r baban gymryd *AREOLA*'r fron yn ei geg. Rhyddheir ocsytosin o labed ôl y chwarren bitwidol mewn ymateb i'r ysgogiad nerfol, sy'n achosi cyfangiad y *CELLOEDD MYOEPITHELIOL*, fel bod llaeth yn cael ei yrru allan o'r *ALFEOLI* i mewn i'r dwythellau a'r sinysau lacteal, ac felly ar gael i'r baban.

milli-: *mili-* rhagddodiad yn golygu 'milfed ran', e.e. miligram (mg) milfed ran gram, mililitr (ml) milfed ran litr, milimetr (mm) milfed ran metr.

Milton: *Milton* brand o antiseptig sy'n cynnwys hydoddiant 1 y cant safonol o hypoclorit sodiwm electrolytig. Fe'i defnyddir yn arbennig i ddiheintio poteli bwydo babanod.

mineral: *mwyn* unrhyw sylwedd solid homogenaidd anorganig sy'n digwydd yn naturiol. Ceir 19 neu fwy o fineralau yng nghyfansoddiad mineral y corff, ac o'r rheiny mae o leiaf 13 yn hanfodol i iechyd. Cyflenwir y mineralau hyn mewn diet cymysg ac amrywiol o gynhyrchion anifeiliaid a llysiau.

Minilyn: *Minilyn* pilsen atal cenhedlu yn cynnwys oestrogen a progesteron wedi'u cyfuno.

Minovlar, Minovlar D: *Minovlar, Minovlar D* brand o bilsen atal cenhedlu sydd yn cynnwys oestrogen a progesteron.

miscarriage: *erthyliad naturiol* Gw. *ERTHYLIAD* (ABORTION). Y ffetws yn cael ei fwrw allan cyn y 24ain wythnos o'r beichiogrwydd, h.y. cyn bod y ffetws yn hyfyw yn gyfreithiol, os nad yw'r ffetws yn cael ei eni'n fyw.

missed abortion: *erthyliad a ddargadwyd* methiant beichiogrwydd lle dargedwir holl gynhyrchion beichiogrwydd yn y groth; gall y ferch waedu o'r wain neu beidio. Mae fel arfer yn digwydd oherwydd aflwydd ar yr ofwm megis *MÔL CARNEAIDD* (CARNEOUS MOLE). Rhaid gwacáu'r groth trwy gyfrwng sugndyniad, ymlediad a chwretiad neu brostaglandinau.

Misuse of Drugs Act, 1971: *Deddf Camddefnydd Cyffuriau, 1971* Daeth y ddeddf hon i rym ym 1973, i reoli meddiant a chyflenwad rhai cyffuriau. Cynhwysir cyffuriau narcotig megis papaferetwm (Omnopon), cocên, morffin, diamorffin, a'r rhai hynny sy'n effeithio ar y system nerfol ganolog (e.e. LSD ac amffetaminau).

mitosis: *mitosis* y broses o luosogi celloedd normal lle mae'r cnewyllyn yn ymrannu, gyda phob cromosom yn ymrannu'n ddau, fel bod dwy gell unfath yn cael eu ffurfio. cf. meiosis.

mitral: *mitral* ar ffurf mitr. **Anallu mitral** (m. incompetence): term sy'n disgrifio falf fitral ddiffygiol, fel arfer o ganlyniad i feinwe craith yn dilyn endocarditis. **Ailchwydiad mitral** (m. regurgitation): canlyniad i endocarditis ysgafn lle mae'r falf wedi crychu a'i chau yn amherffaith. **Stenosis mitral:** cyflwr mwy difrifol lle mae meinwe ffibraidd yn gwneud yr agorfa'n gulach. Gall ailchwydiad a stenosis fod yn bresennol gyda'i gilydd. Stenosis mitral (m. stenosis) yw'r difrod cardiag mwyaf cyffredin mewn merched sydd mewn oed cael plant. **Falf fitral** (m. valve): y falf bicwsbid rhwng atriwm chwith a fentrigl chwith y galon. **Falfotomi mitral** (m. valvotomy): torri i mewn i, a thrwy hynny ledu, y falf fitral sydd wedi culhau, er mwyn lleddfu stenosis mitral.

mittelschmerz: *mittelschmerz* poen yn yr abdomen neu'r pelfis sy'n digwydd rhwng y mislif, ac sy'n gysylltiedig ag ofwleiddio o bosibl.

mobile epidural: *epidwral rhyddid* rhoddir crynodiad isel o bupivacaine, wedi'i gyfuno ag opiad weithiau, i'r gwagle epidwral gan bwmp 'system analgesig epidwral dan reolaeth y claf' (PCEAS) er mwyn galluogi'r fam i symud o gwmpas yn ystod yr esgor, er efallai na fydd hi mor gwbl rydd rhag poen â phan ddefnyddir anaesthesia epidwral confensiynol. Dylai'r fydwraig fod yn bresennol drwy'r amser gan fonitro cyfradd anadlu'r fam, pan ddefnyddir opiadau, yn ogystal â'r arsylwadau arferol.

Mogadon: *Mogadon* Gw. NITRAZEPAM

mole: *môl* ofwm wedi marw ac wedi dirywio

molecule: *moleciwl* gronyn lleiaf elfen neu gyfansoddyn sydd yn cynnwys nifer amrywiol o atomau. Fel mae symbol H2O yn dangos mae gan ddŵr foleciwl sy'n cynnwys dau atom hydrogen ac un atom ocsigen.

mongolian blue spot: *smotyn glas mongolaidd* man geni llyfn, brown i laslwyd sy'n cynnwys gormodedd o felanocytau, a geir weithiau mewn baban newydd-anedig yn rhan y ceillgwd. Ceir hyn mewn babanod i rieni Affricanaidd neu Asiaidd ac weithiau mewn babanod o dras Môr a Chanoldir. Fel arfer mae'n diflannu yn ystod plentyndod.

mongolism: *mongoliaeth* Gw. SYNDROM DOWN (DOWN'S SYNDROME)

monilia: *monilia* enw blaenorol ar genws ffyngau a adwaenir bellach fel *Candida*. *Candida albicans* yw'r achos mwyaf cyffredin am lindag mewn babanod ac am lid y wain monilial. Mae'n arbennig o gyffredin mewn merched beichiog.

moniliasis: *moniliasis* candiasis.

Monitor: *Monitor* addasiad i'r DU o system Rush Medicus UDA o asesu ansawdd gofal nyrsio. Mae'n cynnwys 'rhestrau gwirio' ar gyfer ansawdd yn arwain at system sgorio. Po agosaf y sgôr i 100% gorau oll yw'r gofal sy'n cael ei roi. Mae gan y rhestr feistr dros 200 o feini prawf sy'n cael eu rhannu yn 4 categori yn seiliedig ar lefelau dibyniaeth cleifion.

monoamine: *monoamin* amin yn cynnwys dim ond un grŵp amino. *Atalyddion ocsidas monoamin neu atalyddion MAO (m. oxidase inhibitors – MAO inhibitors):* sylweddau sy'n atal gweithgarwch ocsidas monoamin, gan gynyddu lefelau catecolamin a serotonin yn yr ymennydd; fe'u defnyddir fel gwrthiselyddion a gwrth-orbwyseddion. Ni ddylid rhoi pethidine i ferched sydd yn derbyn atalyddion ocsidas monoamin gan fod y cyffuriau hyn yn gwneud i'r pethidine weithredu ddengwaith yn fwy nerthol, felly mae'r cyfuniad yn hynod beryglus.

monoclonal: *monoclonol* yn deillio o un gell. Mae *gwrthgyrff monoclonol (m. antibodies)* yn deillio o un clôn o

gelloedd. Mae pob moleciwl gwrthgorff yn unfath a bydd yn adweithio gyda'r un safle gwrthgenig.

monosaccharide: *monosacarid* y math symlaf o siwgr, e.e decstros, glwcos.

monozygotic: *monosygotig* yn perthyn i neu'n deillio o un sygot unigol (ofwm wedi'i ffrwythlonni). *Efeilliaid monosygotig (m. twins):* (weithiau fe'u gelwir yn unofwl) wedi datblygu o un ofwm ac un spermatozoon sy'n ymrannu. Maent o'r un rhyw, mae un brych ac un corion, ond dau sach amniotig. Mae annormaleddau datblygu yn fwy cyffredin ymysg efeilliaid monosygotic na *DEUSYGOTIC*. Gw. hefyd BEICHIOGRWYDD LLUOSOG.

mons veneris: *mons veneris* y rhan a orchuddir â blew dros y pwbis mewn merch.

Montgomery's glands or tubercles: *chwarennau neu diwberciwlau Montgomery* chwarennau sebwm o gwmpas y deth sydd yn mynd yn fwy yn ystod beichiogrwydd.

morbid: *clefydol* yn dioddef o glefyd /afiechyd, neu'n gysylltiedig â rhannau'n dioddef o afiechyd.

morbidity: *claf* y cyflwr o fod yn glaf.

moribund: *ar farw* yn marw

morning sickness: *salwch bore* Gw. CYFOG (NAUSEA) a CHWYDU (VOMITING)

Moro reflex: *atgyrch Moro* mewn ymateb i unrhyw symudiad neu sŵn sydyn gerllaw, bydd plentyn newydd-anedig normal yn ymestyn ei freichiau'n gyflym ac yna'n dod â hwy at ei gilydd eto. Fe'i gelwir hefyd yn atgyrch 'cofleidio' neu 'fraw'. Sylwer nad yw'r atgyrch Moro yn bresennol mewn babanod sy'n wael neu cyn eu hamser.

morphine sulphate: *morffin sylffad* y prif alcaloid a geir o opiwm, ac a chwistrellir o dan y croen fel analgesig. Ni ellir ei roi ond ar orchymyn meddyg. Fe'i defnyddir mewn achosion o boen ddifrifol e.e. pan fydd y brych yn gwahanu oddi wrth wal y groth. Gall achosi gostyngiad yn yr anadlu.

mortality: *marwolaeth cyfradd (m. rate):* cyfradd marwolaethau poblogaeth arbennig, e.e. mamau, plant newydd-anedig neu fabanod o dan flwyddd oed.

morula: *morwla* yr ofwm wedi'i ffrwythloni, tua 4 diwrnod ar ôl ffrwythloni pan fydd yn debyg i eirinen forwydd fechan.

mosaicism: *mosaigaeth* cyflwr ble mae gan unigolyn sawl gwahanol fath o gell o fewn ei gorff. Un enghraifft yw mosaigaeth ar gyfer Syndrom Down. Yn yr achos hwn gall fod gan yr unigolyn rai celloedd gyda 47 cromosom.

motor nerves: *nerfau echddygol* y nerfau sydd yn cludo ysgogiad symud o ganolfan nerfau i gyhyr.

mould: *llwydni* ffwng e.e. penisiliwm.

moulding: *mowldio* y broses o ymestyn dros esgyrn y craniwm yn yr asiadau a'r ffontanelau pan fo'r ffetws yn ei addasu ei hun i'r pelfis y mae'n pasio trwyddo. Gwesgir y pen i siâp gwahanol, gyda newidiadau i wahanol ddiamedrau. Mewn mowldio normal mae'r pen wedi ei blygu gyda diamedrau isocsipito-bregmatig a dwybarwydennol yn cyflwyno ac wrth i'r esgyrn orgyffwrdd mae'r diamedrau hyn yn lleihau, tra bo'r un sydd ar ongl sgwâr (h.y. mento-fertigol) yn ymestyn ychydig. Gall mowldio sydd yn annormal mewn cyfeiriad, yn ormodol mewn maint, neu'n gyflym iawn achosi rhwygo'r ffalcs cerebri a'r tentoriwm cerebelws, gan achosi gwaedlif mewngreuanol a marwolaeth bosibl.

movements (fetal): *symudiadau (y ffetws) Gw. YSTWYRIAN* (QUICKENING)

moxibustion: *mocsilosgiad* techneg a ddefnyddir mewn meddygaeth Tsieineaidd draddodiadol megis aciwbigo. Mae'n golygu defnyddio ffyn mocsa a weni r o lysiau'r groes, sy'n gweithredu fel ffynhonnell gwres pan ddelir hwy dros bwyntiau *ACIWBIGO (ACUPUNCT-URE)* priodol. Defnyddiwyd y dull hwn yn llwyddiannus i droi cyflwyniadau ffolennol yn gyflwyniadau cephalig.

Mowldio

4

3

2

1

Y llinell dywyll sy'n dangos y pen heb ei fowldio.

1. mowldio yn y safle ocsipitoblaen;
2. mowldio yn y safle ocsipito-ôl cyndyn;
3. mowldio wyneb;
4. mowldio talcen.

177

mucoid: *mwcoid* yn debyg i fwcws

mucopolysaccharoidosis: *mwcopoli-sacaroidosis* gargoiliaeth. Gwall cynhenid difrifol mewn metabolaeth. Mae sawl math, ond ynddynt i gyd mae mwcopolisacarid yn crynhoi o fewn y corff. Mae'r plant yn edrych yn hyll ac mae ganddynt dduegau mawr, maent yn cael trafferth symud cymalau ac yn araf eu meddwl.

mucopurulent: *mwcograwnllyd* yn cynnwys mwcws a chrawn.

mucosa: *mwcosa* pilen fwcaidd.

mucous: *mwcaidd* yn gysylltiedig â neu'n secretu mwcws. *Pilen fwcaidd (m. membrane): gw.* PILEN (MEMBRANE).

mucoviscidosis: *mwcogludiogosis Gw.* FFIBROSIS CODENNOG (CYSTIC FIBROSIS).

mucus: *mwcws* secretiad gludiog y pilenni mwcaidd.

müllerian duct: *dwythell Müller* un o'r pâr o ddwythellau embryonig sy'n datblygu'n wain, croth a thiwbiau crothol yn y ferch, ac yn cael eu diddymu i raddau helaeth yn y gwryw. Fe'i gelwir hefyd yn ddwythell baramesoneffrig.

multicultural: *amlddiwylliannol* ansoddair sy'n disgrifio cymdeithas, cymuned neu wlad sy'n cynnwys nifer o grwpiau diwylliannol a/neu ethnig gwahanol.

multidisciplinary: *amlddisgyblaethol* yn ymwneud â dwy neu fwy o ddisgyblaethau proffesiynol.

multifactorial: *amlffactoraidd* **1.** yn cynnwys, neu'n gysylltiedig â, neu'n codi o weithrediad, llawer o ffactorau. **2.** mewn geneteg, yn codi o ganlyniad i ryngweithiad nifer o enynnau.

multigravida: *multigravida (ans. multi-gravid)* merch feichiog sydd wedi cael mwy nag un beichiogrwydd o'r blaen. *Grande multigravida* merch feichiog sydd wedi cael 4 beichiogrwydd blaenorol neu fwy. *Gw. hefyd* MULTIPARA.

multipara: *multipara (ans. mwltiparaidd; llu. multiparae)* Merch sydd wedi geni mwy nag un plentyn HYFYW (VIABLE).

multiple pregnancy: *beichiogrwydd lluosog* beichiogiad un neu fwy o ffetysau. Mae beichiogrwydd efeilliaid yn weddol gyffredin, gan ddigwydd tuag unwaith ym mhob 80 beichiogiad. Dywedir bod nifer yr achosion o feichiogrwydd tripled tua 1 mewn 80^2, h.y. 1 mewn 6400; a bod beichiogrwydd pedrybled tua 1 mewn 80^3 h.y. 1 mewn 512 000 er nad yw'r fformiwla yma mor ddibynadwy ag o'r blaen o ganlyniad i'r nifer uwch o feichiogiadau lluosog o ganlyniad i driniaeth anffrwythlondeb. Mae lle i gredu fod y cyflwr yn bresennol os yw'r groth wrth gael ei harchwilio yn ymddangos yn fawr am y cyfnod cario, os teimlir mwy nag un pegwn i'r ffetws neu os teimlir bod pen y ffetws yn fach o'i gymharu â maint y groth; mae'n cael ei gadarnhau ar sgan uwchsain. Gwaethygir anhwylderau ffisiolegol beichiogrwydd, yn arbennig symptomau pwysedd ac mae cymhleth-dodau megis gorbwysedd, anaemia, esgor cyn amser a chamgyflwyniad yn fwy tebygol o ddigwydd. Lle mae'n bosibl dylai'r fam roi genedigaeth mewn uned obstetreg ymgynghorol gydag uned newydd-anedig ynghlwm iddi.

multivariate analysis: *dadansoddiad aml-amrywedd* dadansoddiad o ddata a gasglwyd ar sawl newidyn gwahanol ond sydd i gyd yn berthnasol i'r astudiaeth. Mae dadansoddiad o'r data yn awgrymu effaith pob un o'r newidynnau hyn a'u rhyngweithiad.

mumps: *clwy'r pennau / y dwymyn doben* afiechyd paramycsofirws heintus sy'n ymosod ar un neu'r ddwy chwarren barotid. Ambell waith effeithir hefyd ar y chwarennau o dan yr ên. Argymhellir imiwneiddio plentyn yn ystod 2 flynedd gyntaf ei fywyd (gyda brechiadau brech goch a rwbela – MMR).

Munro Kerr's manouvre: *llawiad Munro Kerr Gw.* FFITIO'R PEN (HEAD FITTING)

murmur: *murmur* sŵn a glywir wrth glustfeinio, yn enwedig sŵn cyfnodol byr ei barhad sy'n tarddu yn y galon neu'r pibellau gwaed. Gall fod yn gysylltiedig ag afiechyd neu annormalrwydd.

muscle: *cyhyr* bwndel o gelloedd hir, tenau, neu ffibrau, sydd yn meddu ar y gallu i ymlacio a chyfangu ac felly i gynhyrchu symudiad. Mae cyhyr y groth, y myometriwm, hefyd yn meddu ar y gallu i wrthdynnu, sef pan fydd ffibrau'r cyhyrau yn cadw peth o'r byrhau fu ar y ffibrau sy'n digwydd wrth iddynt gyfangu. Mae'r briodwedd hon sef gwrthdyniant yn cynorthwyo'r ffetws i deithio ymlaen i lawr y llwybr geni.

muscular dystrophy: *dystroffi'r cyhyrau* grŵp o fyopathïau dirywiol, diboen sy'n ganlyniad i ffactorau genetig. Mae'r claf yn mynd yn fwyfwy anabl wrth i'r cyhyrau wanhau a mynd yn llai. Dystroffi'r cyhyrau *Duchenne (Duchene m. d.)*: afiechyd enciliol rhywgysylltiedig a gludir gan y ferch ac a drosglwyddir i un mewn dau o'i meibion. Mae'r afiechyd yn datblygu'n raddol yn ystod plentyndod. Mae probau ar gael yn awr sy'n caniatáu i rai genynnau gael eu hynysu o'r DNA, felly mae'n bosibl datgelu rhai afiechydon sy'n ganlyniad i ffactorau genetig ac sy'n effeithio ar y ffetws megis dystroffi cyhyrau Duchenne yn ystod beichiogrwydd.

mutation: *mwtaniad* newid ffurf neu ryw nodwedd arall. Mewn geneteg newid mewn genyn o'r rhiant i'r epil.

myasthenia: *myasthenia* llesgedd neu wendid y cyhyrau. *Myasthenia gravis*: afiechyd awtoimiwn a nodweddir gan syndrom lludded a blinder y cyhyrau ac sy'n gwaethygu ar ôl ymarfer corff ac yn gwella ar ôl gorffwys. Mae'r gwendid yn amrywio rhwng bod yn ysgafn iawn a pheryglu bywyd. Yn aml bydd yr afiechyd yn effeithio ar gyhyrau'r llygaid a chyhyrau eraill y pen, mae'n tueddu i amrywio o ran ei ddifrifoldeb ac mae'n ymateb i gyffuriau colinergig.

mycobacterium: *mycobacteriwm* bacteriwm Gram-positif Gw. *STAEN GRAM* (GRAM STAIN) a nodweddir gan staenio nad yw'n cael ei ddileu gan asid e.e. *mycobacteriwm tiwbercwlosis.*

myocardium: *myocardiwm* (ans. *myocardial*) wal ganol a mwyaf trwchus y galon, sy'n cynnwys y cyhyr cardiag.

myoepithelial cells: *celloedd myoepitheliol* celloedd epithelion cyfangol canghennog sydd yn crymu o gwmpas pob *ALFEOLWS* (ALVEOLUS) ym meinwe'r fron. *Gw. hefyd MECANWAITH LLIF LLAETH* (MILK FLOW MECHANISM), *BRON* (BREAST) a *LLAETHIAD* (LACTATION).

myoma: *myoma* tyfiant diniwed ym meinwe cyhyr.

myomectomy: *myomectomi* cael gwared â myoma – gan gyfeirio fel arfer at dyfiant yn y groth fel yn achos ffibroidau.

myometrium: *myometriwm* cyhyr y groth.

myxoedema: *mycsoedema* isthyroidedd. Clefyd a achosir gan ddiffyg hormonau thyroid yn cael eu secretu gan y chwarren thyroid. Fe'i nodweddir gan chwydd yn yr wyneb, y breichiau, y coesau a'r dwylo; croen sych a garw; colli gwallt; curiad araf y galon; tymheredd is na'r normal; metabolaeth wedi arafu, ac arafwch meddwl. Caiff ei drin â pharatoadau'r chwarren thyroid. Mae isthyroidedd cynhenid yn achosi *CRETINEDD*.

N

Naboth's cysts (follicles): *codennau (ffoliglau) Naboth* ffurfiannau tebyg i godennau a achosir gan achludiad lwmina chwarennau ym mwcosa gwddf y groth gan beri iddynt fod yn chwyddedig oherwydd secretiad sy'n cael ei ddargadw.

Naegele's pelvis: *pelfis Naegele* pelfis annormal prin iawn sydd yn anghymesur oherwydd methiant cynhenid un ala sacrol i ddatblygu'n llawn.

Naegele's rule: *rheol Naegele* rheol ar gyfer amcangyfrif dyddiad yr esgor; tynnu 3 mis o ddyddiad cyntaf y mislif normal diwethaf ac ychwanegu 7 diwrnod.

naevus: *naevus* man geni; rhan amgylchol o bibellau gwaed arwynebol wedi ymagor.

nalorphine: *nalorffin* cyffur, yn perthyn i forffin, a ddefnyddid gynt mewn asffycsia neonatorum ond bellach wedi'i ddisodli gan NALOXONE.

naloxone (Narcan): *naloxone (Narcan)* gwrthgyffur penodol i gyffur narcotig. Gellir ei roi i faban newydd-anedig sydd yn mygu os bydd y fam wedi cael narcotig cyn y geni megis pethidine yn ddiweddar wrth esgor. Y dos arferol i fabanod newydd eu geni yw 0.01mg/kg o amcangyfrif pwysau'r corff. Ambell waith rhoddir dos mwy i'r fam os bernir bod y geni yn mynd i ddigwydd ar adeg pan fydd pethidine a roddwyd yn gynharach ar ei fwyaf effeithiol. Dylid cadw golwg ar y baban rhag ofn y bydd trafferthion anadlu yn ystod y 24 awr cyntaf ar ôl y geni.

nano-: *nano-* y rhagddodiad yn dynodi 'un filfiliynfed' e.e. nanogram (ng) un milfiliynfed gram.

napkin rash: *brech cewyn / clwt* unrhyw frech a geir yn y rhan a orchuddir fel arfer gan y cewyn/clwt. Y mae sawl math, dermatitis amoniacal yw'r mwyaf cyffredin. Nid yw hyn yn debygol o ddigwydd yn y cyfnod yn syth ar ôl y geni, ond yn nes ymlaen mae'n cynhyrchu erythema a fesiglau. Achosion eraill yw llindag, psoriasis cewyn/clwt ac erythema o gwmpas yr anws.

Narcan: *Narcan* Gw. NALOXONE

narco-: *narco-* rhagddodiad yn golygu 'trwmgwsg'.

narcosis: *narcosis* cyflwr anymwybodol a gynhyrchir gan gyffur narcotig.

narcotic: *narcotig* 1. cyffur sy'n creu narcosis. 2. cyffur sy'n creu cyflwr anymwybodol neu gysglyd. Yn feddygol mae'r term narcotig yn cynnwys unrhyw gyffur sy'n cael yr effaith hon. Yn ôl y diffiniad cyfreithiol, fodd bynnag, mae'r term yn cyfeirio at gyffuriau caethiwus e.e. opiadau megis morffin a heroin, a chyffuriau synthetig megis pethidine. Ni ellir cael gafael ar narcotigau yn gyfreithlon ond ar bresgripsiwn gan y meddyg. Mae gwerthu neu fod ym meddiant narcotigau wedi'u gwahardd ac eithrio at ddibenion meddygol gan Ddeddf Camddefnyddio Cyffuriau, 1971.

nares: *ffroenau* ffroenau'r trwyn. *Ffroenau ôl (posterior n.):* agorfa'r ffroenau i'r nasoffaryncs. Unigol: *naris*.

nasal: *trwynol* yn ymwneud â'r trwyn.

Naseptin: *Naseptin* paratoad cyfun yn cynnwys clorhecsidin a neomycin, eli trwyn i drin heintiadau staffylococal.

nasogastric tube: *tiwb trwyn i'r stumog* tiwb o rwber neu blastig meddal a roddir i mewn trwy'r trwyn ac i'r stumog. Defnyddir y tiwb i gyflwyno bwyd hylifol neu sylweddau eraill, neu er mwyn tynnu allan gynnwys y stumog.

nasojejunal feeding: *bwydo trwyn i'r jejwnwm* yn y dull hwn rhoddir cathetr wedi'i ordrubdio â silicon i mewn trwy'r trwyn i'r jejwnwm, i roi digon o faeth i faban sâl sydd ar beiriant anadlu neu'n derbyn GWASGEDD ENCHWYTHU PARHAUS (CIP) trwy fwgwd neu diwb trwynol. Fe'i defnyddir i atal y perygl o fewnanadlu wrth fwydo â thiwb i'r stumog.

nasopharynx: *nasoffaryouncs* y rhan o'r daflod uwchben y daflod feddal.

National Care Standards Commission: *Comisiwn Safonau Gofal Cenedlaethol* corff a sefydlwyd i ymgymryd â chofrestru ac arolygu ysbytai a chliniigau mamolaeth preifat yn Lloegr. O 2002 ymlaen, disodlodd cyfrifoldeb awdurdodau iechyd lleol am y broses hon

National Childbirth Trust (NCT): *Ymddiriedolaeth Genedlaethol Geni Plant* sefydliad elusennol sy'n ymwneud ag addysgu ar gyfer beichiogrwydd, genedigaeth a bod yn rhiant. Mae ganddo dros 300 o ganghennau a grwpiau yn y DU. Yn bennaf trwy'r grwpiau lleol hyn, mae'n rhedeg dosbarthiadau cyn geni, yn cynghori ar fwydo ar y fron ac yn rhoi cefnogaeth ar ôl y geni.

National Health Service (NHS): *Gwasanaeth Iechyd Gwladol* Sefydlwyd y GIG yn 1948 i ddarparu gofal iechyd am ddim o fewn cyrraedd pawb. Bu sawl achos o ad-drefnu ers hynny. Mae cyllid a threfn gwasanaethau iechyd yn dibynnu ar y boblogaeth leol a chyflwynwyd elfen o economi'r farchnad mewn ymgais i wella safonau gofal ar gyfer cleifion a chleientiaid.

National Institute for Clinical Excellence (NICE): *Sefydliad Cenedlaethol dros Ragoriaeth Glinigol* awdurdod iechyd arbennig gyda chyfrifoldeb dros asesu effeithiolrwydd clinigol a chost technolegau iechyd newydd a'r rhai presennol, a darparu arweiniad i'r Gwasanaeth Iechyd Gwladol ynghylch eu mabwysiadu.

National Service Frameworks (NSFs): *Fframweithiau Gwasanaeth Cenedlaethol* templedi neu batrymau ar gyfer gofal mewn meysydd gwasanaeth pwysig. Datblygwyd yn genedlaethol gan NICE; defnyddir yn lleol gan Adran Weithredol y Gwasanaeth Iechyd Gwladol a chyrff gofal iechyd eraill i adolygu ac ail-lunio darpariaeth gwasanaethau lleol.

National Vocational Qualifications (NVQ's): *Cymwysterau Galwedigaethol Cenedlaethol (NVQ's)* system hyfforddiant ac addysg genedlaethol ar gyfer gwaith galwedigaethol a gefnogir gan y llywodraeth. Fe'i seilir ar 5 lefel o sgiliau a gwybodaeth, yn cael eu haddysgu a'u hasesu yn y gweithle.

natural childbirth: *genedigaeth naturiol* Ymagwedd tuag at esgor a geni sy'n pleidio osgoi ymyrraeth a thechnoleg feddygol, yn ogystal â phoenleddfwyr yn ystod y geni, ac annog y ddau riant i gymryd rhan yn y profiad o'r geni a'i rannu rhyngddynt. Enw arall arno yw geni gweithredol (active birth).

naturopathy: *naturopatheg* ffurf gyflenwol ar ofal iechyd sy'n cynnwys diet, ympryd, dadwenwyno, ymarfer corff, hydrotherapi a meddwl cadarnhaol.

nausea: *cyfog* teimlo'n sâl ac awydd chwydu. Anhwylder ffisiolegol cyffredin yn gynnar yn ystod beichiogrwydd sy'n gwella fel arfer erbyn tua'r 14eg wythnos. Ni ddeellir yr achos yn llawn, ond gallai fod yn gysylltiedig

181

â'r newidiadau hormonal a metabolig sy'n digwydd yn gynnar yn y beichiogrwydd. *Gw. hefyd* CHWYDU (VOMITING).

navel: *bogail* y botwm bol/bogail neu'r wmbilicws.

Necator: *Necator* genws o FACHLYNGYR (HOOKWORM).

necro-: *necro-* rhagddodiad yn golygu 'marw'.

necrobiosis: *necrobiosis* dirywiad a marwolaeth meinwe. Gall ffibroidiau crothol ddioddef y broses yma yn y trimestr canol. Y driniaeth yw gorffwys yn y gwely a chymryd cyffuriau poenleddfol.

necropsy: *necropsi* Archwiliad postmortem.

necrosis: *necrosis* marwolaeth meinwe.

necrotizing enterocolitis: *enterocolitis madreddog* afiechyd llidiog y coluddion yn y baban newydd-anedig sy'n cysylltiedig â septicaemia. Credir mai'r achos yw bacteria yn lluosogi yn y coluddion ac yn treiddio trwy wal y coluddion mewn mannau ble dioddefwyd niwed isgemig. Ceir oedema, wlserau a gwaedlif yn wal y coluddion a gall y wal fynd yn dyllog gyda peritonitis yn datblygu. Mae baban sydd mewn perygl o ddatblygu'r cyflwr hwn yn cynnwys y rhai hynny â hanes o asffycsia, trafferth anadlu, hypoglycaemia, hypothermia ac afiechyd cardiofasgwlaidd. Mae'r cyflwr yn cael ei drin trwy faethiad parenterol, gwrthgyrff, ac mewn achosion o dyllu wal y coluddion, llawdriniaeth.

negligence: *esgeulustod* yn y gyfraith, methu â gwneud rhywbeth y byddai person rhesymol â doethineb arferol yn ei wneud neu yn peidio â'i wneud mewn sefyllfa benodol. Gall esgeulustod fod yn sail i achos cyfreithiol os oes dyletswydd gyfreithiol, megis dyletswydd bydwraig neu feddyg i ddarparu gofal rhesymol i gleifion, a phan achosir niwed i'r cleient oherwydd yr esgeulustod.

Neisseria gonorrhoeae: *Neisseria gonorrhoeae* y micro-organeb sy'n achosi GONORRHOEA (GONORRHOEA). Mae'n anodd ei feithrin y tu allan i'r corff dynol.

nem: *nem* uned maeth sy'n gywerth â gwerth maethol 1g o laeth y fron.

neo-: *neo-, newydd-* rhagddodiad yn golygu 'newydd'.

neomycin: *neomycin* gwrthfiotig sbectrwm eang; fe'i defnyddir fel antiseptig i'r coluddion.

neonatal: *newydd-anedig* yn perthyn i'r 4 wythnos cyntaf ar ôl y geni. *Cyfradd marwolaeth babanod newydd-anedig (n. mortality rate):* nifer marwolaethau babanod hyd at 4 wythnos oed fesul 1000 o enedigaethau byw mewn blwyddyn.

neonate: *newydd-anedig* plentyn newydd ei eni hyd at 4 wythnos oed.

neonatology: *gwyddor y newydd-anedig* cangen o feddygaeth baediatrig sy'n delio gydag anhwylderau'r baban newydd-anedig.

neoplasm: *neoplasm* unrhyw dyfiant newydd e.e. tiwmor.

nephrectomy: *neffrectomi* torri allan aren

nephritis: *neffritis* llid yr arennau. *Neffritis llym (acute n.):* nam ar yr arennau a all ddilyn heintiad streptococal megis y dwymyn goch neu donsilitis, a nodweddir gan boen yng ngwaelod y cefn, gwres uchel ac oedema. Amherir ar weithrediad yr arennau, mae'r wrin yn cynnwys albwmin, gwaed a chast tiwbynnau'r arennau, ond ychydig iawn o wrea, tra bo'r wrea yn y gwaed yn cynyddu. Mae'r mwyafrif o gleifion yn gwella'n llwyr tra bo rhai yn datblygu neffritis cronig. *Neffritis cronig (chronic n.):* amherir yn barhaol ar weithrediad yr arennau ac mae'r claf yn dioddef o oedema, proteinwria, a gorbwysedd yn aml, gyda lefel uwch o wrea yn y gwaed. *Neffritis yn ystod* *beichiogrwydd (n. in pregnancy)*: bydd merch â neffritis difrifol yn aml yn anffrwythlon. Os bydd hi'n beichiogi, bydd yn fwy tueddol o erthylu a datblygu *CYNECLAMPSIA* (PRE-ECLAMPSIA) a'i holl gymhlethdodau felly bydd angen gofal mynych ac arbenigol yn ystod y cyfnod cyn y geni.

nephron: *neffron* y glomerwlws, capsiwl Bowman a'r system tiwbynnau sef uned weithredol yr aren. Mae pob aren yn cynnwys tua miliwn o neffronau.

nephropathy: *neffropathi* unrhyw afiechyd ar yr arennau.

nephrosis: *neffrosis* unrhyw afiechyd ar yr arennau.

nephrotic syndrome: *syndrom neffrotig* unrhyw afiechyd ar yr arennau, yn enwedig afiechyd a nodweddir gan namau dirywiol yn unig ar diwbynnau'r arennau. Gall yr afiechyd ddilyn neffritis llym ac un nodwedd yw gormod o hylif yn cronni yn y corff, oherwydd bod llawer iawn o brotein yn cael ei golli yn y corff a bod llai o serwm albwmin. Gellir trin yr afiechyd trwy ddiwretigau, diet uchel mewn protein, steroidau o bosibl ac, yn ddiweddar, rhoi cyffuriau atal imiwnedd

nerve: *nerf* bwndel o ffibrau nerfol a amgaeir mewn amwisg o'r enw epiniwriwm. Ei swyddogaeth yw trosglwyddo ysgogiadau rhwng unrhyw nan o'r corff a chanolfan nerfau. Mae *nerfau echddygol (motor [efferent] n.)* yn cludo ysgogiadau sy'n achosi symudiad o ganolfan nerfau i gyhyr. *Edefyn nerf (n. fibre)*: ymestyniad y gell nerf, sy'n cludo'r ysgogiad i neu o'r rhan y mae'n ei reoli. Mae *nerfau synhwyraidd (sensory [afferent] n.)* yn cludo synwyriadau o unrhyw ran i ganolfan nerfau. *Nerf fasomotor (vasomotor n.)*: naill ai'n lledu neu'n cyfyngu ar y pibellau gwaed.

nerve block: *bloc nerfau* bloc gan gyffuriau analgesig lleol, i ysgogiadau

sy'n mynd ar hyd nerfau e.e. *ANALGESIA EPIDWRAL (EPIDURAL ANALGESIA)*

nervous: 1.*nerfol.* **2.***nerfus* **1.** yn perthyn i, neu'n cynnwys, nerfau. **2.** hynod o gynhyrfus. *Chwalfa nerfau (n. breakdown)*: term cyffredin a ddefnyddir i ddisgrifio unrhyw fath o salwch meddwl sy'n tarfu ar weithgareddau arferol unigolyn. Gellir ei ddefnyddio i ddisgrifio unrhyw un o'r anhwylderau meddyliol. *System nerfol (n. system)*: y system organau sydd, ynghyd â'r system endocrin, yn cydberthynu addasiadau ac adweithiau organeb i amgylchiadau mewnol ac amgylcheddol. Mae ganddi 2 brif raniad: y brif system nerfol, sy'n cynnwys yr ymennydd a madruddyn y cefn; a'r system nerfol amgantol, a isrennir yn systemau gwirfoddol ac awtonomig.

neural tube defect: *nam y tiwb niwral* rhywbeth afreolaidd yn adeiledd yr ymennydd neu fadruddyn y cefn sy'n achosi anenceffali neu spina biffida. Mewn anencephali mae'r craniwm yn absennol, felly mae meinwe'r ymennydd heb ei orchuddio ac mae'r cyflwr yn anghydnaws â bywyd. Gall diffyg yn y laminau ôl a chnapiau un neu fwy o fertebra'r asgwrn cefn gyflwyno'n glinicol fel man blewog neu grych hanner ffordd i lawr cefn y baban ac nid oes angen triniaeth (spina biffida ocwlta); os yw'r diffyg yn caniatâu i'r meninges ymwthio allan (meningocele) mae angen llawdriniaeth; os bydd y meninges a madruddyn y cefn yn ymwthio allan (meningomyelocele) mae'n gyflwr difrifol ac mae angen asesiad gan arbenigwr i benderfynu a yw'n bosibl rhoi llawdriniaeth ac a yw'n debygol o wella ansawdd bywyd. Mae gan lawer o'r babanod hyn namau a chymhlethdodau eraill sydd yn anghydnaws â bywyd.

neuritis: *niwritis* llid ar nerf.

neuroblast: *niwroblast* cell nerfol

embryonig

neuroblastoma: *niwroblastoma* tyfiant malaen celloedd nerfol anaeddfed, fel arfer yn digwydd mewn plant.

neurohormonal: *niwrohormonaidd* yn perthyn i'r nerfau a'r hormonau,ac yn enwedig i'r cytgord rhyngddynt. *Atgyrch niwrohormonaidd (n. reflex):* LACTATION *LLAETHIAD* yn cynnwys proses lle mae'r nerfau a'r hormonau yn gweithio mewn cytgord i reoli'r *ATGYRCH LLAETHA* (LET-DOWN REFLEX).

neuromuscular: *niwrogyhyrol* yn perthyn i'r cyhyrau ac i'r nerfau ac yn enwedig i'r cytgord rhyngddynt. *Cytgord niwrogyhyrol (n. harmony):* term a ddefnyddir i ddisgrifio'r berthynas rhwng segmentau uchaf ac isaf y groth pan fydd y wraig yn esgor h.y. mae'r groth yn gweithio'n effeithlon pan fydd y segment uchaf yn cyfangu ac yn gwrthdynnu a'r segment isaf a gwddf y groth yn cyfangu ac yn ymledu.

neuron, neurone: *niwron* cell nerf: unrhyw un o gelloedd dargludol y system nerfol, sy'n cynnwys corff cell, sy'n cynnwys cnewyllyn a'r cytoplasm o'i gwmpas, a'r acson a'r dendridau. *Amgylchedd thermol niwron (n. thermal environment):* tymheredd amgylchedd lle na choblir fawr ddim egni ac na fydd angen defnyddio fawr ddim ocsigen i gadw gwres y corff o fewn terfynau normal.

neurosis: *niwrosis* tarfiad ar swyddog-aeth y system nerfol yn cael ei nodweddu gan ansefydlogrwydd emosiynol ond heb unrhyw newid strwythurol yn sylwedd y nerf.

neutral: *niwtral* heb fod yn asid nac yn alcaliaidd. Mae crynodiad ïonau hydrogen (pH) o 7 yn niwtral.

neutron: *niwtron* gronyn niwtral a geir gyda phrotonau yn niwclews atom.

Neville Barnes forceps: *gefel Neville Barnes* gefel obstetrig ar gyfer geni llawdriniaethol drwy'r wain; mae gan yr efel hon atodiadau carn ar gyfer tyniant echelin i ganiatáu tyniant pen uchel i lawr i mewn i'r pelfis. Ni ddefnyddir yr atodiadau hyn bellach a defnyddir yr efel ar gyfer genedigaeth isel yn y ceudod.

niacin: *niacin* fitamin hydawdd mewn dŵr o'r cymhlygyn B a geir mewn amryw o feinweoedd anifeiliaid a phlanhigion, yn enwedig iau, burum, bran, cnau mwnci, cigoedd heb fraster, pysgod a dofednod. Mae ei angen i syntheseiddio rhai ensymau.

nicotine: *nicotin* alcaloid gwenwynig iawn. Gall y nicotin mewn tybaco, er mai ychydig yw, achosi diffyg traul, codi pwysedd gwaed a phylu archwaeth. Mae'n gweithredu hefyd fel fasogyfyngydd.

nidation: *nythiad* mewnblannu'r ofwm wedi'i ffrwythloni yn endometriwm y groth.

nipple: *teth* yr ymestyniad bach conigol yng nghanol *AREOLA* (AREOLA) y fron sydd yn rhoi allanfa i'r llaeth o'r fron. Mae pen eithaf y deth yn cynnwys 15–20 o bantiau bach sydd yn agorfeydd dwythellau lactifferaidd. *Teth atodol (accessory n.):* teth elfennol unrhyw le mewn llinell o'r fron i'r afl. *Teth wrthdynnol (retracted n.):* un sydd wedi'i thynnu tuag i mewn; gall fod yn arwydd o ganser y fron.

nitrazepam: *nitrazepam* cyffur hypnotig a thawelydd a ddefnyddir i drin insomnia gyda dihuno cynnar yn y bore.

nitrofurantoin: *nitroffwrantoin* cyfrwng gwrthfacteria a ddefnyddir i drin haint y llwybr troethol. Gall gynhyrchu haemolysis yn y newydd-anedig os caiff ei roi i'r fam ar ddiwedd beichiogrwydd.

nitrogen: *nitrogen* elfen. Symbol N. Nwy sy'n ffurfio bron i 80% o gyfaint aer atmosfferig. Cyfansoddyn ym mhob bwyd a sylwedd protein.

nitrous oxide: *ocsid nitrus* N₂O. Anaesthetig cyffredinol sy'n gwneud y claf yn anymwybodol am gyfnod byr. Fe'i defnyddir yn bennaf ar gyfer llawdriniaethau deintyddol. Gydag ocsigen fe'i defnyddir yn gyffredin fel anaesthetig. Gyda 50% oscigen mae'n lleddfu poen heb i'r claf golli ymwybyddiaeth, a defnyddir y cymysgedd hwn, gyda'r ferch yn ei roddi drwy fewnanadlu, i leddfu poen yn ystod yr esgor. Cymysgir y nwyon ymlaen llaw mewn un silindr glas a gwyn gyda falf syml, tiwb a mwgwd wyneb yn y cyfarpar Entonox sydd wedi ei ei gymeradwyo gan y Cyngor Nyrsio a Bydwreigiaeth i'w ddefnyddio gan fydwragedd. Caiff y nwy ei ysgarthu drwy'r ysgyfaint. Mae'r sgil effeithiau'n cynnwys chwerthin, colli rheolaeth a theimlo ychydig yn sâl.

node: nod (ans. nodol) mâ s bach o feinwe ar ffurf chwydd neu gwlwm, naill ai normal neu batholegol.

nodule: cnepyn nod bach solid y gellir ei deimlo wrth gyffwrdd.

non-accidental injury (NAI): anaf annamweiniol y math o anaf a achosir i faban sy'n cael ei gam-drin. Gall fod esgyrn wedi torri, yn enwedig y penglog, gyda gwaedlif o fewn y penglog ac anafiadau corfforol eraill. Mae'r term hefyd yn cynnwys rhoi gwenwyn a chyffuriau peryglus, cam-drin rhywiol, newynu ac unrhyw ddull arall o ymosod yn gorfforol. Y rhieni, neu unigolion eraill sy'n edrych ar ôl y plentyn, sydd yn gyfrifol am achosi'r anafiadau hyn fel arfer. Rhaid ymchwilio a thrafod achosion felly yn ofalus.

non-maleficence: peidio gwneud drwg y cysyniad yn y gwasanaethau iechyd o'r ddyletswydd i osgoi niwed i fuddiannau pobl eraill.

non-shivering thermogenesis: thermogenesis digrynbod y defnydd o feinwe bloneg brown gan y newydd-anedig i gynhyrchu gwres ar adegau o straen oerfel. Mae bloneg brown yn cael ei storio yn y mediastinwm, o gwmpas y wegil, rhwng padelli'r ysgwyddau ac o gwmpas yr arennau a'r chwarennau uwcharennol.

non-specific urethritis (NSU): wrethritis amhenodol afiechyd cyffredin sy'n cael ei drosglwyddo'n rhywiol, a achosir gan nifer o organebau. Mae *Chlamydia trachomatis* yn achosi 40% ohonynt.

noradrenaline (norepineffrin): noradrenalin catecolamin sydd yn niwrodrosglwyddydd y rhan o fwyaf o niwronau ôl-ganglionig ymatebol a rhai llwybrau yn y system nerfol hefyd. Fe'i rhyddheir o'r medwla adrenal mewn ymateb i symbyliad sympathetig, yn bennaf mewn ymateb i isbwysedd. Mae'n cynhyrchu fasogyfyngiad, cynnydd yng nghyflymedd y galon, a chodiad yn y pwysedd gwaed.

norethisterone: norethisteron pilsen atal cenhedlu progesteron yn unig, sy'n ddefnyddiol ar gyfer mamau sy'n bwydo ar y fron.

Noriday: Noriday brand o bilsen atal cenhedlu sydd yn cynnwys progesteron yn unig ac felly'n addas i'w defnyddio gan famau sy'n bwydo ar y fron.

Norinyl: Norinyl brand o bilsen atal cenhedlu sydd yn cyfuno oestrogen a progesteron.

normoblasts: normoblastau celloedd gwaed coch cnewyllol anaeddfed, sydd fel arfer yn aros ym mêr yr esgyrn nes iddynt aeddfedu, ond yn cael eu rhyddhau i'r gylchred mewn rhai mathau o anaemia.

normotensive: normobwysol gyda phwysedd gwaed normal.

notifiable: hysbysadwy term a ddefnyddir yng nghyswllt rhai afiechydon sy'n cael eu trosglwyddo. Os ceir achos ohonynt rhaid hysbysu Cyfarwyddwr Iechyd y Cyhoedd yn yr awdurdod iechyd yn statudol. Cyfrifoldeb y meddyg yw hysbysu. Dylai bydwraig sydd yn amau unrhyw afiechyd hysbysadwy roi gwybod i'r meddyg yn syth. Mae afiechydon hysbysadwy yn cynnwys y clefyd melyn heintus, leptospirosis, y dwymyn goch, y pas, y frech goch, y frech wen, diffftheria a twbercwlosis. Mae offthalmia neonatorwm yn dal yn hysbysadwy ond nid yw pyrecsia pwerperol, a fu'n hysbysadwy am flynyddoedd lawer, yn hysbysadwy bellach.

notification: hysbysiad Gw. BWRIAD I YMARFER (INTENTION TO PRACTICE).

notification of birth: hysbysu'r geni Gw. GENI, HYSBYSU (BIRTH, NOTIFICATION OF)

nucha: gwegil gwar, gwaelod cefn y gwddf.

nuchal: gwegilog, y gwegil yn ymwneud â'r gwegil, gwar. *Sganio'r gwegil (n. scanning):* sgan uwchsain a wneir rhwng wythnos 11–13 o'r cyfnod cario i fesur trwch y croen ar gefn gwddf y ffetws fel dangosydd Syndrom Down posibl.

nuchal displacement: dadleoliad y gwegil cymhlethdod esgor ffolennol, pan ddadleolir braich y tu ôl i wddf y plentyn.

nuclear family: teulu cnewyllol rhieni a'u plant yn byw gyda'i gilydd mewn cartref heb aelodau o'r teulu estynedig megis neiniau a theidiau, modrybedd ac ewythrod yn byw gyda hwy, neu yn y cyffiniau.

nuclear magnetic resonance: cyseiniant magnetig niwclear ffenomen lle mae gan niwcleysau atomig allu magnetig, h.y. y niwcleysau hynny sydd yn ymddwyn fel magnetau bar bychan. Pan darfir ar eu hecwilibriwm gan bwls radioamledd mae eu haliniad yn newid, ond ar ddiwedd y pwls, mae'r niwcleysau yn dychwelyd i'w safle o ecwilibriwm. Mae modd dadansoddi'r signalau a greir a'u defnyddio ar gyfer dadansoddiad cemegol (spectroscopeg NMR) neu ar gyfer delweddu (*DELWEDDU CYSEINIANT MAGNETIG: MAGNETIC RESONANCE IMAGING*).

nucleic acids: asidau niwcleig

cyfansoddion cadwyn-hir, hynod gymhleth gyda phwysau moleciwlaidd uchel sydd yn digwydd yn naturiol yng nghelloedd organebau byw. Maent yn ffurfio deunydd genetig y gell ac yn cyfeirio synthesis o protein o fewn y gell. Y mae dau brif ddosbarth o asidau niwcleig: *DEOXYRIBONUCLEIC ACID (ASID DIOCSIRIBONIWCLEIG) (DNA)* ac *ASID RIBONIWCLEIG (RIBONUCLEIC ACID) (RNA)*.

nucleus: cnewyllyn rhan sylfaenol cell yn cynnwys y cromosomau, y mae'n rhaid iddo rannu er mwyn ffurfio celloedd newydd. *Cnewyllyn gwaelodol (basal n.):* grŵp o gelloedd nerf yn yr ymennydd sydd, mewn achos dirifol o'r clefyd melyn mewn baban newyddanedig, yn gallu cael eu staenio â bilirwbin, gan achosi *CERNICTERWS* (KERNICTERUS).

nullipara: nwlipara (ans. nwliparaidd) merch nad yw erioed wedi geni plentyn hyfyw. Serch hynny, gall fod wedi bod yn feichiog gynt, ond naill ai wedi cael erthyliad naturiol neu derfynu'r beichiogrwydd.

nurse: 1. nyrs 2. nyrsio 3. nyrsio
1. person sydd wedi ymgymhwyso yng nghelfyddyd a gwyddor nyrsio, ac sy'n cyfarfod â rhai safonau penodedig o ran addysg a chymhwysedd clinigol.
2. darparu gwasanaethau sydd yn hanfodol i, neu yn gymorth i hyrwyddo, cynnal neu adfer iechyd a lles.
3. bwydo ar y fron.
Nyrs gofrestredig (registered n.): yn y DU, un y mae ei henw ar y Gofrestr a ddelir gan y Cyngor Nyrsio a Bydwreigiaeth.

nursery, day: meithrinfa ddydd meithrinfa i blant dan oed ysgol, i famau sy'n gweithio – yn enwedig y rhai hynny heb gefnogaeth neu rieni sydd yn wael eu hiechyd. Gwneir darpariaeth, o dan Ddeddf y Gwasanaeth Iechyd Gwladol, 1977, gan adran gwasanaethau cymdeithasol yr awdurdod lleol. Gall meithrinfeydd dydd gael eu rhedeg hefyd gan gyrff preifat neu wirfoddol, ar yr amod eu bod wedi eu cofrestru a'u goruchwylio gan yr awdurdod lleol. *Ysgol feithrin (n. school):* ysgol i blant rhwng 2½ a 5 oed a ddarperir gan y Mudiad Ysgolion Meithrin neu'r awdurdod addysg lleol. Mae nifer cyfyngedig o lefydd ar gael yn ysgolion meithrin awdurdodau lleol ac felly rhoddir y flaenoriaeth i blant ag anghenion arbennig.

Nursing and Midwifery Council (NMC): *Cyngor Nyrsio a Bydwreigiaeth* Corff rheolaethol, wedi'i ddynodi drwy statud i reoleiddio'r proffesiynau nyrsio, bydwreigiaeth ac ymwelwyr iechyd yn y DU er mwyn gwarchod y cyhoedd. Disodlodd Gyngor Canolog y DU (yr UKCC) yn 2002. Mae'n gyfrifol am sicrhau ansawdd rhaglenni addysg yn arwain at gofrestru a chymwysterau y mae modd eu cofnodi. Mae'n cadw cofrestri o ymarferwyr. Mae'n cyhoeddi rheolau ymddygiad proffesiynol a dogfennau eraill i arwain ar ymarfer proffesiynol. *Gw. hefyd* Atodiad 10.

nutrition: *maethiad* y broses ble mae bwyd yn cael ei dreulio gan y corff er mwyn ei faethu. Mae maethiad yn ymwneud yn arbennig â'r priodweddau hynny ar fwyd sydd yn adeiladu cyrff cadarn ac yn hybu iechyd. Mae maeth-

iad da yn golygu diet cytbwys sy'n cynnwys digon o'r elfennau maethol sylfaenol y mae'n rhaid i'r corff wrthynt er mwyn gweithio'n normal. Cynhwysion hanfodol deiet cytbwys yw proteinau, fitaminau, mwynau, brasterau a charbohydradau. Gall y corff gynhyrchu siwgrau o frasterau, a brasterau o siwgrau a phroteinau, yn dibynnu ar yr angen. Ond ni all gynhyrchu proteinau o siwgrau a brasterau. *Therapi maethiad (n. therapy):* ffurf ar therapi cyflenwol ble mae'n hysbys nad swm ac ansawdd y bwyd a fwyteir yn unig sydd yn effeithio ar y corff, ond hefyd y ffordd yr amsugnir, y treulir ac y defnyddir y maetholion. Gall statws maethiad gael ei effeithio gan unigolyddiaeth fiolegol a chan ffactorau amgylcheddol.

nylon: *neilon* deunydd synthetig eithriadol o gryf, a ddefnyddir i bwytho.

nystagmus: *nystagmws* symudiad anwirfoddol, cyflym, rhythmig (ardraws, fertigol, cylchdro, neu gymysg, h.y. dau fath) pelen y llygad.

Nystan: *Nystan* *Gw.* NYSTATIN (NYSTATIN).

nystatin: *nystatin* gwrthfiotig sydd yn effeithiol i drin heintiadau ffwngaidd arwynebol e.e. candidiasis. Gellir ei roi trwy'r geg neu ar ffurf pesariau yn y wain.

O

obesity: *gordewdra* gormod o floneg yn datblygu trwy'r corff; cynnydd mewn pwysau y tu hwnt i'r hyn a ystyrir yn ddymunol gyda golwg ar oedran, taldra ac adeiledd yr esgyrn. Gall gordewdra effeithio ar iechyd corfforol a meddyliol. Yn ystod beichiogrwydd, mae cymhlethdodau megis gorbwysedd yn fwy cyffredin ymhlith merched gordew.

oblique: *arosgo* Gw. PELFIS (PELVIS), diamedrau. *Gorweddiad arosgo (o. lie):* gorweddiad annormal ble mae echelin hir y ffetws yn gorwedd rhwng diamedrau arosgo'r pelfis. Gall ddiweddu mewn cyflwyniad ysgwydd ac esgor wedi'i atal gyda'r perygl y bydd llinyn y bogail neu fraich y ffetws yn ymgwympo, y groth yn rhwygo, gwaedlif neu farwolaeth y ffetws a hyd yn oed marwolaeth y fam.

oblongata: *oblongata* Gw. MEDWLA OBLONGATA (MEDULLA OBLONGATA)

observation register: *cofrestr arsylwi* cofrestr o blant y gallai problemau sy'n digwydd yn ystod cyfnod y ffetws yn y groth neu'r cyfnod newydd-anedig effeithio'n andwyol ar eu datblygiad. Dylai'r ymwelydd iechyd, meddyg teulu ac adran baediatrig arbennig gadw golwg ofalus ar y plant hyn.

observational study: *astudiaeth arsylwadol* astudiaeth epidemiolegol o ddigwyddiadau heb ymyrraeth yr ymchwilydd.

obstetric: *obstetrig* yn perthyn i obstetreg. *Cyfiau obstetrig (o. conjugate):* y diamedr pelfig sy'n ymestyn o benrhyn y sacrwm i'r ymyl uchaf mewnol neu'r symffysis piwbis. Mae'n mesur oddeutu 11 cm a hwn yw'r cyfyngle cyntaf y mae'n rhaid i ben y ffetws fynd trwyddo. *Uned obstetrig frys (emergency o. unit):* tîm argyfwng o uned famolaeth arbenigol yn cynnwys obstetregydd, bydwraig ac, os oes angen, anaesthetegydd a/neu baediatregydd sydd yn mynd mewn ambiwlans i argyfwng yn y cartref neu mewn ysbytai mamolaeth bach. Maent yn cario cyfarpar argyfwng megis gwaed O-negatif, cyfarpar ar gyfer trallwyso gwaed, geni gyda llawdriniaeth, gwaredu'r brych â llaw, anaesthesia (os oes angen) ac adfywio'r fam a'r baban. Ar ôl cael triniaeth cludir y fam i'r ysbyty yn yr ambiwlans. *Hanes obstetrig (o. history):* gwybodaeth am bob beichiogrwydd ac erthyliad blaenorol, gan gynnwys manylion am esgoriadau, y pwerperiwm a'r babanod, sy'n cael ei gymryd a'i gofnodi pan fydd merch yn trefnu gyda'i bydwraig neu ei meddyg i gael gofal yn ystod beichiogrwydd dilynol. *Pwlsar obstetrig (o. pulsar):* cyfarpar a ddefnyddir ar gyfer ysgogi nerfau trydanol trawsgroenol (TENS). *Sioc obstetrig (o. shock):* llewyg yn gysylltiedig â geni plentyn yn dilyn methiant cylchrediad y gwaed sy'n digwydd yn fwyaf cyffredin o ganlyniad i waedlif, neu drawma megis gwrthdroad llym y groth, neu septicaemia a achosir gan organebau Gram-negatif.

obstetrician: *obstetregydd* unigolyn medrus yng nghelfyddyd ac ymarfer obstetreg. Yn y DU obstetregydd sydd fel arfer yn delio ag achosion o

feichiogrwydd, esgoriad a phwerperia
annormal, ac yn hynny o beth mae'n
wahanol i'r fydwraig sydd yn arbenigo
mewn gofalu am ferched sy'n cael
beichiogrwydd, esgoriad a phwerperia
normal.

obstetrics: *obstetreg* y gangen o
feddygaeth sydd yn ymwneud â
beichiogrwydd, esgor a'r pwerperiwm.

obstipation: *trarhwymedd* rhwymedd
anodd ei drin.

obstructed labour: *esgor wedi'i atal*
cyflwr ble mae'n amhosibl yn
fecanyddol i'r babi gael ei eni. Nid
yw'r rhan sy'n cyflwyno yn symud
ymlaen dim er bod y groth yn cyfangu'n
gryf. Mae ataliad yn digwydd yn fwyaf
cyffredin ar gantel y pelfis ond gall
ddigwydd yn yr allfa, e.e ataliad dwfn
ardraws mewn pelfis android. Bydd
gofal da gan fydwraig yn cynnwys
nodi ffactorau risg fel y gellir osgoi
cymhlethdodau esgor wedi'i atal. Yn y
cyflwr datblygedig mae'r fam mewn
trallod mawr, yn edrych yn bryderus ac
yn sâl. Mae ei chalon yn curo'n gyflym,
ac mae'n dioddef pyrecsia, cetonwria
ac oligwria. Efallai bydd hi'n chwydu a
chanddi boen barhaus yn yr abdomen.
Ymddengys fod y groth wedi 'mowldio'
o gwmpas y ffetws; wrth ei harchwilio
â'r bysedd mae'n galed yn barhaus ac ni
ellir teimlo rhannau'r ffetws. Mae'r
ffetws yn farw o anocsia felly ni ellir
clywed synau calon y ffetws. Gellir
gweld CYLCH BANDL (BANDL'S RING) fel
rhych yn rhedeg ar osgo o gwmpas yr
abdomen ac yn nodi'r man cyfarfod
rhwng segment uchaf y groth sydd wedi
tewychu'n eithriadol a'r segment isaf
sydd wedi teneuo ac wedi gorymestyn
yn beryglus. Wrth archwilio'r wain
gellir gweld bod waliau'r wain yn boeth,
yn sych ac yn oedemataidd, bod y rhan
sy'n cyflwyno yn uchel gyda gormod o
caput swccedanewm a bod gwddf y
groth yn hongian fel 'llen' drwchus o'i
chwmpas. Mae gwraig sydd wedi cael

un neu fwy o blant eisoes mewn perygl
difrifol o farw yn sgil rhwygo'r groth a
blinder llwyr; gall croth gwraig sy'n cael
ei phlentyn cyntaf ddatblygu syrthni
eilaidd. Rhaid galw am gymorth
meddygol brys a chwistrelli pethadin i'r
cyhyrau i leddfu'r boen. Rhaid dechrau
rhoi hylif trwy'r wythïen i wrthweithio
sioc a dadhydradiad a chymryd gwaed
i'w groesfatsio. Dylid gwneud toriad
Cesaraidd yn syth pryd bynnag y bo
modd pa un a yw'r ffetws yn fyw neu'n
farw; mewn mannau anghysbell efallai
bydd rhaid gweithredu i ddinistrio'r
ffetws fel yr unig ffordd o wagio'r groth
ac achub bywyd y fam, er wrth wneud
hyn y mae perygl o rwygo segment isaf
y groth sydd wedi teneuo ac wedi
gorymestyn.

obturator: *obtwrator* unrhyw beth
sydd wrth gau agorfa. *Obturator foramen:*
yr agorfa yn agwedd blaen-ochrol os
inominatwm y pelfis a gaeir gan ffasgau
a chyhyrau.

occipital: *ocsipitol* yn gysylltiedig â'r
ocsiwt.

occipitoanterior: *ocsipitoblaen* pan fydd
cefn pen y ffetws, yr ocsipwt, yn
wynebu blaen pelfis y fam wrth iddo
ddod trwy'r llwybr geni.

occipitolateral: *ocsipito-ochrol* mae
ocsipwt y ffetws wrth ochr pelfis y fam
wrth iddo fynd i mewn i'r cantel, naill ai
ar yr ochr chwith neu'r ochr dde; fe'i
gelwir hefyd yn oscipito-ardraws. Os
bydd y groth yn cyfangu'n dda fel arfer
bydd hyn yn annog y ffetws i droi i'r
safle ocsipitoblaen wrth iddo gyrraedd
gwrthiant llawr y pelfis.

occipitoposterior: *ocsipito-ôl* mae
ocsipwt y ffetws wedi ei gyfeirio tuag
at gymal sacroiliag de neu chwith pelfis
y fam. Dyma'r anhawster mecanyddol
mwyaf cyffredin yn y digwydd yn ystod
yr esgor. Un rheswm yw bod siâp pelfis
y fam yn annormal e.e pelfis android
neu anthropoid; mae osgo'r ffetws yn
aml yn filwrol (wedi ymsythu) neu yn

isblygedig ac mae'n digwydd mewn tua 10% o feichiogiadau. Gwneir y diagnosis trwy archwilio'r abdomen a gall ymddangos bod yr abdomen wedi gwastatáu o dan y bogail ac o wneud bysarchwiliad teimlir pen y ffetws yn uchel ac yn isblygedig gyda'r coesau a'r breichiau i'w teimlo dros ran eang ar y ddwy ochr i'r llinell ganol a synau calon y ffetws i'w clywed yn y canol a dros yr ystlys. Wrth wneud archwiliad trwy'r wain ceir pen uchel gyda'r bregma yn gorwedd yn y safle blaen neu ganolog. Yn y cyflwr hwn mae perygl o esgoriad hir, geni anodd a heintiad, ynghyd â hypocsia'r ffetws a gwaedlif mewngreuanol wrth i benglog y ffetws fowldio am i fyny. Yn y mwyafrif o achosion bydd pen y ffetws yn plygu wrth iddo gyfarfod llawr y pelfis, fel y bydd yn gwneud cylchdro hir i'r safle ocsipito-blaen gyda geni normal yn dilyn. Pan fydd y pen yn parhau yn y safle ocsipito-ôl bydd yr esgor yn estynedig, yn boenus ac yn anodd, ac mae perygl i linyn y bogail ymgwympo. Yn yr ail gam gall **ATALIAD ARDRAWS DWFN (DEEP TRANSVERSE ARREST)** ddigwydd, pryd bydd angen gefel Kjelland i eni'r plentyn neu genir y plentyn WYNEB-I'R GEDOR (FACE TO PUBES)

occiput: *ocsipwt* cefn y pen. Y rhan sy'n ymestyn o'r asiad lambdoidal i'r gwegil.

occlusive cap: *cap achludol* cap rwber sy'n gorchuddio gwddf y groth ac yn atal sbermatosoa rhag mynd i mewn yn fecanyddol. Fe'i defnyddir felly fel dull atal cenhedlu. Dylid ei ddefnyddio ar y cyd ag asiant sbermleiddiol i wella'i effeithiolrwydd.

occult: *cudd* yn anodd ei weld neu wedi ei guddio. *Prawf ar gyfer gwaed cudd (o. blood test):* archwiliad, trwy ficroscop neu trwy brawf cemegol, o sbesimen o garthion, wrin, sudd gastrig, etc., i ganfod presenoldeb gwaed na fyddai modd ei ganfod fel arall.

ocular: *ocwlar* yn perthyn i'r llygad.

oedema: *oedema* gormodedd o hylif, naill ai am fod gormod wedi ffurfio, neu oherwydd nad yw'r hylif wedi cael ei amsugno. Gellir ei adnabod gyntaf wrth i'r claf ennill gormod o bwysau yn unig (oedema cudd), yna wrth i'r croen bantio wrth bwyso arno. Gall fod yn ffisiolegol, fel yn ystod beichiogrwydd, pan fydd y groth feichiog yn pwyso ar wythiennau'r pelfis, neu mewn gwythiennau faricos. Mae tua 50% o ferched yn datblygu oedema ysgafn yn y migyrnau at ddiwedd y cyfnod cario, sydd yn normal oni bai bod symptomau ac arwyddion eraill yn bresennol hefyd e.e. gorbwysedd. Yn y pwerperiwm, bydd oedema'r migyrnau yn aml yn gwaethygu dros dro, gan na all yr arennau ymdopi'n syth â gwaredu'r hylif sydd dros ben o ganlyniad i broses awtolytig INFOLYTEDD (INVOLUTION). Mae oedema PATHOLEGOL (PATHO-LOGICAL) yn cyd-fynd ag afiechyd arennol cronig CYNECLAMPSIA (PRE-ECLAMPSIA), ECLAMPSIA, clefyd y galon difrifol, anaemia difrifol a diffyg maeth. *Oedema pantiog (pitting o.):* oedema difrifol lle mae gwasgedd yn gadael pant cyndyn yn y meinweoedd.

oesophageal: *oesoffagaidd* yn perthyn i'r oesoffagws. *Atresia oesoffagaidd (o. atresia):* mae agorfa'r oesoffagws yn absennol. Gall ddigwydd mewn baban ar ôl beichiogrwydd a gymhlethwyd gan POLYHYDRAMNIOS. Gan na fydd y baban yn gallu llyncu ei boer ei hun, bydd hwn yn dod allan o'i geg trwy'r amser fel mwcws clir. Os bydd unrhyw faban yn dangos yr arwydd hwn, rhaid rhoi tiwb caled i mewn trwy ei geg i sicrhau bod yr oesoffagws ar agor, mor fuan ar ôl y geni ag y bo modd. Bydd unrhyw oedi yn ei gwneud yn fwy tebygol y bydd y baban yn marw o'r llawdriniaeth gywirol. Mae FFISTWLA TRACEO-OESOFFAGAIDD (TRACHEO-OESOPHAGEAL FISTULA) yn cyd-fynd â'r cyflwr hwn bron bob tro.

Atresia'r Oesoffagaidd gyda Ffistwla Traceo-oesoffagaidd

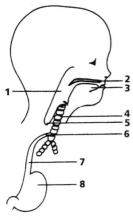

1. ffaryncs; 2. tafod;
3. tafod; 4. tracea;
5. atresia oesoffagaidd;
6. ffistwla traceo-oesoffagaidd;
7. oesoffagws pellaf; 8. stumog.

oesophagus: *oesoffagws* y llwybr sy'n ymestyn o'r ffaryncs i'r stumog. Mae tua 22.5 cm (9 modfedd) o hyd mewn oedolyn.

oestradiol: *oestradiol* un o'r hormonau ofaraidd; yr *OESTROGEN* cryfaf sy'n digwydd yn naturiol mewn pobl.

oestriol: *oestriol* hormon ofaraidd; oestrogen dynol cymharol wan.

oestrogen: *oestrogen* term generig a ddefnyddir i ddisgrifio unrhyw hormon sy'n gweithredu'n *OESTROGENIG* (OESTROGENIC), gan gynnwys oestradiol, oestriol ac oestron. Gellir ei gynhyrchu gan yr ofari, y chwarren adrenal ac, mewn symiau bach, gan y caill a'r uned ffetws-brych. Oestrogenau sy'n gyfrifol am ddatblygiad nodweddion rhywiol eilaidd y ferch, ac yn ystod y cylch misol maent yn gweithredu ar organau cenhedlu'r ferch i greu amgylchedd addas ar gyfer ffrwythloni, mewnblannu a maethu'r embryo cynnar. Yn ystod beichiogrwydd mae oestrogenau yn symbylu tyfiant y groth a system dwythellau'r bronnau. Maent yn gyfrifol hefyd am ddargadw dŵr ac electrolytau, am atal ofwleiddio a llaetha yn ystod beichiogrwydd.

oestrogenic: *oestrogenig* yn cynhyrchu nodweddion rhywiol eilaidd mewn merch yn ystod y glasoed, a rhai newidiadau yn ystod y cylch misol a beichiogrwydd, yn enwedig datblygiad y dwythellau yn y fron a chyhyr y groth.

oestrone: *oestron* OESTROGEN a ynysir o wrin yn ystod beichiogrwydd, y brych dynol, ac a baratoir hefyd yn synthetig.

olfaction: *arogleuad* un o'r pum synnwyr, y gallu i ganfod arogl.

olfactory: *arogleuol* yn gysylltiedig â'r synnwyr o arogleuo.

oligaemia: *oligaemia* diffyg yng nghyfaint y gwaed.

oligohydramnios: *oligohydramnios* diffyg yng nghyfanswm yr hylif amniotig. Fe'i cysylltir â chamffurfiadau'r ffetws e.e. agenesis arennol ac anffurfiadau breichiau a choesau a thyfiant y ffetws yn y groth yn cael ei arafu.

oligomenorrhoea: *oligomenorrhoea* mislif ysgafn iawn.

oligospermia: *oligosbermia* diffyg sbermatosoa yn y semen.

oliguria: *oligwria* llai o wrin yn cael ei secretu. Gall fod yn gysylltiedig ag amhariad ar weithrediad yr aren yn dilyn abruptio placentae difrifol, gwaedlif difrifol yn dilyn y geni, cyneclampsia neu eclampsia difrifol.

ombudsman: *ombwdsmon* unigolyn a

benodir i dderbyn cwynion am weinyddu annheg. Mae'r swyddog yn y Gwasanaeth Iechyd Gwladol, a benodir yn 'ombwdsmon' neu Gomisiynydd Gwasanaethau Iechyd, yn ymchwilio i gwynion am fethiannau yn y gwasanaethau iechyd. Nid yw'n gallu rhoi dyfarniad ar faterion clinigol.

omentum: *omentwm* plygiad y peritonewm yn ymestyn o'r stumog i organau cyfagos yr abdomen.

omnivorous: *hollysol* yn bwyta bwydydd a wneir o lysiau ac anifeiliaid.

Omnopon: *Omnopon* Gw. *PAPAVER-ETWM* (PAPAVERETUM).

omphalocele: *omffalocel* hernia yn y bogail.

omphalus: *omffalws* y bogail.

onco-: *onco-* elfen gair yn golygu 'tyfiant', 'chwydd', 'màs'.

oncology: *oncoleg* swm y wybodaeth am dyfiannau; astudio tyfiannau.

onych(o)-: *onych(o)-* elfen gair yn golygu 'yr ewinedd'.

onychia: *onychia* llid yng ngwely'r ewinedd.

oöblast: *oöblast* cell gyntefig y datblyga ofwm ohono yn y pen draw.

oöcyte: *oöcyt* yr ofwm anaeddfed.

oöphor(o)-: *oöffor(o)-* elfen gair yn golygu 'ofari'.

oöphorectomy: *oöfforectomi* tynnu ofari.

oöphoritis: *oöfforitis* llid yr ofari.

oöphorosalpingectomy: *oöfforosalpingectomi* llawdriniaeth Fallopio cysylltiedig

operant conditioning: *cyflyru gweithredol* ffurf ar therapi ymddygiad ble rhoddir gwobr pan fydd y gwrthrych yn cyflawni'r weithred a ofynnir ganddo. Pwrpas y wobr yw ei annog i ailadrodd y weithred.

operculum: *opercwlwm* y plwg mwcws sy'n llenwi llwybr gwddf y groth yn ystod beichiogrwydd ac a ddiosgir ar ddechrau'r esgor. Gweler '*SHOW*'.

ophthalmia neonatorum: *ophthalmia*

neonatorum unrhyw redlif crawnllyd o lygad baban o fewn 21 diwrnod i'w enedigaeth. Gall offthalmia difrifol gael ei achosi gan y *GONOCOCWS*, E. coli neu'r staphylococi, ond bellach mae'n fwy tebygol o fod yn ganlyniad i *CHLAMYDIA TRACHOMATIS*. Gall achosi dallineb os yw'r heintiad yn gonococaidd. Mae felly'n gyflwr *HYSBYSADWY* i Gyfarwyddwr Iechyd Cyhoeddus.

ophthalmic: *offthalmig* yn gysylltiedig â'r llygad.

ophthalmoscope: *offthalmosgop* offeryn i archwilio tu mewn y llygad.

opiate: *opiad* dosbarth o gyffuriau sydd yn cynnwys: **1.** yr opiadau a geir yn naturiol, sydd i gyd yn deillio o'r pabi opiwm. Mae'r grŵp hwn yn cynnwys opiwm a'i alcaloidau (morffin a codein); **2.** yr opiadau lled-synthetig, sy'n cynnwys heroin ac amryw o baratoadau eraill; **3.** yr opiadau synthetig, sy'n cynnwys methadon, pethidin a ffenasocin; **4.** y gwrthweithyddion narcotig, sydd, o'u defnyddio ar y cyd ag opiad, yn blocio ei effeithiau ond, o'u defnyddio ar eu pen eu hunain, yn meddu ar briodweddau tebyg i opiad. Mae Nacsolon yn eithriad pwysig, am ei fod yn wrthweithydd opiad ond heb unrhyw briodweddau narcotig. Mae'r opiadau yn cael effeithiau poenleddfol a narcotig cryf, ac maent hefyd yn creu goddefedd i gyffuriau a dibyniaeth ar gyffuriau.

opium: *opiwm* sylwedd sy'n deillio o sudd pabi ac a ddefnyddir i leddfu poen. *Alcaloidau opiwm (alkaloids of o.):* morffin a codein. *Trwyth opiwm (tincture of o.):* lawdanwm

opportunistic: *oportiwnistaidd* **1.** yn dynodi micro-organebd nad yw fel arfer yn achosi afiechyd ond sydd yn mynd yn bathogenig o dan rai amgylchiadau. **2.** yn dynodi afiechyd neu heintiad a achosir gan organeb o'r fath.

opsonin: *opsonin* unrhyw sylwedd sy'n

rhoi haen dros facteria ac sydd felly yn ei gwneud yn haws eu ffagocyteiddio. Mae gwrthgorff yn opsonin felly.

optic: *optig* yn gysylltiedig â'r golwg.

oral: *geneuol* yn gysylltiedig â'r geg. *Pilsen atal cenhedlu eneuol (o. contraceptive pill):* Mae'r bilsen atal cenhedlu eneuol gyfun yn cyfuno oestrogen a ffurf synthetig ar brogesteron ac mae'r gyfradd methu yn isel iawn. 0.1–1 fesul can mlynedd merched h.y. y nifer a fyddai'n beichiogi pe bai cant o ferched yn defnyddio'r dull am un flwyddyn. **2.** Rhoddir y bilsen progesteron yn unig ar bresgripsiwn i ferched sy'n bwydo ar y fron, i'r rhai hynny sydd dros 35 oed ac mewn achosion dethol eraill pan gynghorir peidio â chymryd y bilsen gyfun. 0.3–5 fesul cant o flynyddoedd merched yw'r gyfradd fethu.

orbit: *crau'r llygad* y ceudod esgyrnog sy'n cynnwys pelen y llygad.

orbital ridge: *gwrym creuol* ymyl esgyrnog crau'r llygad.

orchi(d)(o)-: *orchi(d)(o)-* elfen gair yn golygu 'caill'.

orchidopexy: *orchidopecsi* llawdriniaeth i ryddhau testes sydd heb ddisgyn a'i roi yn y sgrotwm.

orchitis: *orchitis* llid caill.

organ: *organ* rhan o'r corff sy'n cyflawni swyddogaeth arbennig.

organic: *organig* yn gysylltiedig ag adeiledd organ.

organism: *organeb* anifail neu blanhigyn unigol.

organogenesis: *organogenesis* tarddiad neu ddatblygiad organau.

orgasm: *orgasm* uchafbwynt cyffro rhywiol.

orifice: *agorfa* unrhyw agorfa yn y corff.

oropharynx: *oroffaryncs* y rhan o'r ffaryncs rhwng y daflod feddal ac ymyl uchaf yr epiglotis.

-orrhaphy: *-oraffi* ôl-ddodiad yn golygu 'trwsio' neu 'asio', e.e. perineoraffi.

orthostatic: *orthostatig* yn sefyll yn syth.

Albwminwria orthostatig (o. albuminuria): albwminwria sy'n digwydd pan fydd unigolyn yn sefyll yn syth, ond ddim ar ôl gorffwys yn y gwely.

Ortolani's test: *prawf Ortolani* Un dull o ddarganfod AFLEOLIAD CYNHENID Y GLUN (CONGENITAL DISLOCATION OF THE HIP). Teimlir 'clic' neu 'bop' wrth i'r goes gael ei halldynnu a'i chylchdroi un ffordd ac yna ffordd arall wrth i'r plentyn orwedd a'i bengliniau wedi plygu.

os: *os* 1. asgwrn. *Os calcis:* asgwrn y sawdl neu'r calcanewm. *Os innominatum:* yr asgwrn disymud. Mae'r esgyrn disymud de a chwith yn ymgymalu â'r sacrwm i ffurfio'r gwregys pelfig. **2.** ceg neu agorfa. *Os allanol (external o.):* gwddf y groth yn agor i'r wain. *Os mewnol (internal o):* y man lle mae llwybr gwddf y groth a cheudod y groth yn cyfarfod. *O. uteri:* agoriad y groth i'r wain sy'n ymledu'n, gynyddol wrth esgor.

Osiander's sign: *arwydd Osiander* Curiad rhydweliau'r groth trwy'r siambrau ochrol y gellir ei ganfod mewn archwiliad trwy'r wain yn gynnar yn ystod beichiogrwydd. Mae'n un o'r arwyddion a all gynorthwyo i wneud diagnosis o feichiogrwydd.

osmolality: *osmolaledd* crynodiad hydoddiant yn nhermau osmolau hydoddion fesul cilogram hydoddydd. *Osmolaledd serwm (serum o.):* mesur nifer y gronynnau wedi hydoddi fesul uned o ddŵr mewn serwm. Defnyddir i asesu statws hydreiddiad. *Osmolaledd wrin (urine o.):* mesur o'r nifer o ronynnau wedi'u hydoddi fesul uned o ddŵr yn yr wrin.

osmosis: *osmosis* taith hydoddydd trwy bilen ledathraidd i hydoddiant mwy crynodedig. Mae proses osmosis a'r ffactorau sy'n dylanwadu arni yn bwysig yn glinigol i gynnal hylifau corff digonol ac yn y cydbwysedd priodol rhwng cyfeintiau hylifon allgellol a mewngellol.

osmotic pressure: gwasgedd osmotig grym hylif, yn dibynnu ar ei gynnwys moleciwlaidd, i dynnu hylif arall tuag ato.

ossification: asgwrneiddiad Ffurfiant asgwrn. *Canolfannau asgwrneiddiad (o. centres):* mae edrych ar ymddangosiad y rhain ar belydr-X ar ben pellaf epiffysis ffemwrol y ffetws rhwng wythnos 35 ac wythnos 40 o'r cyfnod cario, ac ar ben agosaf epiffysis y tibia rhwng wythnos 37 ac wythnos 42 o'r cyfnod cario yn gallu bod yn gymorth i benderfynu oedran y ffetws os yw dulliau eraill yn anaddas neu os nad ydynt ar gael. *Gw. hefyd UWCHSAIN (ULTRASOUND).* Mae *canolfannau asgwrneiddiad (centres of o.)* ar ben y ffetws yn cynnwys y nodau talcennog, yr ymwthiad ocsipitol a'r rhipiau parwydol. Mae'r *DIAMEDR DWYBARWYDOL (BIPARIETAL DIAMETER),* sydd fel arfer yn 9.5 cm yn y cyfnod llawn, yn cael ei fesur ar sgan uwchsain rhwng y rhipiau parwydol.

osteoblasts: osteoblastau Celloedd sydd yn aeddfedu ac yn ffurfio asgwrn.

osteogenesis: osteogenesis ffurfiant asgwrn. *Osteogenesis imperfecta:* cyflwr a etifeddir o freuder eithafol yr esgyrn, pan fo asgwrn yn tueddu i dorri ohono'i hun.

osteomalacia: osteomalacia y llech mewn oedolion. Nodweddir yr afiechyd hwn yw bod yr esgyrn yn mynd yn feddal ac yn boenus. Mae'n ganlyniad i ddiffyg mawr mewn fitamin D.

osteomyelitis: osteomyelitis llid ar yr esgyrn, yn lleol neu yn gyffredinol, yn dilyn heintiad pyogenig. Gall achosi i'r esgyrn gael eu difa ac i'r cymalau gyffio, os bydd yr heintiad yn ymledu i'r cymalau, ac, mewn achosion eithafol os bydd yn digwydd cyn diwedd y cyfnod tyfu, bydd yr aelod yn mynd yn fyrrach os bydd y ganolfan dyfu yn cael ei dinistrio.

osteopathy: osteopathi system feddygaeth sydd yn trin y system gyhyrsgerbydol â llaw er mwyn adfer cydbwysedd adeileddol a swyddogaethol o fewn y corff. Unwaith fe'i hystyrid yn gangen o feddygaeth gyflenwol; bellach cydnabyddir ei bod yn system feddygaeth gyflawn ynddi ei hun. Gall fod yn arbennig o effeithiol wrth drin anhwylderau beichiogrwydd, cynorthwyo'r fam wrth iddi esgor a thrin problemau ar ôl y geni. *Gw. hefyd THERAPI CRANIOSACROL (CRANIOSACRAL THERAPY).*

otitis: otitis llid yn y glust. *Otitis externa:* llid yn y glust allanol. *Otitis media:* heintiad yn y glust ganol, sydd yn digwydd ambell waith mewn babanod newydd eu geni. *Otitis interna:* labyrinthitis.

-otomy: -otomi ôl-ddodiad yn golygu 'torri i mewn i', e.e. hysterotomi, torri i mewn i'r groth feichiog.

ounce (oz.): owns mesuriad pwysau yn y system avoirdupois a'r system apothecarïaid. *Owns hylifol (fluid o.):* uned mesur hylif o system yr apothecarïaid, sef 8 dram hylifol, yn gywerth â 29.57ml.

outlet: allfa ffordd allan. *Allfa'r pelfis (pelvic o.):* yr agorfa yng ngwaelod y pelfis; yn llythrennol, yr agorfa a amgylchynir gan y pigynnau isgiaidd, ymyl isaf y symffysis pwbis a'r cymal sacrocogeaidd.

output: allbwn cyfanswm unrhyw beth a gynhyrchir gan unrhyw system swyddogaethol o fewn y corff. *Allbwn y galon (cardiac o.):* cyfaint gwirioneddol y gwaed a yrrir allan gan un o ddau fentrigl y galon fesul uned amser (fel arfer cyfaint fesul munud); mae'n gywerth â'r allbwn strociau wedi'i luosi gan nifer y curiadau bob munud. *Allbwn hylif (fluid o.):* cyfaint yr wrin sy'n cael ei basio, sy'n cael ei fesur fel arfer er mwyn ei gymharu â'r mewnbwn hylif trwy'r geg.

outreach clinic: *clinig yn y gymuned*
clinig, fel arfer clinig cyn geni, a leolir beth pellter o'r brif adran famolaeth, efallai mewn ysbyty llai, meddygfa meddyg teulu neu adeilad cyhoeddus, megis neuadd bentref, fel y gall cleientiaid a chleifion gael gofal gan arbenigwr heb orfod gwneud taith hir neu anghyfleus i'r ysbyty.

ova: *ofa* lluosog ofwm.

ovarian: *ofaraidd* yn gysylltiedig ag ofari. *Coden ofaraidd (o. cyst):* tyfiant yn yr ofari yn cynnwys hylif. *Beichiogrwydd ofaraidd (o. pregnancy):* ofwm wedi'i ffrwythloni a ddatblygodd yn yr ofari. *Syndrom gwythïen ofaraidd (o. vein syndrome):* math arbennig o wae oherwydd bod gwythïen wedi lledu neu wedi chwyddo; fel arfer mae'r wythïen yn mynd yn fwy yn ystod beichiogrwydd; y symptomau yw ataliad neu heintiad yn y llwybr wrinol uchaf. Effeithir ar yr ochr dde fel arfer.

ovariotomy: *ofariotomi* fel arfer cymerir hyn i olygu tynnu ofari, ond yn llythrennol mae'n golygu torri i mewn i ofari.

ovary: *ofari* un o bâr o organau chwarennol yng nghewdod pelfis y ferch, ynghlwm wrth blygiad ôl y gewyn llydan ger pen ffimbriaidd y tiwb Fallopio. Eu swyddogaeth yw cynhyrchu ofa a'r hormonau (oestrogenau a progesteron) sydd yn achosi amryw o newidiadau yn y corff adeg y glasoed ac yn ystod beichiogrwydd.

oviduct: *dwythell wyau* mae ofa yn gadael corff y fam trwy'r llwybr hwn neu yn mynd i organ sydd yn cysylltu â'r tu allan i'r corff.

oviferous: *ofifferaidd* yn cynhyrchu ofa.

ovulation: *ofwliad* y broses o ryddhau ofwm o'r ofari wrth i ffoligl Graaf rwygo. Fel arfer bydd merch sy'n oedolyn yn ofwleiddio bob rhyw 28 diwrnod, o'r ddau ofari am yn ail. Dim ond un ofwm a gynhyrchir fel arfer, ond ambell waith wrth ofwleiddio cynhyrchir 2 ofwm neu

fwy a fydd, os cânt eu ffrwythloni, yn golygu genedigaeth luosog, megis efeilliaid neu dripledi.

ovum: *ofwm (llu. ofa)* wy. Cell atgenhedlu'r fenyw.

oxidase: *ocsidas* unrhyw un o ddosbarth o ensymau sydd yn catalyddu rhydwythiad ocsigen moleciwlaidd yn annibynnol ar hydrogen perocsid.

oxidation: *ocsidiad* proses o gyfuno ag ocsigen.

oxprenolol: *ocsprenolol* cyffur betaflociwr a ddefnyddir i drin angina, gorbwysedd a churiad afreolaidd y galon.

oxygen: *ocsigen* elfen. Symbol O. Nwy di-liw, diarogl, sydd yn hanfodol i fywyd. Mae 21% o'r atmosffer yn ocsigen. Trwy gyfuno â hydrogen mae'n ffurfio dŵr; mae 90% o bwysau dŵr yn ocsigen. Mae ocsigen yn hanfodol i gynnal pob math o fywyd. Ymysg yr anifeiliaid uwch, fe'i ceir o'r aer a'i dynnu i'r ysgyfaint trwy'r broses anadlu. At ddibenion therapiwtig fe'i cedwir mewn silindrau du a gwyn. Arwydd o ddiffyg ocsigen (hypocsia) yw CYANOSIS. ANOCSIA (ANOXIA) yw'r rheswm mwyaf cyffredin dros farwolaeth y baban newydd-anedig. Y mae sawl achos rhagdueddol, a'r rhan fwyaf ohonynt wedi'u gwaethygu gan y broses esgor, pan all curiad calon y ffetws newid oherwydd yr asidaemia sy'n ganlyniad i hypocsia (trallod y ffetws). Yn achos baban sy'n mygu, defnyddir ocsigen i'w adfywio trwy awyru trwy gyfrwng tiwb endotraceal. Wrth ofalu am y baban newydd-anedig, rhaid monitro'r crynodiad ocsigen yn ofalus iawn, o ddewis trwy fesur y PO_2 yn rheolaidd neu yn weledol trwy wylio lliw'r croen, er mwyn sicrhau bod digon o ocsigen yn cael ei roi i atal niwed i'r ymennydd, ond dim gormod a allai achosi retinopathi cyn amser sy'n arwain at ddallineb yn y baban cyn amser.

oxyhaemoglobin: *ocsihaemoglobin* haemoglobin wedi ei gyfuno ag ocsigen moleciwlaidd. Cludir ocsigen yn y gwaed yn y ffurf hon.

oxytetracycline: *ocsitetraseiclin* Gwrthfiotig sbectrwm eang o'r grŵp tetraseiclin.

oxytocic: *ocsitosig* term a ddefnyddir i ddisgrifio unrhyw gyffur sy'n symbylu cyfangiadau'r groth er mwyn ysgogi neu gyflymu'r esgor.

oxytocin: *ocsytosin* hormon a secretir o labed ôl y chwarren bitwidol, sy'n achosi ysgogiad (h.y. cyfangiad) ym myometriwm y groth. Mae ocsitosin yn achosi i laeth gael ei secretu hefyd o'r alfeoli i'r dwythelli lactifferaidd wrth i'r baban sugno. Gellir rhoi ocsitosin synthetig (Syntocinon) yn fewnwythiennol i ysgogi neu gyflymu'r broses esgor, neu yn fewngyhyrol neu'n fewnwythiennol i gyfangu cyhyr y groth ar ôl i'r brych ddod allan, ac i reoli gwaedlif ar ôl yr esgor. Gellir cyfuno ocsitosin synthetig gydag ergometrin i gynhyrchu *SYNTOMETRINE*.

P

pack: *pac* **1.** swab mawr a ddefnyddir i reoli cynnwys yr abdomen yn ystod llawdriniaeth neu i reoli gwaedu mewn clwyf. **2.** tampon.

packed cell volume (PCV): *cyfaint celloedd paciedig (PCV)* y canran o gelloedd coch mewn cymhariaeth â PHLASMA. Y PCV normal yw 45%.

packed cells: *celloedd paciedig* gwaed ffres ar gyfer trallwyso, y tynnwyd cyfran o'r plasma ohono er mwyn hwyluso haemolysis celloedd. Fe'i rhoddir pan fydd angen rhoi celloedd gwaed newydd heb orlwytho'r cylchrediad gyda hylif.

paediatrician: *paediatregydd* arbenigwr mewn astudio babanod a phlant mewn iechyd ac afiechyd.

paediatrics: *paediatreg* y gangen honno o feddygaeth sy'n ymwneud â gofal babanod a phlant.

paedophilia: *paedoffilia (ans. paedoffil)* hoffter annormal o blant; gweithgarwch rhywiol oedolion gyda phlant.

pain: *poen* dioddefaint a thrallod, a achosir gan symbylu terfynau nerfau arbenigol. Mae holl dderbynwyr symbyliadau poen yn derfynau nerf rhydd grwpiau o edau nerfau myelinedig neu anfyelinedig a ddosberthir yn helaeth yn haenau uchaf y croen ac mewn rhai meinweoedd dyfnach. Yn dilyn symbyliad, mae terfynau nerfau yn y croen yn anfon ysgogiadau nerf ar hyd edau nerfau synhwyraidd i fadruddyn y cefn. Yna maent yn teithio i fyny ar hyd y llwybrau synhwyraidd i'r thalamws, sef prif orsaf drosglwyddo synhwyraidd yr ymennydd. Mae'n debyg mai yn y thalamws a'r canolfannau is y canfyddir poen yn ymwybodol; mae'n debyg mai swyddogaeth y cortecs canolog yw dehongli ansawdd poen. *Poen wrth esgor (p. in labour):* achosir hyn gan gyfangiadau segment uchaf y groth sydd i ddechrau yn lledu gwddf y groth ac yna'n gyrru'r ffetws allan drwy'r llwybr geni. Teimlir y boen hon bob hyn a hyn yng ngwaelod yr abdomen a'r cefn, gan ddigwydd yn amlach ac yn gryfach wrth i'r broses esgor fynd yn ei blaen. Ar yr un pryd efallai y teimlir poen yn ardal y sacrwm. Mae'r boen hon yn tarddu yng ngwddf y groth ac os yw'n ddifrifol mae'n arwydd nad yw gwddf y groth yn ymlacio'n dda ac y gall yr esgor fod yn annormal. *Gw. hefyd DAMCANIAETH ADWY RHEOLI POEN (GATE CONTROL THEORY OF PAIN)*

palate: *taflod* top y geg. Mae'r *daflod galed (hard p.)* yn y blaen wedi'i gwneud o asgwrn. Mae'r *daflod feddal (soft p.)* sy'n barhad ohoni, wedi'i gwneud o gyhyr. *Gw. hefyd TAFLOD HOLLT (CLEFT PALATE).*

palliative: *lliniarydd* asiant sydd yn lliniaru afiechyd ond nad yw'n ei wella.

palpation: *bysarchwiliad* archwilio trwy gyffwrdd; dylofi; pwyso'r bysedd yn ysgafn ar arwyneb y corff er mwyn canfod cyflwr y rhannau oddi tano mewn diagnosis corfforol. *Gw. hefyd ARCHWILIAD O'R ABDOMEN (ABDOMINAL EXAMINATION)* ac *ARCHWILIAD TRWY'R WAIN (VAGINAL EXAMINATION).*

palpitation: *crychguriad* y galon yn

curo'n annormal o gyflym a'r unigolyn yn ymwybodol ohono.

palsy: *parlys* Parlys Bell (*Bell's p.*): parlys o'r wyneb oherwydd difrod ar nerf yr wyneb sydd yn achosi anffurfiad nodweddiadol o'r wyneb. *Parlys yr ymennydd (cerebral p.):* anhwylder echddygol ansoddol parhaus sydd yn ymddangos cyn 3 oed. *Parlys Erb (Erb's p.):* braich lipa wedi troi tuag i fewn gyda'r llaw wedi hanner cau ac wedi troi am allan; niwed i wreiddiau uchaf plecsws y fraich yw'r achos. *Parlys Klumpke (Klumpke's p.):* parlys y llaw a gollyngiad yr arddwrn; niwed i wreiddiau'r 8fed nerf cerfigol a'r nerf thorasig 1af yw'r achos.

Panadol: *Panadol* Gw. PARACETEMOL (PARACETEMOL).

pancreas: *pancreas* chwarren glystyrog tua 15 cm (6 modfedd) o hyd, yn gorwedd y tu ôl i'r stumog, gyda'i phen yn nhro'r dwodenwm a'i chynffon yn cyffwrdd â'r ddueg. Mae'n secretu sudd treulio, sy'n mynd i mewn i'r dwo-denwm drwy'r ddwythell bancreatig sydd yn ymuno â'r ddwythell fustl gyffredin. Mae'r pancreas hefyd yn secretu'r hormon INSWLIN (INSULIN) o ynysoedd Langerhans.

pancreatic duct: *dwythell bancreatig* prif ddwythell ysgarthol y pancreas, sydd yn ymuno fel arfer â'r ddwythell fustl gyffredin cyn mynd i mewn i'r dwodenwm yn y prif bapila dwodenol.

pancuronium: *pancwroniwm* asiant blocio niwrogyhyrol a ddefnyddir i lacio'r cyhyrau yn ystod llawdriniaeth, neu yn ystod awyriad pwysedd cadarnhaol ysbeidiol mecanyddol, lle dangoswyd bod hyn yn atal niwmothoracs mewn babanod sydd yn allanadlu'n weithredol yn erbyn enchwyddo'r peiriant anadlu.

pandemic: *pandemig* epidemig sydd yn ymledu dros ardal eang.

panhysterectomy: *panhysterectomi* hysterectomi llwyr h.y. tynnu'r groth a gwddf y groth.

Papanicolaou test (smear): *prawf Papanicolaou (taeniad)* prawf syml a ddefnyddir yn fwyaf cyffredin i ganfod canser a groth a gwddf y groth; fe'i gelwir yn aml yn brawf taeniad. Mae epithelia malaen yn diosg eu celloedd wyneb yn gyflymach na chelloedd normal. Mae sbatwla pren heb fod yn finiog (sbatwla Ayre) yn cael ei roi trwy wddf y groth a'i gylchdroi trwy 360° ger yr os mewnol i grafu'r celloedd wyneb i ffwrdd. Trosglwyddir y celloedd hyn i sleid gwydr a'u harchwilio o dan ficrosgop.

papaveretum (Omnopon): *papaveretum (Omnopon)* cyffur poenleddfol; cymysgedd o alcaloidau opiwm.

papilla: *papila (llu. papilae)* rhipyn bach tebyg i deth.

papilloma: *papiloma* tyfiant diniwed yn deillio o epitheliwm. Firws papiloma (*p. virus*): haint a drosglwyddir yn rhywiol sy'n achosi dafadennau ar yr anws a'r organau cenhedlu (condylomata acwminata). Fe'i cysylltir â chynnydd mewn achosion o garsinoma gwddf y groth. Papiloma laryngeaidd (*laryngeal p.*): cyflwr prin yn y baban newydd-anedig o ganlyniad i heintiad a ddaliwyd yn ystod geni trwy'r wain.

papule: *papwla* ymwthiad bach solid ar y croen

papyraceous: *papuraidd* yn debyg i bapur. Fetus papyraceus: mewn achosion prin iawn gall hyn ddigwydd yn gynnar mewn beichiogrwydd lluosog pan fydd un ffetws yn marw ac yn cael ei sathru. Caiff ei ddarganfod adeg y geni.

para: *para* Defnyddir i ddisgrifio merch sydd wedi geni un neu fwy o blant HYFYW (VIABLE). Mae rhifau'n dynodi nifer y babanod hyfyw a anwyd i'r fam. NWLIPARA (NULLIPARA) yw para 0, merch sydd wedi geni un babi yw para 1 neu PRIMIPARA (PRIMIPARA) a merch sydd wedi geni mwy nag un baban yw para 2, 3, 4 ac ati neu *MWLTIPARA* (MULTIPARA). Mae pob baban a enir ar ôl 24 wythnos o'r cyfnod cario a phob genedigaeth fyw yn cael eu cyfrif. Felly mae babanod marw-anedig yn cael eu cyfrif ond nid felly erthyliadau a therfyniadau: caiff y rhain eu nodi fel arfer trwy ychwanegu +1 ar ôl y rhif sy'n nodi genedigaethau hyfyw e.e. para 3^{+1}.

para-: *para-* rhagddodiad yn golygu 'agos', e.e. meinwe cysylltiol (parametriwm) ger y groth.

paracentesis: *paracentesis* tyllu wal ceudod er mwyn tynnu hylif. *Paracentesis uteri*: amniocentesis. Tyllu wal yr abdomen a'r groth er mwyn mynd i mewn i'r ceudod crothol yn ystod beichiogrwydd. *Gw.* POLYHYDRAMNIOS (POLYHYDRAMNIOS).

paracervical block: *bloc paracerfigol* ymdreiddiad o *BLECSWS LEE-FRANKEN-HAUER* gydag anaesthetig lleol a roddir trwy'r bwâu ochrol i leddfu poen ymlediad gwddf y groth wrth esgor. Mae'n effeithiol hyd at 3 awr. Gall pigiad anfwriadol i fewn i'r rhydweli crothol sydd yn agos at y plecsws achosi bradycardia'r ffetws ac efallai farwolaeth ffetws yn y groth.

paracetamol: *paracetamol* poenleddfwr geneuol a chyffur antipyretig a ddefnyddir yn gyffredin yn lle asbirin i leddfu poen cymedrol a gostwng gwres. Mae cymryd gor-ddos mawr o paracetamol yn gallu achosi necrosis hepatig difrifol a marwol o bosibl

paraesthesia: *pigau mân* anhwylder synhwyriad e.e. teimlad fel 'pinnau bach'. Gall gyd-fynd â *SYNDROM Y TWNEL CARPAL* (CARPAL TUNNEL SYNDROME) ac fe'i teimlir ambell waith yn y traed yn dilyn analgesia epidwral.

paraldehyde: *paraldehyde* cyffur hypnotig, tawelydd a gwrthgonfylsiynau, sy'n gweithredu'n gyflym ac yn ddiogel ar y cyfan, ond bod ganddo arogl cryf ac annymunol.

paralysis: *parlys* Methiant nerf i weithio, yn enwedig nerf echddygol, ac felly methiant neu amhariad ar y cyhyrau (gwirfoddol ac anwirfoddol) a gyflenwir gan y nerf yr effeithir arni. *Parlys yr wyneb (facial p.)* gw. ANAF GENI (BIRTH INJURY). *Parlys babandod (infantile p.)*: POLIOMYELITIS (POLIOMYELITIS). *Gw. hefyd PARLYS ERB* (ERB'S PARALYSIS) *PARLYS KLUMPKE* (KLUMPKE'S PARALYSIS)

paralytic: *paralytig* yn gysylltiedig â neu wedi ei effeithio gan barlys.

paramedical, paramedic: *parafeddygol, parafeddyg* â rhyw gysylltiad neu'n ymwneud mewn rhyw ffordd â gwyddor neu ymarfer meddygaeth; yn ategu ymarfer meddygaeth wrth gynnal neu adfer iechyd a gweithredu normal. Mae'r gwasanaethau parafeddygol yn cynnwys ffisiotherapi a therapi galwedigaethol a lleferydd etc. a gwasanaethau gweithwyr cymdeithasol. Mae rhai personél o'r gwasanaeth ambiwlans sydd wedi cael eu hyfforddi'n arbennig i gyflawni rhai gweithdrefnau a wneir fel arfer gan feddygon, bellach yn cael eu galw'n barafeddygon hefyd.

parametric: *paramedrig* **1.** wedi'i leoli ger y groth; paramedriol. **2.** yn ymwneud â neu wedi ei ddiffinio yn nhermau paramedr.

parametritis: *parametritis* llid yn y PARAMETRIWM (PARAMETRIUM); cellwlitis pelfig

parametrium: *parametriwm* y feinwe gysylltiol belfig sydd yn amgylchynu rhan isaf y groth ac yn llenwi'r gwagle rhyngddi a'r organau perthynol.

paranoia: *paranoia (ans. paranoig)* anhwylder meddyliol lle mae'r unigolyn yn aml yn credu ar gam ei fod yn cael ei erlid neu ei fod yn bwysig iawn neu gyfuniad o'r ddau. Afiechyd cronig sy'n datblygu dros gyfnod o fisoedd a blynyddoedd. Nid oes dim gwella arno fel arfer.

paranoid: *paranoid* **1.** yn ymdebygu i

baranoia. **2.** paranoig.

paraplegia: *paraplegia (ans. paraplegig)* parlys y coesau ac, mewn rhai achosion, rhan isaf y corff. Ffurf ar barlys y prif system nerfol yw paraplegia, ac mae'r parlys yn effeithio ar holl gyhyrau'r rhannau o'r corff dan sylw.

parasite: *parasit* planhigyn neu anifail sydd yn byw o fewn neu ar organeb fyw arall, a elwir yr organeb letyol, sydd yn diwallu ei holl anghenion ohoni heb roi dim ôl.

parasympathetic nervous system: *system nerfol barasympathetig* rhan o'r *SYSTEM NERFOL* (NERVOUS SYSTEM) awtonomig; dosberthir edau ôl-ganglionig i'r galon, y cyhyrau llyfn, a chwarennau'r pen a'r gwddf, a'r ymysgaroedd thorasig, abdomenol a phelfig. Mae bron 75% o'r holl edau nerf parasympatetig yn y nerfau *FAGWS* (VAGUS) sydd yn gwasanaethu holl rannau thorasig ac abdomenol y corff. Prif secretiad terfynau nerfau'r system nerfol barasympathetig yw acetylcolin, sy'n gweithio ar wahanol organau'r corff naill ai i symbylu neu i atal rhai gweithgareddau.

parathyroid glands: *chwarennau parathyroid* pedair chwarren endocrin fach – dwy yn gysylltiedig â phob label o'r chwarren thyroid, ac weithiau wedi'u mewnblannu ynddi. Mae ei hormon yn chwarae rhan bwysig yn cynnal lefel y calsiwm yn y plasma.

paratyphoid: *paratyffoid* heintiad hysbysadwy a achosir gan *Salmonela*.

parenteral: *parenterol* Y tu allan i'r llwybr ymborth. Defnyddir y term i ddisgrifio cyflwyno sylwedd i'r corff trwy unrhyw lwybr ond y llwybr ymborth.

parenthood education: *addysg rhieni* Cyfres o ddosbarthiadau i helpu rhieni i baratoi ar gyfer yr esgor a bod yn rhieni.

parent-infant relationship: *perthynas rhiant-baban* 'bondio' neu'r berthynas

sy'n datblygu rhwng y rhieni a'r baban. Ystyrir bod bwydo ar y fron yn cryfhau'r bond rhwng y fam a'i baban.

paresis: *paresis* parlys rhannol yn effeithio ar weithrediad cyhyr ond nid ar synhwyriad.

parietal: *parwydol* yn perthyn i neu wedi'i gysylltu â wal ceudod. Un o ddau asgwrn tenau gwastad yn ffurfio'r darn mwyaf o fwa'r penglog. *Gw. hefyd* PENGLOG Y FFETWS (FETAL SKULL).

parity: *paredd* **1.** para; cyflwr merch mewn perthynas â'r posibilrwydd ei bod wedi geni babanod hyfyw. **2.** cydraddoldeb; cyfatebiaeth neu debygrwydd agos.

Parlodel: *Parlodel* bromocriptin mesylat, gwrthweithydd derbynnydd dopamin.

paronychia: *paronychia* llid plygiadau'r croen sydd yn amgylchynu'r ewin. Heintiad eithaf cyffredin ymhlith babanod newydd eu geni, bron bob amser o darddiad staffylococol.

parotid: *parotid* yn agos i'r glust. *Chwarennau parotid (p. glands):* y mwyaf o'r tri phrif bâr o chwarennau poer, a leolir ar ddwy ochr yr wyneb, yn union o dan ac o flaen y clustiau.

parous: *paraidd* wedi geni un neu fwy o fabanod hyfyw. *Gw. hefyd* NWLIPARAIDD (NULLIPAROUS) a *PRIMIPARAIDD* (PRIMIPAROUS).

paroxysm: *pangfa* **1.** Symptomau'n ailymddangos neu'n gwaethygu. **2.** Pwl neu drawiad.

partial pressure: *gwasgedd rhannol* *Gw.* PCO_2 a PO_2

partogram: *partogram* Cofnod graffigol o gynnydd y broses esgor, yn arbennig ymlediad gwddf y groth. Gellir asesu cynnydd trwy edrych ar batrymau gweledol ymlediad gwddf y groth a disgyniad y rhan sy'n cyflwyno ar y cyd â'r cofnod o les y fam a'r ffetws. Pan nad yw'r esgor yn mynd yn ei flaen yn normal gellir cymryd camau megis cyflymu'r esgor trwy roi cyffuriau ocsitosig.

parturient: *esgorol* Bod yn y broses esgor; yn gysylltiedig â geni plant.

parturition: *partwridiad* geni plentyn.

pascal (Pa): *pascal (Pa)* uned ryngwladol (SI) gwasgedd, sy'n cyfateb i rym 1 niwton fesul metr sgwâr.

passive: *goddefol* ddim yn weithredol. *Imiwnedd goddefol (p. immunity): gw. IMIWNEDD* (IMMUNITY). *Symudiadau goddefol (p. movements):* y ffisiotherapydd yn trin â llaw heb gymorth y claf.

pasteurization: *pasteureiddiad* Cynhesu dŵr neu hylif arall i dymheredd o 60°C am 30 munud, gan ladd bacteria pathogenig ac oedi datblygiad bacteria eraill yn sylweddol.

Patau's syndrome: *syndrom Patau* syndrom trisomi 13; annormaledd cromosomaidd cymharol brin a nodweddir gan rai nodweddion clinigol penodol sy'n effeithio ar y wyneb, y dwylo a'r traed ac arafwch meddwl.

patella: *padell pen-glin* yr asgwrn bach, cylch, sesamoid sydd yn ffurfio padell y pen-glin.

patent: *agored* ar agor. *Ductus arteriosus agored (p. ductus arteriosus):* parhad annormal lwmen agored yn y dwctws arteriosws, rhwng yr aorta a'r rhydweli ysgyfeiniol, ar ôl y geni. Mae'n gosod beichiau arbennig ar fentrigl chwith y galon ac yn peri bod llai o waed yn llifo yn yr aorta. Mae'n bosibl cau dwctws arteriosws agored mewn babanod cyn amser trwy roi cyffur fydd yn atal ffurfiant prostaglandin, megis indomethacin. Ar y llaw arall, mewn babanod newydd eu geni sydd yn dioddef o namau cynhenid difrifol ar y galon ble gallai dwctws arteriosws agored fod yn llesol, rhoddir prostaglandinau i gadw'r sianel ar agor.

paternity: *tadolaeth* gellir ei brofi bellach trwy ddadansoddi DNA yn y gwaed. Gall mam heb gynhaliaeth wneud cais am orchymyn tadogaeth yn erbyn y dyn y mae hi'n honni sydd yn dad i'w

phlentyn hi ac, ar yr amod bod y llys wedi'i fodloni ynghylch pwy yw'r tad, gall ei gwneud yn ofynnol i'r tad tybiedig dalu swm wythnosol penodol i gynnal y plentyn.

patho-: *patho-* rhagddodiad yn dynodi 'afiechyd'.

pathogen: *pathogen* unrhyw ficroorganeb neu ddeunydd sy'n achos afiechyd.

pathogenic: *pathogenaidd* yn achosi haint.

pathological: *patholegol* yn ymwneud ag astudio afiechyd.

pathology: *patholeg* y gangen o feddygaeth sy'n trin natur gynhenid afiechyd, yn enwedig y newidiadau strwythurol a swyddogaethol mewn meinweoedd ac organau yn y corff.

Patients' Charter: *Siarter y Claf* siarter sy'n manylu ar safonau gofal y gall cleifion a chleientiaid eu disgwyl ac y maen ganddynt hawl i'w derbyn wrth gael gofal iechyd, mewn ymgais i wella ansawdd gwasanaethau, yn y gymuned ac mewn ysbytai. Mae'n cynnwys materion megis amseroedd aros ysbytai, amgylchedd yr ysbyty, gwasanaethau ambiwlans, deintyddol, optegol a fferyllol. Y mae siarter arbennig ar gyfer gwasanaethau mamolaeth er mwyn cydymffurfio â'r argymhellion yn yr ADRODDIAD 'CHANGING CHILDBIRTH'.

patulous: *patwlaidd* chwyddedig neu agored. Fe'i defnyddir i gyfeirio at yr os allanol mewn merched mwltiparaidd ac yn ystod beichiogrwydd pan fydd gwddf y groth yn ddifygiol.

Paul-Bunnell test: *prawf Paul-Bunnell* dull o brofi a oes gwrthgyrff heteroffil yn bresennol yn y gwaed er mwyn gwneud diagnosis o fononiwcleosis heintus.

Pawlick's grip: *gafaeliad Pawlick* dull o amcangyfrif pa mor symudol yw'r rhan sy'n cyflwyno ac a yw wedi'i gysylltu ai peidio trwy fysarchwiliad o begwn isaf y groth. Gall achosi anghysur os nad yw'n cael ei wneud yn dyner ac yn araf

Gafael Pawlick

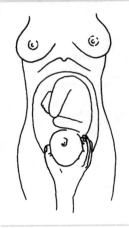

gan sicrhau bod y fam wedi ymlacio'n dda. Mae'n arbennig o ddefnyddiol wrth deimlo o dan y ffedog o floneg mewn mam hynod o dew.

pectineal: *pectineol* yn perthyn i'r os piwbis.

pectoral: *pectoral* 1. yn perthyn i neu yn rhan o'r frest neu'r fron. 2. yn lleddfu ar anhwylderau'r llwybr anadlu, fel poergarthydd.

pedicle: *pedicl* bôn tyfiant.

pediculosis: *pediwlosis* pla llau ar y croen neu yn y gwallt.

pediculus: *pedicwlws* lleuen.

pedigree: *tras* tabl, siart, diagram neu restr o hynafiaid unigolyn, a ddefnyddir ym maes geneteg i ddadansoddi etifeddeg Mendelaidd.

peduncle: *pedwncl* bôn neu goes fawr.

peer review: *adolygiad cymheiriaid* elfen sylfaenol rhaglen SICRHAU ANSAWDD (QUALITY ASSURANCE) lle gwerthusir canlyniadau gofal iechyd a/neu fydwreigiaeth a ddarperir i boblogaeth benodol yn unol â meini prawf diffiniedig a bennir gan gymheiriaid y gweithiwr proffesiynol sy'n darparu'r gofal.

pellagra: *pelagra* syndrom a achosir gan ddiet sy'n ddifrifol o ddiffygiol mewn niacin (neu gan fethiant i drosi tryptoffan yn niacin). Mae'r mwyafrif o gleifion gyda pelagra yn dioddef hefyd o ddiffyg fitamin B₂ (ribofflafin)a fitaminau a mineralau eraill. Mae'r afiechyd hefyd yn digwydd ymysg pobl sy'n dioddef o alcoholiaeth neu sy'n gaeth i gyffuriau.

pelvic: *pelfig, y pelfis* yn gysylltiedig â'r pelfis. *Asgwrn y pelfis (p. bone)*: asgwrn y glun, yn cynnwys yr iliwm, yr isgiwm a'r pwbis. *Llid isgroen y pelfis (p. cellulitis): Gw.* PARAMETRITIS. *Diamedr y pelfis (p. diameter)*: unrhyw ddiamedr o'r pelfis esgyrniog. Mae *llawr y pelfis (p. floor)*, neu ddiaffram, wedi'i wneud o haenau cryf o ffibrau cyhyr; y prif gyhyrau yw'r LEVATORES ANI, sy'n bennaf gyfrifol am gynnal yr organau pelfig. *Gw. hefyd* PERINËWM (PERINEUM). *Gwregys y pelfis (p. girdle)*: yr ossa innominata a'r sacrwm. *Clefyd llidus y pelfis (p. inflammatory disease – PID)* heintiad yn cynnwys y tiwbiau crothol, yr ofariau a'r parametriwm. Gall effeithio ar organau eraill yn y pelfis, yn enwedig y coluddion.

pelvimeter: *pelfifesurydd* caliperau i fesur diamedrau'r pelfis. Anaml y maent yn cael eu defnyddio bellach.

pelvimetry: *pelfifesuredd* mesur cynhwysedd a diamedr y pelfis, naill ai'n fewnol neu'n allanol, neu'r ddau, gyda'r dwylo, gyda phelfifesurydd neu drwy radiograffeg.

pelvis: *pelfis* gwregys esgyrnog a ffurfir yn y tu blaen ac ar yr ochr gan yr esgyrn disymud, ac yn y tu ôl gan y sacrwm a'r cocycs. Mae ganddo lawr cyhyrog, ac

**Dosbarthiad Caldwell a Moloy
o Gantel y Pelfis**

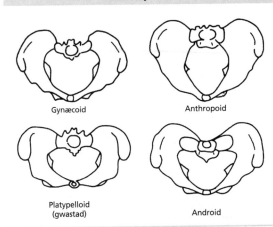

Gynæcoid

Anthropoid

Platypelloid
(gwastad)

Android

mae'n cynnwys y groth, y tiwbiau Fallopio, yr ofariau, y bledren wrinol a'r rectwm. **Pelfis ffug** *(false p.):* y rhan sy'n gorwedd uwchben y cantel *(Gw.* isod) gyda'r fossau iliag o bobtu iddo, y meingefn a tu ôl a wal yr abdomen o'i flaen. Nid yw o fawr bwys mewn obstetreg. **Pelfis gwir** *(true p.):* y rhan sy'n cynnwys ac o dan lefel y cantel. O bwys mawr i obstetreg, oherwydd ei fod yn ffurfio'r llwybr esgyrnog y mae'n rhaid i'r ffetws fynd trwyddo i gael ei eni mewn dull normal. Cantel neu *fewnfa,* a amgylchynir gan benrhyn y sacrwm a'r alae, rhan uchaf y cymalau sacroiliag, llinellau ileopectineol, ac ymylon mewnol uchaf rami uchaf y piwbes a'r symffisis piwbig. **Ceudod,** a amgylchynir gan geudod y sacrwm, y gewynnau sacrobigynnol, yr esgyrn isgiaidd a

phiwbig a'r symffysis piwbis. **Allfa,** a amgylchynir yn anatomegol gan y cocycs, y gewynnau sacrodiwberaidd, y cnapiau isgiaidd a'r bwa piwbig. Amgylchynir *allfa obstetregol* yn y tu ôl gan ran isaf y sacrwm ac ar yr ochrau gan y pigynnau isgiaidd. Dyma'r lefel isaf lle mae asgwrn yn amgylchynu'r ffetws yn llwybr y geni. **Gogwydd y pelfis** *(inclination of p.):* mae'r cantel yn gwyro ar ongl o ryw 55° i'r lletraws,ac mae'r allfa esgyrnog yn gwyro ar ongl o ryw 15°. *Gw. hefyd* CROMLIN CARWS (CURVE OF CARUS). **Pelfis android** *(android p.):* mae gan hwn nodweddion gwrywaidd, gan gynnwys cantel gweddol drionglog neu siâp calon a siâp twmffat cul, cydag allfa sy'n gulach na phelfis gynacoid. **Pelfis anthropoid** *(anthropoid p.):* mae gan hwn gantel sydd yn hir o'r

203

blaen i'r cefn ac yn gul ar draws. *Pelfis gynaecoid (gynaecoid p.):* dyma'r pelfis benywaidd normal. Mae ef bron yn berffaith grwn ar y cantel, y ceudod a'r allfa. Mae'n fas gyda digonedd o le, ac yn siâp delfrydol i'r ffetws fynd trwyddo. *Pelfis platypeloid (platypeloid)* neu *wastad (flat)* mae gan hwn gantel hirgrwn, yn fach o'r blaen i'r cefn ac yn llydan ar draws. Mae'r holl fathau hyn o belfis yn normal, ac nid ydynt yn achosi trafferthion wrth esgor onibai eu bod yn eithafol neu'n fach. Gall fod y pelfis wedi'i gamffurfio o ganlyniad i nodweddion etifeddol prin, afiechyd neu ddamwain. Dyma rai enghreifftiau: *pelfis Naegele (Naegele p.):* ble mae un o alae'r sacrwm wedi peidio â datblygu, fel bod y pelfis yn anghymesur; *pelfis Robert (Robert p.)* sy'n fath prin iawn, ble mae dau ala'r sacrwm heb ddatblygu'n iawn a'r symffysis piwbis wedi'i hollti weithiau; y *pelfis sbondylolisthetig (spondylolisthetic meingefnol):* lle mae'r 5ed fertebra wedi llithro ymlaen ar y sacrwm gan greu penrhyn ffug; y *pelfis racitig (rachitic p.),* y mae ei gantel yn amlwg wastad ac yn siâp aren. *Asesu'r pelfis (a)* Arsylwi ymddangosiad cyffredinol y fam; weithiau gall hyn roi canllaw bras. *(b)* Gall hanes obstetrig blaenorol fod yn werthfawr iawn. *(c)* Mesur y pelfis. Gellir asesu'r pelfis yn fwy manwl gywir trwy roi ARCHWILIAD TRWY'R WAIN (VAGINAL EXAMINATION). Gallu pen y ffetws i gysylltu sydd yn rhoi syniad o gynhwysedd y cantel pelfig mewn merched nwliparaidd, ond mewn mwltigrafidae mae'n digwydd yn aml nad yw'r pen yn cysylltu cyn dechrau'r esgor oherwydd llacrwydd cyhyrau'r abdomen. Os oes amheuaeth e.e pen nad yw'n cysylltu ac nad oes modd ei gael i wneud hyn, cyflwyniad ffolennol neu hanes obstetrig sy'n awgrymu anhawster mecanyddol yn ystod yr esgoriad, mae pelfimetreg radiolegol yn gywir ac yn werthfawr.

Cantel y Pelfis

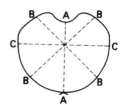

A–A, diamedr ôl a blaen;
B–B, diamedrau lletraws;
C–C, diamedr ardraws.

Ceg y Pelfis

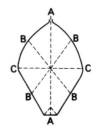

A–A, diamedr ôl a blaen;
B–B, diamedrau lletraws;
C–C, diamedr ardraws.

pemphigus: pemffigws Clefyd croen cronig neu lym wedi ei nodweddu gan bothelli dyfrllyd. *P. neonatorum:* impetigo pothellog. Mae'n haint heintus iawn, ac mae fel arfer o ganlyniad i Staffylococws awrews. Dylai'r fydwraig adrodd am unrhyw bothell ar unwaith. Dylai'r plentyn gael ei arwahanu yn

Tabl o fesuriadau cyfartalog y pelfis: mesuriadau mewnol

	Blaen-ôl (cm)	Diamedrau arosgo de a chwith (cm)	Ardraws (cm)
Cantel	11	12	13
Ceudod	12	12	12
Allfa	13	12	10–11

Cyfiau croesgornel
  12-12.5 cm wedi'i fesur o apig y bwa pwbig i benrhyn y sacrwm.
Cyfiau obstetrig
  yn ymestyn o ymyl fewnol, uchaf y symphysis pubis: 11 cm.
Gwir gyfiau neu gyfiau anatomegol
  yn mesur ychydig mwy na'r cyfiau obstetrig wrth iddo ymestyn o benrhyn y sacrwm i ganol arwynebedd uwch y symphysis pubis, ond nid yw'r lle ychwanegol ar gael i'r ffetws fynd trwyddo.

llwyr hyd nes bod achos y cyflwr wedi cael ei ganfod. Gall *pemffigws syffilitig (syphilitic p.)* ddigwydd weithiau, ond yn anaml, yn y baban newydd-anedig.

pendulous: *yn hongian* am rywbeth sy'n hongian i lawr. *Abdomen yn hongian (p. abdomen):* cyflwr a welir mewn merched mwlltigrafid ble mae cyhyrau'r abdomen yn eithriadol o lac. Mae'r groth yn disgyn ymlaen mor bell fel y gall yr abdomen hongian o dan y symffisis piwbis. Ar wahân i'r anghysur sylweddol, gall hyn achosi camgyflwyniad y ffetws.

penicillin: *penisilin* sylwedd gwrthfiotig a geir trwy feithrin y llwydni penisiliwm.

penicillinase: *penisilinas* ensym sy'n diactifadu penisilin, a gynhyrchir gan nifer o facteria, yn arbennig staffylococi.

penis: *pidyn* organ ymgydiad y gwryw

pentazocine hydrochloride: *pentasocin hydroclorid* poenleddfwr narcotig synthetig a ddatblygwyd mewn ymgais i gynhyrchu narcotig heb botensial iddo gael ei gamddefnyddio. Mae'n cael ei ddefnyddio trwy'r geg ac fel trwyth ar gyfer poen cymedrol i ddifrifol, er bod

lefel y rhyddhad yn amrywio. Paratoad brand yw Fortral.

pepsin: *pepsin* ensym proteolitig sydd yn brif elfen treulio sudd gastrig. Mae'n gweithredu fel catalydd i dorri protein i lawr i ffurfio cymysgedd o bolypeptidau. Mae'n ceulo llaeth mewn ffordd debyg i *RENNIN* (RENNIN) a thrwy hynny yn hwyluso treuliad protein llaeth.

peptide: *peptid* y peptidau sy'n ffurfio rhan ansoddol proteinau; fe'u hadnabyddir fel peptidau di-, tri-, tetra- ac yn y blaen, yn dibynnu ar nifer yr asidau amino yn y moleciwl.

per: *per* trwy (Lladin) e.e. per vaginam: trwy'r wain.

percentile: *canradd* term a ddefnyddir mewn ystadegau i ddangos pa mor gyffredin yw nodwedd. Mae'r llinell yn cynrychioli'r ganran o'r boblogaeth a mae ganddynt y nodwedd hon. Ystyr yr 90ain ganradd ar gyfer taldra yw na fydd 90% o'r boblogaeth yn dalach na'r ffigwr. Y 50fed ganradd yw'r canolrif. Defnyddir y siartiau yn gyffredin mewn bydwreigiaeth i ddangos pwysau geni babanod ar ôl gwahanol gyfnodau cario.

percussion: *trawiad* taro arwyneb gyda'r

bysedd i benderfynu, wrth y sŵn, gyflwr yr organau oddi tano.

perforation: *twll* twll neu fwlch yn y waliau neu'r pilenni sy'n dal organ neu adeiledd yn y corff. Mae tyllu'n digwydd pan fydd erydu, heintiad neu ffactorau eraill yn creu man gwan yn yr organ ac mae pwysedd mewnol yn gwneud i'r wal neu'r bilen rwygo.

performance indicators: *dangosyddion perfformiad* 'pecyn' o ystadegau arferol a gymerir o'r wlad i gyd ac a gyflwynir yn weledol mewn fforrdd sydd yn amlygu effeithlonrwydd cymharol gwasanaethau iechyd ym mhob awdurdod iechyd o'i gymharu ag awdurdodau eraill.

peri-: *peri-* rhagddodiad yn golygu 'o amgylch'.

pericardium: *pericardiwm* y sach lyfn bilennog sy'n amgylchynu'r galon, sy'n cynnwys côt ffibraidd allanol a chôt serws fewnol. Pericarditis yw'r enw a roddir ar lid y bilen hon.

pericranium: *pericraniwm* periostëwm yr esgyrn creuanol.

perimetrium: *perimetriwm* peritonëwm y groth.

perinatal: *amenedigol* o gwmpas adeg y geni. *Cyfnod amenedigol* (p. period): wythnos gyntaf bywyd. *Cyfradd marwolaethau amenedigol* (p. mortality rate): nifer y babanod marw-anedig ynghyd â marwolaethau babanod o dan wythnos oed fesul 1000 o enedigaethau mewn unrhyw un flwyddyn.

perineal: *perineol, y perinëwm* yn gysylltiedig â'r perinëwm. Dosberthir *rhwygiadau'r perinëwm* (p. lacerations) fel rhai: (a) gradd gyntaf, y croen wedi rhwygo'n unig, a'r cyhyr yn gyfan; (b) ail radd, rhwygiad y croen a'r cyhyr a all fod yn ysgafn neu'n ddifrifol, ond nad yw'n cynnwys sffincter yr anws; (c) trydedd radd neu gyfan, lle mae'r rhwygiad yn ymestyn trwy'r cwbl o'r corff perineol, a thrwy sffincter yr anws i'r rectwm. *Trwsio'r perinëwm* (p.repair)

gall bydwragedd a hyfforddwyd ac a aseswyd fel rhai cymwys ymgymryd â thrwsio'r perinëwm. Caeir y perinëwm mewn tair haen gan ddefnyddio deunydd polyglycolig neu Dexon; caiff y wain ei phwytho, gan ddechrau yn yr union uwchben pen uchaf y toriad neu'r rhwygiad, gan ddefnyddio pwythau bylchog; caiff haenau cyhyrau dwfn ac arwynebol eu pwytho trwy ddechrau yng nghanol y toriad i roi brasamcan da; mae croen y perinëwm yn cael ei bwytho. Ar ôl tynnu'r tampon a osodwyd i mewn i roi golwg glir ar y gwaith, mae bys mewn maneg yn cael ei roi i mewn i'r rectwm er mwyn sicrhau nad oes dim pwythau wedi mynd i mewn iddo.

perineorrhaphy: *perineoraffi* trwsio'r corff perineol yn dilyn anaf a ddioddefwyd wrth eni plentyn.

perineum: *perinëwm* yn anatomegol, y rhan sy'n ymestyn o'r bwa piwbig i'r cocycs, ynghyd â'r meinweoedd oddi tani. O safbwynt obstetreg, y corff perineol yw'r pyramid ffibrogyhyrol rhwng traean isaf y wain yn y tu blaen a'r llwybr rhefrol y tu ôl, a'r cnapiau isgïaidd ar yr ochrau. *Gw. hefyd* LLAWR Y PELFIS (PELVIC FLOOR).

periosteum: *periostëwm* meinwe cysylltiol arbenigol yn gorchuddio holl esgyrn y corff, ac yn meddu ar y gallu i ffurfio asgwrn. Mae hefyd yn gweithredu fel pwynt cysylltu ar gyfer rhai cyhyrau.

peripheral: *amgantol* yn ymwneud â'r amgant

periphery: *amgant* yr wyneb neu'r ymyl allanol

peristalsis: *peristalsis* cyfangiad tebyg i don sydd yn teithio ar hyd waliau diwaidd ei chynhwysion ymlaen. Mae'n digwydd yng nghôt gyhyrol y llwybr ymborth ac yn y tiwbiau Fallopio. Weithiau mae peristalsis gwaladwy yn digwydd mewn STENOSIS PYLORIG (PYLORIC STENOSIS).

Trwsio'r Perinëwm (dull cyffredin)

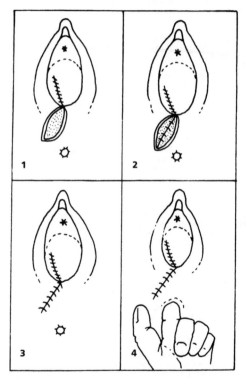

1. Pwytho'r wain gyda gwt di-dor. 2. Pwytho'r haen gyhyrau gyda gwt toredig. 3. Pwytho croen y perinëwm gyda gwt toredig neu sidan. 4. Archwilio'r rectwm i ofalu nad oes dim wedi ei ddal.

peritoneum: *peritonëwm (ans. perito-
neol)* y bilen serws sy'n leinio ceudod
yr abdomen ac yn gorchuddio organau'r
abdomen. *Peritonëwm parwydol
(parietal p.)* sydd yn leinio ceudod yr
abdomen. *Peritonëwm pelfig (pelvic p.)*
sydd yn gorchuddio organau'r pelfis,
sydd yn y fenyw yn ffurfio coden rhwng
y rectwm a'r groth, coden Douglas, a
choden fas rhwng y groth a'r bledren, y
goden wrthrofesigol. Adwaenir y
peritonëwm sy'n hongian dros y
tiwbiau Fallopio fel y gewyn llydan.
Peritonëwm ymysgarol (visceral p.): yr
haen fewnol sydd yn gorchuddio'r
organau yn dynn, ac yn cynnwys y
mesenteriau.

peritonitis: *peritonitis* llid y peritonëwm,
oherwydd heintiad. *Peritonitis
cyffredinol (general p.):* effeithir ar y cwbl
o geudod yr abdomen. *Peritonitis y
pelfis (pelvic p.):* cyfyngir y haint i
beritonëwm y ceudod pelfig. Mae'n
gymhlethdod achlysurol ar sepsis ar ôl y
geni.

periventricular haemorrhage: *gwaedlif
perifentriglaidd* cymhlethdod difrifol
yn digwydd mewn babanod cyn amser,
yn enwedig y rhai hynny o dan 34
wythnos o'r cyfnod cario. Gellir
graddio'r gwaedlif rhwng 0 a 3, a 3 yw'r
mwyaf helaeth.

periventricular leukomalacia: *lewco-
malacia perifentriglaidd* Briwiau
ischaemaidd, codennog sy'n digwydd
yn y rhan berifentriglaidd. Cysylltir y
cyflwr hwn â gwaedlif perifentriglaidd
a gwneir diagnosis trwy sgan uwchsain.
Fe'i cysylltir â chanran uchel o achosion
o barlys sbastig yr ymennydd.

permeable: *athraidd* yn dreiddiadwy.
Fe'i defnyddir i ddisgrifio pilen sy'n
caniatáu i hylif dreiddio trwodd, e.e.
waliau'r capilariau (hefyd lled-
athraidd).

pernicious: *aflesol* hynod ddinistriol;
marwol. *Anaemia aflesol (pernicious a.):*
anaemia megaloblastig a geir mewn

pobl ganol oed ac a achosir gan fethiant
secretiad gastrig y ffactor cynhenid, ac
a drinnir trwy roi'r fitamin B12. Ni
ddylid drysu rhyngddo ac anaemia
megaloblastig beichiogrwydd a achosir
gan ddiffyg asid ffolig yn y diet.

peroxide: *perocsid* cyfansoddyn o
unrhyw elfen sy'n cynnwys mwy na'r
cyfaint arferol o ocsigen sydd ei angen i
ffurfio ocsid. *Perocsid hydrogen (p. of
hydrogen):* cyfansoddyn o hydrogen ac
ocsigen.

Perphenazine: *Perffenasin* (Fentazin)
gwrthgyfoglyn trwy'r geg; dylid ei osgoi
yn ystod y trimestr cyntaf.

persistent mentoposterior: *mento-ôl
cyndyn* cyflwyniad wyneb lle mae'r
sincipwt wedi troi tuag ymlaen a'r ên
wedi cael ei throi tuag yn ôl i geudod y
sacrwm. Achos prin esgor wedi'i atal,
pan fo'n rhaid i'r thoracs gyflwyno yng
nghantel y pelfis gyda'r pen.

persistent occipitoposterior: *ocsipito-ôl
cyndyn* cyflwyniad corun isblygedig
ble mae'r sincipwt wedi troi tuag
ymlaen a'r ocsipwt wedi cael ei droi
tuag yn ôl i geudod y sacrwm; gall hyn
achosi oedi yn ail gam yr esgor. Mae'n
bosibl i'r baban gael ei eni'n ddigymell
WYNEB I'R GEDOR (FACE TO PUBES).

personality: *personoliaeth* yr hyn sy'n
creu a nodweddu unigolyn fel endid ar
wahân dros gyfnod o amser; adwaith
gyfan unigolyn i'w amgylchedd. Mae
llawer o ffactorau sydd yn pennu
personoliaeth yn cael eu hetifeddu;
maent yn cael eu ffurfio a'u haddasu
gan amgylchedd yr unigolyn. Mae
blynyddoedd cynnar bywyd yn
dylanwadu ar ddatblygiad y
bersonoliaeth.

perspiration: *1. chwysu. 2. chwys*
1. chwysu; ysgarthu gwlybaniaeth trwy
fandyllau'r croen. 2. chwys; yr hylif
hallt, sy'n cynnwys dŵr yn bennaf, a
ysgarthir gan y chwarennau chwys yn y
croen. Mewn ffibrosis codennog mae'r
chwys yn dangos lefel uwch o sodiwm

clorid.

pertussis: *pertwsis* y pas. Heintiad y
llwybr resbiradol a all fod yn ddifrifol.
Fe'i hachosir fel arfer gan yr organeb
Bordetella pertussis. Aeth yn llai cyffredin
tan ganol y 1970au. Bellach mae wedi
codi yn gyfochrog â'r cwymp yn y
gyfradd imiwneiddio. Mae'n arbennig o
ddifrifol mewn babanod o dan 3 mis a
phlant ag asthma.

pessary: *pesari* gwrthrych a roddir yn y
wain. Gall fod yn ddyfais i gadw'r groth
rhag gwyro ymlaen yn gynnar yn y
beichiogrwydd, neu yn gyffur mewn
hydoddiant e.e. gwrthffwngaidd neu
atal cenhedlu. *Pesari prostaglandin
(prostaglandin p.)*: pesari sy'n cynnwys
prostaglandinau, a roddir i fewn yn
ffornics ôl y wain er mwyn helpu gwddf
y groth i aeddfedu a chychwyn yr esgor.

petechiae: *petechiae* smotiau bach a
achosir gan waedlifoedd bychain
isgroenol, a welir mewn pwrpwra ac
weithiau ar wyneb a phlentyn newydd-
anedig normal oherwydd gorlenwad y
gwythiennau yn ystod y geni. Pan welir
dros y corff i gyd mae'n nodwedd ar
heintiad RWBELA (RUBELLA) cynhenid,
TOCSOPLASMOSIS (TOXOPLASMOSIS) a
CYTOMEGALOFIRWS
(CYTOMEGALOVIRUS)

**pethidine hydrochloride: *pethidin
hydroclorid*** cyffur poenleddfol a
gwrthsbasmodig, effeithiol iawn wrth
leddfu poen yn ystod yr esgor. O dan
Reoliadau Camddefnyddio Cyffuriau
1973, mae gan fydwragedd cofrestredig
sy'n gweithio yn y gymuned awdurdod
i fod â pethidin yn eu meddiant.
Oherwydd bod pethidin yn gostwng
lefel anadlu'r ffetws ac yn cael effaith
andwyol ar ymddygiad y baban
newydd-anedig am yr ychydig
ddyddiau cyntaf o'i fywyd, yn enwedig
mewn perthynas â bwydo ar y fron, mae
pethidin erbyn hyn yn ddewis llai
poblogaidd ar gyfer ei ddefnyddio yn
ystod yr esgor.

petit mal: *petit mal* pwl epileptig
cymharol ysgafn, o'i gymharu â GRAND
MAL (GRAND MAL), pwl difrifol. Mewn
pwl o petit mal bydd y sawl yr effeithir
arno yn colli ymwybyddiaeth am ysbaid
fer iawn yn unig.

**Pfannenstiel's incision: *endoriad
Pfannenstiel*** Toriad ardraws yn yr
abdomen yn union uwchben y
symffysus pwbis.

pH: *pH* y symbol a ddefnyddir i fynegi
crynodiad neu adwaith ïonau hydrogen
mewn hylif. Ar raddfa o 0 i 14, mae 7
yn niwtral, o dan 7 yn asid, ac uwchben
7 yn alcilin. Mae gwaed sydd â pH o 7.4
ychydig yn asid. Gellir ei fesur gyda
pheiriant Astrup. Defnyddir y pH fel
mesuriad a yw'r corff yn cynnal
CYDBWYSEDD BAS-ASID (ACID-BASE
BALANCE) normal. Rhaid wrth pH
ffafriol er mwyn i'r ensymau a'r
systemau biolegol eraill weithredu.

**phaeochromocytoma: *ffaeochromo-
cytoma*** tyfiant prin, fel arfer tyfiant
adrenal diniwed, ond a geir yn
achlysurol ar safleoedd eraill, er
enghraifft y bledren, ac a gysylltir â
chynhyrchu mwy o adrenalin gan
arwain at orbwysedd. Un nodwedd yw
bod pwysedd y gwaed yn amrywio
lawer yn ystod y dydd. Y prawf a ystyrir
y mwyaf dibynadwy i wneud diagnosis
o ffaeochromocytoma yw prawf
uniongyrchol ar adrenalin a
noradrenalin yn y plasma a'r wrin. Mae
modd cynnal prawf arall i fesur asid
fanilylmandelig (VMA) a metaneffrin a
normetaneffrin yr yr wrin. Mae lefel y
sylweddau hyn yn wrin merched â
ffaeochromocytoma bron ddwywaith
terfyn uchaf yr hyn sy'n normal. Rhaid
gwneud llawdriniaeth i dynnu'r tyfiant.

phage: *ffag* firws sy'n lladd rhai micro-
organebau. Mae firysau'n gwahaniaethu
o ran eu derbynedd, sy'n golygu ei bod
yn bosibl eu dosbarthu'n fathau o ffagau

phagocytes: *ffagocytau* lewcocytau a
monocytau polymorffogniwclear sy'n

llyncu ac yn treulio bacteria a gronynnau estron.

phagocytosis: ffagocytosis Gweithrediad FFAGOCYTAU (PHAGOCYTES).

phalanx: ffalancs (ans. ffalangeol) unrhyw asgwrn bys llaw neu droed.

phallic: ffalig yn perthyn i'r pidyn.

phantom: rhith 1. delwedd neu argraff nad ysgogir gan symbyliadau go iawn. 2. model o'r corff neu ran benodol ohono. 3. dyfais ar gyfer efelychu rhyngweithiad in vivo ymbelydredd â meinweoedd. *Rhith feichiogrwydd (p. pregnancy):* siwdocyesis neu feichiogrwydd ffug.

pharmaceutical: fferyllol yn perthyn i gyffuriau.

pharmacokinetics: ffarmacocineteg astudiaeth o fetabolaeth a gweithrediad cyffuriau, yn enwedig amsugniad, hyd eu gweithrediad, a'u dosbarthiad o fewn y corff a'r dull ysgarthu.

pharmacology: ffarmacoleg gwyddor natur a pharatoad cyffuriau.

pharmocopoeia: ffarmacopoeia cyhoeddiad awdurdodol sydd yn rhoi fformiwlâu safonol a dull paratoi cyffuriau fel y'u defnyddir mewn gwlad arbennig. *Ffarmacopoeia Prydeinig;* y cyhoeddiad a awdurdodir i'w ddefnyddio ym Mhrydain.

pharmacy: 1. **fferylliaeth** 2. **fferyllfa** 1. celfyddyd paratoi, cyfansoddi a dosbarthu moddion. 2. siop ble caiff moddion eu dosbarthu a'u gwerthu.

pharynx: ffaryncs Cefn y geg sy'n arwain at yr oesoffagws a'r larynics ac yn cysylltu â'r trwyn trwy'r ffroenau ôl, ac â'r clustiau trwy'r tiwbiau Eustachio.

Phenergan: Phenergan Gw. PROMETH-ASIN HYDROCLORID (PROMETHAZINE HYDROCHLORIDE)

phenindione: ffenindion gwrthgeulydd a gymerir trwy'r geg, sy'n debyg i warffarin; dylid ei osgoi yn ystod beichiogrwydd ac wrth fwydo o'r fron.

phenobarbital: ffenobarbital cyffur barbitwrad sy'n gostwng lefel gweith-

rediad y cortecs ymenyddol. Fe'i defnyddir i drin epilepsi ac eclampsia ond dylid ei osgoi yn gynnar mewn beichiogrwydd.

phenol: ffenol antiseptig nerthol a hynod wenwynig a all hefyd achosi cosi poenus iawn ar y croen o'i wanhau ag ychydig o ddŵr yn unig.

phenomenology: ffenomenoleg dull gweithredu anwythol disgrifiadol mewn ymchwil a ddatblygwyd o athroniaeth ffenomenoleg, sy'n golygu dealltwriaeth o ymateb y bod dynol cyfan; mae'n canolbwyntio ar ddisgrifio profiadau fel y bydd person yn eu byw, megis disgrifio poen rhywun fel y maent hwy yn ei weld.

phenothiazine: ffenothiasin grŵp o dawelyddion pwysig, sy'n deillio o ffenothiasin.

phenotype: ffenoteip 1. mynegiant allanol, gweladwy o gyfansoddiad etifeddegol organeb. 2. unigolyn sy'n arddangos ffenoteip penodol; nodwedd a fynegir mewn ffenoteip.

phenoxymethyl-penicillin: ffenocsymethyl-penisilin gwrthfiotig geneuol a ddefnyddir yn gyffredin ar gyfer heintiadau streptococol ysgafn (Penicillin V)

phenylalanine: ffenylalanin asid amino hanfodol, a drosir fel arfer i dirosin gan ensym o'r iau (afu).

phenylketonuria: ffenylcetonwria presenoldeb ffenylcetonau yn yr wrin oherwydd nad yw FFENYLALANIN (PHENYLALANINE) wedi torri i lawr yn llwyr i dyrosin. Mae lefel uchel o ffenylalanin yn y gwaed yn arwain at arafwch meddwl, ffitiau a chytgord cyhyrol gwael. Dylid sicrhau diagnosis cynnar trwy sgrinio gwaed babanod fel mater o drefn trwy gyfrwng y *PRAWF GUTHRIE* (GUTHRIE TEST), er enghraifft, gan fod problem wrin yn llai cywir. Rhaid rhoi diet sy'n cynnwys ychydig o ffenylalanin yn unig. Ceir un achos ym mhob rhyw 10 000 o fabanod. Mae'n cael ei etifeddu trwy enyn awtosomol *ENCILIOL* (RECESSIVE). Mae gan unigolion sy'n dioddef o ffenylcetonwria lygaid glas a gwallt melyn fel arfer. Maent yn ddiffygiol mewn pigment, mae eu croen yn orsensitif i olau ac maent yn tueddu i gael ecsema.

phenylpyruvic acid: *asid ffenylpyrwfig* cyfansoddyn annormal sy'n cael ei ysgarthu yn wrin pobl sydd â ffenylcetonwria.

phenytoin sodium (Epanutin): *ffenytoin sodiwm (Epanutin)* cyffur gwrthgonfylsiwn a ddefnyddir i reoli epilepsi. Dylid ei osgoi yn gynnar mewn beichiogrwydd oni bai bod y buddion posibl yn gorbwyso'r risg o annormaledd cynhenid.

phimosis: *ffimosis* agorfa'r blaengroen yn gyfyng fel na ellir ei dynnu'n ôl dros glans y pidyn.

phlebitis: *fflebitis* llid gwythïen, fel arfer yn y goes, a gall y llid effeithio ar wythïen ddofn neu arwynebol. Gall fflebitis mewn gwythïen ddofn achosi *THROMBOSIS* (THROMBOSIS) ac emboledd (EMBOLISM).

phlebothrombosis: *fflebothrombosis* ceulo gwaed mewn gwythïen, heb fod haint yn bresennol. Mae'r cyswllt rhwng y dolchen a wal y wythïen yn weddol lac ac felly mae cryn dipyn o risg y bydd y cyfan neu ran ohoni yn dod yn rhydd, gan achosi, felly, emboledd (EMBOLISM). cf. *THROMBOFFLEBITIS* (THROMBO-PHLEBITIS).

phlebotomist: *fflebotomydd* unigolyn sy'n gwneud fflebotomi h.y. yn cael samplau o waed i'w profi.

phlebotomy: *fflebotomi* fenedoriad.

phlegmasia: *fflegmasia* llid. **F*flegmasia alba dolens* (*p. alba dolens*):** coes wen. Mae'r cyflwr hwn, sef *THROMBO-FFLEBITIS* (THROMBOPHLEBITIS) neu *FFLEBOTHROMBOSIS* (PHLEBOTHROMBO-SIS) yn y forddwyd ar ôl y geni yn anghyffredin erbyn hyn. Mae'n gysylltiedig ag ataliad yn y wythïen

a/neu sbasm atgyrch yn y rhydwreli. Mae'r goes yn chwyddedig ac yn boenus iawn. Y driniaeth yw cadw'r goes i fyny, er nad oes rhaid ei chadw'n llonydd, a rhoi gwrthfïotig os achosir y cyflwr gan thrombosfflebitis; mewn achosion eraill gellir rhoi gwrth-geulyddion hefyd.

phlegmatic: *fflegmatig* o gymeriad difflach a swrth.

phobia: *ffobia* unrhyw ofn annormal, cyndyn sydd fel pe bai'n ganlyniad i wrthdaro mewnol heb ei ddatrys nad yw'r unigolyn yr effeithir arno yn ymwybodol ohono. Defnyddir fel ôl-ddodiad i ddynodi ofn annormal neu forbid neu atgasedd tuag at y gwrthrych a ddynodir gan y bôn y cysylltir yr ôl-ddodiad ag ef. Mae unigolyn â ffobia yn adweithio mewn ffordd ddi-reol a direswm i'r sefyllfa mae arno ef neu hi ei ofn e.e. acroffobia, ofn uchder; clawstroffobia, ofn morbid llefydd caeëdig.

phocomelia: *ffocomelia* absenoldeb cynhenid rhan agosaf aelod neu aelodau i'r bongorff. Mae'r dwylo neu'r traed yn cysylltu â'r bongorff trwy asgwrn bach, afreolaidd ei siâp.

phospholipid: *ffosffolipid* unrhyw lipid sy'n cynnwys ffosfforws, gan gynnwys y rhai hynny ag asgwrn cefn glycerol (ffosffoglyceridau a plasmagolenau) neu asgwrn cefn sffingosin neu sylwedd cysylltiedig (sffingomyelinau). Nhw yw'r prif lipidau mewn pilenni celloedd.

phosphorus: *ffosfforws* elfen gemegol. Symbol P. Mae'n elfen hanfodol yn y diet. Ar ffurf ffosffadau mae'n elfen bwysig yn nghyfnod mineral asgwrn, ac mae'n chwarae rhan ym mhob proses fetabolaidd bron. Mae hefyd yn chwarae rhan bwysig ym metabolaeth celloedd. Mae'r corff yn ei gael o gynhyrchion llaeth, grawnfwydydd, cig a physgod, ac mae fitamin D a chalsiwm yn rheoli defnydd y corff ohono.

photophobia: *ffotoffobia* anallu i oddef

golau. Un o symptomau llid yr ymennydd.

photosensitivity: *goleusensitifedd* graddau annormal o sensitifedd y croen i olau haul. Yn ystod beichiogrwydd, gall lefelau uwch o hormon melanocytig gyfrannu at hyn. Caiff ei achosi hefyd gan rai cyffuriau e.e. chlorpromazine.

phototherapy: *ffototherapi* triniaeth sydd yn defnyddio golau fflwroleuol, yn cynnwys allbwn uchel o olau glas, i ostwng maint y bilirwbin heb ei ymgyfuno yng ngroen baban newydd-anedig. Mae newidiadau cymhleth yn digwydd ac mae cynhyrchion diwenwyn ffotoddiraddiad yn cael eu hysgarthu heb gymorth y system ensymau yr yr iau (afu). Y sgil-effeithiau yw brech ar y croen a charthion gwyrdd rhydd. Mae angen 30mg/y kg bob 24 awr o hylif ychwanegol ar y baban i wneud iawn am golli hylif yn y carthion, ac fel arfer gorchuddir y llygaid a'r gonadau rhag ofn y bydd y golau yn peri problemau. Gellir defnyddio ffototherapi gyda babanod cyn amser gyda chleisiau fel triniaeth ataliol, a gyda babanod yr effeithir arnynt gan anghydnawsedd Rheesws. Fe'i defnyddir yn therapiwtig gyda lefel bilirwbin 0 340 μmol/1 ar ôl y cyfnod llawn, 210 μmol/1 ar 34 wythnos ac oddeutu 150 μmol/1 ar 28 wythnos.

phrenic: *ffrenig* yn perthyn i'r llengig neu'r meddwl. *Nerf ffrenig (p. nerve):* cangen bwysig o'r plecsws serfigol. Mae ysgogiadau nerfol yn teithio o'r ganolfan fewnanadlol yn yr ymennydd i lawr y nerf ffrenig, gan achosi i'r llengig gyfangu, ac mae mewnanadlu'n digwydd.

phthisis: *ffthisis* twbercwlosis ysgyfeiniol.

physiological third stage: *trydydd cam ffisiolegol* rheoli trydydd cam yr esgor pryd mae'r brych yn ymwahanu o wal y groth yn ffisiolegol heb ddefnyddio cyffuriau ocsitosig i hwyluso'r broses.

Disgwylir am arwyddion bod y brych yn ymwahanu ac yn disgyn; mae'r groth yn codi yn yr abdomen, mae'n teimlo'n fach, yn galed ac yn symudol, mae'r llinyn yn ymestyn ac mae llif bach sydyn o waed o'r wain. Mae'n bosibl wedyn cael y brych allan trwy ymdrech y fam neu os defnyddir y dull TYNNU LLINYN Y BOGAIL DAN REOLAETH (CONTROLLED CORD TRACTION), mae'n hollbwysig bod y fydwraig yn sicrhau bod y brych eisoes wedi ymwahanu. *Gw. hefyd* RHEOLI'R ESGOR YN WEITHREDOL (ACTIVE MANAGEMENT OF LABOUR).

physiology: *ffisioleg* gwyddor swyddogaeth organebau byw

physiotherapist: *ffisiotherapydd* ymarferwr ffisiotherapi sy'n defnyddio tylino'r corff, trin aelodau, ymarferion adferol, gwres, golau ac ysgogiadau trydanol i drin ac adfer. *Ffisiotherapydd obstetrig (obstetric p.):* un sy'n arbenigo mewn trin gwragedd beichiog.

physique: *corffoledd* trefn, datblygiad ac adeiledd y corff.

phytomenadione (Konakion): *ffytomenadion (Konakion)* paratoad o fitamin K, yn effeithiol wrth drin gwaedlif sy'n digwydd yn ystod therapi gwrthgeulo, ac oherwydd diffyg fitamin K. Rhoddir fitamin K proffylactig trwy'r geg neu'n fewngyhyrol i'r baban newydd-anedig i atal afiechyd gwaedlifol.

phytotherapy: *ffytotherapi* triniaeth gan ddefnyddio sylweddau planhigion megis moddion llysieuol ac aromatherapi.

pia mater: *pia mater* y bilen fwyaf mewnol yn amgylchynu'r ymennydd a madruddyn y cefn.

pica: *pica* Ysfa i fwyta sylweddau annaturiol, yn digwydd weithiau yn ystod beichiogrwydd, yn gysylltiedig o bosibl â diffygion mewn maeth.

pie chart: *siart cylch* Diagram cylch a rennir yn segmentau yn dangos dosbarthiad cyfraneddol arsylwadau o ddigwyddiadau penodol.

Pierre-Robin syndrome: *syndrom Pierre-Robin* annormaledd cynhenid ble ceir MICROGNATHA (MICROGNATHA) a thaflod hollt. Os na sylwir arno adeg y geni, gall anadlu'r baban gael ei rwystro mewn modd difrifol, gan fod y tafod yn cuddio'r ffaryncs. Dylid magu'r baban a'i wyneb i lawr, gan dynnu'r tafod ymlaen os oes angen i glirio'r llwybr anadlu.

pigment: *pigment* unrhyw lifyn neu asiant lliwio. *Pigment bustl* (bile p.): BILIRWBIN (BILIRUBIN) a biliferdin. *Pigment gwaed* (blood p.): haematin.

piles: *clwyf y marchogion* Gw. HAEMOROIDAU (HAEMORRHOIDS)

pilonidal: *blewynthol* gyda nyth blew. *Coden flewynthol* dermoid mewn-blaniad yn hollt y geni. Mae'r goden yn cael ei chreu gan flew yn hollt y geni yn treiddio trwy groen y plygiad gan achosi sinws (sinws blewynthol) a mewnblannu celi epitheliwm. Yn tueddu i gael heintiad parhaus. *Pant blewynthol* (p. depression): pant yn y llinell ganol ger y cocycs, a welir yn y plentyn newydd ei eni. Nid yw o unrhyw bwys. *Sinws blewynthol* (p. sinus): sinws bach, yn agor ger y cocycs. Fe'i gwelir wrth archwilio'r plentyn newydd ei eni yn fuan ar ôl y geni. Mae'n weddillyn o'r llwybr niwral a gall fynd yn heintiedig gan olygu a bydd rhaid ei dorri allan.

pilot study: *astudiaeth beilot* fersiwn graddfa fach o ymchwiliad neu arsylwad y bwriedir ei gynnal. Fe'i defnyddir i roi prawf ar gynllun yr astudiaeth fwy.

Pinard's stethoscope: *stethosgop Pinard* offeryn siâp trwmped y gellir ei roi ar abdomen y fam dros frest y ffetws i glywed synau calon y ffetws. Fe'i gelwir hefyd yn stethosgop y ffetws neu'n stethosgop monoglywedol

pineal: *pineol* 1. siâp moch coed. 2. yn ymwneud â'r corf pineol. *Corff pineol* (p. body), *chwarren bineol* (p. gland):

adeiledd bach conigol a gysylltir â choes i wal ôl trydydd fentrigl y cerebrwm, y credir mai chwarren endocrin ydyw.

pinna: *pinna* rhan ymwthiol y glust sy'n gorwedd y tu allan i'r pen.

Piriton: *Piriton* Gw. CLORFFENAMIN (CHLORPHENAMINE)

Pitressin: *Pitressin* Gw. FASOPRESIN (VASOPRESSIN)

pituitary gland: *chwarren bitwidol* chwarren endocrin yn gorwedd yn ffossa bitwidol yr asgwrn sffenoid. Mae ganddi labed ôl a blaen. Mae'r llabed flaen yn cynhyrchu hormonau GONADOTROFFIG (GONADOTROPHIC), HORMON TWF (GROWTH HORMONE), hormon lactogenig (prolactin), HORMON ADRENOCORTICOTROFFIG (ADRENO-CORTICOTROPHIC HORMONE) a hormon thyrotroffig. Mae'r llabed ôl yn secretu OCSITOSIN (OXYTOCIN) a hormon gwrthddiwretig.

place of safety order: *gorchymyn man diogel* gorchymyn llys lle caiff plentyn ei symud o ofal ei rieni er mwyn diogelwch y plentyn.

placebo: *placebo* sylwedd a roddir i glaf fel moddion neu weithdrefn a gyflawnir ar glaf nad oes iddo unrhyw werth therapiwtig cynhenid ac sydd yn lleddfu symptomau neu'n helpu'r claf mewn rhyw ffordd dim ond oherwydd bod y claf yn credu neu yn disgwyl y bydd ei wneud. Defnyddir placebos mewn treialon clinigol dan reolaeth ar gyffuriau newydd. Tra bod rhai cleifion a ddewisir ar hap yn cael y cyffur newydd, mae rhai eraill yn cael placebo. Nid yw'r cleifion na'r rhai hynny sy'n ei roi yn gwybod pwy sy'n cael y cyffur go iawn, ond mae'r effeithiau ar yr holl gleifion yn cael eu monitro'n agos.

placenta: *brych* y brych. Organ fflat yn mesur 17.5 –20 cm newn diamedr a 2.5 cm o drwch yn lleihau i 1.2 cm ar yr ochrau. Mae'n pwyso tua chweched ran o bwysau geni baban sydd wedi'i gario i'w amser. Mae'r brych wedi ei ddatblygu o'r haenau troffoblastig sydd â leinin o fesoderm lle mae'r pibellau gwaed yn datblygu. Mae wedi ei ffurfio erbyn 12fed wythnos y beichiogrwydd, ac mae'n cynnwys nifer fawr o filysau corionig wedi eu grwpio gyda'i gilydd mewn cotyledonau, a'u gosod yn decidua basalis y groth. Mae'r filysau yn cynnwys pibellau gwaed y ffetws (sydd yn y diwedd yn ymuno gyda'i gilydd i ffurfio pibellau gwaed llinyn y bogail, tra maent wedi eu gwahanu gan fylchau rhyngfilws (intervillous) y mae gwaed y fam yn cylchdroi trwyddynt. Gellir gweld y canghennau o bibellau gwaed wmbilig ar arwyneb y ffetws, yn canghennu allan o'r fan lle mae'r llinyn yn ei gysylltu ei hun, sydd fel arfer yn y canol. Mae'r arwyneb yma wedi ei orchuddio gan yr amnion, y gellir ei stripio oddi wrtho i fyny at y y fan lle mae'r llinyn yn ei gysylltu ei hun. Mae'r corion yn rhedeg gydag ochr y brych.

Swyddogaethau'r Brych

Storio glycogen
Resbiradaeth
Ysgarthiad
Endocrin
Maethiad
Rhwystr rhannol

Abruptio placentae: rhwygiad cyn amser o frych sydd yn y man arferol. *Brych Battledore (Battledore p.):* un lle mae'r llinyn wedi ei gysylltu â'r ochr ac nid y canol. *Brych dwyran (bipartite p.):* un sydd â 2 labed. *Placenta accreta:* un sy'n ymlynu'n annormal i'r myometrium, gyda'g absenoldeb rhannol neu lwyr y decidua basalis. *Placenta circumvallata* sydd wedi ei amgylch-ynu gan gylch cnepynnaidd gwyn sy'n drwchus ac sydd wedi codi ac y mae'r pilenni sy'n gysylltiedig wedi eu plygu yn ôl dros ochr y brych. *Placenta

Tynnu'r Brych â Llaw

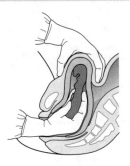

fenestrata: un sydd a bwlch neu 'ffenestr' yn ei adeiledd. *Placenta membranacea:* un sy'n annormal o denau ac wedi ei ymestyn ar hyd rhan anarferol o eang yn y groth. Gall ddigwydd fel BRYCH YN Y BLAEN (PLACENTA PRAEVIA). *Placeta percreta:* mewniad annormal lle mae'r filysau corionig wedi meddiannu'r perimet-riwm; fel arfer mae angen hysterectomi i reoli'r gwaedlif. *Brych swcentwraidd (succenturiate p.):* un sydd â llabed ar wahân neu ategol wedi ei gysylltu â'r prif frych gan bibellau gwaed. Os bydd yn cael ei ddargadw pan fydd y brych yn cael ei fwrw allan gall achosi gwaedlif ôl-enedigol difrifol.

placenta praevia: *brych yn y blaen* brych wedi'i leoli mewn man annormal yn segment isaf y groth, sydd yn gorchuddio'r os mewnol yn llwyr neu'n rhannol. Mae hyn yn arwain at waedlif na ellir ei osgoi tua diwedd y beichiogrwydd pan fydd segment isaf y groth yn ymestyn wrth baratoi at yr esgor. Mae'r gwaedu yn *ddi-boen* ac yn digwydd yn aml pan fydd y fam y gorffwys; mae'n dod yn ôl, ac yn fwy difrifol bob tro a bydd angen i'r fam fynd i'r ysbyty. Mae'r brych yn cymryd rhan neu'r cyfan o'r lle yn segment isaf y groth fel y bydd y rhan o'r ffetws sy'n cyflwyno yn uchel yn camgyflwyno e.e. gorweddiad arosgo. Trwy sgan uwchsain gellir canfod union safle'r brych. Ambell waith gwneir archwiliad gofalus o dan anaesthetig wedi gwneud yr holl baratoadau ar gyfer toriad cesaraidd ar unwaith os digwydd gwaedlif di-reol; fel arfer dewisir gwneud toriad cesaraidd fel mesur rhagofalus ble bo modd, oni bai bod maint y brych yn y blaen mor fach fel ei bod yn bosibl rhwygo'r pilenni mewn dull rhededig ac ysgogi'r esgor. Disgrifir pedair gradd; gradd 1: mae ymyl y brych yn mynd i mewn i segment isaf y groth; gradd 2: mae'r brych cyfan yn y segment isaf; gradd 3: mae'r brych yn cyrraedd yr os cerfigol mewnol; gradd 4: mae'r brych cyfan yn gorchuddio'r os cerfigol canolog.

placental lactogen: *lactogen y brych* hormon sy'n effeithio ar dwf a datblygiad y fron yn ystod beichiogrwydd. Mae ganddo swyddogaeth hefyd ym metabolaeth glwcos mewn beichiogrwydd. Mae'r hormon hwn yn debyg i HORMON TWF dynol pitwidol, er nad yw'n hybu twf mewn gwirionedd.

placentography: *brychgraffeg* delweddiad radiolegol o'r brych ar ôl chwistrellu cyfrwng cyferbyniol.

placentophagy: *brychfwyta* yr arfer o fwyta'r brych, fel arfer oherwydd y cred bod y swm mawr o hormonau a gynhwysir ynddo yn gallu helpu i atal iselder ar ôl y geni.

plagiocephaly: *plagioceffali* anghymesuredd y pen sy'n ganlyniad i'r asiadau yn cau yn afreolaidd.

planned parenthood: *cynllunio teulu* rheoli cenhedlu.

plantar: *gwadnol* yn gysylltiedig â gwadn y troed.

Brych â Llabed Atodol

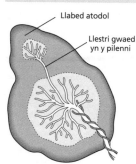

plasma: *plasma* hylif lliw gwellt sydd, ynghyd â chelloedd gwaed gwyn a choch, yn creu'r gwaed. O'r cyfaint gwaed cyfan mae 55% yn blasma. Mae 92% o'r plasma'n ddŵr, sy'n cynnwys proteinau plasma, halwynau anorganig, bwydydd, nwyon, deunyddiau gwastraff o'r celloedd, ac amrywiol hormonau, secretiadau ac ensymau. Cludir y proteinau hyn a chyfrannant y corff neu iddynt yn y plasma. Gellir trallwyso plasma i gynyddu proteinau plasma neu os yw rhywun yn dioddef o sioc.

plasmapheresis: *plasmafferesis* dull o dynnu peth o'r plasma o'r cylchrediad. Mae fenedylliad yn cael ei wneud, plasma yn cael ei dynnu o'r sampl gwaed, a'r celloedd coch yn cael eu dychwelyd i'r cylchrediad. Fe'i defnyddir i drin afiechyddon a achosir gan wrthgyrff yn cylchredeg yn y plasma.

plasmin: *plasmin* ensym, FFIBRINOLYSIN (FIBRINOLYSIN), sy'n hydoddi ffibrin mewn thrombws. Mae'n bresennol mewn gwaed fel plasminogen cyn cael ei actifadu.

Plastibell: *Plastibell* dyfais blastig a ddiheintiwyd ymlaen llaw a ddefnyddir i enwaedu. Mae'r gloch yn cael ei llithro y tu fewn i'r blaengroen a chlymir cortyn o'i chwmpas. Mae'r blaengroen yn mynd yn fadreddus ac yn disgyn i ffwrdd gyda'r gloch.

platelets: *platennau* thrombocytau. Mae platennau gwaed yn elfennau gwaed siâp disg, heb gnewyllyn gyda philen fregus iawn; maent yn tueddu i lynu wrth arwynebeddau anwastad neu wedi'u niweidio. Fe'u ffurfir ym mêr coch yr esgyrn ac ar gyfartaledd ceir oddeutu 250×10^9 ohonynt mewn litr o waed. Mae swyddogaethau platennau yn ymwneud â tholchennu a cheulo gwaed. Oherwydd eu galluoedd i lynu a chydgasglu mae platennau yn gallu gorchuddio toriadau bach mewn pibellau gwaed ac atal gwaed rhag dianc.

platypelloid: *platypeloid* gwastad. *Gw. PELFIS* (PELVIS).

plethora: *plethora* gormodedd; mewn meddygaeth, fe'i defnyddir fel arfer i ddisgrifio gormodedd o waed.

plethoric: *plethorig* yn rhoi'r argraff fod gan rywun blethora, h.y. lliw rhuddgoch ar y croen. Mae'n disgrifio'r cyflwr a welir fel arfer mewn baban a gafodd drallwysiad mawr o'r brych neu yn un o'r efeilliaid gyda *SYNDROM TRALLWYSO GEFELL I EFELL* (TWIN-TO-TWIN TRANSFUSION SYNDROME).

pleura: *eisbilen* y bilen serws sy'n leinio'r thoracs ac yn amgáu pob ysgyfaint, y ddwy haen sy'n cau o gwmpas gwagle posibl, y ceudod eisbilennol.

pleurisy: *llid yr eisbilen* llid pilen yr ysgyfaint.

plexus: *plecsws* rhwydwaith gwythiennau neu nerfau. *Plecsws y fraich* (*brachial p.*): rhwydwaith nerfau'r gwddf a'r gesail. *Plecsws solar* (*solar p.*) neu *goeliag* (*coeliac p.*): rhwydwaith nerfau a ganglia ar gefn y stumog sy'n cyflenwi ymysgaroedd yr abdomen.

pneumonia: *niwmonia* llid yr ysgyfant. Gall fod yn (*a*) *niwmonia llabedol* (*lobar p.*): fel arfer heintiad niwmococol yn un neu fwy o labedi'r ysgyfant; (*b*) *bronconiwmonia* (*broncho-pneumonia*) ble effeithir ar y bronciolau. Gall nifer o facteria fod yn gyfrifol, gan gynnwys *Staffylococws awrews, streptococws* neu *Haemophilis influenzae* (*c*) *niwmonia firaol* (*viral p.*): mae rhagduedd yn y baban newydd-anedig at niwmonia oherwydd y *SYNDROM TRALLOD RESBIRADOL* (RESPIRATORY DISTRESS SYNDROME).

pneumonitis: *niwmonitis* llid yr ysgyfaint.

pneumothorax: *niwmothoracs (llu. niwmothoracsau)* aer neu nwy yn cronni yn y ceudod eisbilennol, gyda'r canlyniad bod yr ysgyfant yn ymgwympo ar yr ochr yr effeithir arni. Gall y cyflwr ddigwydd yn ddigymell, fel yn ystod afiechyd ysgyfeiniol, neu gall ddilyn trawma i, a thyllu, wal y frest. Gall fod yn gymhlethdod adfywio egnïol, awyru, *GWASGEDD ENCHWYTHU PARHAUS* (CONTINUOUS INFLATING PRESSURE) neu gall ddilyn mewnanadlu *MECONIWM* (MECONIUM).

PO₂: *PO₂* gwasgedd ocsigen rhannol. Yng ngwaed oedolyn mae tua 100mmHg, ac mewn baban mae dipyn yn is, tua 60–90 mmHg. Mewn baban cyn amser mae perygl o *FFIBROPLASIA ôl-lentol* (*RETROLENTAL FIBROPLASIA*) os bydd yn fwy na 100 mmHg.

podalic version: *troad podalig* cywiro gorweddiad ardraws yn fewnol trwy gydio mewn troed, ac felly ei droi'n orweddiad hydredol a chyflwyniad ffolennol.

polarity: *polaredd* graddiant nerth cyfangiadau'r groth rhwng y ffwndws (y pegwn uchaf ble mae'r gweithgarwch ar ei gryfaf) a segment isaf y groth a gwddf y groth (y pegwn isaf ble mae'r cyfangiadau'n wan iawn neu'n absennol), sydd yn gwneud i wddf y groth ymledu.

pole: *pegwn* un eithaf neu ben i organ o'r corff, e.e. y groth, neu'r ffetws.

policy: *polisi* llwybr neu gynllun gweithredu, mewn gofal iechyd, cynllun gweithredu ysgrifenedig ar gyfer sefyllfaoedd penodol, naill ai clinigol neu reolaethol.

poliomyelitis: *poliomyelitis* parlys plentyndod. Llid celloedd blaen madruddyn y cefn. Heintiad firws sydd yn afiechyd hysbysadwy. Mae'n effeithio ar bobl ifanc yn bennaf ac yn gallu achosi'r fath niwed i'r freithell fel bod parlys yn digwydd o ganlyniad. Gellir ei atal trwy frechiad.

poly-: *poly-* rhagddodiad yn golygu 'llawer' neu 'nifer fawr'.

polycystic: *polygodennog* yn cynnwys nifer fawr o godennau. *Arennau polygodennog (p. kidneys):* camffurfiad cynhenid ble mae'r arennau'n fwy achos eu bod yn cynnwys llawer o godennau. Mewn achosion ysgafn mae'n bosibl na fydd diagnosis o'r cyflwr yn cael ei wneud, ac y bydd y ferch yn cael beichiogrwydd normal, er y bydd rhagduedd ynddi at heintiad y llwybr wrinol a gorbwysedd. Mewn achosion eraill mae arennau'r baban mor fwy adeg y geni ac mae'n annhebygol o fyw.

polycythaemia: *polycythaemia* gormodedd o gelloedd gwaed coch. Mae'r plentyn newydd-anedig yn bolycythaemig fel arfer oherwydd lefelau uchel o haemoglobin ynddo.

polydactyly: *polydactyli* bodolaeth bysedd ychwanegu.

polygraph: *polygraff* cyfarpar ar gyfer recordio nifer o ysgogiadau mecanyddol neu drydanol yr un pryd, megis pwysau gwaed, curiad y galon, ac anadlu, ac amrywiadau yng ngwrthiant trydanol y croen.

polyhydramnios: *polyhydramnios* weithiau fe'i defnyddir i olygu'r un peth â *HYDRAMNIOS* (HYDRAMNIOS). Gormodedd canfyddadwy o hylif amniotig.

Fe'i cysylltir â diabetes y fam, annormaleddau cynhenid yn enwedig yn y brif system nerfol, efeilliaid un ofwl, a thyfiant prin yn y brych *CORIO-ANGIOMA* (CHORIOANGIOMA).

polymorphonuclear: *polymorffog-newyllol* yn meddu ar gnewyll amllabedog fel y mwyafrif o'r celloedd gwaed gwyn.

polyneuritis: *polyniwritis* newritis lluosog.

polypus: *polypws (llu. polypi)* tyfiant bach ar goesyn sy'n codi o unrhyw arwyneb mwcaidd. *Polypws gwddf y groth (cervical p.):* yng ngwddf y groth. *Polypws ffibroid (fibroid p.):* yn digwydd yn y groth ac yn cynnwys meinwe myomatws a ffibraidd. *Polypws brychol (placental p.):* yn cynnwys gweddillion y brych.

polysaccharide: *polysacarid* math cymhleth o garbohydrad, e.e. startsh.

polyuria: *polywria* cynnydd gormodol yn secretiad wrin, oherwydd diwretigau neu diabetes. Yn ystod yr ychydig ddiwrnodau cyntaf ar ôl y geni, mae polywria yn normal oherwydd yr awtolysis sy'n digwydd fel rhan o'r broses o *INFOLYTEDD* (INVOLUTION).

pons: *pons* **1.** y rhan honno o'r metencefalon sy'n gorwedd rhwng y medwla oblongata a chanol yr ymennydd, fentrol i'r cerebelwm. **2.** Unrhyw ddarn o feinwe yn cysylltu dwy ran o organ.

popliteal: *cameddol* yn gysylltiedig â rhan ôl y pen-glin a ddisgrifir fel y *ffosa cameddol (p. fossa)* neu 'r *gwagle cameddol (p. space).*

pore: *mandwll* agorfa fechan gron ar arwyneb, megis mandwll y chwarennau chwys.

portal vein: *gwythïen bortal* y wythïen fawr sy'n cludo deunydd maethol o'r llwybr treulio i'r iau. Fe'i ffurfir o'r gwythiennau gastrig, duegol a mesenterig uwch.

portfolio: *portffolio* casgliad o

dystiolaeth cymhwysedd sy'n cael ei gynnull gan yr ymarferwr i arddangos datblygiad proffesiynol. Gall gynnwys aseiniadau wedi'u marcio, tystiolaeth o ymarfer adfyfyriol, tystysgrifau mynychu cynadleddau neu ddyddiadur astudio.

port-wine stain: staen gwin port naevus flammeus.

position: safle osgo neu ymddaliad. **Safle dorsal** (dorsal p.): yn gorwedd ar wastad y cefn. **Safle genwbectoraidd** (genupectoral p.) neu **pen-glin-brest** (knee-chest p.): yn gorffwys ar y pen-gliniau a'r frest gyda'r breichiau wedi eu codi uwchben y pen. Yn fwy tebygol, yn gorffwys ar ben-gliniau a phenelinoedd. Dyma'r safle traddodiadol i helpu i leddfu'r pwysedd ar linyn sydd wedi ymgwympo. Dro, os gellir codi troed y gwely, a rhoi'r ferch yn safle Sims, llwyddir i gael yr un effaith gyda mwy o gysur a llai o golli urddas. **Safle chwith ochrol** (left lateral p.): ar yr ochr chwith a'r pen-glin de wedi ei dynnu i fyny tuag at yr ên. **Safle lithotomi** (lithotomy p.): gorwedd ar y cefn gyda'r morddwydydd wedi;'u codi a'r pen-gliniau wedi'u cynnal a'u dal yn well ar wahân. **Safle wyneb i lawr** (prone p.): gorwedd â'r wyneb i lawr. **Safle gorwedd** (recumbent p.): gorwedd i lawr. **Safle Sims** (Sims' p.): yn debyg i'r chwith ochrol, ond bron ar yr wyneb a lledwyneb i lawr gyda'r pen-glin de a'r forddwyd wedi'u tynnu i fyny ac yn gorffwys ar y gwely o flaen y pen-glin chwith. **Safle Trendelenburg** (Trendelenburg p.): gorwedd ar wastad y cefn ar oledd (fel arfer ar fwrdd llawdriniaeth ar ongl o 30° i'r llawr), gyda'r pen yn isaf a'r ysgwyddau wedi eu cynnal.

position of the fetus: safle'r ffetws â pherthynas rhwng rhan arbennig o'r ffetws, y **DYNODYDD** (DENOMINATOR) â rhan arbennig o belfis y fam. Yn y cyflwyniad corun yr ocsipwt yw'r dynodydd. Gellir disgrifio wyth safle.

Os yw'r ocsipwt yn wynebu'r symffysis pwbis, ocsipitoblaen uniongyrchol yw'r safle; os yw'n wynebu'r rhipyn ileopectineol chwith neu dde, ocsipitoblaen de neu chwith ydyw; os yw'n wynebu pwynt canol y llinell iliopectineol de neu chwith, ocsipito-ochrol de neu chwith ydyw; os yw'n wynebu'r cymal sacroiliag de neu chwith, ocsipitoôl de neu chwith ydyw; ac os ydyw'n wynebu'r sacrwm, ocsipito-ôl uniongyrchol ydyw. Yn ymarferol cafwyd bod y pen yn aml yn gorwedd ar draws gyda'r ocsipwt yn ochrol, ac felly mae safle ocsipito-ochrol chwith a safle ocsipito-ochrol de yn cael eu disgrifio. Mae'r safleoedd ffolennol yn debyg, ond gyda'r sacrwm fel y dynodydd.

positive end-expiratory pressure (PEEP): gwasgedd positif diwedd allanadlu (PEEP) mewn awyru mecanyddol, gwasgedd positif ar y llwybr anadlu sy'n cael ei gynnal tan ddiwedd yr allanadlu.

posseting: codi llaeth chwydu ychydig o laeth yn syth ar ôl cael bwyd.

post-: ôl- rhagddodiad yn golygu 'ar ôl', e.e. clinig ôl-eni.

post mortem: post mortem ar ôl marwolaeth. *Archwiliad post mortem* awtopsi.

postcoital contraceptive: pilsen atal cenhedlu ôl-gyfathrachol pilsenni atal cenhedlu i'w cymryd drwy'r geg, a gymerir fel mesur argyfwng o fewn 72 awr ar ôl cael cyfathrach rhywiol heb amddiffyniad (ScheringPC4). Dull atal cenhedlu arall ôl-gyfathrachol a gellir ei ddefnyddio yw gosod dyfais atal cenhedlu yn y groth i atal ofwm wedi ei ffrwythloni rhag mewnblannu, hyd at 5 diwrnod ar ôl cael cyfathrach heb amddiffyniad.

posterior: ôl wedi'i leoli yn y cefn.

posthumous: ar ôl marwolaeth yn digwydd ar ôl marwolaeth. *Geni ar ôl marwolaeth* (p. birth): un sy'n digwydd ar ôl marwolaeth y tad, neu trwy endoriad Cesaraidd ar ôl marwolaeth y fam.

postmaturity: *ôl-amseredd* cyflwr ble mae beichiogrwydd yn ymestyn ar ôl dyddiad disgwyliedig y geni. Oherwydd yr holl newidynnau mae'n anodd amcangyfrif, ond gall fodoli ble mae beichiogrwydd wedi parhau 41–42 wythnos ar ôl y mislif diwethaf. Mae perygl o hypocsia i'r ffetws unwaith y bydd y brych wedi dechrau dirywio.

postnatal: *ar ôl y geni Archwiliad ar ôl y geni* archwiliad corfforol a ffisiolegol o'r fam a wneir yn aml yn ystod 10 diwrnod cyntaf y pwerperiwm i sicrhau bod INFOLYTEDD (INVOLUTION) yn digwydd, bod y fam yn llaetha a'i bod hi'n addasu'n emosiynol ac yn seicolegol i fod yn fam; mae hefyd yn cyfeirio at y archwiliad gan feddyg neu fydwraig ar ddiwedd y pwerperiwm chwech wythnos i sicrhau bod ei chorff wedi dychwelyd i'r cyflwr anfeichiog heb gymhlethdodau. ***Ymarferion ar ôl y geni:*** ymarferion y gall y fydwraig neu'r ffisiotherapydd eu dysgu i'r fam ac y dylid ei hannog yn gryf i'w hymarfer sawl gwaith bob dydd yn ystod y pwerperiwm ac yn rheolaidd am weddill ei bywyd. Maent yn canolbwyntio'n arbennig ar gryfhau llawr y pelfis a chyhyrau'r abdomen, ond maent hefyd yn cynnwys ymarferion anadlu'n ddwfn ac ymarferion i'r coesau mewn ymgais i atal rhai o gymhlethdodau geni plant.

postnatal period: *cyfnod ar ôl y geni* cyfnod heb fod yn llai na 10 a heb fod yn fwy na 28 diwrnod ar ôl diwedd yr esgor, pryd mae'n orfodol i'r fydwraig ymweld yn gyson â'r fam a'r baban. Rheol Cyngor Cyffredinol Y Deyrnas Unedig yw hwn.

postpartum: *ôl-enedigol* ar ôl yr esgor. ***Gwaedlif ôl-enedigol (p. haemorrhage – PPH):*** gwaedu'n ormodol o'r wain ar unrhyw adeg ar ôl geni'r baban hyd at 6 wythnos ar ôl y geni. Mae gwaedlif

ôl-enedigol sylfaenol yn digwydd o fewn y 24 awr cyntaf ac yn cyfeirio fel arfer at golli mwy na 500ml o waed neu unrhyw gyfanswm sy'n niweidiol i iechyd y fam; mae gwaedlif ôl-enedigol eilaidd yn digwydd ar ôl y 24 awr cyntaf. Mae ***sioc ôl-enedigol (p. shock)*** yn digwydd oherwydd methiant yn y cylchrediad, sy'n digwydd ar ôl y geni, a all gynnwys gwaedlif neu beidio. Y prif achosion yw gwaedlif cyn neu ar ôl y geni, gwrthdroad neu rwygo'r groth, syndrom anadlu asid, emboledd ysgyfeiniol neu hylif amniotig, isbwysedd neu sioc endotocsig o ganlyniad i septicaemia. Mae isbwysedd a chyflymedd y galon yn digwydd, mae'r croen yn oer, yn llaith ac yn wyn ac mae'r fam yn newynu am aer. Rhaid adfywio'r fam fel mater o frys trwy gynnal y llwybr anadlu, rhoi hylifon yn fewnwythiennol er mwyn cynyddu cyfaint y gwaed, sy'n cael ei lenwi trwy ddefnyddio llinell wasgedd wythiennol ganolog, rhoi ocsigen, tawelydd, ac yn achos sioc endotocsig, gwrthfiotigau priodol.

post-traumatic stress disorder: *anhwylder straen ar ôl trawma* cyflwr lle ceir ymateb ar unwaith neu ymhen amser i ddigwyddiad straenus difrifol, yn gyffredin trais rhywiol, boddi neu drychineb megis damweiniau awyren neu drychinebau naturiol. Gall hefyd ddigwydd yn dilyn profiad geni hynod o straenus a thrawmatig megis angen toriad Cesaraidd ar frys neu enedigaeth gyda gefel yn defnyddio llawer o rym, neu, mewn rhai achosion lle mae'r fam yn teimlo ei bod wedi dioddef ei chamdrin o ganlyniad i brofiad y geni. Mae'n ei amlygu'i hun fel pryder llym, methu cysgu, hunllefau, fflachiadau o'r gorffennol ac iselder, methu canolbwyntio, apathi, euogrwydd a phroblemau gyda pherthynas rywiol. Mae angen cefnogaeth a chyngor. Lle bo modd, dylai pob mam gael ei dibriffio ar ôl y

219

geni, o ddewis gan y fydwraig neu'r meddyg a fu'n ei arwain.

posture: *ymddaliad* osgo cyffredinol y corff a'r aelodau.

potassium: *potasiwm* elfen fetelig. Symbol K. Yn ffurfio un o electrolytau'r gwaed a hylifau meinweoedd ac yn chwarae rhan hanfodol mewn cynnal y cydbwysedd asid-bas a dŵr yn y corff. Rhaid wrth gydbwysedd cywir rhwng sodiwm, calsiwm a photasiwm ym mhlasma'r gwaed er mwyn i'r galon weithio'n iawn.

potential: *potensial* yn bodoli fel posibilrwydd ond nid fel ffaith. *Diabetig potensial (p. diabetic):* person sydd â goddefedd normal i glwcos ond â risg uwch o ddatblygu DIABETES clinigol, e.e. merch y mae un o'i rhieni neu'r ddau yn ddiabetig, neu sydd wedi geni plentyn byw neu farw-anedig a oedd yn pwyso 4.5 kg (10 pwys) neu fwy adeg y geni.

Potter's syndrome: *syndrom Potter* cyflwr cynhenid yn cynnwys agenesis arennol a hypoplasia ysgyfeiniol. Mae gan y baban glustiau wedi'u gosod yn isel a rhychau o dan y llygaid (*facies* Poetter) ac mae'n gysylltiedig yn aml â dwy bibell waed yn unig yn llinyn y bogail. Mae absenoldeb yr arennau yn gyflwr prin a marwol.

pouch: *coden* gwagle neu geudod tebyg i boced. *Coden Douglas:* plygiad isaf y peritonewm rhwng y groth a'r rectwm. *Coden wterofesigol:* plygiad y peritonewm rhwng y groth a'r bledren.

Poupart's ligament: *gewyn Poupart* gewyn arffedol. Ymyl isaf dendonaidd cyhyr allanol arosgo wal yr abdomen, sy'n mynd o bigyn blaen uwch yr iliwm i'r os pwbis.

practitioner: *ymarferwr* unigolyn sy'n ymarfer proffesiwn.

prandial: *prandiol* yn ymwneud â phryd bwyd.

pre-: *cyn-, rhag-* rhagddodiaid yn golygu 'o flaen' e.e. rhagbrofol, cyneclampsia.

precipitate: 1. *dyddodi* 2. *dyddodiad* 3. *sydyn* 1. achosi i sylwedd mewn hydoddiant setlo mewn gronynnau solid. 2. dyddodiad gronynnau solid wedi setlo allan o hydoddiant. 3. yn digwydd yn anarferol o gyflym, fel *esgor sydyn (precipitate labour).* Mae perygl i'r fam y bydd y perinëwm yn rhwygo'n ddifrifol, ac i'r plentyn y bydd yn dioddef trawma mewngreuanol o ganlyniad i'r daith gyflym trwy'r llwybr geni.

preconception: *cyngenhedlol* cyn cenhedlu. *Gofal cyngenhedlol (p. care):* addysg iechyd ac archwiliad meddygol cyn cenhedlu er mwyn canfod unrhyw broblemau a'u trin ble bo'n bosibl, er mwyn hybu'r iechyd gorau posibl adeg cenhedlu ac yn ystod y cyfnod organogenesis yn ystod tri mis cyntaf y beichiogrwydd. Y gobaith yw y bydd gofal o'r fath yn gwneud camffurfiadau cynhenid yn llai cyffredin ac yn gwella iechyd a fam ac iechyd y ffetws. Un sefydliad sy'n hybu gofal cyngenhedlol yn y DU yw Foresight. Mae sgrinio meddygol yn cynnwys hanes personol, meddygol, teuluol ac atgenhedlol manwl, ymgynghori ac arweiniad am ddull o fyw megis diet, ysmygu, defnydd o alcohol a chyffuriau a pheryglon galwedigaethol. Gwneir archwiliad meddygol cyflawn gan gynnwys archwiliad gynaecolegol a phrawf gwddf a groth. Mae ymchwiliadau'n cynnwys wrinalysis cyflawn a phrofion gwaed ar gyfer gwrthgyrff rwbela, haemoglobin, a haemoglobinopathïau, syffilis a gwrthgyrff HIV. Gellir dadansoddi'r gwallt a dŵr domestig i brofi am fetelau tocsig a dadansoddi'r semen a'r carthion ar gyfer pla. Gellir cyfeirio ymlaen at feddyg addas neu i gael cynghori genetig yn dilyn hyn.

precursor: 1. *rhagflaenydd* 2. *rhag-sylweddyn* rhywbeth sy'n dod o flaen peth arall. Mewn prosesau biolegol, sylwedd y mae sylwedd arall, fel arfer mwy gweithredol neu aeddfed, yn cael ei ffurfio ohono. Mewn meddygaeth glinigol, arwydd neu symptom sy'n rhagarwydd o un arall.

pre-diabetes: *cynddiabetes* cyflwr sy'n rhagflaenu diabetes mellitus, pan nad yw'r afiechyd yn dangos arwyddion clinigol eto. Yn ystod beichiogrwydd mae'r afiechyd yn dod yn amlwg, neu mae'r ferch yn aros yn iach ond yn geni plentyn anarferol o fawr.

predisposition: *rhagdueddiad* tuedd gudd i gael afiechyd sy'n medru dod yn weithredol dan rai amodau.

prednisone, prednisolone: *prednison, prednisolon* paratoadau synthetig sy'n gweithredu'r un fath â hormonau cor y cortecs adrenol. Mae'r cyffuriau glwcocortoid hyn yn cael eu defnyddio fel asiantau gwrthlidiol a gwrth-alergaidd.

pre-eclampsia: *cyneclampsia* rhagflaenydd *ECLAMPSIA* (ECLAMPSIA). 'Gorbwysedd a ysgogir gan feichiogrwydd' yw'r enw a roddir arno fel arfer erbyn hyn. Syndrom gyda thri arwydd corfforol sy'n digwydd mewn beichiogrwydd yn unig, fel arfer yn ystod yr ail hanner. Mae achos sbasm y rhydwelïyn cyn dal yn anhysbys, ond mae'n cynhyrchu'r arwyddion canlynol: *(a)* pwysedd gwaed uwch – dros 130/80 mmHg sy'n cael ei gymryd fel lefel arwyddocaol fel arfer, ond mae cynnydd o 15–20 mmHg uwchlaw lefel ddiastolig flaenorol yr unigolyn yn fwy cynhwysfawr; *(b)* oedema cyffredinol; a *(c)* proteinwria; dyma'r arwydd mwyaf difrifol. Gwneir y diagnosis fel arfer pan fydd dau allan o'r tri arwydd yn bresennol. Mae'r afiechyd yn diweddu o fewn 48–72 awr ar ôl y geni. Mewn achosion ble bydd yr afiechyd yn datblygu cyn amser, os nad yw'n ddifrifol iawn, mae'r driniaeth yn geidwadol, ac yn gadael i'r beichiogrwydd aeddfedu mor agos i 38 wythnos ag y bo modd, a thrwy hynny osgoi'r peryglon sydd ynghlwm wrth faban anaeddfed.

Pregaday: *Pregaday* paratoad haearn brand, yn unswydd i atal a thrin diffyg haearn ac anaemia megaloblastig yn ystod beichiogrwydd.

pregnancy: *beichiogrwydd* (*ans. beichiog*) y cyflwr o gael embryo neu ffetws yn datblygu o fewn y corff; y cyflwr o genhedlu hyd eni'r ffetws. Yr hyd normal yw 280 diwrnod (40 wythnos neu 9 mis a 7 diwrnod) a gyfrifir o ddiwrnod cyntaf y mislif normal olaf. Tua 265 diwrnod ar gyfartaledd yw hyd y cyfnod rhwng cenhedlu a'r enedigaeth – mae'n fwy agos i gywir ond yn fwy anodd ei bennu. *Beichiogrwydd ectopig* (*ectopic p.*): beichiogrwydd sy'n digwydd y tu allan i'r groth. Mae hyn yn digwydd yn eithaf cyffredin yn y tiwb Fallopio ac mewn achosion prin iawn yn yr ofari neu yn y ceudod abdomenol.

pregnancy induced hypertension: *gorbwysedd a ysgogir gan feichiogrwydd* codiad symptomatig ym mhwysau'r gwaed yn ystod beichiogrwydd sy'n digwydd mewn 5–20% o ferched, fel arfer primigrafidae, y rhai hynny sydd â beichiogrwydd lluosog, diabetes mellitus neu orbwysedd heb achos. Mae'n fwyaf cyffredin yn nhri mis olaf y beichiogrwydd, ond gall ddatblygu i fod yn *CYNECLAMPSIA* (PRECLAMPSIA) os yw oedema a proteinwria yn bresennol hefyd. Mae'r peryglon yn cynnwys y brych yn gwahanu oddi wrth wal y groth, methiant yr arennau a'r galon, gwaedlif ar yr ymennydd, diffyg ar y brych ac arafwch twf mewngroth.

pregnancy tests: *profion beichiogrwydd* Mae'r rhain yn canfod *GONADOTROFFIN CORIONIG DYNOL* (HUMAN CHORIONIC GONADOTROPHIN: HGC), a gynhyrchir gan yr embryo 8 diwrnod ar ôl methu'r mislif cyntaf. Mae profion imiwnolegol mewn labordy e.e. Gravindex neu Pregnosticon, bellach yn 98% yn gywir.

221

pregnanediol: pregnanediol yn deillio o pregnane, a ffurfir wrth i lefel progesteron ostwng ac a geir yn arbennig yn wrin merched beichiog.

pregnant: beichiog yn disgwyl plentyn; grafid; ag embryo neu ffetws yn datblygu yn y groth.

premature: cynamserol cynnar.

premedication: rhagfoddion cyffuriau a roddir cyn anaesthetig cyffredinol, e.e. atroffin, hyosgin neu bapaferetwm. Ni ddefnyddir opiadau cyn endoriad cesaraidd fodd bynnag rhag ofn iddynt ostwng lefel anadlu'r baban.

premenstrual: cyn mislif yn dod o flaen y mislif. *Syndrom cyn mislif (p. syndrome):* cyflwr sy'n effeithio ar lawer o ferched yn y 7–10 diwrnod cyn y mislif o ganlyniad i'r ffaith bod lefelau hormonau yn amrywio, ac a nodweddir gan amrywiaeth o symptomau megis bod yn flin, yn ymosodol, yn bryderus, newid mewn hwyliau, cur pen, bronnau tyner ac oedema, ysfa, yn enwedig am fwydydd melys neu hallt, diffyg cytgord neu ganolbwyntio. Mae'r cyflwr yn gwella unwaith y bydd y mislif yn dechrau.

premonition: rhagargoel Gw. AWRA (AURA)

prenatal: cyn geni yn digwydd cyn y geni.

preoperative: cyn llawdriniaeth cyn triniaeth lawfeddygol.

prepuce: blaengroen plygiad llac o groen yn gorchuddio glans y pidyn.

pre-registration midwifery education: addysg bydwreigiaeth cyn-gofrestru addysg a hyfforddiant i ferched a dynion sydd yn dymuno ymarfer fel bydwragedd. Yn y DU gallant ddilyn cwrs gradd neu ddiploma 3 blynedd; mae'r rhai hynny sydd yn nyrsys wedi cymhwyso yn dilyn rhaglen fyrrach o 18 mis. Nid yw myfyrwyr sydd yn dilyn y cwrs hir yn cyfrif yn rhifau staffio'r GIG ac maent yn derbyn bwrsariaeth.

prescription: presgripsiwn fformwla a ysgrifennir gan feddyg, yn rhoi cyfarwyddyd i'r fferyllydd baratoi cyffur, neu gymysgedd o gyffuriau. Mae presgripsiynau GIG ar gael am ddim i famau beichiog a mamau sydd â phlentyn dan 12 mis oed.

presentation: cyflwyniad y rhan honno o'r ffetws sydd yn mynd i mewn i'r pelfis gyntaf, ac a leolir ym mhegwn isaf y groth. Cyflwyniad ceffalig yw fel arfer gyda'r corun yn cyflwyno, weithiau'r ffolennau, ac ambell waith yr wyneb, y talcen neu'r ysgwydd.

presenting part: rhan sy'n cyflwyno y rhan honno o'r ffetws sy'n gorwedd isaf yn llwybr y geni; y rhan gyntaf a deimlir wrth archwilio drwy'r wain. Mewn cyflwyniad corun normal yr ocsipwt yw hwn.

pressor: pwysydd yn tueddu i gynyddu pwysedd gwaed.

pressure: gwasgedd / pwysedd tyndra neu straen, trwy bwyso, ehangu, tynnu, gwthio neu rwygo. *Pwysedd y rhydweliau (arterial p.):* y pwysedd gwaed yn y rhydweliau. *Gw. hefyd* PWYSEDD GWAED (BLOOD PRESSURE).

preterm: cyn amser h.y. cyn diwedd 37 wythnos o'r beichiogrwydd. *Baban cyn amser (p. infant):* baban sy'n cael ei eni cyn cyfnod cario o 37 wythnos. Bydd pwysau geni'r baban yn ysgafn, ond gall fod yn FACH AM EI OED CARIO (SMALL FOR GESTATIONAL AGE). Asesir y cyfnod cario trwy ddefnyddio'r SGÔR HOROWITZ. Mae babanod cyn amser yn tueddu i ddioddef o SYNDROM TRALLOD RESBIRADOL (RESPIRATORY DISTRESS SYNDROME), trafferthion bwydo oherwydd atgyrchion sugno, llyncu a phesychu anaeddfed, hypothermia, y clefyd melyn a heintiad. Mae risg hefyd o berthynas mam-plentyn wael oherwydd bod y baban yn aros yn hir yn yr uned gofal dwys i fabanod newydd-anedig. *Esgor cyn amser (p. labour):* esgor sy'n digwydd cyn 37 wythnos o'r cyfnod cario. Gall

ddigwydd yn ddigymell o ganlyniad i
newid yn lefelau'r hormonau, croth
sydd wedi gorymestyn neu wddf y
groth gwan neu oherwydd heintiad; gall
yr obstetregydd geisio atal yr esgor trwy
roi cyffuriau tocolytig megis ritodrin
hydroclorid, nes bod yr amodau yn
fwy ffafriol i'r baban gael ei eni. Ambell
waith, oherwydd bod y fam yn wael neu
am fod y ffetws mewn cyflwr gwael,
ysgogir esgor cyn amser pan fernir y
byddai iechyd y fam neu'r plentyn yn
elwa o ddod â'r beichiogrwydd i ben.
Rhaid wrth fydwraig brofiadol neu
feddyg i reoli'r geni yn ofalus iawn, gan
ddefnyddio gefel obstetrig, er mwyn
amddiffyn pen bregus y ffetws.

prevalence: *mynychder* cyfanswm nifer
yr achosion o afiechyd penodol sy'n
bodoli mewn poblogaeth neilltuol ar
amser penodol.

preventive: *ataliol* sydd â'i bwrpas i atal
rhywbeth rhag digwydd; proffylactig.

pre-viable: *cyn-hyfyw* term sy'n bod baban
yn hyfyw. Baban cyn-hyfyw yw un sy'n
cael ei eni'n fyw cyn 24ain wythnos y
beichiogrwydd.

Price precipitation reaction (PPR):
adwaith dyddodi Price (PPR) prawf
serolegol ar gyfer syffilis.

primary: *cynradd / cychwynnol* cyntaf
yn nhrefn amser neu bwysigrwydd.
*Gwaedlif ôl-enedigol cynradd (p.
postpartum haemorrhage): gw.* GWAEDLIF
ÔL-ENEDIGOL (POSTPARTUM HAEM-
ORRHAGE).

primary care group (PCG): *grŵp gofal
cychwynnol* grwpiaad o feddygon teulu
a'u gwasanaethau o fewn ardal
ddaearyddol ddiffiniedig y cytunwyd
arno gyda'r awdurdod iechyd. Mae'n
cwmpasu cymuned o tua 100 000 o bobl.
Ffordd uniongyrchol i feddygon teulu,
nyrsys cymuned a gweithwyr
proffesiynol eraill gael gafael ar ofal
addas o safon uchel i bobl leol. Mae'n
gyfrifol am gomisiynu gwasanaethau,
hybu iechyd da a brwydro yn erbyn

anghyfartaledd ym maes iechyd.

primary care trust (PCT): *ymddirie-
dolaeth gofal cychwynnol* cyfrifol am
gynllunio, cael gafael mewn gwasan-
aethau lleol, gwella iechyd y gymuned
leol ac integreiddio iechyd a gofal
cymdeithasol yn lleol. Ceir 303 PCT ar
gyfer Lloegr yn derbyn 75% o gyllideb
y Gwasanaeth Iechyd Gwladol.

primary health care: *gofal iechyd
cychwynnol* gofal meddygol, byd-
wreigiaeth a nyrsio wedi ei ddarparu yn
y gymuned.

primary health care team: *tîm gofal
iechyd cychwynnol* y bobl sy'n
darparu gofal iechyd sylfaenol yn y
gymuned. Mae'r tîm yn cynnwys
meddyg teulu, bydwraig yn y
gymuned, nyrs cymuned ac ymwelydd
iechyd. Gall gynnwys gweithiwr
cymdeithasol hefyd. Gallant gael eu
lleoli mewn canolfan iechyd neu ardal
practis cyffredinol.

primigravida: *primigravida* merch sy'n
feichiog am y tro cyntaf.

primipara: *primipara* merch sydd wedi
rhoi genedigaeth i blentyn hyfyw, boed
yn fyw neu'n farw-anedig.

primiparous: *primiparaidd* wedi geni un
plentyn.

probability (P): *tebygolrwydd (P)* term
ystadegol yn golygu tebygrwydd bod
cysylltiad rhwng newidynnau yn
digwydd oherwydd siawns.

probe: *chwilieddydd* offeryn pwl hydrin
ar gyfer ymchwilio i olion sinws,
briwiau, ceudodau neu lwybrau.

procaine: *procain* anaesthetig lleol;
defnyddir yr halen hydroclorid mewn
hydoddiant i fewndreiddio.

procaine benzyl penicillin: *penisilin
bensyl procain* gwrthfiotig mewn-
gyhyrol, a ddefnyddir yn gyffredin i
drin syffilis a gonorrhoea.

process: *1. cnap, 2. proses* 1. ymestyniad
neu ripyn, er enghaifft o asgwrn. 2.
cyfres o weithrediadau neu ddigwydd-
iadau yn arwain at gyrraedd canlyniad

arbennig. *Proses bydwreigiaeth neu nyrsio (midwifery or nursing p.):* dull gweithredu systematig, yn seiliedig ar ddatrys problemau, yn y dasg o gwrdd ag anghenion ac ateb problemau gofal iechyd cleientiaid.

prochlorperazine: *prochlorperazine* tawelydd a gwrthemetig pwysig; weithiau fe'i rhoddir yn ystod yr esgor gyda pethidin.

procidentia: *procidentia* ymgwympiad llwyr y groth fel bod gwddf y groth yn ymwthio trwy'r fwlfa.

procreation: *cenhedliad* y weithred o genhedlu epil.

proctalgia: *proctalgia* poen yn y rectwm.

proctitis: *proctitis* llid yr anws neu'r rectwm.

proctoscope: *proctosgop* offeryn i archwilio'r rectwm.

prodromal: *rhagarwyddol* blaenorol. Rhybudd o afiechyd sy'n dod e.e. tarfu ar y golwg sy'n digwydd cyn *ECLAMPSIA* (ECLAMPSIA).

profession: *1. datganiad 2. proffesiwn* 1. datganiad cyhoeddus o fwriad neu bwrpas 2. galwedigaeth sydd yn gofyn am wybodaeth, dulliau a sgiliau arbenigol, yn ogystal â pharatoad, mewn sefydliad addysg uwch, yn yr egwyddorion ysgolheigaidd, gwyddonol a hanesyddol sydd y sylfaen i'r fath ddulliau a sgiliau. Mae aelodau proffesiwn wedi ymrwymo i barhau i astudio ac ehangu corff eu gwybodaeth, gan osod gwasanaeth uwchlaw elw personol, ac wedi ymrwymo i ddarparu gwasanaethau ymarferol sydd yn hollbwysig er lles pobl a chymdeithas. Mae proffesiwn yn gweithredu'n awtonomaidd ac yn ymrwymedig i safonau uchel o gyflawniad ac ymddygiad.

professional profile: *proffil proffesiynol* crynodeb o raglenni hyfforddi proffesiynol personol ymarferwr unigol, cyrsiau a fynychwyd wedyn a phrofiadau perthnasol eraill, gan gynnwys dysgu a

enillwyd trwy ymarfer a myfyrio ar ymarfer. Mae hyn yn ofyniad gorfodol gan y Cyngor Nyrsio a Bydwreigiaeth i'r holl fydwragedd, nyrsys ac ymwelwyr iechyd; gall gwarchwylwyr bydwragedd neu swyddog o'r Cyngor Nyrsio a Bydwreigiaeth ofyn am gael archwilio'r proffil i sicrhau ei fod yn cael ei gynnal a'i gadw.

profibrinolysin: *proffibrinolysin* plasminogen, rhagflaenydd ffibrinolysin.

profile: *proffil* 1. amlinelliad syml, fel golwg o'r ochr ar y pen neu'r wyneb; trwy estyniad, graff yn cynrychioli'n feintiol set o nodweddion wedi'u pennu gan ddyodiad. Cofnod cyrhaeddiad a ddatblygir yn ystod cwrs astudiaeth neu wedi hynny. 2. *Gw. PROFFIL PROFFESIYNOL* (PROFESSIONAL PROFILE).

progeny: *epil* Disgynyddion.

progesterone: *progesteron* yr hormon rhyw benywol sydd yn hanfodol i fywyd normal ac i gynnal beichiogrwydd. Fe'i cynhyrchir o'r corpws lwtewm a hefyd y brych. Yn ystod y cylch misol mae'n gyfrifol am newidiadau secretaidd yn yr endometriwm i baratoi ar gyfer derbyn ofwm wedi ei ffrwythloni, ychydig o gynnydd yn nhymheredd y corff adeg ofwleiddio a dargadw dŵr ac electrolytau cyn y mislif. Yn ystod beichiogrwydd mae'n hyrwyddo ffurfio a chynnal y decidwa, datblygu meinwe chwarennol y bronnau, llacio cyhyr plaen trwy'r corff a dargadw dŵr ac electrolytau ym meinweoedd y corff.

progesterone-only contraceptive: *pilsen atal cenhedlu progesteron yn unig* pilsen i'w chymryd drwy'r geg, a gymerir bob dydd heb doriad, ac a roddir ar bresgripsiwn pan fo pilsenni atal cenhedlu cyfun, sy'n cynnwys oestrogen yn ogystal â progesteron, yn cael eu hanghymeradwyo e.e. wrth fwydo ar y fron. Y mae cyfradd methiant uwch na gyda'r bilsen gyfun; dylid ei chymryd o fewn yr un cyfnod o dair awr bob dydd.

progestogen: *progestogen* unrhyw sylwedd sy'n gweithredu mewn ffordd sy'n hybu beichiogrwydd.

prognosis: *prognosis* rhagfynegiad o hynt a hyd afiechyd.

projectile vomiting: *chwydu hyrddiol* Gw. CHWYDU (VOMITING).

prolactin: *prolactin* hormon o labed flaen y chwarren bitwidol sy'n ysgogi ac yn cynnal cynhyrchu llaeth mewn merched ar ôl y geni.

prolapse: *llithriad* disgyniad organ neu adeiledd. *Llithriad llinyn y bogail (p. of the umbilical cord):* digwydda hyn ar ôl rhwygo'r pilenni pan fo'r llinyn yn gorwedd o flaen y rhan sy'n cyflwyno. Mae'r ffetws mewn perygl mawr o HYPOCSIA (HYPOXIA) neu ANOCSIA (ANOXIA) pan fydd yn llinyn wedi ei gywasgu. Rhaid geni'r baban yn syth ar ôl y diagnosis. *Llithriad y rectwm (p. of the rectum):* mwcosa'r rectwm, ac ambell waith y cyhyr, yn ymwthio trwy lwybr yr anws i'r tu allan. *Llithriad braich (p. of an arm):* mae braich y ffetws yn disgyn i mewn neu drwy'r wain. Cymhlethdod difrifol ar gyflwyniad ysgwydd heb ei gywiro. *Llithriad y groth (p. of the uterus):* mae'r groth yn ymwthio i ran isaf y wain, o ganlyniad i wanhau'r cyhyrau sy'n ei chynnal. Mae'r term llithriad, heb ei amodi, yn cyfeirio at ddisgyniad un neu fwy o adeileddau'r pelfis oherwydd gwendid llawr y pelfis. Gall gyfeirio at y groth, waliau'r wain, y bledren neu'r rectwm.

proliferation: *amlhad* celloedd yn lluosogi'n gyflym, gall hyn ddigwydd mewn tyfiant malaen.

prolonged labour: *esgoriad estynedig* esgoriad sy'n parhau am fwy na 24 awr. Gall hyn fod oherwydd bod y groth yn gweithredu'n annigonol neu'n anghydgordiol, bod anghyfartaledd ceffalobelfig neu ran sy'n cyflwyno nad yw'n ffitio'n iawn fel yn achos camgyflwyniad neu camleoliad. Mae'r fydwraig yn

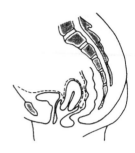

gyfrifol am sicrhau bod y fam yn derbyn digon o gyffur i liniaru poen ac mor gyfforddus ag y bo modd, bod yr esgoriad yn mynd yn ei flaen, er yn araf, a bod cyflwr y fam a'r ffetws yn foddhaol. Mae risg i'r ffetws yn cynnwys hypocsia a thrawma, yn enwedig pan fydd penglog y ffetws yn cael ei fowldio'n ormodol gan arwain at waedlif mewngreuanol; i'r fam mae risg o orludded a dadhydreiddiad, rhwygo'r groth, a thrawma corfforol yn arwain at broblemau tymor hir yn y groth, gwddf y groth a'r llwybr wrinol.

prolonged pregnancy: *beichiogrwydd estynedig* beichiogrwydd sy'n parhau am 42 wythnos (294 diwrnod) neu fwy o ddiwrnod cyntaf y mislif normal diwethaf. Y mae llawer o obstetregwyr, fodd bynnag, yn dewis peidio ysgogi'r esgoriad oni bai bod cyflwr y fam neu'r ffetws yn gwarantu hynny. Gwneir archwiliadau dyddiol i fonitro eu cyflyrau.

promazine hydrochloride: *promazine hydrochloride* tawelydd; yn deillio o ffenothiasin. Fe'i rhoddir yn aml ar y cyd â pethidin wrth esgor i wrthweithio

225

cyfog a chwydu, mewn dosau o 25–50mg yn fewngyhyrol.

promethazine hydrochloride (Phenergan): promethazine hydrochloride (Phenergan) cyffur gwrth-histamin, a ddefnyddir yn aml ar y cyd â pethidin wrth esgor. Fe'i defnyddir hefyd i drin chwydu yn ystod beichiogrwydd; yn deilio o ffenothiasin.

promontory: penrhyn ymestyniad. *Penrhyn y sacrwm (sacral p.):* rhan bwysig o'r pelfis a ffurfir gan ymestyniad ymyl uchaf fertebra cyntaf y sacrwm.

pronation: pronadiad yn troi am i lawr. *Pronadiad y llaw (p. of the hand):* mae cledr y llaw yn troi am i lawr.

prone: wyneb i lawr yn gorwedd a'i wyneb i waered.

pronucleus: rhag-gnewyllyn cnewyllyn haploid cell ryw.

prophylactic: proffylactig yn gysylltiedig â phroffylacsis.

prophylaxis: proffylacsis mesurau a gymerir i atal afiechyd; triniaeth ataliol.

propranolol: propranolol asiant blocio β-adrenergig a ddefnyddir i drin gorbwysedd a rhai cyflyrau cardiaidd.

propylthiouracil: propylthiouracil atalydd thyroid a ddefnyddir i drin thyrotocsicosis.

prostacyclin: prostaseiclin fasoymledydd grymus sydd hefyd yn tueddu i atal agregiad platennau. Rhyngolyn yn llwybr metabolaidd asid arachidonig, wedi'i ffurfio o endoperocsidau prostaglandin ym muriau rhydweliau a gwythiennau.

prostaglandins: prostaglandinau grŵp o sylweddau, a ddarganfuwyd gyntaf yn y semen, ond y mae'n hysbys yn awr eu bod yn bresennol yng ngwaed y mislif, mewn hylif amniotig a nifer o gelloedd eraill. Maent yn cael effaith ocsytosig, felly fe'u defnyddir i brysuro erthyliad cyn 10 wythnos ac i baratoi / aeddfedu gwddf y groth ac i hybu'r esgor. Gellir defnyddio paratoad masnachol o brostaglandin E₂ i'r pwrpas yma.

prostate: prostad chwarren yn y gwryw sy'n amgylchynu gwddf y bledren a'r wrethra prostatig. Mae'n cyfrannu secretiad i'r hylif semenol.

prosthesis: prosthesis (ans. prosthetig) rhoi amnewidyn artiffisial yn lle rhan absennol; amnewidyn artiffisial yn lle rhan sydd ar goll.

Prostin E: Prostin E Gw. PROSTAGLANDINAU (PROSTAGLANDINS).

protamine sulphate: protamin sylffad gwrthwenwyn i ddos gormodol o heparin.

protease: proteas ensym proteolytig yn y suddion treulio sy'n achosi i'r proteinau ymddatod.

protein: protein deunydd a wneir o garbon, hydrogen, nitrogen ac ocsigen. Dyma gyfansoddyn hanfodol meinwe'r corff. Ceir protein o anifeiliaid mewn cig, pysgod, llaeth ac wyau; o lysiau mewn pys, ffa a lentilau. Yn ystod y broses dreulio mae proteinau yn cael eu torri i lawr i 20 math o asid amino. O'r rhain, mae 8 yn hanfodol gan gynnwys FFENYLALANIN (PHENYLALANINE) a TYROSIN (TYROSINE). Wedyn mae'r rhain yn cael eu hadeiladu yn gelloedd newydd ac yn cael eu defnyddio i drwsio celloedd eraill. Ni ellir storio asidau amino sydd dros ben, ond fe'u torrir i lawr gan yr iau a'u hysgarthu yn yr wrin fel wrea. Rhennir y proteinau ym mhlasma'r gwaed yn 4 prif ddosbarth; cludwyr protein penodol, sy'n ymwneud â chludo hormonau a sylweddau eraill; adweithyddion cyfnod llym, megis alffa, gwrthdrypsin neu ffibrinogen, sy'n ymwneud â llid neu geulo; cydrannau cyflenwol; ac imiwnoglobwlinau. Mae albwmin yn chwarae rhan bwysig mewn cynnal dosbarthiad dŵr normal trwy roi gwasgedd osmotig ar bilen y capilari. Mae'r gwasgedd hwn yn atal hylif y plasma rhag gollwng allan o'r capilariau

226

ac i'r gwagle rhwng y celloedd meinwe.

proteinuria: *proteinwria* unrhyw brotein, fel arfer albwmin, a geir yn yr wrin.

proteus: *protews* bacteria Gram-negatif a geir fel arfer mewn deunydd carthion a deunydd arall sy'n pydru.

prothrombin: *prothrombin* protein plasma sy'n cael ei syntheseiddio yn yr iau. Mae'n hanfodol ar gyfer y mecanwaith ceulo gwaed, gan ei fod, ym mhresenoleb calsiwm, yn ffurfio thrombin pan gaiff ei actifadu gan thromboplastin sy'n cael ei ryddhau pan gaiff meinweoedd eu niweidio a phlatennau eu torri lawr. Bryd hynny mae'r thrombin, gyda ffibrinogen, yn ffurfio ffibrin anhydawdd. *Amser prothrombin (p. time):* yr amser, mewn eiliadau, mae'n cymryd i sbesimen gwaed sy'n cal ei ddwyn i gysylltiad â thromboplastin geulo.

prothrombinase: *prothrombinas* thromboplastin.

protocol: *protocol* cytundeb rhwng partïon; mewn gofal iechyd, dull gweithredu amlddisgyblaethol wedi'i gynllunio sy'n cael ei awgrymu mewn perthynas â sefyllfaoedd penodol.

proton: *proton* gronyn wedi'i wefru'n bositif sy'n ffurfio rhan o gnewyllyn atom.

protoplasm: *protoplasm* y cyfansoddyn cemegol hanfodol y gwneir celloedd byw ohono.

provider: *darparwr* ymddiriedolaethau hunanlywodraethol, unedau a reolir yn uniongyrchol a sefydliadau preifat sy'n darparu gwasanaethau gofal iechyd i'r rhai hynny sy'n dymuno eu prynu. *Gw. hefyd* PRYNWR (PURCHASER).

proximal: *procsimol* mewn anatomeg, yr agosaf at y pwynt sy'n cael ei gyfrif i fod yn ganol system; y gwrthwyneb i distal.

pruritus: *prwritws* cosi mawr iawn ar y croen. Gall effeithio ar holl arwynebedd y corff, fel mewn rhai afiechydon y croen ac anhwylderau nerfol, neu fel all fod wedi'i gyfyngu o ran arwynebedd. *Prwritis y fwlfa (p. vulvae):* yn ystod beichiogrwydd gall fod yn gysylltiedig â glycoswria neu â LLID AR Y WAIN (VAGINITIS) candidaidd (Monilia)

pseudo-: *ffug-* rhagddodiad yn golygu 'ffug'.

pseudocyesis: *ffugfeichiogrwydd* Arddangosiad goddrychol o symptomau beichiogrwydd, ond heb fod baban wedi cael ei genhedlu.

pseudohermaphroditism: *ffugddeurywioldeb* yn meddu ar nodweddion benyw a gwryw i bob golwg. Diffiniad mwy manwl gywir yw *INTERSEX* (RHYNGRYWIOLYN).

pseudomenstruation: *ffugfislif* rhedlif gwaedlyd o'r wain a all ddigwydd ar drydydd diwrnod bywyd mewn merch fach oherwydd nad yw bellach yn derbyn oestrogenau'r fam.

Pseudomonas: *Pseudomonas* bacteria aerobig Gram-negatif, y mae rhai mathau ohono yn bathogenig i blanhigion a fertebratau.

psoas: *psoas* cyhyr sy'n ffurfio rhan o wal gefn yr abdomen.

psyche: *seice* y meddwl, yn ymwybodol ac yn anymwybodol.

psychiatrist: *seiciatrydd* meddyg sy'n arbenigo mewn seiciatreg.

psychiatry: *seiciatreg* astudiaeth o anhwylderau'r meddwl a sut mae eu trin.

psychologist: *seicolegydd* un sy'n astudio prosesau, datblygiad ac ymddygiad meddyliol normal ac annormal.

psychology: *seicoleg* gwyddor y meddwl a'i swyddogaethau.

psychomotor: *seicoechddygol* yn gysylltiedig ag effeithiau echddygol gweithrediad ymenyddol neu seicic.

psychopath: *seicopath* unigolyn â phersonoliaeth wrthgymdeithasol.

psychoprophylaxis: *seicoproffylacsis* dull o baratoi ar gyfer yr esgor gyda'r nod o atal poen ac addasu'r canfyddiad o synhwyriadau poenus a gysylltir â genedigaeth normal heb gymhleth-dodau. Mae paratoad yn cynnwys addysg am y broses esgor a phatrymau anadlu yn gysylltiedig â datymgysylltu a rheoli'r cyhyrau. Mae angen ymarfer a dull hwn yn galed yn ystod y cyfnod cyn y geni.

psychosexual: *seicorywiol* yn ymwneud ag agweddau meddyliol gweithgaredd rhywiol.

psychosis: *seicosis* (*ans. seicotig*) salwch meddwl difrifol yn effeithio ar y bersonoliaeth gyfan. O darddiad organig neu emosiynol, fe'i nodweddir gan ddryswch y bersonoliaeth a cholli cysylltiad â realiti, yn aml yn cyd-fynd â rhithdybiau, rhithweledigaethau, neu rithiau.

psychosomatic: *seicosomatig* yn gysylltiedig â'r meddwl a'r corff. *Anhwylderau seicosomatig (p. disorders):* yr afiechydon hynny lle mae ffactorau emosiynol yn cael dylanwad dwfn.

psychotherapy: *seicotherapi* unrhyw un o nifer o dechnegau cysylltiedig o drin salwch meddwl trwy ddulliau seicolegol. Mae'r technegau hyn yn debyg yn yr ystyr eu bod i gyd yn dibynnu yn bennaf ar sefydlu cyfathrebu rhwng y therapydd a'r claf fel dull o ddeall ac addasu ymddygiad y claf.

ptosis: *ptosis* yr amrant uchaf yn disgyn ychydig oherwydd bod y nerf wedi'i barlysu. Organ neu adeiledd arall yn disgyn.

ptyalin: *ptyalin* yr ENSYM (ENZYME) mewn poer sy'n cychwyn treulio startshys.

ptyalism: *ptyaliaeth* cynhyrchu cyfaint annormal o boer. Cynhlethdod prin mewn beichiogrwydd.

puberty: *glasoed* yr oed pryd y bydd yr organau cenhedlu yn dod yn weithredol. Fel arfer rhwng y 10fed flwyddyn a'r 14eg flwyddyn.

pubes: *piwbes* y rhan dros yr esgyrn piwbig.

pubic: *piwbig* yn gysylltiedig â'r piwbes, e.e. bwa piwbig (*p. arch*), y bwa esgyrnog a ffurfir trwy gyswllt y rami piwbig is, sy'n ffurfio rhan flaen allfa'r pelfis.

pubiotomy: *piwbiotomi* torri trwy asgwrn y piwbis er mwyn galluogi'r enedigaeth i ddigwydd.

pubis: *piwbis* rhan flaen asgwrn y glun; a elwir hefyd yn asgwrn piwbig.

public health: *iechyd y cyhoedd* maes meddygaeth sy'n ymwneud â diogelu a gwella lles corfforol, meddyliol a chymdeithasol y gymuned gyfan. Mae'r agweddau amgylcheddol yn gyfrifoldeb yr awdurdod ardal leol, tra mae Swyddog Meddygol Iechyd Amgylcheddol yr Awdurdod Iechyd Ardal yn goruchwylio'r gwaith o reoli afiechydon hysbysadwy. Mae'r Llywodraeth Ganol yn ffurfio polisi cenedlaethol ac yn gyfrifol am agweddau rhyngwladol.

pubococcygeus: *piwbococygeus* un rhan o'r cyhyr lefator ani sy'n ymestyn o'r symffysis piwbis i'r cocycs.

pubovesical: *piwbofesigol* yn gysylltiedig â'r piwbis a'r bledren.

pudenda: *pwdenda* yr organau cenhedlu allanol.

pudendal: *pwdendaidd* yn ymwneud â'r organau cenhedlu allanol. *Bloc pwdendaidd:* math o analgesia o ganlyniad i bigiad o hydoddiant o 0.5% neu 1% o lignocaine o amgylch y nerf cenhedlol.

pudendum: *pwdendwm* organau cenhedlu allanol merch.

puerperal: *pwerperaidd* yn perthyn i'r pwerperiwm. *Pyrecsia pwerperaidd (p. pyrexia):* cynnydd yn y tymheredd yn ystod y pwerperiwm. *Seicosis pwerperaidd (p. psychosis):* unrhyw fath o seicosis sy'n dod yn amlwg yn ystod y pwerperiwm. *Sepsis pwerperaidd (p. sepsis):* heintiad a llwybr cenhedlol ar ôl genedigaeth.

puerperium: *pwerperiwm* y cyfnod yn dilyn geni plentyn pryd y mae croth y fam a'r organau a'r adeiladdau eraill yn dychwelyd i'r cyflwr anfeichiog. Cyfnod o 6–8 wythnos.

pulmonary: *ysgyfeiniol* yn gysylltiedig â'r ysgyfaint neu'n effeithio arnynt. *Cylchrediad ysgyfeiniol (p. circulation): gw.* CYLCHREDIAD (CIRCULATION). *Emboledd ysgyfeiniol (p. embolism): gw.* EMBOLEDD (EMBOLISM). *Gwaedlif ysgyfeiniol (p. haemorrhage):* gall y baban newydd-anedig farw weithiau oherwydd gwaedlif enfawr yn y ddau ysgyfant. Mae *cnawdnychiad ysgyfeiniol (p. infarction)* yn digwydd pan fo tolchen yn gorchuddio pibell waed fach yn yr ysgyfant, sy'n achosi marwolaeth y feinwe a gyflenwir gan y bibell honno. *Twbercwlosis ysgyfeiniol (p. tuberculosis): gw.* TWBERCWLOSIS (TUBERCULOSIS).

pulsation: *curiad* symudiad rhythmig.

pulse: *pwls* ehangiad rhythmig lleol rhydweli, y gellir ei deimlo â'r bys, ac sy'n cyfateb i bob cyfangiad yn fentrigl chwith y galon. Gellir ei deimlo mewn unrhyw rydweli sy'n ddigon agos at wyneb y corff. Y gyfradd normal mewn oedolion yw 72 curiad y munud. Mewn plant mae'n gyflymach, gan amrywio rhwng 130 mewn babanod bach i 80 mewn plant hŷn. *Pwysedd pwls (pulse p.):* y gwahaniaeth rhwng y pwysedd gwaed diastolig a systolig, fel y'u mesurir gan y sffygmomanomedr.

puncture: *tyllu* gwneud twll. *Tylliad lymbar (lumbar p.):* tynnu hylif cerebrosbinol (hylif madruddyn y cefn) trwy dullu rhwng y 3ydd a'r 4ydd, neu'r 4ydd a'r 5ed fertebra lymbar er mwyn rhyddhau gwasgedd ar yr ymennydd, neu i gael sampl o hylif cerebrosbinol at ddibenion diagnostig.

pupil: *cannwyll* yr agorfa yng nghanol yr iris y mae golau'n mynd i mewn i'r llygad trwyddi.

purchaser: *prynwr* mae'r awdurdodau iechyd yn prynu gwasanaethau gofal iechyd gan *DDARPARWYR* (PROVIDERS) ar gyfer y boblogaeth leol. Maent yn gyfrifol am nodi holl anghenion iechyd y boblogaeth breswyl, am gynllunio sut i gwrdd â'r anghenion hyn ac yna sicrhau'r gwasanaethau gorau a mwyaf cost-effeithiol o fewn yr ardal.

purgative: *llwyrgarthydd* cyffur sy'n peri i'r perfeddion ymwacáu.

purine: *pwrin* cyfansoddyn heterogylchol sy'n gynnwys y basau pwrin megis adenin a guanin, sy'n digwydd mewn DNA ac RNA.

purpura haemorrhagica: *purpura haemorrhagica* cyflwr a nodweddir gan elifiad gwaed i'r croen a'r pilenni mwcaidd, gan achosi smotiau a mannau porffor. Fe'i cysylltir weithiau â diffyg *THROMBOCYTAU* (THROMBOCYTES), (THROMBOCYTOPENIA).

purulent: *crawnllyd* yn cynnwys neu'n edrych yn debyg i grawn.

pus: *crawn* sylwedd trwchus lled-hylifol sydd yn cynnwys lewcocytau marw a bacteria, malurion celloedd a hylifau meinwe. Mae'n ganlyniad i lid a achosir gan facteria ymosodol sydd wedi dinistrio'r ffagocytau ac wedi crawnu'n lleol.

pustule: *llinoryn* briw bach cyfyngedig yn codi o'r croen ac yn cynnwys crawn.

putative: *tybiedig* y credir ei fod. *Tad tybiedig (p. father):* y dyn y credir ei fod yn dad i blentyn anghyfreithlon.

pyaemia: *pyaemia* cyflwr sy'n digwydd o ganlyniad i facteria yn ymledu yn y llif gwaed. Mae pibellau gwaed bach yn cael eu blocio ac o ganlyniad mae crawniadau yn ffurfio, sydd yn achosi rigor a thymwyn uchel.

pyelitis: *pyelitis* yn llythrennol llid y pelfis arennol. Yr enw a roddir arno fel arfer yw *PYELONEFFRITIS* (PYELONEPHRITIS).

pyelography: *pyelograffeg* radioleg y pelfis arennol ar ôl chwistrellu cyfrwng cyferbynnu radio-didraidd. *Pyelograffeg mewnwythiennol (intravenous p. – IVP):* mae cyfrwng cyferbynnu sy'n

229

hydawdd mewn dŵr ac sy'n cynnws iodin yn cael ei chwistrellu'n fewnwythiennol ac mae radiograffau'n cael eu datgelu wrth i'r cyfrwng cyferbynnu gael ei ysgarthu gan yr arennau, a mynd i lawr yr wreterau i'r bledren.

pyelonephritis: *pyeloneffritis* llid yr arennau a'r wreterau, a achosir fel arfer gan *ERISCHERICHIA COLI* (ERISCHERICHIA COLI). Y symptomau llym yw poen ddifrifol yn y meingefn, hyperpyrecsia, yn aml rigor, tachycardia, chwydu a diffyg hwyl cyffredinol; y symptomau cronig yw poen cefn, chwydu ac anaemia, er bod y math hwn yn ddi-symptom yn aml. Gall y naill ffurf neu'r llall ddigwydd yn ystod beichiogrwydd, fel arfer rhwng 18 a 24 wythnos, oherwydd bod wrin yn sefyll yn yr wreterau, sydd wedi ymledu ac wedi ymlacio o dan ddylanwad progesteron, a chan bwysau'r groth feichiog, yn arbennig ar yr ochr dde. Gall bacteria luosogi wedyn; gall bacteriwria asymptomatig ddigwydd yn aml ar ddechrau beichiogrwydd. Dylai pob merch feichiog gael ei sgrinio ar gyfer bacterwria yn gynnar yn y beichiogrwydd a'i thrin ar unwaith os oes angen. Nid yw'r heintiad hwn ar y llwybr wrinol yn anghyffredin mewn babanod newydd eu geni. Nid oes dim arwyddion amlwg, ond gellir amau'r cyflwr mewn unrhyw faban sydd yn welw, ddim yn bwydo'n dda, yn colli pwysau ac yn gyffredinol yn methu ffynnu.

pyelonephrosis: *pyeloneffrosis* unrhyw afiechyd ar yr aren a'i phelfis.

pyloric stenosis: *stenosis pylorig* mae stenosis pylorig hypertroffig cynhenid yn digwydd mewn 3 ym mhob 1000 genedigaeth. Yn y baban a effeithir mae'r sffincter pylorig yn mynd yn fwy trwchus, yn gryf ac yn sbastig. Mae'r stumog yn mynd yn fwy ac yn fwy nerthol wrth wthio'r cynnwys gastrig trwy'r pylorws cul. Gellir gweld tonnau o beristalsis yn yr abdomen wrth i'r baban fwydo a gellir teimlo'r pylorws fel tyfiant. Mae chwydu hyrddiol parhaus yn digwydd. Nid yw'r arwyddion hyn yn digwydd fel arfer cyn 3–4 wythnos oed. Gellir rhoi cyffur gwrthsbasmodig (e.e. atroffin) gyda bwyd ond yn aml bydd angen *LLAWDRINIAETH RAMSTEDT* (RAMSTEDT'S OPERATION) i'r baban wella'n gyflym ac yn llwyr.

pylorus: *pylorws* yr agorfa rhwng y stumog a'r dwodenwm.

pyo-: *pyo-* rhagddodiad yn golygu 'crawn'.

pyogenic: *pyogenig* yn cynhyrchu crawn.

pyometra: *pyometra* y cyflwr ble mae crawn yn bresennol yn y groth.

pyosalpinx: *pyosalpincs* crawn yn y tiwb Fallopio.

pyretic: *twymynol* yn gysylltiedig â thwymyn.

pyrexia: *gwres uchel* tymheredd y corff yn codi uwchlaw 37.2°C (99°F).

pyridoxine: *pyridocsin* un o ffurfiau'r fitamin B6, a ddefnyddir yn bennaf i atal a thrin diffyg fitamin B6.

pyrogen: *pyrogen* sylwedd sy'n cynhyrchu twymyn, o bosibl o darddiad bacteraidd.

pyuria: *pywria* presenoldeb crawn yn yr wrin. Mae'r wrin yn niwlog fel arfer a gellir gweld celloedd crawn wrth edrych trwy ficroscop.

Q

QRS complex: *cymhlygyn QRS* grŵp o donnau a ddarlunnir ar electro-cardiogram, yn cynnwys 3 ton wahanol sy'n cael eu creu gan ysgogiadau trydanol y galon yn symud drwy'r fentriglau; mae'n digwydd ar ddechrau bob cyfangiad o eiddo'r fentriglau. Fel arfer y don R yw'r amlycaf o'r tair.

quadrant: *pedrant* **1.** pedwaredd ran o gylchedd cylch. **2.** un o bedair rhan gyfatebol neu chwarteri, fel ar arwyneb yr abdomen neu o fewn y maes gweld.

quadruplets: *pedrybleddau* pedwar o blant a enir yn yr un esgoriad. Yn beth prin iawn gynt; yn fwy cyffredin erbyn hyn ers defnyddio cyffuriau ffrwyth-londeb.

qualitative research: *ymchwil ansoddol* dull systematig a goddrychol o wneud ymchwil a ddefnyddir i ddisgrifio profiadau bywyd a rhoi ystyr iddynt. Gellir cynnal ymchwil ansoddol er mwyn disgrifio a hybu deallwriaeth o brofiadau dynol megis poen, gofalu, diffyg grym a chysur.

quality assurance: *sicrwydd ansawdd* yn maes gofal iechyd, addewid i'r cyhoedd gan y rhai hynny o fewn y disgyblaethau iechyd gwahanol megis bydwreigiaeth y byddant yn gweithio tuag at y nod o gyrraedd y radd uchaf o ragoriaeth y gellir ei chyrraedd yn y gwasanaethau a ddarperir i bob cleient. Mae rhaglen sicrhau ansawdd yn cymryd i ystyriaeth yr angen i ddiffinio yr hyn sydd i'w fesur. Datblygir meini prawf wedi eu seilio ar safonau gofal derbyniol a normau ymddygiad proffesiynol. Defnyddir y meini prawf wedyn fel y ffon fesur y gellir mesur ymarfer a chanlyniadau gwirioneddol yn eu herbyn. Cynhelir gwerthusiad gan bwyllgor adolygu. Y nod yn y pen draw yw gwella gofal cleientiaid.

Quality Assurance agency: *asiantaeth Sicrhau Ansawdd* corff sy'n cymer-adwyo sefydliadau addysg uwch sy'n cynnig cyrsiau a dyfarniadau. Mae'n monitro'r ffordd y mae prifysgolion yn darparu pynciau. Mae wedi sefydlu codau ymarfer a chanllawiau ar gyfer datblygu rhaglenni, a chontract gyda'r Adran Iechyd i ymgymryd ag adolygu pynciau yn Lloegr.

quantitative research: *ymchwil meintiol* dull systematig gwrthrychol ffurfiol o wneud ymchwil lle defnyddir data rhifol i gael gwybodaeth. Fe'i defnyddir i ddisgrifio newidynnau, archwilio perthnasau ymysg newidynnau a phennu rhyngweithiadau achos ac effaith rhwng newidynnau. Mae rhai ymchwilwyr yn credu bod y math hwn o ymchwil yn darparu sylfaen gwybodaeth gadarnach i ymarfer nyrsio a bydwreigiaeth nag *YMCHWIL ANSODDOL* (QUALITATIVE RESEARCH).

quarantine: *cwarantin* y cyfnod pryd yr arwahenir personau, y mae'n hysbys eu bod wedi'u heintio, neu bersonau a fu mewn cyswllt â hwy, a phersonau yr amheuir eu bod wedi'u heintio, i atal heintiad rhag lledaenu.

'quickening': *ystwyrian* symudiadau cyntaf y ffetws y gellir eu teimlo, a deimlir gan fam nwliparaidd oddeutu'r 18fed i'r 20fed wythnos a chan fwltigrafida o gwmpas yr 16eg i'r 18fed wythnos.

quintuplets: *pumledi* pump o blant a enir yn yr un esgoriad.

quotient: *cyniferydd* rhif a geir trwy rannu. *Cyniferydd deallusrwydd* (*intelligence q. – IQ*): mynegiant rhifol o allu deallusol a geir trwy luosi oed meddyliol y person dan sylw, a geir trwy brofi, â 100 a'i rannu â'i (h)oed cronolegol.

R

racemose: *rasemog* tebyg i rawnwin. *Celloedd rasemog (r. cells):* y celloedd hynny sydd wedi'u trefnu o gwmpas dwythell ganolog. Mae adeiledd cyfansawdd a llabedog i *chwarennau rasemog (r. glands),* e.e. chwarennau poer, celloedd y bronnau, chwarennau gwddf a groth.

rachi(o)-: *rachi(o)-* elfen gair yn golygu 'pigyn'

rachitic pelvis: *pelfis llechog* cantel pelfis gwastad yn debyg i gantel y pelfis platypeloid. Achosir y camffurfiad hwn ar gantel y pelfis os bydd person wedi dioddef o'r llechau yn blentyn bach.

radial: *rheiddiol* yn perthyn i'r radiws. *Rhydweli reiddiol (r. artery):* y rhydweli yn yr arddwrn. *Parlys rheiddiol (r. palsy):* parlys a nodweddir gan yr arddwn yn ymollwng; mae i'w weld yn fuan ar ôl genedigaeth. Fel arfer mae'n gwella ohono'i hun dros gyfnod amrywiol o amser.

radical: *radical* yn delio â gwraidd neu achos afiechyd. *Iachâd radical (r. cure):* un sy'n gwella trwy symud yr achos yn llwyr.

radioactive: *ymbelydrol* yn allyrru tonnau electromagnetig, alffa (α), beta (β) neu gama (γ). Gall sylwedd ymbelydrol wneud hyn yn naturiol, fel y mae radiwm yn ei wneud, neu gellir cynhyrchu'r effaith yn artiffisial trwy beledu mewn pentwr atomig, e.e. ïodin ymbelydrol (^{131}I).

radiograph: *radiograff* Llun a dynnir gan belydrau-X.

radiographer: *radiograffydd* gweithiwr gofal iechyd proffesiynol mewn adran pelydr-X ddiagnostig (radiograffydd diagnostig) neu mewn adran radiotherapi (radiograffydd therapi).

radiography: *radiograffeg* archwiliad trwy gyfrwng Röntgen neu belydrau-X. Gall hyn roi gwybodaeth werthfawr yn ystod beichiogrwydd ac esgoriad.

radioimmunoassay (RIA): *radioimiwnobrofi* dull profi sensitif y gellir ei ddefnyddio i fesur meintiau bychain iawn o wrthgyrff penodol neu unrhyw antigen megis hormon neu gyffur, y gellir codi gwrthgyrff penodol yn eu herbyn. Mae'n ddull safonol ar gyfer mesur hormonau yn glinigol mewn labordy ac fe'i defnyddir hefyd ar gyfer gwaith monitro cyffuriau therapiwtig, sgrinio ar gyfer y camddefnydd o gyffuriau, a phrofion eraill mewn labordy.

radioisotope: *radioisotop* ffurf ymbelydrol ar elfen. Mae radioisotop yn cynnwys atomau ansefydlog sydd yn mynd trwy broses o ddadfeiliad ymbelydrol ac sy'n allyrru ymbelydredd alffa, beta neu gama. Mae radioisotopau yn digwydd yn naturiol, fel yn achos radiwm ac wraniwm, neu gellir eu creu yn artiffisial.

radio-opaque: *radioddidraidd* yn gallu rhwystro taith pelydrau-X.

radiotelemetry: *radiotelemetreg* mesuriad a seilir ar ddata a drosglwyddir gan donnau radio o'r gwrthrych i'r cyfarpar recordio. Gellir defnyddio radiotelemetreg i fonitro calon y ffetws yn gyson pan fydd y fam yn cerdded o gwmpas wrth esgor.

radiotherapy: *radiotherapi* trin afiechyd

233

trwy ymbelydredd ïoneiddio megis pelydrau-X, pelydrau beta a phelydrau gama; fe'i defnyddir yn bennaf i drin afiechyd malaen. Gall ffynhonnell yr ymbelydredd fod y tu allan i gorff y claf neu gall fod yn isotop sydd wedi cael ei fewnblannu neu ei osod mewn meinwe annormal neu geudod yn y corff.

radium: *radiwm* elfen fetelig. Symbol Ra. Metel sydd yn naturiol *YMBELYD-ROL* (RADIOACTIVE).

Ramstedt's operation: *triniaeth Ramstedt* rhannu sffincter pylorig sydd wedi hypertroffeiddio i leddfu *STENOSIS PYLORIG* (PYLORIC STENOSIS).

ramus: *ramws (llu. rami)* cangen, fel i'r asgwrn piwbig sydd â changen uwch ac is.

random blood sugar test: *hap-brawf siwgwr gwaed* prawf glwcos gwaed a wneir pan fydd mam feichiog yn dangos arwyddion glycoswria heb esboniad. Os bydd canlyniad yn hap-brawf siwgr gwaed yn amheus, gellir gwneud prawf llwyth glwcos neu oddefiad glwcos.

randomized controlled trial: *hapdreialu gyda rheolydd* treial ymchwil lle mae'r rhai a gaiff eu hastudio yn cael eu dewis ar hap o grŵp addas o gyfranogwyr posibl; mae'n golygu fel arfer grŵp rheolydd a grŵp arbrofol. Pwrpas hapsamplo yw cynyddu'r graddau y mae'r sampl yn cynrychioli'r boblogaeth darged, er mai yn anaml y bydd yn bosibl cael sampl ar hap llwyr ar gyfer astudiaethau clinigol oherwydd y gofyniadau ynghylch cydsyniad gwybodus.

ranitidine: *ranitidin* gwrthweithydd derbynnydd H_2 y gellir ei roi i wragedd wrth esgor cyn iddynt gael anaesthesia cyffredinol er mwyn atal cynhyrchiant asid hydroclorig, a thrwy hynny leihau'r risg o syndrom Mendelson.

rape: *trais rhywiol* ymosodiad neu gamdrin rhywiol; cyfathrach rywiol

droseddol trwy rym.

raphe: *raff* asiad neu rych o o feinwe yn dangos ble mae dwy ran gyfartal yn uno; e.e. raff canol y corff perineol, y raff anococygeaidd.

rash: *brech* llid dros dro ar y croen. *Brech gwres (heat r.):* miliaria. *Brech cewyn / clwt (nappy r.):* adwaith ar groen baban, a leolir mewn rhannau a orchuddir fel arfer gan y cewyn/clwt. Fe'i hachosir gan nifer o lidwyr sylfaenol, er enghraifft amonia mewn wrin sydd wedi dadelfennu; clytiau heb gael eu golchi'n iawn, a gall ffactorau cyswllt eraill fod yn gyfrifol. *Brech danadl poethion (nettle r.):* wrticaria.

raspberry leaf tea: *te dail mafon* paratoad llysieuol y mae llawer o wragedd yn hoffi ei gymryd yn ystod eu beichiogrwydd i wella cyflwr y groth a pharatoi'r organau cenhedlu ar gyfer yr esgor. Mae dail mafon yn helpu gwddf y groth i aeddfedu ac yn gwella effeithlonrwydd y cyfangiadau; gall helpu hefyd i leddfu poen cyfangiadau. Dim ond yn y trydydd trimestr y dylai'r fam gymryd te (neu dabledi) dail mafon, gan gynyddu'n raddol o 1 gwpanaid (neu dabled) bob dydd i dair erbyn y cyfnod llawn. Gellir sipian y te yn ystod yr esgor, a gall gynorthwyo infolytedd yn ystod y pwerperiwm.

raspberry mark: *nod mafon* haemangioma cynhenid.

Rastelli's operation: *llawdriniaeth Rastelli* gweithdrefn lawfeddygol a ddefnyddir i drin trawsddodiad y pibellau gwaed mawr. Dargyfeirir cylchrediad y gwaed trwy'r galon er mwyn sicrhau ocsigeneddio digonol.

rate: *cyfradd* pa mor aml neu ba mor gyflym y bydd achlysur neu amgylchiad yn digwydd fesul uned amser, poblogaeth neu safon gymharu arall. *Cyfradd fetabolig waelodol (basal metabolic r.):* mynegiant o gyfradd y defnydd o oscigen mewn unigolyn sydd yn gorffwys ac yn ymwrthod â bwyd fel canran o werth a bennir yn arferol ar gyfer unigolyn felly. *Cyfradd genedigaethau (birth r.)*: nifer y genedigaethau byw mewn poblogaeth o fewn cyfnod amser penodol (cyfradd genedigaethau syml), ar gyfer y boblogaeth fenywaidd (cyfradd genedigaethau bur), neu ar gyfer y boblogaeth fenywaidd sydd mewn oed geni plant (cyfradd genedigaethau union), a fynegir fel arfer fesul blwyddyn fesul 1000 o'r boblogaeth ganol blwyddyn amcangyfrifol. *Cyfradd marwolaethau (death r.)*: y nifer o farwolaethau fesul nifer benodedig o bobl (1000 neu 10 000, neu 100 000) mewn ardal benodol ar adeg benodol (cyfradd marwolaethau syml). Y gyfradd marwolaethau safonedig yw'r enw a roddir ar y gyfradd marwolaethau wedi'i chyfrifo gan ganiatáu ar gyfer dosbarthiad oedran a rhyw yn y boblogaeth. *Cyfradd hidliad glomerwlaidd (glomerular filtration r.)*: mynegiant o gyfaint yr hidlif glomerwlaidd a ffurfir bob munud yn neffronau'r ddwy aren, a gyfrifir trwy fesur pa mor gyflym y mae sylweddau penodol yn cael eu clirio e.e. inswlin neu creatinin.

ratio: *cymhareb* mynegiant o swm un sylwedd neu endid mewn perthynas ag un arall; y berthynas rhwng 2 swm a fynegir fel cyniferydd un wedi'i rannu gan y llall. *Cymhareb Lecithin-sffingomyelin (Lecithin-sphingomyelin r.)*: cymhareb Lecithin i sffingomyelin mewn hylif amniotig.

reabsorption: *ailamsugno* y broses neu'r weithred o amsugno eto, fel pan fydd yr arennau yn amsugno sylweddau (glwcos, proteinau, sodiwm, ayb.) a secretwyd eisoes i'r tiwbynnau arennol.

reaction: *adwaith* gweithred yn erbyn; ymateb i symbyliad a roddir. Tystiolaeth o asidedd neu alcalinedd. pH hydoddiant.

reagent: *adweithydd* sylwedd a ddefnyddir i gynhyrchu adwaith gemegol er mwyn datgelu, mesur, cynhyrchu, ac ati, sylweddau eraill.

real-time scanner: *sganiwr amser real* sganiwr *UWCHSAIN* (ULTRASOUND) sy'n rhoi arddangosiad gweledol symudol.

receptor: *derbynnydd* 1. moleciwl ar wyneb neu o fewn cell sy'n adnabod ac yn cyfuno â moleciwlau penodol, gan greu rhyw effaith yn y gell; e.e. derbynyddion wyneb-cell celloedd imiwnogymwys sydd yn adnabod antigenau, cydrannau cyflenwol, neu lymffocinau, neu dderbynyddion wyneb-cell niwronau ac organau targed sy'n adnabod niwrodrosglwyddyddion neu hormonau. **2.** terfyn nerf synhwyraidd sydd yn ymateb i wahanol symbyliadau.

recession: *enciliad* yn cilio neu'n tynnu'n ôl, Gwelir *enciliad asennol (rib r.)* neu *enciliad y sternwm (sternal r.)* yn gyffredin yn *SYNDROM TRALLOD RESBIRADOL* (RESPIRATORY DISTRESS SYNDROME) babanod newydd-anedig.

recessive: *enciliol* yn dueddol o gilio. Mewn geneteg yn groes i drechol – yn cael ei fynegi yn unig pan mae'n cael ei gario gan ddwy ochr set o gromosomau homologaidd, h.y. *HOMOSYGAIDD* ac nid *HETEROSYGAIDD.*

recipient: *derbynnydd* un sy'n derbyn, fel yn achos trallwysiad gwaed, neu impiad meinwe neu organ. Derbynnydd cyffredinol (universal r.): person y credir y gall dderbyn gwaed o unrhyw 'fath' heb i gelloedd y rhoddwr aglwtineiddio.

recombinant: *1. ailgyfunydd 2. ailgyfunol* 1. cell neu unigolyn newydd sydd yn ganlyniad i ailgyfuniad genetig. **2.** yn perthyn neu yn gysylltiedig â chelloedd neu unigolion felly. *Technoleg DNA ailgyfunol (r. DNA technology)*: y broses o dynnu genyn o un organeb a'i osod yn DNA organeb arall.

rectal: *rhefrol* yn gysylltiedig â'r rectwm. *Archwiliad rhefrol (r. examination)*: bysarchwiliad o'r rectwm neu

adeiladau cyfagos e.e. yn ystod yr
esgoriad, archwiliad o wddf y groth a'r
rhan sy'n cyflwyno.

rectocele: *rectocel* hernia'r rectwm, a
achosir wrth i wal y wain orymestyn
wrth eni plentyn. Y driniaeth yw
coloporaffi ôl.

rectovaginal: *rhefrweiniol* yn perthyn i'r
rectwm a'r wain. *Ffistwla rhefrweiniol
(r. fistula): gw.* FFISTWLA (FISTULA).

rectovesical: *rhefrfesigol* yn perthyn i
neu'n cysylltu â'r rectwm a'r bledren.

rectum: *rectwm* 15 cm (6 modfedd) isaf y
coluddyn mawr yn ymestyn o'r colon
pelfig i'r llwybr rhefrol.

recumbent: *gorweddol* yn gorwedd i
lawr.

recurrent: *ailadroddus* yn digwydd eto.

reduction: *adferiad* cywiro toriad neu
afleoliad asgwrn, neu hernia.

referred pain: *poen gyfeiriedig* poen
sy'n digwydd yn bell o'r tarddle, ac sy'n
gysylltiedig â dosbarthiad nerfau
synhwyraidd.

reflection: *adfyfyrio* mewn bydwreig-
iaeth, proses o feddwl ymwybodol,
systematig ynghylch eich gweithred-
oedd; adolygu, dadansoddi a chreu
synthesis o sefyllfaoedd sydd wedi
digwydd, fel arfer ar ôl digwyddiad.
Proses weithredol lle mae'r ymarferwr
yn dysgu o brofiad, er mwyn gwella
ymarfer yn y dyfodol.

reflex: *atgyrch* a adlewyrchir neu a
deflir yn ôl. *Gweithred atgyrch (r.
action):* symudiad anwirfoddol sy'n
digwydd o ganlyniad i symbyliad e.e.
sbonc pen-glin, neu dynnu llaw yn ôl ar
ôl cael eich pigo gan nodwydd. Mae rhai
atgyrchion yn bresennol yn y plentyn
newydd-anedig aeddfed, e.e. yr
ATGYRCH MORO (MORO REFLEX) a'r
atgyrchion sugno a llyncu. *Atgyrch
cyflyredig (conditioned r.):* un nad yw'n
naturiol ond a geir trwy gysylltu
digwyddiad ffisiolegol yn rheolaidd â
digwyddiad allanol digyswllt e.e. yr
atgyrch tyniad allyrru llaeth neu lif

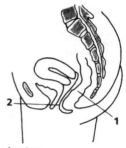

Rectocel

1. rectwm
2. mur cefn y wain

llaeth sy'n peri i'r celloedd myoepith-
eliol yn y fron gyfangu wrth weld neu
glywed baban sydd eisiau bwyd, a
thrwy hynny symud y llaeth i'r sinysau
lacteal lle mae ar gael ar unwaith i'r
baban.

reflex zone therapy: *therapi parthau
atgyrch* system therapi cyflenwol,
tebyg i atgyrcholeg, ble credir bod y
corff yn ymrannu'n ddeg parth
hydredol a thri pharth ardraws, gyda
rhaniadau cyfatebol yn y traed. Gellir
defnyddio therapi parthau atgyrch i
ganfod rhannau anhwylder neu
afiechyd yn y corff a defnyddir techneg
gydio soffistigedig i dylino'r traed a
thrwy hynny drin y broblem. Gellir
gwneud y therapi ar y dwylo, sy'n
cyfateb yn agos i'r traed, y tafod, yr
wyneb a'r cefn.

reflexology: *atgyrcholeg* system therapi
gyflenwol ble mae'r traed yn cynrychioli
map o weddill y corff, fel, wrth weithio
ar y traed gan ddefnyddio techneg
dylino soffistigedig, y gellir dylanwadu
ar rannau eraill o'r corff a'u trin. Mae'n

arbennig o lesol ar gyfer cyflyrau sy'n gysylltiedig â straen megis gorbwysedd, ac ar gyfer problemau mecanyddol megis rhwymedd. Mewn bydwreigiaeth fe'i defnyddiwyd yn llwyddiannus i drin dargadwedd wrin, ac i symbylu'r chwarren bitwidol fel yn ystod yr esgor neu i laetha.

register: *cofrestr* term epidemiolegol sy'n golygu mynegai ar ffeil o'r holl achosion o afiechyd neu gyflwr penodol o fewn poblogaeth ddiffiniedig.

registered midwife: *bydwraig gofres-tredig* bydwraig wedi ei chofrestru i ymarfer yn y wlad ble mae hi/ef yn byw. Gall enw bydwraig fod ar y Gofrestr Bydwragedd ond rhaid iddi hi/iddo ef hefyd fod yn gymwys i ymarfer trwy gydymffurfio â gofyniadau gorfodol Rheolau Bydwragedd. *Gw.* Atodiad 10.

registrar of births, marriages and deaths: *cofrestrydd genedigaethau, priodasau a marwolaethau* cofnodydd swyddogol genedigaethau, priodasau a marwolaethau. Yng Nghymru a Lloegr, mae'r swyddfa yn dod o dan y Swyddfa Ystadegau Cenedlaethol, sydd hefyd yn rheoleiddio ac yn cofnodi priodasau sifil, yn gwneud ymchwil ddemograffig ac yn dadansoddi deunydd demograffig. Ceir swyddfa gofrestru leol yn y mwyafrif o drefi. Dylid cofrestru genedigaethau o fewn 6 wythnos yng Nghymru a Lloegr (21 diwrnod yn yr Alban).

regulatory bodies: *cyrff rheolaethol* cyrff sy'n gyfrifol am ddiffinio a monitro paratoad ac ymarfer grŵp proffesiynol penodol, e.e. y Cyngor Nyrsio a Bydwreigiaeth, y Cyngor Meddygol Cyffredinol, a'r Cyngor Proffesiynau Iechyd.

regurgitation: *ailchwydiad* llif am yn ôl, e.e. o fwyd i'r geg o'r stumog. Mae weithiau yn digwydd mewn babanod newydd eu geni, pan gysylltir ef â gwendid cardia'r stumog. *Ailchwydiad aortig (aortic r.):* gwaed yn llifo'n ôl i'r

fentrigl chwith pan fo'r falf aortig yn ddiffygiol. *Ailchwydiad mitral (mitral r.):* gw. *MITROL* (MITRAL). *Ailchwydiad gastro-oesoffageaidd (gastro-oesophageal r.)* Gw. *DŴR POETH* (HEARTBURN).

rehabilitation: *adferiad* ailaddysgu neu ailhyfforddi.

Reiter's protein complement fixation (RPFC): *sefydlogiad cyflenwad protein Reiter* prawf serolegol a ddefnyddir i gynorthwyo i wneud diagnosis o syffilis.

relapse: *ailwaelu* afiechyd yn dychwelyd ar ôl i unigolyn wella yn ôl pob golwg.

relaxant: *ymlaciol, ymlacydd* yn achosi ymlaciad, asiant sy'n achosi ymlaciad. *Ymlacydd cyhyrau (muscle r.):* asiant sy'n gweithredu naill ai yn y cysylltle niwrogyhyrol, gan achosi parlys yn y cyhyrau, ac a ddefnyddir mewn anaesthesia, neu asiant sy'n lleddfu sbastigedd a thensiwn trwy weithredu ar y cyhyr ei hun, neu yn fwy cyffredin ar y brif system nerfol.

relaxation: *ymlacio* lleihad mewn tensiwn, fel y gellir ei weld pan fydd cyhyrau yn llacio ar ôl iddynt gyfangu. Mae'n bwysig bod y fam sydd yn esgor yn gorffwys ac yn ymlacio ei chyhyrau rhwng cyfangiadau'r esgor. Gellir rhoi dosbarthiadau i'r wraig feichiog i'w pharatoi ar gyfer hyn. *Gw. hefyd SEICO-PROFFYLACSIS* (PSYCHOPROPHYLAXIS)

relaxin: *relacsin* hormon y credir ei fod yn peri i feinweoedd a chymalau pelfis gwraig feichiog 'feddalu' yn gyffredinol, a thrwy hynny roi rhywfaint mwy o le yn y pelfis. Achos lordosis meingefnol.

releasing factor: *ffactor rhyddhau* sylwedd a gynhyrchir yn yr hypothalmws sy'n achosi i'r chwarren bitwidol flaen ryddhau hormonau.

reliability: *dibynadwyaeth* techneg ymchwil sy'n ymwneud â graddfa cysondeb, dibynadwyaeth, cywirdeb a chymaroldeb prawf neu ymchwiliad.

renal: *arennol* yn gysylltiedig â'r aren neu'n effeithio arni. *Calcwlws arennol* (*r. calculus*): carreg yn yr aren. *Afiechyd arennol mewn beichiogrwydd (r. disease in pregnancy):* problem brin ond difrifol. Gall fod hanes o neffritis mewn plentyndod ac mae proteinwria yn bresennol yn gynnar yn y beichiogrwydd. Gall fod angen i'r wraig aros yn yr ysbyty am gyfnod hir, er mwyn lleihau peryglon erthylu, cyneclampsia, y brych yn gwahanu oddi wrth wal y groth a niwed pellach i'r arennau. Mae perygl y bydd y ffetws yn araf yn tyfu yn y groth ac yn marw yn y groth. Os yw gwraig eisoes yn cael dialysis nid oes prognosis da ar gyfer canlyniad llwyddiannus i'w beichiogrwydd, er os yw gwraig wedi cael trawsblaniad aren mae prognosis gwell a bydd hi'n geni baban byw, iach. *Methiant arennol (r. failure):* methiant yr aren i weithredu gan achosi wraemia. *Trothwy arennol (r. threshold):* os bydd lefel sylweddau yn y gwaed yn codi uwchlaw'r trothwy hwn byddant yn cael eu hysgarthu yn yr wrin. Fel arfer y trothwy arennol ar gyfer glwcos yw 10mmol/1 (280mg/100ml) ac os bydd siwgr y gwaed yn codi uwchlaw'r lefel hon bydd glycoswria yn digwydd.

renin: *renin* ensym sy'n cael ei syntheseiddio, ei storio a'i secretu gan yr arennau; mae'n chwarae rhan mewn rheoleiddio'r pwysau gwaed trwy gatalyddu'r broses o droi angiotensinogen yn angiotensin I. Mae hwn yn ei dro yn cael ei droi'n angiotensin II sydd yn fasogyfyngydd grymus a hefyd yn symbylu secretiad aldosteron. Canlyniad aldosteron yw dargadw halen a dŵr gan yr arennau.

rennin: *rennin* yr ensym cawsio llaeth a geir yn sudd gastrig babanod dynol. Mae rennin yn catalyddu'r broses o droi casein o ffurf hydawdd i ffurf anhydawdd.

reproduction: *1.atgenhedliad. 2.atgynhyrchiad* 1. y broses ble bydd endid neu organeb ddynol yn cynhyrchu unigolyn newydd o'r un fath. 2. creu gwrthrych

neu sefyllfa debyg; dyblygu.

reproductive organs, female: *organau atgenhedlu, benywol* yr ofariau sy'n cynhyrchu'r ofa, neu'r wyau; tiwbiau'r groth; y groth; y wain, neu'r llwybr geni; a'r fwlfa sy'n cynnwys yr organau rhywiol allanol. Y nodweddion rhywiol eilaidd yw'r bronnau, sy'n amgáu'r chwarennau llaeth. *Organau atgenhedlu, gwrywol (r. o., male):* yr organau rhywiol allanol (y pidyn, y ceilliau a'r ceillgwd), chwarennau ategol sy'n secretu hylifau arbennig a'r dwythellau y mae'r organau a'r chwarennau hyn yn cysylltu â'i gilydd trwyddynt, ac y mae'r sbermatosoa yn cael eu halldaflu drwyddynt yn ystod coitws.

Rescue Remedy: *Rescue Remedy* un o feddyginiaethau Blodau Bach sydd wedi ei seilio ar egwyddorion homeopathig, sydd ar gael fel hylif mewn siopau bwyd iach ac sy'n arbennig o effeithiol yn lleihau straen, panig, pryder a hysteria. Mae'n ddefnyddiol ar gyfer gwragedd sydd ofn nodwyddau er mwyn tynnu gwaed a phigiadau, ar gyfer pwynt trosiannol yr esgor ac ar unrhyw adeg arall pan fo'r fam yn arbennig o bryderus neu nerfus, e.e. cyn ymyriad llawfeddygol. Rhoddir 4 diferyn o'r feddyginiaeth heb ei chymysgu ar y tafod neu gellir eu hychwanegu at wydraid bychan o ddŵr neu eu rhoi ar yr arleisiau neu ar yr arddyrnau; mae'n cael ei chadw mewn brandi ac felly gallai rhai gwragedd wrthwynebu'r cynnwys alcoholaidd (bychan).

research: *ymchwilio* ymgais i gynyddu'r wybodaeth sydd ar gael trwy ddarganfod gwybodaeth newydd trwy ymchwiliad gwyddonol systematig.

resection: *echdoriad* tynnu darn.

residential care: *gofal preswyl* (ar gyfer plant) gofal a ddarperir gan adran gwasanaethau cymdeithasol yr awdurdod lleol, neu sefydliadau gwirfoddol a gofrestrir gyda'r adran gwasanaethau cymdeithasol ar gyfer plant hyd at 18 oed. Darperir meithrinfeydd preswyl i blant dan 5 oed, a chartrefi a hosteli cymunedol ar gyfer plant mewn gofal hyd at 18 oed. Trefnir i'r plant letya gyda rhieni maeth ble bynnag y bo modd.

residual: *gweddilliol* yn hyn sy'n weddill. *Wrin gweddilliol (r. urine):* wrin sy'n aros yn y bledren ar ôl pasio wrin.

resistance: *ymwrthedd* a grym i oresgyn. Grym naturiol y corff i wrthsefyll a gwella ar ôl heintiad neu afiechyd. Gallu bacteria i fynd yn ansensitif i wrthfiotigau e.e. mae rhai staffylococi yn gwrthsefyll penisilin.

respiration: *resbiradaeth* anadlu; cyfnewid ocsigen a charbon deuocsid rhwng yr atmosffer a chelloedd y corff, gan gynnwys mewnanadlu ac allanadlu, trylediad ocsigen o'r alfeoli ysgyfeiniol i'r gwaed a charbon deuocsid o'r gwaed i'r alfeoli, a chludiant ocsigen i gelloedd y corff a charbon deuocsid ohonynt. Mae mewnanadlu yn digwydd pan fydd y cyhyrau rhyngasennol allanol (sy'n codi'r asennau a'r sternwm) yn cyfangu, a'r llengig yn cyfangu ac yn disgyn. Wrth allanadlu mae'r cyhyrau rhyngasennol mewnol yn cyfangu, mae'r asennau yn mynd yn ôl i'w safle normal ac mae'r llengig yn ymlacio. Mae cyfradd normal resbiradaeth yn amrywio. Mewn babanod newyddanedig mae tua 40–50 y funud wrth orffwys, ac 16 mewn oedolion. *Resbiradaeth artiffisial (artificial r.):* cynhyrchu symudiadau resbiradol trwy ddulliau eraill heblaw rhai naturiol.

respiratory distress syndrome (RDS): *syndrom trallod resbiradol* cyflwr sy'n digwydd gan fwyaf mewn babanod cyn amser o ganlyniad i ddiffyg *SYRFFACT-YDD.* Mae hefyd yn effeithio ar fabanod hŷn sydd â mamau diabetig a'r rheiny sydd wedi eu geni trwy endoriad Cesaraidd. Mae'r trafferthion anadlu yn dechrau o fewn 4 awr i'r enedigaeth ac mae'r cyflwr yn graddol waethygu.

restitution: *ailunioni* adfer, gwneud pethau'n iawn. Symudiad cywirol pen y ffetws ar ôl iddo gael ei eni yn y diamedr blaen-ôl, i'w unioni mewn perthynas â'r ysgwyddau.

resuscitation: *adfywiad* adfer o gyflwr wedi ymgwympo. Gall *adfywio'r newydd-anedig (neonatal r.)* fod yn angenrheidiol os na fydd y baban yn anadlu ar ôl ei eni. Er mwyn sefydlu resbiradaeth, fel rheol rhaid i'r ysgyfaint fod wedi datblygu, y ganolfan resbiradol yn gweithio'n ddigonol a'r llwybrau aer yn glir. Gall fod yn anodd adfywio babanod cyn eu hamser heb awyru mecanyddol oherwydd bod yr ysgyfaint, y ganolfan resbiradol a'r cyhyrau resbiradol yn anaeddfed. Mae gostyngiad y medwla sydd yn achosi myctod yn y baban newydd-anedig fel bod yn rhaid ei adfywio yn gallu cael ei achosi gan gyffuriau a roddir i'r fam yn ystod yr esgoriad sydd yn gostwng lefel canolfan resbiradol y ffetws; gellir gwrthdroi hyn trwy roi gwrthweithydd; hypocsia o drallod y ffetws; niwed mewngreuanol yn ystod yr esgor, yn enwedig o ganlyniad i fowldio gormodol neu annormal.

retained placenta: *dargadw'r brych* brych na chaiff ei fwrw allan o'r wain ar ôl i'r cyfnod arferol fynd heibio ar ôl geni'r plentyn. Gall y brych fod yn ymlynu wrth y decidwa mewn ffordd annormal, oherwydd brych accreta, increta neu percreta. Mewn achosion felly bydd angen tynnu'r brych â llaw dan anaesthetig, neu roi hysterectomi ambell waith. Yn fwy cyffredin mae'r brych wedi dod yn rhannol rydd gyda gwaedlif yn dilyn o sinysau'r amwisg, a dylid trin y fam am sioc a gwaedlif. Yn aml bydd hyn yn digwydd oherwydd nad yw'r groth yn gweithio'n iawn ar ôl geni'r baban a'i bod yn methu â chyfangu digon i beri bod y brych yn dod yn rhydd. Dylid symbylu â llaw per

239

abdomen neu roi cyffuriau ocsitosig er mwyn annog y groth i gyfangu'n fwy effeithiol fel bod y brych yn ymwahanu ac y gellir ei eni. Os na fydd y brych yn ymwahanu, bydd rhaid tynnu'r brych a'r pilenni â llaw dan anaesthetig cyffredinol. *Gw. hefyd* GWAEDLIF ÔL-ENEDIGOL (POSTPARTUM HAEMORRHAGE)

retardation: *arafwch* oedi; rhwystr; datblygiad araf. *Arafwch meddwl (mental r.):* datblygiad deallusol cyffredinol isnormal, yn gysylltiedig ag amhariad naill ai ar ddysgu ac addasiad cymdeithasol neu aeddfedrwydd, neu'r ddau.

retching: *cyfogi gwag* ymdrech anwirfoddol, ysbeidiol ond aneffeithiol i chwydu.

retention: *dargadwedd* cadw'n ôl. *Dargadw wrin (r. of urine):* anallu i basio wrin o'r bledren, a all gael ei achosi mewn achosion prin iawn gan ataliad, neu, yn fwy cyffredin mewn obstetreg, o darddiad nerfol. Yn ystod yr esgoriad, gan fod y ffetws yn cymryd lle mawr yn y pelfis, mae'r wrethra a'r trigon yn ymestyn gryn dipyn, a hynny'n tarfu ar basio wrin. Yn ystod y pwerperiwm mae'n cymryd amser i'r rhannau hyn ddod atynt eu hunain. Gall fod llai o deimlad yn y bledren ac anghysur yn y perinëwm, ac ynghyd â phryder a diffyg preifatrwydd, gall y fam ddargadw wrin. Dylid annog y wraig i wagio ei phledren o fewn ychydig iawn o oriau ar ôl y geni, gan ddefnyddio dulliau gwahanol. Dylid osgoi defnyddio cathetr os yn bosibl gan y gall heintiad cronig yn y llwybr wrinol ddigwydd o ganlyniad i hyn, sy'n medru arwain at fethiant arennol mewn achosion difrifol. Gall ATGYRCHOLEG (REFLEXOLOGY) fod o gymorth i rai gwragedd.

reticular: *rhwydennog* yn edrych yn debyg i rwyd.

reticuloendothelial system: *system reticwloendothelaidd* rhwydwaith o feinweoedd a chelloedd a geir trwy'r corff, yn enwedig yn y gwaed, y feinwe gysylltiol gyffredinol, y ddueg, yr iau, yr ysgyfaint, mêr yr esgyrn a'r nodau lymff. Mae'r celloedd reticwloendothelaidd mawr iawn yn gysylltiedig â ffurfio a dinistrio celloedd gwaed, storio deunyddiau brasterog, a metabolaeth haearn a phigment, ac maent yn chwarae rhan mewn llid ac imiwnedd. Mae rhai o'r celloedd yn fudol, h.y. yn gallu symud ohonynt eu hunain ac yn ffagocytig, h.y. maent yn gallu amlyncu a dinistrio deunydd estron diangen. Mae celloedd reticwloendothelaidd y ddueg yn meddu ar y gallu i waredu erythrocytau sydd wedi ymddatod. Rhoddir yr enw celloedd Kupffer ar y celloedd reticwloendothelaidd a leolir yng ngheudodau gwaed yr iau (afu). Mae'r celloedd hyn, ynghyd â chelloedd y meinwe cysylltiol cyffredinol a mêr yr esgyrn, yn gallu trawsnewid yr haemoglobinau a ryddheir gan erythrocytau sydd wedi ymddatod yn bigment bustl.

retina: *retina* leinin mewnol pelen y llygad a ffurfir gan gelloedd ac edefynnau nerf. O'r fan hon mae'r nerf optig yn gadael pelen y llygad ac yn mynd at ran weledol y cortecs ymenyddol. Mae argraff y ddelwedd wedi'i ffocysu arno.

retinopathy: *retinopathi* term cyffredinol sydd yn dynodi cyflyrau patholegol y retina; gallant ddigwydd ar y cyd â rhai anhwylderau systemig, megis gorbwysedd, cyneclampsia neu eclampsia difrifol, a diabetes. Achosir *retinopathi cyn amser (r. of prematurity)* gan fasogyfyngiad capilariau'r retina oherwydd presenoldeb crynodiadau uchel iawn o ocsigen yn y pibellau gwaed hyn. O ganlyniad i hyn mae gormod o bibellau gwaed yn datblygu yn y retina. Mae lledaeniad y pibellau gwaed a'r ffaith bod gwaed a serwm yn archwysu ohonynt a achosi i'r retina ddod yn rhydd, mae creithio'n digwydd ac mae'n anorfod bod y baban yn mynd yn ddall. Rhaid monitro'r baban newydd-anedig a lefel tensiwn yr ocsigen yn ofalus iawn oherwydd hyd yma ni ddarganfuwyd dos cwbl ddiogel o ocsigen a all atal y newidiadau i'r retina.

retraction: *gwrthdyniant* tynnu yn ôl. Y broses o leihad parhaol a chynyddol yng nghyhyr y groth sy'n digwydd yr un pryd â chyfangiadau yn ystod esgoriad er mwyn *(a)* lledu gwddf y groth, *(b)* bwrw allan y ffetws, *(c)* gwahanu'r brych a rheoli gwaedu. Gall gor wrthdynnu'r groth mewn esgoriad sy'n cael ei atal achosi *cylch cywasgedd (r. ring)* i ddod i'r amlwg. Gw. *CYLCH BANDL* (BANDL'S RING)

retractor: *gwrthdynnwr* offeryn llawfeddygol i dynnu ymylon clwyf ar wahân fel y bydd yn haws cyrraedd at yr adeiladdau dyfnach.

retro-: *at-, gwrth-, ôl-* rhagddodiadau yn golygu 'y tu ôl i' neu 'yn ôl' e.e. atchweliad y groth.

retroflexion: *ôl-blygiant* plygiant tuag yn ôl; fe'i defnyddir i ddisgrifio'r groth pan fo'r corpws wedi ei blygu tuag yn ôl ar ongl lem, a gwddf y groth yn ei safle normal

retrograde: *gwrthredol* yn mynd am yn ôl. *Pyelograffeg gwrthredol (r. pyelography)*: pelydr-X yr arennau a'r wreterau ar ôl chwistrellu sylwedd radio-ddidraidd i'r pelfis arennol trwy'r wrethra.

retrolental: *ôl-lentol* y tu ôl i'r lens crisialog. *Ffibroplasia ôl-lentol (r. fibroplasia): gw.* RETINOPATHI CYN AMSER (RETINOPATHY OF PREMATURITY) .

retroplacental: *ôl-frychol* y tu ôl i'r brych. *Tolchen ôl-frychol (r. clot):* tolchen waed y tu ôl i'r brych.

retrospection: *ôl-syllu* hel atgofion mewn ffordd forbid. Edrych yn ôl.

retroversion: *atchweliad* troad yn ôl; defnyddir i ddisgrifio'r groth pan fo'r organ cyfan wedi ei ogwyddo tuag yn ôl. *Cymh.* ÔL-BLYGIANT (RETROFLEXION).

Atchweliad y Groth

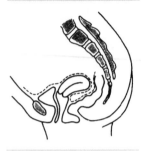

retroverted gravid uterus: *croth feichiog atchweledig* croth feichiog sydd yn gwyro tuag yn ôl. Mae hwn yn ddigwyddiad cyffredin a bron bob tro bydd y groth yn mynd yn ôl yn ddigymell i'r safle cywir yn gwyro tuag ymlaen. Ambell waith bydd y groth yn dal i wyro tuag yn ôl a bydd cyflwr *CARCHARIAD* (INCARCERATION) y groth feichiog yn datblygu, gyda wrin yn cael ei ddargadw.

retrovirus: *retrofirws* grŵp mawr o firysau RNA, gan gynnwys firysau lewcaemia cell-T dynol, lentifirysau a'r firws sy'n achosi AIDS, sef HIV (firws imiwnoddiffyg dynol).

Rhesus factor: *ffactor Rhesws* antigen, y mae ei bresenoldeb neu ei absenoldeb yn pennu bod math Rhesws gwaed dynol yn bositif neu'n negatif. Y mae tri phâr o antigenau Rhesws Cc, Dd ac Ee. Yr antigen D sydd yn gyfrifol am imiwneiddiad Rhesws yn y mwyafrif o achosion. Mae priflythyren yn dynodi bod y person yn Rhesws-bositif i'r ffactorau C, D neu E, ac mae llythyren fach yn dynodi bod person yn Rhesws-negatif i ffactorau c, d neu e. Mae oddeutu 83% o Gawcasiaid yn Rhesws-

241

bositif a 99–100% o hiliau eraill.

rheumatism: *gwynegon / cryd cymalau*
term a ddefnyddir i ddisgrifio poenau
yn y cyhyrau a'r cymalau. Ffibrositis
yw'r enw a roddir arno yn aml.
Gwynegon llym (acute r.): twymyn
gwynegon. Twymyn llym a gysylltir â
heintiad streptococol ac yn perthyn i
corea o tonsilitis lem. Mae'n achosi
ENDOCARDITIS gwynegol llym, myco-
carditis a pericarditis ac, o ganlyniad,
STENOSIS MITROL (MITRAL STENOSIS) a
diffyg aortig. Os byddant yn ysgafn
efallai na fydd dim symptomau nes
bod beichiogrwydd yn cynyddu'r baich
ar y galon. Os bydd gwraig feichiog
wedi cael twymyn gwynegon yn
blentyn rhaid cynnal asesiad gofalus o
gyflwr ei chalon.

rhinitis: *rhinitis* llid ar bilen fwcaidd y
trwyn. Mae rhinitis staffylococol yn
digwydd weithiau yn y plentyn
newydd-anedig.

**rhomboid of Michaelis: *rhomboid
Michaelis*** rhan siâp diamwnt ar waelod
yr asgwrn cefn a ddynodir gan rych ar y
croen. O dan ei hongl uchaf ceir cnepyn
y 5ed fertebra meingefnol, ac o dan yr
onglau ochrol gellir teimlo'r pigynnau
iliag uchaf ôl. Oddi tano mae'r hollt
glwteaiadd yn dechrau.

rhythm: *rhythm* (ans. *rhythmig*) symud-
iad mesuredig; gweithred neu
swyddogaeth yn cael eu hailadrodd yn
rheolaidd. *Dull rhythm o gynllunio
teulu (r. method of family planning):* y
dulliau naturiol o gynllunio teulu sydd
yn cynnwys cyfrifo'r cyfnod 'diogel'
honedig pryd a mae'r ferch yn lleiaf
tebygol o feichiogi, cymryd y gwres yn
ddyddiol, a chadw golwg ar y rhedlif
mwcaidd o'r wain, h.y. dull Billings.

rib: *asen* unrhyw un o'r esgyrn mewn
parau, 12 ar y ddwy ochr, sydd yn
ymestyn o'r fertebrau thorasig tuag at y
llinell ganol ar agwedd fentrol y bôn
gorff, sydd yn ffurfio'r rhan fwyaf o'r
ysgerbwd thorasig.

riboflavin: *ribofflafin* fitamin B2, yn
angenrheidiol ar gyfer rhai ensymau
sy'n catalyddu llawer o adweithiau
ocsideiddiad-rhydwythiad. Fe'i ceir yn
yr iau (afu), yr aren, y galon, burum
tafarn, llaeth, wyau, llysiau gwyrdd a
grawnfwydydd wedi'u cyfoethogi.

ribonucleic acid (RNA): *asid riboniwcleig*
asid niwcleig cell sydd yn trosi 'cod'
*ASID DEOCSYRIBONIWCLEIG (DEOXY-
RIBONUCLEIC ACID: DNA)* yn weithrediad.

ribosome: *ribosom* gronyn bychan iawn
a welir trwy ficrosgob electron yng
nghytoplasm cell. Mae ribosomau yn
ymwneud â syntheseiddio protein.

rickets: *llechau* rachitis. Afiechyd lle nad
yw'r asgwrn yn calcheiddio digon.
Mae'n ganlyniad i ddiffyg fitamin D, y
mae ei angen i amsugno calsiwm a
ffosfforws yn iawn. Mae'n arwain at
anffurfiant nodweddiadol y penglog,
yr asennau, y coesau a'r pelfis. Gellir ei
atal, trwy roi fitamin D a dinoethi'r
plentyn i heulwen neu olau uwchfioled, ac mae'n
anghyffredin y dyddiau hyn.

rigor: *rigor* Pwl sydyn o grynu a'r
tymheredd yn codi'n gyflym fel arfer, yn
aros yn uchel am gyfnod byr, ac yn dilyn
cyfnod o chwysu, yn gostwng. Gall
ddigwydd yn sgil pyelonephritis difrifol
yn ystod beichiogrwydd neu mewn
pwrperpaidd (SEPTICAEMIA). *Rigor
mortis:* y corff yn mynd yn anhyblyg
yn fuan ar ôl marwolaeth, canlyniad i
brotoplasm y cyhyrau yn ceulo.

risk management: *rheoli risg* gweith-
redu mewn dull strwythuredig ym maes
gofal er mwyn lleihau risgiau
canfyddadwy cyn i broblemau godi er
mwyn amddiffyn buddiannau a
chynyddu boddhad cleifion a chleient-
iaid a gostwng nifer y cwynion a'r
costau ymgyfreithiol sy'n dilyn. Mae
safonau gofal cytunedig sydd wedi'u
seilio ar ganfyddiadau ymchwil cyfredol
yn cael eu hysgrifennu ar ffurf
canllawiau clinigol; cynhelir adolygiad
systematig rheolaidd o nodiadau

clinigol i asesu pa mor gyflawn ydynt; cychwynnir fforymau i drafod achosion a chynhelir cynadleddau achos os digwydd bod canlyniadau aflwyddiannus i driniaeth; a datblygir rhaglenni hyfforddi parhaus. Ystyrir risgiau iechyd a diogelwch hefyd.

ritodrine hydrochloride: *ritodrin hydroclorid* symbylydd derbynnydd β2-adrenergaidd a ddefnyddir i leihau gweithredsiad y groth ac i ymestyn y cyfnod cario wrth reoli esgor cyn pryd. (Yutopar).

Ritter's disease: *clefyd Ritter* dermatitis digennol. Ffurf brin a difrifol ar *PEMPHIGUS NEONATORUM*.

rockerbottomfeet: *traed sodlog* nodwedd ar rai anhwylderau cromosomaidd megis syndrom Edwards (trisomi 18) a syndrom Patau (trisomi 13) lle mae gan y baban sodlau goramlwg.

Rogitine: *Rogitine* ffentalomin, adrenolytig a ddefnyddir i wneud prawf am bresenoldeb ffaecromocytoma.

role: *swyddogaeth* patrwm ymddygiad a ddatblygir mewn ymateb i ofynion neu ddisgwyliadau eraill; patrwm yr ymatebion i'r personau y mae'r unigolyn yn rhyngweithio â nhw mewn sefyllfa benodol.

Röntgen rays: *pelydrau Röntgen* PELYDRAU-X (X-RAYS)

rooming-in: *ystafellu* mae'r baban yn aros wrth ochr gwely'r fam tra bydd hi yn yr ysbyty, yn hytrach na chael gofal mewn meithrinfa. Mae hyn yn galluogi'r fam i ddod i adnabod ei baban ac yn cryfhau'r bondio rhyngddynt wrth iddi ddysgu ei drin a gofalu amdano.

rooting reflex: *atgyrch sugno* atgyrch y gellir ei ysgogi yn y baban newyddanedig trwy anwesu ei foch neu ochr ei geg. Bydd y baban yn ymateb trwy droi at yr ochr a anweswyd ac yn agor ei geg yn barod i sugno.

rotation: *cylchdro* corff yn troi ar ei

echelin hir. Mewn bydwreigiaeth, pen y ffetws (neu'r rhan sy'n cyflwyno) yn troi er mwyn bod yn y cyfeiriad iawn mewn perthynas ag echelin y pelfis. Dylai hyn ddigwydd yn naturiol, ond os nad yw'n gwneud, rhaid i'r obstetregydd ei wneud â llaw neu offeryn.

rotator: *trogyhyr* cyhyr sy'n achosi i unrhyw ran droi.

rotavirus: *rotafirws* firws sydd yn edrych fel olwyn o dan y microsgop. Ystyrir mai'r firws hwn yw achos mwyaf cyffredin dolur rhydd mewn babanod. Bydd arwyddion resbiradol yn aml yn rhagflaenu'r dolur rhydd a'r chwydu.

Rothera's test: *prawf Rothera* prawf i ddarganfod a oes aseton yn bresennol yn yr wrin.

roughage: *bwyd garw* ffibr llysieuol annhreuliadwy. Cellwlos. Mae'n rhoi swmp i'r diet ac yn symbylu peristalsis. Fe'i ceir mewn bran, grawnfwydydd, ffrwythau a ffibrau llysieuol.

round ligaments: *gewynnau crwn* yn ymestyn o gornwa'r groth i'r labia majora.

Royal College of Midwives (RCM): *Coleg Brenhinol y Bydwragedd* fe'i sefydlwyd ym 1881 fel y corff proffesiynol sy'n ymwneud ag addysg a safonau ymarfer proffesiynol bydwragedd. Dyma'r unig sefydliad proffesiynol ar gyfer bydwragedd yn unig. Mae'r RCM yn ymwneud yn bennaf erbyn hyn â safonau ymarfer proffesiynol, addysg statudol ac addysg arall ôl-sylfaenol ar gyfer bydwragedd a thrafod amodau gwasanaeth a chyflogau. Pencadlys: *gw.* Atodiad 8.

Royal College of Nursing – Midwifery Society: *Coleg Brenhinol Nyrsio – Cymdeithas Bydwreigiaeth* isadran o'r Coleg Brenhinol Nyrsio sy'n delio'n unig ag anghenion ei aelodau sydd yn fydwragedd; yn aml mae'r bydwragedd hyn yn dal cofrestriad dwbl ac yn dal i ymarfer fel nyrsys fel rhan o'u gwaith.

rubella: *rwbela* y frech Almaenig.

Afiechyd ysgafn heintus sy'n achosi brech smotiog ysgafn ar y corff ac yn gwneud i'r nodau lymff cerfigol ôl fynd yn fwy. Fe'i lledaenir trwy ddefnynnau gan berson heintiedig 7 diwrnod cyn i'r frech ymddangos ond nid yw'n heintus iawn. Mae rwbela yn anghyffredin yn ystod beichiogrwydd ond mae'r firws yn croesi'r brych at y ffetws ac yn achosi erthylu, baban yn cael ei eni'n farw neu rwbela cynhenid. Mae amlder camffurfiadau cynhenid megis namau ar y galon, y llygaid a'r clustiau, yn amrywio yn ôl pa bryd yn ystod y cyfnod cario y bydd yr afiechyd yn cael ei ddal. Os yw hyn yn digwydd yn y mis cyntaf y canran yw 50–60% gyda diffygion lluosog, ac mae'r canran hwn yn disgyn yn araf, nes, yn achos heintiad yn yr 16eg wythnos, mae tua 5%. O'r adeg hon hyd at yr 31ain wythnos gall y ffetws ddioddef arafwch twf a chael ei eni â pwrpwra thrombocytopenig. Yn ddiweddarach yn ei fywyd gall fod ag analleddau meddyliol neu gorfforol neu yn fyddar. Gall y baban ei hun heintio pobl eraill am hyd at ddwy flynedd. Pan fydd merch yn dod i gyswllt â rwbela yn ystod 4 mis cyntaf ei beichiogrwydd, dylid cymryd sampl o'i brofi ei himiwnedd i rwbela. Os yw'r prawf hwn yn dangos imiwnedd a dim heintiad, gellir ei sicrhau y dylai barhau â'r beichiogrwydd. Os nad yw'r serwm cyntaf yn dangos imiwnedd, dylid cymryd yr ail serwm 4 wythnos yn ddiweddarach. Dim ond os yw'r prawf hwn yn dangos heintiad y dylid ystyried rhoi terfyn ar y beichiogrwydd. Rhoddir brechiad yn erbyn rwbela, ar y cyd â chlwy'r pennau/y dwymyn doben a'r frech goch (MMR) pan fo baban tua blwydd oed. Rhoddir brechiad rwbela yn unig am yr eildro i bob merch ysgol rhwng 11 ac 14 oed.

Rubin test: *prawf Rubin* prawf i weld a yw tiwbiau'r groth yn agored, a wneir trwy enchwythu'r groth â nwy carbon deuocsid. Chwythu'r tiwbiau yw'r enw arall a roddir arno.

rugae: *rugae* rhychau neu grychau, e.e. ym mwcosa'r stumog, ac epitheliwm cennog y wain.

Rules for Midwives: *Rheolau Bydwragedd* mae'n gyfrifoldeb ar bob bydwraig sydd yn ymarfer yn y Deyrnas Unedig i gydymffurfio â Rheolau Bydwragedd y Cyngor Nyrsio a Bydwreigiaeth pa un a yw'n cael ei chyflogi o fewn y Gwasanaeth Iechyd Gwladol neu y tu allan iddo neu'n hunan-gyflogedig. Os methir â gwneud hynny y canlyniad tebygol fydd cyflwyno honiad o gamymddwyn proffesiynol. *Gw.* Atodiad 10.

rupture: *rhwygiad* **1.** rhan yn rhwygo neu dorri ar agor, megis aneurysm, y pilenni wrth esgor neu feichiogiad yn y tiwbiau. *Rhwygo'r groth (r. of the uterus):* gall hyn ddilyn esgor wedi'i atal, neu gall ddigwydd yn ystod beichiogrwydd neu esgor os yw'r ferch wedi cael endoriad Cesaraidd o'r blaen. Mewn esgoriad wedi'i atal gellir gweld cylch cywasgedd Bandl yn rhedeg fel cefnen ar osgo ar draws yr abdomen ac mae'n dynodi'r ffin rhwng segment uchaf y groth sydd wedi tewychu llawer a'r segment isaf sydd wedi teneuo a gorymestyn mewn ffordd beryglus. Os oes craith ar y groth o endoriad Cesaraidd neu hysterostomi blaenorol, gall *YMAGORIAD* (DEHISCENCE) ddigwydd yn ddirgelaidd tua at ddiwedd y cyfnod cario neu gall y groth rwygo o ganlyniad i gyfangiadau nerthol y groth yn ystod yr esgoriad. Rhaid rhoi triniaeth am sioc a cholli gwaed cyn ceisio pwytho'r rhwygiad; ambell waith bydd angen hysterectomi.

Ryle's tube: *tiwb Ryle* tiwb rwber tenau gyda phwysau ar un pen, a gyflwynir trwy'r trwyn i'r stumog. Gellir ei ddefnyddio i dynnu'r cynhwyson gastrig allan neu i roi hylifau.

S

Sabine vaccine: *brechlyn Sabine* brechlyn geneuol yn erbyn poliomyelitis sy'n cynnwys tri math o firws polio gwanedig byw. Gellir ei roi mewn capsiwl, ar lwmp o siwgr, neu drwy ddiferydd moddion.

sac: *sac* ceudod tebyg i goden.

saccharide: *sacarid* un o gyfres o garbo-hydradau, gan gynnwys siwgrau; fe'u rhennir yn fonosacaridau, disacaridau, trisacaridau, a pholysacaridau yn ôl nifer y grwpiau sacarid a gynhwysir ynddynt.

sacculation of the uterus: *codeniad y groth* cymhlethdod prin pan fo'r groth feichiog atchweledig wedi'i charcharu, ble mae'r ffwndws yn aros o dan benrhyn y sacrwm, ac mae'r wal flaen yn tyfu i wneud lle i'r ffetws.

sacral: *sacrol, y sacrwm* yn ymwneud â'r sacrwm. *Penrhyn y sacrwm (s. promontory):* ymyl flaen uchaf corff y fertebra sacrol cyntaf ymwthiol.

sacro-: *sacro-* yn ymwneud â'r sacrwm. *Sacroflaen a sacro-ôl:* y safleoedd y gellir dod ar eu traws mewn cyflwyniad ffolennol, gyda'r sacrwm yn ddynod-ydd.

sacrococcygeal: *sacrococygeaidd* yn gysylltiedig â'r sacrwm a'r cocycs. *Cymal sacrococygeaidd (s. joint):* cymal yn y pelfis lled symudol, rhwng y sacrwm a'r cocycs.

sacrocotyloid: *sacrocotyloid* yn ymwneud â'r sacrwm a'r asetabwlwm. *Diamedr sacrocotyloid (s.diameter):* y mesuriad rhwng penrhyn y sacrwm a phwynt agosaf y rhipyn ileopectineol ar ddwy ochr y pelfis. Mae'n 9.5 cm o

hyd (3.75 modfedd).

sacroiliac: *sacroiliag* yn ymwneud â'r sacrwm a'r iliwm. *Cymal sacroiliag (S. joint)* neu *syncondrosis sacroiliag (s. synchondrosis):* y cymal lled symudol rhwng y sacrwm a'r iliwm.

sacrum: *sacrwm* asgwrn siâp lletem sy'n cynnwys 5 fertebra unedig, wedi'i leoli rhwng fertebra isaf y meingefn a'r cocycs. Mae'n ffurfio wal ôl y pelfis.

Safe Motherhood Initiative: *Menter Mamolaeth Ddiogel* ymgyrch a gychwynnwyd ym 1987 gan Sefydliad Iechyd y Byd i leihau marwolaethau ac afiechyd ymhlith mamau ledled y byd trwy weithredu strategaethau cost-effeithiol, addas, syml i alluogi mamau i gael gofal o safon uchel y gallant ei ffordio pan fyddant yn feichiog ac yn geni plant ac adeg digwyddiadau cysylltiedig megis marwolaeth ffetws. Nod yr ymgyrch yw gwella iechyd, maethiad a lles cyffredinol merched a gwragedd mewn oed cael plant cyn iddynt feichiogi a dod yn rhieni, a lleihau canlyniadau tymor hir geni plentyn sydd yn aml yn arwain at anableddau gydol oes.

Saf-T-Coil: *Saf-T-Coil* dyfais atal cenhedlu fewngrothol.

sagittal: *saethol* siâp saeth. *Toriad saethol (s.section)* toriad llinell ganol blaen-ôl. *Asiad saethol (s.suture)* uniad yr esgyrn parwydol. Gellir nodi ffontanél saethol neu drydydd ffontanél yn yr asiad saethol. Weithiau mae'r cyflwr hwn yn gysylltiedig â *SYNDROM DOWN* (DOWN'S SYNDROME) ond nid bob tro.

salbutamol: *salbutamol* cyffur beta-sympathomimetig a ddefnyddir i geisio atal esgoriad cyn pryd. Ni ddylid ei gymryd os yw'r ferch yn dioddef o gyneclampsia a gwaedlif cyn y geni.

salicylate: *salicylad* unrhyw halen neu ester o asid salicylig. Mae asbirin yn salicylad a ddefnyddir oherwydd ei effaith boenleddfol, wrthbyretig a gwrthlidiol. Mecanwaith y mwyafrif o effeithiau asbirin a salicyladau eraill yw atal synthesis prostaglandin, a thrwy hynny atal prosesau pyretig a llidiol a gyfryngir gan brostaglandin.

saline: *halwynog* yn cynnwys halen neu halwynau. *Hydoddiant halwynog ffisiolegol (physiological s.)* a elwid gynt yn *hydoddiant halwynog normal (normal s.)*, hydoddiant o 0.9% sodiwm clorid. Mae'n isotonig â gwaed a gellir ei roi yn fewnwythiennol i gymryd lle, dros dro, hylif a gollwyd drwy sioc a gwaedlif, ond caiff ei ysgarthu'n gyflym.

saliva: *poer* secretiad y chwarennau poer, sy'n cael ei dywallt i'r geg wrth gymryd bwyd. Mae'n gwlychu ac yn hyd oddi rhai sylweddau, ac yn dechrau treulio carbohydradau trwy ei ensym ptyalin, yr amylas poerol.

salivation: *glafoerio* llif arferol poer. Pan fo hwn yn ormodol cyfeirir ato fel *PTYALIAETH* (PTYALISM).

Salk vaccine: *brechlyn Salk* paratoad o dri math o firysau polio wedi'u lladd a roddir mewn cyfres o bigiadau mewngyhyrol i imiwneiddio yn erbyn poliomyelitis.

Salmonella: *Salmonela* genws o facteria sy'n gyfrifol am *GASTROENTERITIS*.

salpingectomy: *salpingectomi* torri allan un neu'r ddau diwb Fallopio.

salpingitis: *salpingitis* llid un o'r tiwbiau Fallopio.

salpingogram: *salpingogram* amlinelliad radiolegol o du mewn i'r tiwbiau Fallopio, fel arfer i benderfynu a ydynt yn agored neu a oes ganddynt anhwylder arall.

salpingography: *salpingograffeg* radiograffeg y tiwbiau Fallopio ar ôl chwistrellu cyfrwng radio-ddidraidd i mewn i'r groth.

salpingo-oophorectomy: *salpingo-oofforectomi* tynnu allan diwb Fallopio ac ofari.

salpingotomy: *salpingotomi* toriad llawfeddygol yn un o diwbiau'r groth.

salpinx: *salpincs* tiwb, fel arfer y tiwb Fallopio.

salt: *1. halen 2. halwyn* **1.** sodiwm clorid, halen cyffredin, a ddefnyddir mewn hydoddiant fel asiant glanhau neu i'w drallwyso i'r gwaed i gymryd lle hylif. **2.** Unrhyw gyfansoddyn asid gydag alcali neu fas. *Colli halen (s. depletion):* colli halen o'r corff o ganlyniad i chwysu, chwydu parhaus neu ddolur rhydd.

sample: *sampl* grŵp a ddetholir o boblogaeth.

sanguineous: *gwaedol* yn ymwneud â gwaed neu'n cynnwys gwaed.

saphenous: *saffenaidd* yr enw a roddir ar ddwy wythïen arwynebol, yr un hir a'r un fer, sydd yn cludo gwaed o fyny'r goes o'r droed.

sarcoma: *sarcoma* tyfiant eithriadol o falaen sy'n datblygu o gelloedd meinwe cysylltiol a'u stroma. *Sarcoma Kaposi (Kaposi's s.)* reticwlosis malaen, amlffocws, sy'n metastaseiddio, sy'n ymwneud â'r croen yn bennaf, er y gall briwiau fod yn bresennol yn yr ymysgaroedd. Mae'n dechrau ar fysedd y traed neu ar y traed fel arfer fel cnepynnau a thyfiannau meddal glasgoch neu led-frown. Mae'n tarddu o firws ac fe'i gwelir yn aml yn AIDS.

saturated solution: *hydoddiant dirlawn* hylif sy'n cynnwys y cyfaint mwyaf o solid mae modd ei hydoddi ynddo heb ffurfio dyddodiad.

scalp: *croen pen* yr haen o feinwe sy'n gorchuddio'r esgyrn creuanol.

scan: *sgan* delwedd a gynhyrchir gan ddefnyddio datgelydd symudol neu belydr ymbelydredd ysgubol, fel mewn

sgintisganio, *UWCHSONOGRAFFEG
Modd-B* (B-MODE ULTRASONOGRAPHY),
sganograffeg, neu *TOMOGRAFFEG
GYFRIFEDIG* (COMPUTED TOMOGRAPHY).

scanner: *sganiwr* sgintisganiwr, a elwir
hefyd yn sganiwr tomograffeg
gyfrifedig (CT).

scapula: *sgapwla* yr asgwrn mawr
gwastad trionglog sydd yn ffurfio'r
balfais.

Schilling test: *prawf Schilling* prawf a
ddefnyddir i gadarnhau diagnosis o
anaemia aflesol drwy amcangyfrif yr
amsugniad o fiatmin B12 ymbelydrol
sydd wedi'i amlyncu.

schizophrenia: *sgitsoffrenia* seicosis y
mae ei achos yn anhysbys, ond yn
dangos cysylltiadau etifeddol. Mae'r
person yn teimlo bod grymoedd o'r tu
allan yn dylanwadu arno neu arni ac
yn dioddef rhithdybiau a rhith-
weledigaethau. Mae beichiogrwydd yn
tueddu i waethygu'r cyflwr.

school health service: *gwasanaeth
iechyd ysgolion* gwasanaeth sy'n
darparu archwiliadau a thriniaethau
meddygol a deintyddol mewn ysgolion
sy'n cael eu cynnal gan awdurdodau
addysg lleol.

Schultze expulsion of the placenta:
allwthiad brych Schultze ar ddiwedd
trydydd cam yr esgor mae'r brych yn
cael ei wthio allan wedi'i wrthdroi,
gyda'r arwyneb ffetysol yn ymddangos
gyntaf yn y fwlfa. Mae hyn yn fwy
cyffredin na *ALLWTHIAD MATTHEWS
DUNCAN* (MATTHEWS DUNCAN EXPUL-
SION); ceir llai o waedu ac mae'n debyg
bod y brych yn gorwedd ar lefel uwch
yn y groth.

sciatic: *sgiatig* yn perthyn i'r nerf sgiatig
sy'n rhedeg i lawr cefn y forddwyd.

sciatica: *sgiatica* poen difrifol yng nghefn
y goes, yn rhedeg ar hyd llwybr y nerf
sgiatig. Gall hyn fod yn flinderus iawn
yn ystod beichiogrwydd ac mae'n
digwydd oherwydd bod y groth drom
yn pwyso'n ormodol ar y nerfau a'r

gewynnau cyfagos. Efallai bydd yn
rhaid gorffwys yn y gwely; gall ysgogi'r
nerfau'n drydanol drwy'r croen neu
aciwbigo leddfu'r broblem. Dylai wella
ar ôl yr enedigaeth.

sclera: *sglera (ans. sglerol)* cot allanol
wen, wydn pelen y llygad, sy'n gorch-
uddio tua phum rhan o chwech o'i
harwynebedd o'r cefn, mae'n parhau yn
ddi-dor gyda'r gornbilen yn y blaen a
gyda gwain allanol y nerf optig yn y
cefn.

sclerema: *sglerema* afiechyd anghyffre-
din a welir weithiau mewn babanod
newydd-anedig. Fe'i nodweddir gan y
croen a'r bloneg tangroenol sy'n caledu
ac mae'n digwydd mewn *HYPO-
THERMIA*.

sclerosis: *sglerosis* unrhyw ran sy'n
caledu oherwydd gordyfiant meinwe
ffibraidd a chysylltiol, yn aml o achos
llid cronig.

scoliosis: *sgoliosis* crymedd annormal yr
asgwrn cefn. Defnyddir y term yn fwyaf
cyffredin i ddisgrifio gwyriad ochrol.
Gw. hefyd LORDOSIS a *CYFFOSIS*
(KYPHOSIS).

scopolamine: *sgopolamin HYOSGIN*
(HYOSCINE).

screening: *sgrinio* **1.** archwilio nifer fawr
o unigolion i ddatgelu nodweddion
penodol, neu afiechyd heb ei adnabod,
megis ffenylcetonwria neu is-thyroid-
edd yn y baban newydd-anedig. **2.**
fflworosgopi.

Scriver test: *prawf Scriver* prawf biolegol
a ddefnyddir i wneud diagnosis o
amrediad o namau metabolaeth
cynhenid, gan gynnwys ffenylceton-
wria. Os ceir bod lefel y ffenylalanin yn
uwch na 725 μmol/1 mae angen rhoi
triniaeth ar gyfer ffenylcenotwria.

scrotum: *ceillgwd* y goden croen a
meinwe meddal sydd yn cynnwys y
ceilliau.

scurvy: *y llwg* afiechyd sy'n dod o
ddiffyg fitamin C. Fe'i nodweddir gan
wendid, anaemia, gwaedlif o'r pilenni

mwcaidd, brech bwrpwrig, chwydd a phoen yn y cymalau, ac wlserau yn y geg. Mae'n gwella'n gyflym o gael diet iach yn cynnwys digon o fitamin C.

sebaceous: *brasterog, y sebwm* blonegog neu'n gysylltiedig â'r sebwm. Ceir *chwarennau sebwm (s. glands)* yn y croen, yn cysylltu â'r ffoliglau gwallt ac yn secretu sebwm.

sebum: *sebwm* secretiad brasterog y chwarennau sebwm.

second degree perineal lacerations: *rhwygiadau perineol ail radd* Gw. *ARCHOLLION PERINEOL* (PERINEAL LACERATIONS).

second stage of labour: *ail gam yr esgor* y cam pryd mae'r ffetws yn cael ei fwrw allan, yn parhau o'r adeg y mae gwddf y groth wedi ymledu'n llwyr i'r adeg y mae'r plentyn wedi cael ei eni'n gyfangwbl.

secondary: *eilaidd* yn ail o ran amser neu bwysigrwydd. *Gwaedlif ôl-enedigol eilaidd (S. postpartum haemorrhage):* gwaedlif o lwybr y geni sy'n digwydd ar ôl y 24 awr cyntaf yn dilyn y geni a hyd at 6 wythnos ar ôl geni'r baban; fe'i dosberthir fel unrhyw faint o waedu gormodol sy'n cael effaith andwyol ar iechyd y fam. Yr achosion arferol yw cynhyrchion cenhedliad wedi'u dargadw a/neu sepsis. Y triniaethau arferol yw gwagio'r cynhyrchion dadd wedi'u dargadw, ocsytosigau a gwrthfiotigau yn fewnwythiennol neu drwy'r geg. *Gw. hefyd GWAEDLIF ÔL-ENEDIGOL* (POSTPARTUM HAEMORRHAGE).

secretin: *secretin* hormon a secretir gan fwcosa'r dwodenwm a'r jejwnwm pan fydd treulfwyd asid yn mynd i mewn i'r perfedd; fe'i cludir gan y gwaed ac mae'n symbylu secretiad sudd pancreatig ac, i raddau llai, bustl a secretiad coluddol.

secretion: *secretiad* sylwedd a gynhyrchir gan chwarren.

sedative: *tawelydd* cyffur sydd yn lliniaru cynnwrf ac yn tawelu claf, yn aml yn ei gynorthwyo i gysgu, ond heb leddfu poen.

sedimentation: *gwaddodiad* ffurfiant gwaddod. Cyfradd gwaddodiad *gw. CYFRADD GWADDODIAD ERYTHRO-CYTAU* (ERYTHROCYTE SEDIMENTATION RATE).

segment: *segment* rhan. *Segment uchaf y groth (upper uterine s.):* tri chwarter uchaf y groth, y rhan sydd yn cyfangu ac yn gwrthdynnu yn ystod yr esgor. *Segment isaf y groth (lower uterine s.):* gan gynnwys gwddf y groth. Chwarter isaf y groth sydd yn ymestyn ac yn ymledu yn ystod cam cyntaf yr esgor.

segmentation: *segmentiad* rhaniad yr ofwm wedi'i ffrwythloni yn 2 gell, yna 4, yna 8, yna 16, ac yn y blaen, wrth iddo deithio ar hyd y tiwbiau Fallopio.

seizure: *trawiad* confylsiwn neu bwl o epilepsi.

self-actualization: *hunansylweddoliad* lefel datblygiad seicolegol ble mae potensial cynhenid yn cael ei wireddu'n llawn.

self-governing trust: *ymddiriedolaeth hunanreolaethol* ysbytai neu sefydliadau neu gyfleusterau eraill sy'n cymryd y cyfrifoldeb a'u rheolaeth eu hunain trwy 'dynnu allan' o reolaeth GIG uniongyrchol. Cymeradwyir statws ymddiriedolaeth gan yr Ysgrifennydd Gwladol ac mae gan bob ymddiriedolaeth Fwrdd o gyfarwyddwyr gweithredol ac anweithredol a Chadeirydd a gymeradwywyd gan yr Ysgrifennydd Gwladol.

Sellick's manouvre: *llawiad Sellick* pwyso am ran ôl ar y cartilag cricoid yn y gwddf er mwyn gorchuddio'r oesoffagws ac atal cynhwysion y stumog rhag cael eu hailchwydu i'r ffaryncs ble byddai perygl iddynt gael eu hanadlu i mewn i'r ysgyfaint. Ni ollyngir y gwasgedd nes bydd tiwb endotraceaidd wedi cael ei roi i mewn a'r llwybr resbiradol wedi cael ei selio.

semen: *semen* secretiad o hylif semenol gan y gwryw o'r chwarren brostad, a sbermatosoa o'r testis, yn cael ei gynhyrchu yn dilyn alldafliad.

semi-permeable: *lledathraidd* priodwedd pilen, yn caniatáu i rai moleciwlau fynd drwodd ac yn atal rhai eraill rhag mynd.

semi-prone: *lled wyneb i lawr* safle lle mae rhywun yn gorwedd wyneb i lawr gyda'r pen-gliniau wedi'u troi i un ochr.

senna: *senna* ysgarthydd sy'n deillio o'r planhigyn casia. Gellir defnyddio paratoad brand safonol, sef Senokot, yn ystod beichiogrwydd, ond gall weithio'n rhy gryf i rai merched.

sense: *1. synnwyr 2. teimlad* 1. cynneddf a ddefnyddir i ganfod cyflyrau neu briodweddau pethau, e.e. newyn, syched a phoen; Y pum synnwyr yw gweld, clywed, arogleuo, blasu a chyffwrdd. 2. teimlad o gydbwysedd a lles neu deimladau eraill.

sensitive: *sensitif* yn adweithio i symbyliad.

sensitization: *sensiteiddio* 1. unigolyn yn dod i gysylltiad am y tro cyntaf ag antigen penodol, gydag ymateb imiwn yn dilyn. 2. arhaenu celloedd â gwrthgorff fel cam paratoadol tuag at ysgogi adwaith imiwn. 3. paratoad meinwe neu organ gan un hormon fel y bydd yn ymateb yn weithredol i weithred un arall.

sensitized: *wedi'i sensiteiddio* wedi'i wneud yn sensitif.

sensory: *synhwyraidd* yn gysylltiedig â synhwyriad. *Nerf synhwyraidd:* (*s. nerve*) nerf amgantol sydd yn cludo ysgogiadau o organ synnwyr i fadruddyn y cefn neu'r ymennydd; fe'i gelwir hefyd yn nerf afferol.

sepis: *sepsis* y corff yn cael ei heintio gan facteria pathogenig. *Sepsis pwerperaidd* (*puerperal s.*) sy'n digwydd yn y llwybr cenhedlol yn ystod y PWERPERIWM (PUERPERIUM).

septic: *septig* yn gysylltiedig â sepsis.

septicaemia: *septicaemia* presenoldeb a lluosogiad bacteria pathogenig yn y gwaed. Yr arwyddion yw bod y tymheredd yn codi'n gyflym, sydd yn ysbeidiol yn ddiweddarach, rigor, chwysu, a holl arwyddion twymyn lem. Weithiau bydd sepsis pwerperaidd yn digwydd ar ffurf septicaemia. *Gw. hefyd* SIOC ENDOTOCSIG (ENDOTOXIC SHOCK).

septulet: *seithbled* un o saith plentyn o'r un esgoriad.

septum: *septwm* rhaniad neu barwyd e.e. rhwng fentrigl de a fentrigl chwith y galon. Nodweddir un ffurf ar gamffurfiad cynhenid y galon gan ddiffyg yn y septwm rhyngfentriglaidd.

sequela: *secwela* (*llu. secwelau*) cyflwr morbid yn dilyn afiechyd ac yn ganlyniad iddo.

serology: *seroleg* (*ans. serolegol*) astudiaeth o adweithiau antigenau-gwrthyrrf in vitro.

serotonin: *serotonin* amin sy'n bresennol mewn platennau gwaed, y brif system nerfol a'r coluddion, ac yn gweithredu fel fasogyfyngydd. Daw o'r asid amino tryptoffan ac fe'i anactifadir gan monoamin ocsidas.

serrated: *danheddog* gydag ochr fel llif e.e. esgyrn penglog y ffetws.

serum: *serwm* hylif clir lliw gwellt sydd ar ôl i waed dolchennu. Gweddill clir gwaed, y mae'r corffilod a'r ffibrin wedi'u symud ohono. Gellir defnyddio serwm o waed claf (neu anifail) sy'n gwella o afiechyd i amddiffyn person arall rhag yr un afiechyd, e.e. mewn difftheria neu mewn tetanws.

service provider: *darparwr gwasanaeth* sefydliadau clinigol sy'n darparu profiadau clinigol i fydwragedd a nyrsys dan hyfforddiant, staff i gefnogi myfyrwyr a thystiolaeth o ymarfer da o archwiliad clinigol.

sex: *1. rhyw, 2. pennu rhyw* 1. y gwahaniaeth sylfaenol, a geir yn y rhan fwyaf o rywogaethau anifeiliaid a phlanhigion, yn seiliedig ar y math o gametau a gynhyrchir gan yr unigolyn neu'r categori a mae'r unigolyn yn ffitio iddo ar sail y meini prawf. Mae ofa, neu facrogametau, yn cael eu cynhyrchu gan y fenyw, a sbermatosoa, neu ficrogametau, yn cael eu cynhyrchu gan y gwryw. Mae uniad y celloedd cenhedlu hyn mewn cyfathrach rywiol yn arwain at gynhyrchu unigolyn newydd. 2 pennu rhyw organeb.

sex-linked genes: genynnau rhyw-gysylltiedig yn cael eu cario ar y cromosomau rhyw, fel arfer yr X neu'r cromosom benywaidd.

sextuplet: chwephled un o chwech epil a anwyd yn yr un esgoriad.

sexual intercourse: cyfathrach rywiol y broses o goitws. *Cyfathrach rywiol yn ystod beichiogrwydd (s. i. in pregnancy):* gall libido gynyddu neu leihau yn ystod beichiogrwydd, yn dibynnu ar amrywiaeth o ffactorau. Nid yw peidio â chael cyfathrach rywiol yn cael ei argymell, ond efallai y bydd angen gwybodaeth ac awgrymiadau ynghylch newid eu safleoedd neu ddulliau eraill o rannu agosatrwydd ar rai cyplau. Efallai y bydd rhaid aros cyn *ailgychwyn cyfathrach rywiol (resumption of s. i.)* at ôl y geni oherwydd trawma i'r wain neu'r perinëwm, er y dylid cynghori merched mai peth doeth yw rhoi cynnig ar gyfathrach rywiol o fewn 6 wythnos i'r geni a chyn iddynt gael eu harchwiliad ôl-eni, oherwydd, ambell waith, gall broblemau ymdreiddiad dynnu sylw at y ffaith nad yw clwyf wedi gwella'n llwyr neu fod yno broblemau patholegol eraill sy'n ganlyniad i'r geni.

sexually transmitted diseases (STD): afiechyd a drosglwyddir yn rhywiol afiechyd heintus a drosglwyddir fel arfer trwy gyfrwng cyfathrach rywiol, naill ai gan unigolion heterorywiol neu wrywgydiol, neu trwy gyswllt agos gyda'r organau rhywiol, y geg a'r rectwm. Mae STD yn cynnwys syffilis,

GONORRHOEA (GONORRHOEA), heintiad gan y firws diffyg imiwnedd dynol (HIV), HERPES GENITALIS, WRETHRITIS AMHENODOL (NON-SPECIFIC URETHRITIS), TRICHOMONIASIS, PEDICWLOSIS (PEDICULOSIS) pubis, y clefyd crafu, DAFADENNAU (WARTS) cenhedlol neu wenerol, heintiad HEPATITIS B ac AIDS.

shaken baby syndrome: syndrom baban wedi'i ysgwyd presenoldeb toresgyrn heb eu hesbonio yn yr esgyrn hir, ynghyd â thystiolaeth o haematoma isddiwral mewn baban, o ganlyniad i gam-drin plentyn; fe'i hachosir gan ysgwyd ffyrnig sy'n cynhyrchu effaith chwiplach, a symudiad cylchdroadol y pen, gyda chanlyniadau o chwydu, cael confylsiynau, bod yn bigog, mynd i goma a marw.

shared care: gofal yn cael ei rannu gofal cyn geni sy'n cael ei rannu rhwng bydwraig ac obstetregydd neu feddyg teulu.

sheath: condom amlen neu gasyn tiwbaidd. Gellir gwisgo condom dros y pidyn unionsyth yn ystod cyfathrach rywiol i ddal yr hylif semenol, a thrwy hynny leihau'r tebygrwydd o feichiogi. Wrth ddefnyddio paratoad sbermladdol gyda condom mae eu dibynadwyedd yn codi i 97%. Argymhellir condomau fel dull o atal trosglwyddo HIV ac afiechydon sy'n cael eu trosglwyddo'n rhywiol o'r naill bartner i'r llall.

Sheehan's syndrome: syndrom Sheehan hypobitwidaeth. Digwydd hyn mewn achoson prin iawn o ganlyniad i sioc ddifrifol ac estynedig ar ôl ABRUPTIO PLAECENTAE a GWAEDLIF ÔL-ENEDIGOL (POSTPARTUM HAEMORRHAGE), lle mae necrosis yn y chwarren bitwidol flaen, sy'n achosi AMENORRHOEA, crebachiad yr organau cenhedlol a heneiddio cyn pryd.

shiatsu: shiatsu ffurf ar feddygaeth amgen yn seiliedig ar egwyddorion tebyg i aciwbigo ble credir bod gan y corff gyfres o linellau egni o'r enw meridianau yn rhedeg trwyddo o'r corun i fysedd y traed. Pan fydd y corff, y meddwl a'r ysbryd yn holliach bydd yr egni ar hyd y meridianau yn gytbwys; pan fydd straen yn y corff ffisegol, emosiynol neu ysbrydol, gellir defnyddio shiatsu i ailsefydlu cydbwysedd egni. Mae'r system yn cynnwys defnyddio pwysau bysedd, penelinoedd, sodlau neu draed ar fannau penodol ar y corff. Mae'n therapi defnyddiol ar gyfer merched beichiog neu ferched sydd â phlant, yn enwedig i drin cyflyrau megis cyfog a chwydu, poen wrth esgor a babanod sy'n dioddef o golig neu'n ddi-hwyl.

shingles: *yr eryr* HERPES (HERPES) Zoster.

Shirodkar operation: *llawdriniaeth Shirodkar* llawdriniaeth i atal erthyliad yn deillio o ddiffyg yng ngwddf y groth. Mae'r os mewnol yn cael ei gau gyda phwyth neilon ac mae hwn yn cael ei dynnu ychydig cyn y cyfnod llawn, neu'n gynt os bydd yr esgor yn cychwyn. Bellach yr enw cyffredin ar hyn yw cylchu gwddf y groth.

shock: *sioc* ymgwympiad o ganlyniad i fethiant llym y cylchrediad amgantol, sydd yn digwydd fel arfer oherwydd trawma neu waedlif difrifol. Prif achosion sioc yw gwaedlif cyn, neu'n fwy cyffredin ar ôl, y geni, y groth yn rhwygo neu'n gwrthdroi, syndrom anadlu asid, emboledd hylif ysgyfeiniol neu amniotig, isbwysedd difrifol neu sioc endotocsig o ganlyniad i septicaemia. Mae isbwysedd a tachycardia yn digwydd, mae'r pwysedd gwythiennol canolog yn amrywio a gall y ferch ymddangos yn oer, yn llaith, yn wyn ac yn ymladd am anadl. Rhaid ei hadfywio ar frys cyn y bydd y cyflwr yn anadferadwy. Rhaid cadw'r llwybr anadlu ar agor; dylid rhoi ocsigen os yw dyspnoea yn bresennol. Rhoddir hylifau mewnwythiennol i wrthweithio dadhydradiad a rhoddir amnewidion plasma, mae'r cyfaint yn dibynnu ar ddarlleniad

y pwysedd gwythiennol canolog. Gellir codi troed y gwely os yw'r baban wedi eni a gellir rhoi'r fam ar ei hochr chwith i atal pwysedd ar y fena cafa o dani. Gellir rhoi tawelydd; dylid cadw'r fam mor ddigyffro ag y bo modd a pheidio â'i gwneud yn rhy gynnes. Mae sioc endotocsig yn digwydd pan fydd heintiad difrifol gan organebau Gram-negatif yn enwedig Escherichia coli a Clostridium welchii. Mae'r rhydwelïynnau yn ymledu'n gyffredinol fel bod llai o waed yn cael ei anfon yn ôl i'r galon ac mae sioc yn digwydd. Mae'r arwyddion yn debyg i sioc hypofolaemig ond gall rigor ddigwydd. Rhaid trin yr heintiad fel mater o frys gyda'r gwrthfiotigau priodol.

shoulder dystocia: *dystocia'r ysgwydd* cymhlethdod prin yn dilyn geni pen y ffetws, ble nad yw'r ysgwyddau yn cylchdroi, disgyn a dod allan, fel arfer am fod y baban yn fawr neu am fod allfa'r pelfis wedi cyfangu. Dylai'r fydwraig droi'r fam i'r safle chwith ochrol neu ofyn iddi fynd yn ei chwrcwd i geisio lledu'r allfa ac yna geni'r baban. Neu gwneir llawiad McRobert, ble mae'r ferch yn gorwedd ar ei chefn ac yn tynnu ei phen-gliniau i fyny at ei brest gyda'r morddwydydd ar led, er mwyn lledu allfa'r pelfis. Efallai y bydd rhaid troi'r ysgwyddau o'r tu allan neu y tu fewn; ambell waith gwneir symffisiotomi neu mewn achosion eithafol torrir ysgwyddau'r baban er mwyn geni baban byw ac atal cymhlethdodau difrifol i'r fam. Neu fel arall gwneir llawiad Zavanelli, sef, gosod y pen yn ôl a gwneud endoriad Cesaraidd.

shoulder presentation: *cyflwyniad ysgwydd* y cyflwr sy'n datblygu pan fydd yr esgoriad yn dechrau gyda'r ffetws yn gorwedd arosgo a phan nad yw'r gorweddiad hwn yn cael ei gywiro. Gyrrir yr ysgwydd i lawr i belfis y fam, ac mae'r esgor yn cael ei atal. Gall hyn ddigwydd yn ystod ail gam esgoriad

251

efeilliaid, ar ôl geni'r plentyn cyntaf. Pan archwilir y groth mae'r groth i'w gweld yn llydan ac mae uchder y ffwndws yn llai na'r disgwyl ar gyfer y cyfnod cario. Wrth archwilio drwy'r wain, os nad yw'r rhan sy'n cyflwyno yn rhy uchel, cyffyrddir ag asennau'r ffetws (sydd yn hawdd eu hadnabod); gall braich ymgwympo i'r wain. Rhaid gwneud endoriad Cesaraidd, neu mewn rhannau o'r byd lle nad yw hyn yn bosibl, byddai troad podalig mewnol yn cael ei wneud gan dynnu'r ffetws allan gyda'r ffolennau gyntaf os yw'n fyw, neu o bosibl bydd triniaeth ddinistriol yn cael ei gwneud os yw'r baban wedi marw, er bod risg uchel iawn i'r fam o rwygo'r groth.

'show': *'show'* term a ddefnyddir i ddynodi'r rhedlif a staenir â gwaed ar ddechrau'r esgor sy'n dod o'r plwg yng ngwddf y groth, yr opercwlwm.

shunt: *siynt* 1. troi i un ochr; dargyfeirio; mynd heibio. 2. llwybr neu anastomosis rhwng dwy sianel naturiol, yn enwedig pibellau gwaed, naill ai trwy ddulliau naturiol neu lawdriniaeth.

SI units: *unedau SI* unedau mesur a dderbynnir yn gyffredinol ar gyfer pob defnydd gwyddonol a thechnegol. Gyda'i gilydd maent yn gwneud y System Unedau Ryngwladol. Mae'r acronym SI, o'r Ffrangeg Système International d'Unités, yn cael ei ddefnyddio ym mhob iaith. *Gw.* Atodiad 5.

Siamese twins: *efeilliaid Siamaidd* efeilliaid unfath (monosygotig) sy'n cael eu geni wedi'u huno â'i gilydd. Gall y man cyswllt fod yn fach neu yn eang. Mae'n cynnwys croen ac fel arfer gyhyrau neu gartilag rhan gyfyng, megis y pen, y frest neu'r glun. Gall yr efeilliaid fod yn rhannu un organ, megis y coluddyn neu rannau o'r asgwrn cefn. Lle mae hynny'n bosibl gwneir llawdriniaeth i wahanu'r efeilliaid yn fuan ar ôl y geni.

sibling: *brawd neu chwaer* un o ddau neu fwy o blant gyda'r un rhieni.

sickle cell disease: *clefyd cryman-gell* math difrifol o anaemia a welir ymysg hiliau Gorllewin Affrica ac India'r Gorllewin. Mae'n etifeddol a'i ganlyniadau yw siâp cryman annormal yn datblygu mewn cadwyni beta haemoglobin pan fo tyniant ocsigen yn disgyn. Mae hyn yn arwain at ymyriad yn llif lleol y gwaed ac mae'n cynyddu haemolysis yr erythrocytau, ac mewn achosion difrifol mae'n achosi argyfyngau cryman-gell, yn arbennig pan fo'n cael ei achosi gan haint. Gall merched gyda chlefyd cryman-gell fod yn wael iawn yn ystod beichiogrwydd a gall marwolaeth ddigwydd o ganlyniad i dorlengig y ddueg neu emboledd ysgyfeiniol; mae'n debygol y bydd y ffetws yn araf gyda thua 50% o achosion. Dylid argymell profi partneriaid gwragedd lle mae'n hysbys cyn y geni fod ganddynt nodweddion cryman-gell, a dylid cynnig cynghori ynglŷn â'r effeithiau posibl ar y ffetws.

sign: *arwydd* tystiolaeth neu arddangosiad gwrthrychol o newid yn ffisioleg neu batholeg y corff. Byddai arwyddion o feichiogrwydd yn cynnwys yr abdomen yn tyfu a gallu teimlo rhannau'r ffetws â'r bysedd, ar y llaw arall SYMPTOM, nid arwydd, yw'r profiad goddrychol o gyfog.

silver nitrate: *nitrad arian* AgNO₃. Halen grisialog. Fe'i defnyddir mewn ffurf solid fel cawstig i leihau gronyniad gormodol mewn meinwe.

Silverman-Anderson score: *sgôr Silverman-Anderson* system ar gyfer gwerthuso perfformiad anadlu babanod cyn amser. Mae'n cynnwys pum eitem: 1. gwrthdyniant y frest o'i gymharu â gwrthdyniant yr adomen wrth anadlu; 2. gwrthdyniant y cyhyrau rhynasennol isaf; 3. gwrthdyniant siffoid; 4, y ffroenau yn lledu wrth fewnanadlu; a 5. ebychiad wrth allanadlu. Rhoddir gradd o 0, 1 neu 2 i bob un o'r pump. Mae cyfanswm y ffactorau hyn yn rhoi'r sgôr. Mae 0 yn dynodi anadlu digonol, mae sgôr o 10 yn dynodi trafferth anadlu difrifol.

Simmonds' disease: _clefyd Simmonds_ yr holl *CHWARREN BITWIDOL* (PITUITARY GLAND) yn tanweithredu. *HYPOBIT-WIDEDD* (HYPOPITUITARISM), sydd yn effeithio ar yr holl system endocrin. Gall ddilyn *SYNDROM SHEEHAN* (SHEEHAN'S SYNDROME).

Sims' position: _safle Sims_ yn debyg i'r safle ochrol chwith ond bron iawn ar yr wyneb, yn lled-orwedd gyda'r pen-glin de a'r fforddwyd wedi eu tynnu i fyny ac yn gorffwys ar y gwely o flaen y goes chwith.

Sims' speculum: _sbecwlwm Sims_

sinciput: _sincipwt_ y talcen. Y rhan honno o'r penglog sydd rhwng yr asiad corunol a'r gwrymiau creuol.

Singer's test: _prawf Singer_ prawf gwaed er mwyn gwahaniaethu rhwng gwaed y ffetws a gwaed y fam.

sinoatrial node: _nod sinoatriaidd_ casgliad o ffibrau cyhyrol arbenigol yn wal yr atriwm de ble mae rhythm y cyfangiadau cardiaidd yn cael ei sefydlu fel arfer; fe'i gelwir hefyd yn rheoliadur y galon.

sinus: _sinws_ ceudod. Term anatomegol cyffredinol ar gyfer yr holl geudodau yn yr esgyrn creuanol neu'r sianeli wedi ymagor ar gyfer gwaed gwythiennol a geir yn y greuan hefyd. Gw. *PILENNI MEWNGREUANOL* (INTERCRANIAL MEMBRANES).

skeleton: _ysgerbwd_ adeiledd esgyrn y corff, sydd yn cynnal ac yn amddiffyn yr organau a'r meinweoedd meddal.

Skene's ducts: _dwythellau Skene_ y fwyaf o chwarennau wrethrol y fenyw, sydd yn agor o fewn yr agorfa wrethrol; ystyrir eu bod yn homologaidd â'r chwarren brostad.

skull: _penglog_ adeiledd esgyrnog y pen sydd yn amgáu ac yn amddiffyn yr ymennydd. Ystyrir penglog y ffetws

mewn tair rhan, y gromgell, y bôn a'r wyneb. Mae esgyrn y bôn a'r wyneb wedi'u huno'n gadarn ac felly ni ellir eu cywasgu. Mae'r gromgell yn cynnwys dau asgwrn talcennol, dau asgwrn parwydol, dau asgwrn arleisiol ac ur asgwrn ocsipitol. Adeg y geni nid yw'r gromgell wedi asgwrneiddio'n llwyr ac felly mae gwagleoedd pilennog rhwng yr esgyrn a elwir yn asiadau. Ble bydd tri neu fwy o asiadau yn cwrdd gelwir y gwagle pilennog yn ffontanél. Yn ystod yr esgor mae cryn bwysedd ar benglog y ffetws ac mae mowldio'n digwydd, sef, mae'r esgyrn yn gorgyffwrdd yn yr asiadau. Gw. hefyd *PENGLOG Y FFETWS* (FETAL SKULL).

slough: _cen_ màs o feinwe marw sydd naill ai yn y meinwe cyfagos neu sydd wedi ymwahanu oddi wrtho.

small for gestational age baby: _baban bach am ei oed cario_ baban sydd yn llai neu'n ysgafnach na'r disgwyl am ei oed cario. Mae'r diffiniad yn amrywio; mae rhai awdurdodau yn cynnwys y rhai hynny o dan y ddegfed *GANRADD* (PERCENTILE) a rhai o dan y 5ed ganradd. Yn y groth mae risg uwch na'r cyffredin o hypocsia yn arwain at asffycsia adeg y geni, felly dylai'r fydwraig sicrhau ble bo modd fod paediatregydd yn bresennol adeg y geni i adfywio'r baban. Gall hylif amniotig wedi'i staenio â meconiwm yn ystod cam cyntaf yr esgor rybuddio'r fydwraig am y risg hwn; os bydd y ffetws yn mewnanadlu'r hylif wedi'i lygru gall ddatblygu trafferthion anadlu oherwydd gorlenwad yn y bronciolynnau a niwmonitis. Gellir atal hyn rhag digwydd drwy fewndiwbio'r baban cyn y mewnanadl cyntaf a fydd yn atal yr hylif rhag cael ei sugno ymhellach i lawr y ffaryncs a'r tracea. Mae babanod sydd yn fach am eu hoed cario yn dueddol o gael hypoglycaemia hefyd gan fod yr iau (afu) wedi colli storfeydd glycogen yn y groth; gall pyliau o apnoea a niwed i'r ymennydd

253

ddigwydd o ganlyniad i'r hypogly-caemia. Rhaid amcangyfrif lefelau glwcos y gwaed yn rheolaidd a bwydo'n fynych er mwyn atal y broblem. Mae hypothermia, heintiad a thwf gwael o ganlyniad yn nodweddu o'r babanod yn nodweddu'r hyn.

smear: taeniad sbesimen o gelloedd arwynebol e.e. o'r wain a gwddf y groth, sydd, o'u harchwilio o dan ficroscop, yn rhoi gwybodaeth am lefel yr hormonau neu afiechyd malaen cynnar.

smegma: smegma secretiad chwarennau sebwm y clitoris a'r blaengroen.

smoking in pregnancy: smygu mewn beichiogrwydd mae smygu yn niweidiol yn ystod beichiogrwydd achos bod carbon monocsid yn lleihau cludiant ocsigen ac mae nicotin yn achosi fasogyfyngiad yn yr arteriolau. O ganlyniad mae llai o fwyd ac ocsigen yn cyrraedd y ffetws. Felly gall twf a datblygiad y ffetws gael ei arafu. Hefyd bydd babanod pobl sy'n smygu yn treulio amser yn awyrgylch mwg sigarennau yn eu blynyddoedd cynnar a gall hyn greu rhagdueddiad ynddynt i ddatblygu asthma a chyflyrau alergenig a resbiradol eraill.

snuffles: snwffiadau yr anadlu swnllyd a'r catâr yn y trwyn a nodir mewn babanod â SIFFILIS cynheuid (congenital SYPHILIS).

social class: dosbarth cymdeithasol dosbarthiad, gan y Cofrestrydd Cyffredinol, o bersonau yn ôl eu galwedigaeth o I i V; I, pobl broffesiynol; II, canolig; III, gweithwyr crefftus; IV, gweithwyr lled-grefftus; V, di-grefft.

social services: gwasanaethau cymdeithasol gwasanaethau a ddarperir gan y gymuned i gwrdd â rhai anghenion unigol. Nid yw'n cynnwys y rhai hynny sy'n cael eu darparu er mwyn gwneud elw.

social services department: adran gwasanaethau cymdeithasol adran yr awdurdod lleol, a sefydlwyd yn 1971 yn dilyn Deddf Gwasanaethau Cymdeithasol Awdurdodau Lleol, 1970. Ei diben yw cydlynu'r gwasanaethau cymdeithasol. Mae ganddi gyfrifoldeb tuag at blant a phobl ifanc, pobl oedrannus, pobl sydd ag anableddau corfforol a meddyliol, rhai sy'n annigonol yn gymdeithasol a rhieni heb gefnogaeth. Mae ganddi'r pŵer i ddirprwyo rhai meysydd i sefydliadau gwirfoddol. Gall weithredu hefyd fel asiantaeth fabwysiadu.

social worker: gweithiwr cymdeithasol person cymwys ac wedi'i hyfforddi'n arbennig i asesu angen cymdeithasol a darparu'r adnoddau angenrheidiol.

sociology: cymdeithaseg astudiaeth wyddonol o berthnasoedd a ffenomen-au.

sodium: sodiwm symbol Na. Elfen fetelig a ddosberthir yn eang ym myd natur ac sy'n ansoddyn pwysig ym meinweoedd anifeiliaid. Sodiwm yw prif gation, h.y. ïon wedi'i wefru'n bositif, yr hylif allgellol (ECF) ac mae felly yn pennu osmolaledd yr ECF. Mae lefel sodiwm yn y serwm fel arfer tua 140 mEq/l. Os yw lefel y sodiwm a'r osmolaledd yn disgyn, mae osmodderbynyddion o fewn yr hypothalmws yn cael eu symbylu ac yn peri rhyddhau hormon gwrthddiwretig (ADH) o labed ôl y chwarren bitwidol. Mae ADH yn cynyddu amsugniad dŵr yn nwythellau casglu'r arennau fel bod dŵr yn cael ei gadw tra bo sodiwm ac electrolytau eraill yn cael eu hysgarthu yn yr wrin. Os yw lefel y sodiwm a'r osmolaledd yn codi, mae niwronau yng nghanolfan syched yr hypothalamws yn cael eu symbylu ac mae'r person sychedig yn yfed digon o hylif i adfer osmolaledd yr ECF i'r lefel arferol. Ceir lleihad yng nghrynodiad y sodiwm yn y serwm o dan lefelau normal mewn amrywiaeth o gyflyrau a gysylltir â diffyg yng nghyfaint hylif megis dolur rhydd a chwydu, methiant llym neu gronig yr arennau ac mewn therapi diwretig. Mae cynnydd yng nghrynodiad y sodiwm yn y serwm uwchlaw lefelau normal *(HYPERNATRAEMIA)* yn digwydd pan na fydd dŵr yn cael ei yfed i gymryd lle dŵr a gollwyd, ac yn y babon newydd-anedig pan fo bwyd artiffisial yn cael ei gymysgu'n anghywir gyda gormod o bowdr llaeth. Defnyddir *sodiwm bicarbonad* (s. bicarbonate) i wrthdroi *ASIDAEMIA (ACIDAEMIA)* metabolig yn dilyn hypocsia i'r meinweoedd. Fe'i defnyddir mewn cryfderau gwahanol, 8.4 neu 5% defnyddir y crynodiad uwch pan fydd lefelau hylif yn hollbwysig, fel yn y babon newydd-anedig. *Sodiwm citrad* (s. citrate) sylwedd a ychwanegir at waed rhoddwr i'w atal rhag ceulo.

soft chancre: *siancr meddal* wlser gwenerol, nad yw'n ganlyniad syffilis. Yr organeb heintus yw Haemophilus ducreyi (bacilws Ducrey).

soft palate: *taflod feddal* yr adeiledd cnodiog yng nghefn y geg sydd, ynghyd â'r daflod galed, yn ffurfio top y geg. O ganol ymyl rydd y daflod feddal mae'r wfwla yn hongian. Wrth lyncu mae'r daflod feddal yn cael ei thynnu i fyny yn erbyn cefn y ffaryncs, ac yn atal bwyd a hylifau rhag mynd i mewn i'r llwybr trwynol wrth iddynt fynd trwy'r gwddf.

solar plexus: *solar plecsws* rhwydwaith o ganglia nerfol ymatebol yn yr abdomen; cyflenwad nerfau i organau'r abdomen o dan y llengig.

solute: *hydoddyn* sylwedd a hydoddir mewn hydoddiant.

solvent: *hydoddydd* hylif sydd yn hydoddi, neu sydd â'r gallu i hydoddi.

somatic: *somatig* yn perthyn i'r corff yn hytrach nag i'r meddwl.

somatome: *somatom* 1. cyfarpar i dorri corff ffetws. 2. somit.

somatotrophin: *somatotroffin (ans. somatotroffig)* hormon twf.

somite: *somit* un o'r segmentau sydd mewn parau ar hyd tiwb niwral yr embryo fertebrataidd, a ffurfir trwy

israniad ardraws y mesodewm tew nesaf at y plân canol, sydd yn datblygu yn asgwrn cefn a chyhyrau'r corff.

sonar: *sonar* term am *UWCHSAIN (ULTRASOUND)* mewn diagnosis meddygol.

sonogram: *sonogram* cofnod neu arddangosiad a geir trwy sganio uwchsonig.

sonography: *sonograffeg (ans. sonograffig)* uwchsonograffeg.

soporific: *soporiffig* yn achosi cwsg.

sordes: *sordes* cramenni brown sydd yn ymffurfio ar ddannedd a gwefusau cleifion anymwybodol, neu'r rhai hynny sy'n dioddef o dwymynnau llym neu estynedig. Canlyniad i esgeuluso glanweithdra'r geg.

sore buttocks: *ffolennau clwyfus* term amhenodol sy'n cyfeirio'n gyffredinol at ysgythriadau o gwmpas yr anws sydd yn gysylltiedig yn aml â charthion rhydd, mynych. Mae'n fwy tebygol o ddigwydd mewn babanod sydd yn cael bwyd artiffisial. Mae achosion eraill yn cynnwys newid y cewyn/clwt yn anaml, diffyg glanweithdra, golchi'r cewynnau/clytiau mewn dull anghywir, diet (siwgr ychwanegol) a heintiad megis candidiasis. Mae triniaeth yn cynnwys glanweithdra da, dinoethi'r ffolennau i'r awyr ac edrych ar ddulliau bwydo, golchi cewynnau/clytiau ac edrych am heintiad. *Gw.* BRECH CEWYN / CLWT (NAPKIN RASH).

souffle: *souffle* sŵn chwythu tawel a glywir wrth glustfeinio ar yr abdomen yn ystod beichiogrwydd. Y *souffle crothol* yw sŵn y gwaed yn pasio trwy rydweliau croth y fam, yn enwedig dros safle'r brych. Mae'n cyd-amseru â phwls y fam.

soya milk: *llaeth soya* fe'i defnyddir fel efelychiad llaeth ar gyfer babanod nad ydynt yn gallu goddef cyfansoddion llaeth y fron neu laeth buwch megis lactos. Bellach mae dewisiadau eraill sy'n efelychu llaeth yn seiliedig ar soya ar gael wedi'u paratoi yn unswydd ar gyfer fformiwla babanod. Maent yn cynnwys braster llysieuol yn unig.

Spalding's sign: *arwydd Spalding* yr esgyrn creuanol yn gorgyffwrdd yn bell, a welir ar radiograff abdomenol. Mae'n dangos bod marwolaeth yn y groth wedi digwydd rai dyddiau ynghynt.

spasm: *sbasm* cyfangiad cyhyrol anwirfoddol sydyn.

spastic: *sbastig* yn gysylltiedig â sbasm. Defnyddir y term i ddisgrifio mathau arbennig o dôn uwch mewn cyhyrau sy'n ganlyniad i niwed i'r ymennydd neu fadruddyn y cefn. Fe'i defnyddir hefyd fel term ar gyfer *PARLYS YR YMENNYDD* (CEREBRAL PALSY).

specific gravity: *dwysedd cymharol* pwysau sylwedd o'i gymharu â phwysau cyfaint cyfartal o sylwedd arall. e.e. pennwyd mai dwysedd cymharol dŵr yw 1000. Trwy hyn gellir cymharu dwysedd sylweddau eraill megis wrin (1010–1020) neu waed (1055).

specular reflection: *adlewyrchu sbeciwlar* yn adlewyrchu fel o arwyneb. Term a ddefnyddir mewn *UWCHSAIN* (ULTRASOUND) i ddisgrifio rhyngwyneb sydd yn rhoi adlewyrchiad neu atsain cryf e.e. penglog y ffetws.

speculum: *sbecwlwm* (llu. *sbecwla*) offeryn a ddefnyddir i agor ceudod, nad yw fel arfer yn y golwg, er mwyn gallu archwilio adeiledd cuddiedig.

Spencer Wells: *Spencer Wells* math o efelau rhydweliol.

sperm: *sberm* cell atgenhedlol y gwryw; sbermatosoon. *Rhoi sberm* hylif semenol a gyflenwir gan roddwyr ar gyfer ffrwythloni merched y mae eu partneriaid yn anffrwythlon.

spermatic: *sbermatig* yn perthyn i'r sbermatosoa neu i'r semen. *Llinyn sbermatig* (s. *cord*) yr adeiledd sydd yn ymestyn o'r cylch abdomenol arffedol i'r caill, ac yn cynnwys y plecsws pampiniffurf, nerfau, ductus deferens, rhydweli'r ceilliau a phibellau eraill.

spermatogenesis: *sbermatogenesis* datblygiad sbermatosoa aeddfed o sbermatogenia.

spermatozoa: *sbermatosoa* (llu.) y celloedd cenhedlol gwrywol sydd yn ffurfio rhan hanfodol semen. 50 miliwn fesul ml. yw'r cyfrif celloedd normal. unigol: *sbermatosoon*.

spermicide: *sbermleiddiad* asiant sy'n dinistrio sbermatosoa. Fe'i defnyddir yn aml fel hufen neu bast a roddir ar gapiau a ddefnyddir yn y wain neu yng ngwddf y groth, fel fagitoriau neu ewyn.

sphenoid: *sffenoid* siâp lletem. Mae'r *asgwrn sffenoid* (s. *bone*) yn ffurfio rhan o waelod y penglog.

spherocyte: *sfferocyt* erythrocyt bach, globwlaidd wedi'i haemoglobineiddio'n llwyr heb y gwelwder canolog arferol; fe'i ceir fel rheol mewn sfferocytosis etifeddol ond hefyd mewn anaemia haemolytig caffaeledig.

spherocytosis: *sfferocytosis* presenoldeb sfferocytau yn y gwaed.

sphincter: *sffincter* cyhyr siâp cylch sydd wrth gyfangu yn cau agorfa naturiol.

sphingomyelin: *sffingomyelin* moleciwl cymhleth o brotein ac asid brasterog a ddefnyddir fel safon i fesur cymhareb *LECITHIN* yn yr hylif.

sphygmomanometer: *sffygmomano-*

medr Offeryn a ddefnyddir i fesur pwysau gwaed y rhydweliau.

spigot: *sbigot* peg bychan neu dopyn i gau agoriad tiwb.

spina bifida: *spina bifida* cyflwr ble mae'r bwâu ar gefn yr asgwrn cefn yn anghyflawn. Weithiau nid oes ond bwlch esgyrnog (*spina bifida occulta*) ond weithiau mae madruddyn y cefn yn y golwg. Ble mae sac dros fadruddyn y cefn fe'i gelwir yn MENINGOCEL (MENINGOCELE) neu os oes nerfau yn y golwg neu ynghlwm wrth y sac, MYELOMENINGOCEL (MYELOMENINGOCELE).

spinal: *sbinol* yn ymwneud â'r asgwrn cefn. *Anaesthesia sbinol* (s. anaesthesia): techneg ble tyllir y dwra ac y chwistrellir anaesthetig lleol yn uniongyrchol i mewn i'r hylif cerebrosbinol. Fel arfer, dos sengl, ddibynadwy o boenleddfwr sy'n gweithredu'n gyflym ac sy'n defnyddio dosau llai o anaesthetig na phoenleddfwr epidwral. Ond nid yw'n lleddfu poen am amser hir, ac mae perygl o isbwysedd trawiadol, cyfog a chwydu, cur pen ôl-sbinol, a pherygl difrifol o heintiad oni chedwir y cyfan yn gwbl ddi-haint.

spine: *1.* asgwrn cefn *2.* pigyn asgwrn

spinnbarkeit: *sbinbarceit* edefyn o fwcws sy'n cael ei secretu gan y cervix uteri. Fe'i defnyddir i benderfynu a yw ofwliad yn digwydd gan fod hyn fel arfer yn cyd-fynd gyda'r amser a gellir ymestyn y mwcws ar sleid wydr i'w hyd mwyaf posibl.

spirit: *gwirod* hyddodiant alcoholig o sylwedd anweddol, neu alcohol ei hun.

Spirochaeta: *Spirochaeta* grŵp o ficro-organebau gyda ffilament hyblyg troellog. e.e. *Treponema pallidum*, achos SIFFILIS (SYPHILIS).

spirograph: *sbirograff* cyfarpar ar gyfer mesur a chofnodi symudiadau resbiradol.

spirometer: *sbiromedr* offeryn ar gyfer mesur aer a fewnanadlir ac a allanadlir

o'r ysgyfaint.

splanchnic: *ymysgarol* yn perthyn i'r ymysgaroedd. Nerfau ymysgarol tri nerf o'r ganglia ymatebol thorasig a ddosberthir i'r ymysgaroedd.

spleen: *dueg* organ lymffoid fasgwlar iawn, a leolir yn yr hypocondriwm chwith o dan ymyl y stumog. Mae fframwaith yr organ yn cynnwys trabeculae ffibraidd gyda bywyn yn y gwagleoedd. Y swyddogaethau yw *(a)* ffurfiant erythrocytau ym mywyd y ffetws yn unig; *(b)* cynhyrchu lymffocytau trwy gydol bywyd; *(c)* rheoli'r broses o dorri celloedd coch i lawr ac ysgarthu'r cynhyrchion a geir o ganlyniad; a *(d)* ffurfio GWRTHGYRFF (ANTIBODIES).

splenomegaly: *sblenomegali* y ddueg yn mynd yn fwy.

splint: *sblint* darn o bren neu fetel a ddefnyddir i gynnal, ac efallai i gadw coes neu fraich a niweidiwyd, yn llonydd.

spondylolisthesis: *sbondylolisthesis* dadleoliad am ymlaen o'r 5ed fertebra meingefnol ar segment cyntaf y sacrwm. Mae hwn yn culhau'r gwir gyfiau trwy ffurfio penrhyn ffug, ac yn achos prin o DYSTOCIA.

spondylosis: *sbondylosis* ancylosis cymal fertebraidd; hefyd, term cyffredinol am newidiadau dirywiol yn yr asgwrn cefn.

spontaneous: *digymell* yn digwydd yn naturiol, heb ddim cymorth allanol. *Esblygiad digymell* (s. evolution): gw. ESBLYGIAD (EVOLUTION). *Troad digymell* (s. version): y ffetws yn newid o un gorweddiad i un arall heb ddim ymyriad obstetrig.

sporadic: *ysbeidiol* gwasgaredig neu heb barhad. Fe'i defnyddir i ddisgrifio achosion ar wahân o afiechyd sy'n digwydd mewn lleoedd amrywiol a gwasgaredig.

spore: *sbôr* elfen atgenhedlol rhai planhigion, ffyngau a bacteria. Mae bacili tetanws yn cenhedlu sborau, ac mae'r sborau yn gwrthsefyll tymheredd uchel ac antiseptigau cryf, ac felly maent yn anodd eu lladd, gan y gallant aros ynghwsg am flynyddoedd.

spurious labour: ffug esgor Gw. ESGOR (LABOUR).

squamous: cennog cennog neu fel plât. **Asgwrn cennog** (s. bone): rhan denau'r asgwrn arleisiol sydd yn ymgymalu â'r asgwrn parwydol. **Epitheliwm cennog** (s. epithelium): croen â chelloedd tenau, e.e. leinin y wain.

squatting: cwrcwd safle gyda'r cluniau a'r pen-gliniau wedi'u plygu, y ffolennau yn gorffwys ar y sodlau; gall merch fynd yn ei chwrcwd yn rhannol neu yn llwyr wrth eni plentyn er mwyn hwyluso'r geni, trwy effeithiau disgyrchiant a thrwy i allfa'r pelfis fynd ychydig yn fwy.

standard deviation: gwyriad safonol (σ) mesur gwasgariad hap-newidyn: ail isradd y gwyriad sgwarog cyfartalog o'r cymedr. Ar gyfer data sydd â dosbarthiad normal mae tua 68% o'r pwyntiau data yn disgyn o fewn un gwyriad safonol o'r cymedr ac mae tua 95% yn disgyn o fewn dau wyriad safonol.

Staphylococcus: Staffylococws genws bacteria pyogenig sydd, o dan y microsgop, yn ymddangos wedi'u grwpio gyda'i gilydd mewn clystyrau bach fel sypiau grawnwin. Mae staffylococci yn achosi heintiadau ar y croen, gan gynnwys PEMFFIGWS NEONATORWM (PEMPHIGUS NEONATORUM), MASTITIS ac, weithiau, SEPSIS PWERPERAIDD (PUERPERAL SEPSIS). Mae **Staffylococws awrews** (s. aureus) neu **Staffylococws pyogenes** (s. pyogenes) yn geulas-bositif, yn gallu achosi heintiadau difrifol ac, yn yr ysbyty, yn gallu gwrthsefyll cyffuriau gwrthfiotig. Mae **Staffylococws albws** (s. albus) yn GYDFWYTAOL (COMMENSAL) â chroen ond gall achosi haint yn y llwybr wrinol

hefyd.

stasis: stasis cyflwr o fod yn farwaidd neu sefyll yn stond. **Stasis coluddol** (intestinal s.): symudiad llesg cyhyrau wal y perfedd, sy'n achosi rhwymedd. Mae **stasis wrin** (s. of urine), sy'n digwydd mewn beichiogrwydd, yn creu rhagdueddiad at heintiad y llwybr wrinol. Gw. PYELONEFFRITIS (PYELO-NEPHRITIS).

stat: stat statim (ar unwaith).

station: safle lleoliad y rhan o'r ffetws sy'n cyflwyno yn llwybr y geni, a ddynodir fel −5 i −1 yn ôl faint o gentimetrau y mae'r rhan uchlaw plân dychmygol sy'n pasio trwy'r cnapiau isgïaidd, 0 pan fydd ar y plân a +1 i +5 yn ôl faint o gentimetrau y mae'r rhan o dan y plân.

statistical significance: arwyddocâd ystadegol mewn ymchwil, casgliad bod y canlyniadau a gafwyd yn annhebygol iawn o ddigwydd ar ddamwain. Os yw'r canlyniad o dan 1 mewn 20 neu'r lefel tebygolrwydd o 0.05, cafodd y canlyniad ei gynhyrchu gan rywbeth heblaw siawns neu hap.

statistics: 1. ystadegau 2. ystadegaeth 1. ffeithiau rhifyddol yn gysylltiedig â phwnc arbennig neu gorff o wrthrychau. **2.** y wyddor sy'n ymdrin â chasglu, tablu, a dadansoddi ffeithiau rhifyddol.

status: statws cyflwr. **Statws epilepticws** (s. epilepticus): dilyniant cyflym o sbasmau epileptig heb ysbeidiau o ymwybyddiaeth; gall niwed i'r ymennydd ddilyn o ganlyniad i hyn.

statutory bodies: cyrff statudol Mae rheolaeth statudol ar ymarfer bydwragedd yn gyfrifoldeb y CYNGOR NYRSIO A BYDWREIGIAETH, a sefydlwyd yn 2002. Gw. Atodiad 10.

Stein-Leventhal syndrome: syndrom Stein-Leventhal cyflwr ble mae naill ai AMENORRHOEA neu OLIGOMENORRHOEA yn digwydd, ynghyd â thyfiant blew ac anffrwythlondeb. Ceir ofariäu codennog mwy yn aml, a all gynhyrchu gormod o hormonau gwrywol.

Stemetil: *Stemetil* Gw. PROCLORPERASIN (PROCHLORPERAZINE)

stenosis: *stenosis* sianel neu agorfa yn culhau neu yn cyfangu. *Stenosis aortig (aortic s.):* falf aortig y galon yn culhau oherwydd meinwe craith o ganlyniad i lid. *Stenosis mitral (mitral s.):* yr agorfa fitrol yn culhau am yr un rheswm. *Stenosis pylorig (pyloric s.):* fel arfer o ganlyniad i hypertroffedd cynhenid.

stercobilin: *stercobilin* deilliad o bigment bustl a ffurfir wrth i stercobilinogen ocsideiddio yn yr aer; pigmentiad brown-oren-coch sy'n cyfrannu at liw carthion ac wrin.

sterile: *1. anffrwythlon 2. di-haint* **1.** anffrwythlon; yn analluog i genhedlu plant. **2.** yn rhydd o ficro-organebau.

sterilize: *1. diffrwythloni 2. diheintio* **1.** gwneud merch yn anffrwythlon trwy lawdriniaeth e.e. clymu'r tiwbiau Fallopio. **2.** gwneud gorchuddion, offer ac ati yn rhydd o haint.

sterilizer: *diheintydd* cyfarpar y gellir diheintio pethau ynddo.

sternum: *sternwm* plât o asgwrn yn ffurfio canol wal flaen y thoracs ac yn ymgymalu gyda phontydd yr ysgwyddau a chartilagau y 7 asen gyntaf. Ar ôl 36 wythnos o'r cyfnod cario mae ffwndws y groth fel arfer yn cyrraedd y broses siffoid yn rhan isaf corff y sternwm.

steroids: *steroidau* sylweddau gydag adeiledd cemegol arbennig o garbon a hydrogen ac yn cynnwys hormonau rhyw, hormonau adrenocortigol, colesterol ac asidau bustl.

stethoscope: *stethosgop* offeryn a ddefnyddir i glustfeinio ar seiniau o fewn y corff e.e. y galon, yr ysgyfaint. Mae *stethosgop deuglust (bionaural s.)* yn rhannu'n ddau ddiwb hyblyg, ar gyfer dwy glust yr archwilydd. *Stethosgop ffetysol neu unglust (fetal or monaural s.):*

offeryn metel siâp trwmped y gellir ei osod ar yr abdomen dros ysgwyddau'r ffetws i glywed synau'r galon. Fe'i gelwir weithiau yn stethosgop Pinard.

stilboestrol: *stilboestrol* Gw. DIETHYLSTILBESTROL.

stilette: *stilette* weiren ar gyfer cadw'n glir lwmen adeileddau main fel nodwyddau. Chwiliedydd main.

stillbirth: *baban marw-anedig (ans. marw-anedig)* baban sydd wedi dod allan o'i fam ar ôl y 24ain wythnos o beichiogrwydd ac nad yw, ar unrhyw adeg ar ôl dod allan yn llwyr o'i fam, wedi anadlu nac wedi dangos unrhyw arwyddion o fywyd. Dyletswyddau statudol y fydwraig mewn achos o faban marw-anedig yw: **1.** hybysu am y baban marw-anedig. **2.** ardystio'r baban marw-anedig. **3.** cofrestru'r baban marw-anedig. **4.** hysbysu'r Goruchwyliwr Bydwragedd.

stillbirth certificate: *tystysgrif geni'n farw* tystysgrif a roddir gan ymarferwr meddygol cofrestredig neu gan fydwraig gofrestredig a oedd yn bresennol adeg y geni, neu a archwiliodd y corff. Mae'n ddyletswydd statudol i'w rhoi i'r hysbysydd cymwys (fel arfer y tad neu'r fam) fel y gallant gofrestru'r geni ac fel y gellir rhoi Tystysgrif Claddu neu Amlosgi iddynt. Fel arfer ni fydd y fydwraig yn llenwi'r dystysgrif ond os na wnaethpwyd trefniadau ar gyfer gofal mamolaeth gydag ymarferwr meddygol. Mewn achosion ble bu cwest, bydd y Crwner yn rhoi'r gorchymyn claddu.

stomach: *stumog* y rhan o'r llwybr ymborth sydd wedi ymledu rhwng yr oesoffagws a'r dwodenwm, yn union o dan y llengig. Mae pedair cot o fewn ei wal; serws, cyhyrog, isfwcaidd a mwcaidd. Mae'r sudd gastrig yn cynnwys yr ensymau PEPSIN a RENIN (RENNIN) ac ASID HYDROCLORIG (HYDRO-CHLORIC ACID).

stomatitis: *stomatitis* llid ar leinin y

geg.

stool: *carthion* carthion neu redlif o'r perfedd. Mae carthion y plentyn newydd-anedig yn feconiwm i ddechrau, ac yna mae'n newid yn raddol i frown ac yna i garthion melyn llachar meddal.

strabismus: *strabismws* gwyriad y llygad na all y claf mo'i oresgyn; mae'r echelinoedd gweledol yn cymryd safle mewn perthynas â'i gilydd sydd yn wahanol i'r hyn y mae'r amgylchiadau ffisiolegol yn gofyn amdano; fe'i gelwir hefyd yn llygad croes.

straight sinus: *sinws syth* sinws gwythiennol o fewn pen y ffetws yng nghyswllt y ffalcs cerebri a'r tentoriwm cerebeli, pwynt a all rwygo ac achosi gwaedlif mewngreuanol os yw pen y ffetws yn cael ei fowldio'n ormodol neu'n annormal yn ystod yr esgoriad.

strawberry mark: *nod mefus* haemangioma cynhenid.

Streptococcus: *Streptococws* genws bacteria a geir mewn trefniant tebyg i gadwyn. Gall streptococi fod yn haemolytig neu'n anhaemolytig, ac aerobig neu'n anaerobig. Y streptococws beta-haemolytig o grŵp A Lancefield (*streptococcus pyogenes*) sy'n achosi'r dwymyn sgarlad, tonsilitis difrifol a gall achosi SEPSIS PWERPERAIDD (PUERPERAL SEPSIS) difrifol. Mae streptococi anaerobig hefyd yn gallu achosi sepsis pwerperaidd.

streptokinase: *streptocinas* ensym a gynhyrchir gan streptococi sy'n catalyddu troi plasminogen yn blasmin. Pan roddir streptocinas fel thrombolytig, mae angen ei ddefnyddio'n ofalus i osgoi gwaedlif. Hefyd mae'n gallu ysgogi adweithiau antigenig difrifol o'i roi'r eilwaith.

stress: *straen* pwysau anarferol a roddir ar y corff neu'r meddwl. Straen sy'n debygol o amharu ar weithrediad y corff neu'r meddwl. Mae adwaith y corff i straen argyfwng yn cael ei ysgogi gan y medwla adrenal sydd yn tywallt adrenalin i'r llif gwaed. Mae hyn yn peri i'r galon guro'n gyflymach, i'r pwysedd gwaed a glwcos y gwaed godi, ac i'r pibellau gwaed yn y cyhyrau ymledu i'w galluogi i ddefnyddio'r egni hwn yn syth. Mewn achosion ble mae straen yn parhau mae'r chwarennau yn parhau i gynhyrchu cyflenwad cyson o hormonau sydd i'w gweld yn cynyddu ymwrthedd y corff. Gall sefyllfaoedd seicolegol gael yr un effaith. Yr afiechydon a gysylltir amlaf ag amgylchedd straenus yw afiechyd y rhydweliau coronaidd a 'thrawiad ar y galon', pwysedd gwaed uchel a chanser.

striae gravidarum: *striae gravidarum* y marciau a achosir gan y croen yn ymestyn, a welir ar yr abdomen, ac i ryw raddau ar y bronnau a'r morddwydydd, yn ystod ac ar ôl beichiogrwydd. Maent yn digwydd gyntaf fel marciau cochlyd, ac yna'n pylu'n lliw arianwyn.

sub-: *is-* rhagddodiad yn golygu 'o dan' neu 'islaw'.

subarachnoid: *isaracnoid* o dan yr aracnoid. *Gwagle isaracnoid (s. space):* y gwagle rhwng yr aracnoid a'r pia mater, y mae'r hylif cerebrosbinol yn cylchredeg o'i fewn. *Gwaedlif isaracnoid (s. haemorrhage):* gwaedlif i'r gwagle hwn.

subclavian: *isglafiglaidd* o dan bont yr ysgwydd. *Rhydweli isglafiglaidd (s. artery):* y brif rhydweli i'r fraich.

subcutaneous: *isgroenol* o dan y croen, e.e. chwistrelliad o dan y croen.

subdural: *isddiwral* o dan y dura mater. *Gwaedlif isddiwral (s. haemorrhage):* gwaedu o dan y dura mater. Un math o waedlif mewngreuanol a welir yn y baban newydd-anedig, yn aml o ganlyniad i enedigaeth drawmatig. Defnyddir tap isddiwral weithiau i dynnu gwaed i ryddhau'r pwysedd.

subfertility: *tanffrwythlondeb* cyflwr o ffrwythlondeb is nag arfer.

subinvolution: *isinfolytedd* dychweliad

gohiriedig neu anghyflawn y groth i'w maint cyn beichiogrwydd yn ystod y pwerperiwm, fel arfer oherwydd dargadw cynhyrchion cenhedliad a heintiad.

subluxation: *isddadleoliad* dadleoliad rhannol.

submucous: *isfwcaidd* o dan y bilen fwcaidd.

subnormal: *isnormal* o dan y normal.

subtotal hysterectomy: *hysterectomi llai cyfan* Gw. HYSTERECTOMI (HYSTEREC-TOMY)

succenturiate: *succenturiate* ychwanegol neu ategol. *Brych succenturiata* (s. placenta): gw. BRYCH (PLACENTA)

sudden infant death syndrome (SIDS): *syndrom marwolaeth sydyn babanod* marwolaeth sydyn neu annisgwyl baban sydd yn ymddangos yn iach, sy'n digwydd fel arfer rhwng 3 wythnos oed a 5 mis oed, pan nad yw astudiaethau post mortem gofalus yn gallu cynnig esboniad. Yn aml iawn fe'i ceir yn farw yn ei grud, sydd yn esbonio'r enw cyffredin 'marwolaeth yn y crud'. Weithiau mae'r baban wedi bod yn dioddef ychydig o annwyd, ond yn amlach ni fu dim symptomau. Mae'n fwy cyffredin mewn babanod a enir cyn amser ac yn llai cyffredin mewn babanod a fwydir ar y fron. Mae'n digwydd mewn tua 6 ym mhob 1000 o enedigaethau. Darganfuwyd bod rhoi baban i orwedd ar ei fol, mwg baco a gwres rhy uchel yn cynyddu'r risg o farwolaeth yn y crud, felly dylid eu hosgoi.

sugar: *siwgr* dosbarth o garbohydradau sy'n cynnwys monosacaridau megis glwcos, ffrwctos a galactos, a deusacaridau megis swcros (siwgr cansen) a lactos (y siwgr mewn llaeth). Glwcos yw'r siwgr yn y gwaed.

sulcus: *swlcws* rhigol neu gwys, fel rhwng cotyledonau'r brych.

sulphonamides: *sylffonamides* grŵp o

cyffuriau cemo-therapiwtig a ddefn-yddir yn gyffredin i drin heintiadau bacteraidd. Rhoddir hwy trwy'r geg ac maent yn aml yn effeithiol wrth drin heintiadau streptococi, gonococi, *E.coli* a bacteria eraill, er bod rhai o'r organebau hyn bellach yn wrthiannol.

super-: *uwch-, tra-* rhagddodiaid yn golygu 'dros' neu 'uwchben'

superfecundation: *traffrwythloniad* ffrwythloniad dau ofwm o'r un ofwliad gan sbermatosoa oddi wrth dau unigolyn gwahanol.

superfetation: *ailffrwythloniad* ofwm yn cael ei ffrwythloni yn ystod beichio-grwydd.

superior: *uwch* 1. uwch na, uwchlaw. 2. yn well na. 3. un sy'n rheoli rhai eraill. *Sinws hydredol uwch* (s. longitudinal sinus): sinws gwythiennol uwch rhwng yr haenau o ffalcs cerebri sy'n gwahanu dau hemisffer yr ymennydd.

supervisor of midwives: *goruchwyliwr bydwragedd* bydwraig wrth ei (g)waith, a benodir gan yr *AWDURDOD GORUCHWYLIOL LLEOL* (LOCAL SUPER-VISING AUTHORITY) yn unol â Rheol 44 Gorchymyn Cymeradwyo Rheoliadau Nyrsys, Bydwragedd ac Ymwelwyr Iechyd (Diwygiad Bydwreigedd) 1986 i oruchwylio bydwragedd yn ei hardal. Rhaid bod gan y goruchwyliwr o leiaf 3 blynedd o brofiad fel bydwraig a blwyddyn o'r cyfnod hwnnw yn y ddwy flynedd yn union cyn y penodiad neu ef i fod dhi yn gymwys i ymarfer ac ymgymryd ag unrhyw brofiad pellach a ofynnir gan y Cyngor Nyrsio a Bydwreigiaeth. O fewn 12 mis i'r penodiad rhaid i'r goruchwyliwr ddilyn cwrs hyfforddiant a chyrsiau gloywi bob 3 blynedd o leiaf. Mae goruchwylwyr yn gyfrifol am dderbyn a monitro ffurflenni hysbysu bwriad i ymarfer gan yr holl fydwragedd sy'n gweithio yn y cylch a'u cyflwyno i'r Awdurdod Goruchwyliol Lleol; monitro safonau ymarfer bydwreigiaeth a darparu cefnogaeth ac arweiniad proffesiynol, clinigol ac addysgol; rhoi archebion am gyflenwadau o gyffuriau rheoledig, tystio i'r gwaith o ddinistrio cyffuriau rheoledig ble bo angen a sicrhau bod bydwragedd yn cymwys i roi moddion; monitro ac, os oes angen, storio cofnodion ysgrifenedig gan yr holl fydwragedd yn y cylch; ymchwilio i honiadau o gamymarfer, esgeulustod neu gamymddwyn; cyfeirio bydwragedd at Bwyllgor Iechyd y Cyngor Nyrsio a Bydwreigiaeth a hysbysu'r Awdurdod Goruchwylio Lleol am unrhyw fydwragedd a allai fod yn ffynhonnell haint.

supination: *dyleddfiad* troi at i fyny. Dyleddfiad y llaw: mae'r cledr yn wynebu i fyny cf. *PRONADIAD* (PRONATION).

supine: *gorweddol* gorwedd ar y cefn. *Syndrom isbwysedd gorweddol* (*s. hypotensive syndrome*) isbwysedd sy'n digwydd oherwydd bod y groth feichiog yn pwyso ar y fena cafa isaf, sydd felly yn lleihau'r gwaed sy'n dychwelyd i'r galon, ac allbwn y galon. Gall ddigwydd pan fydd merch yn hwyr yn ei beichiogrwydd yn gorwedd ar ei chefn a gall *ANALGESIA EPIDWRAL* (EPIDURAL ANALGESIA) ei waethygu. Mae'n cael yr effaith o ostwng y pwysedd gwaed, sydd weithiau yn gwneud i'r ferch deimlo'n benysgafn, ac yn y pen draw bydd yn effeithio ar ddarlifiad gwaed i'r brych ac felly'r llif ocsigen i'r ffetws.

supplement: *ychwanegyn* rhywbeth a ychwanegir i gyflenwi diffyg.

supplementary: *atodol* o natur ychwanegyn. *Bwydo atodol* (*s. feeding*): rhoddir ymborth i'r baban yn lle neu yn ychwanegol at fwydo ar y fron. cf. *CYFLENWOL* (COMPLEMENTARY).

supply of controlled drugs: *cyflenwi cyffuriau rheoledig* mae bydwragedd sy'n gweithio yn y gymuned yn cael cyflenwadau o gyffuriau megis pethidin trwy wneud cais i'r goruchwyliwr

bydwragedd sy'n rhoi ffurflen archebu cyflenwad. Wedyn mae'r fydwraig yn mynd at y fferyllydd a gymeradwywyd sy'n rhoi'r stoc newydd, gyda'r fydwraig a'r fferyllydd yn cofnodi'r manylion yng nghofrestr a llyfr cyffuriau personol y fydwraig. Rhaid i'r holl gyffuriau rheoledig a gyflenwir i'r fydwraig gael eu cadw mewn cwpwrdd ansymudol dan glo, a dim ond y fydwraig yn gallu mynd atynt.

supply order form: *ffurflen archebu cyflenwad* yr awdurdodiad swyddogol a ddarperir gan y goruchwyliwr bydwragedd, i fydwraig wrth ei gwaith i'w galluogi i gael cyflenwad o PETHIDINE.

suppository: *tawddgyffur* cyfansoddyn meddyginiaethol siâp côn solid i'w osod yn y rectwm, naill ai i beri i'r perfedd weithio (e.e. tawddgyffuriau glyserin neu bisacodyl) neu i roi cyffuriau, yn enwedig poenleddfwyr (e.e. tawddgyffur Anusol ar gyfer haemoroidau poenus). Gellir gosod tawddgyffuriau meddyginiaethol yn y wain neu'r wrethra hefyd.

suppression: *ataliad* secretiad yn peidio'n llwyr. Caiff llaetha ei atal mewn achosion ble nad oes dymuniad i fwydo ar y fron neu ble cafwyd cyngor i beidio. Gellir cyflawni hyn yn naturiol h.y trwy beidio â thynnu'r llaeth, neu gyda chymorth cyffuriau megis bromocriptin sydd yn atal prolactin rhag cael ei ryddhau gan y chwarren bitwidol.

suppuration: *crawniad* crawn yn ffurfio neu'n llifo.

supra-: *uwch-* rhagddodiad yn golygu 'uwchben'.

suprapubic: *uwchbiwbig* uwchben yr esgyrn piwbig.

suprarenal: *uwcharennol* uwchben yr aren. *Chwarennau uwcharennol* (*s. glands*) dwy chwarren endocrin drionglog fach, un uwchben pob aren. Maent yn secretu *ADRENALIN* (ADRENALINE) a *NOR-ADRENALIN* (NORADRENALINE) o'r medwla, a nifer o hormonau o'r cortecs.

surfactant: *syrffactydd* LECITHIN a geir yn yr ysgyfaint, sydd yn helpu'r alfeoli i aros ar agor. Mae babanod sydd yn dioddef o SYNDROM TRALLOD RESBIR-ADOL (RESPIRATORY DISTRESS SYNDROME) yn brin o'r sylwedd hwn. Gellir rhag-fynegi hyn trwy amcangyfrif y GYMHAREB LECITHIN / SFFINGOMYELIN (LECITHIN / SPHINGOMYELIN RATIO) cyn y geni.

surrender of controlled drugs: *ildio cyffuriau rheoledig* gall y fydwraig ildio cyffuriau rheoledig nad oes mo'u hangen i berson 'awdurdodedig' megis y fferyllydd y cafwyd y cyffuriau ganddo yn y lle cyntaf, neu i swyddog meddygol ond nid i'r goruchwyliwr bydwragedd. *Gw. hefyd* DINISTRIO CYFFURIAU RHEOLEDIG (DESTRUCTION OF CONTROLLED DRUGS).

surrogate: *dirprwy, dirprwyol* Mam *ddirprwyol (s.mother):* gwraig sy'n cario plentyn i rywun arall gyda'r bwriad o drosglwyddo'r plentyn i'r person hwnnw ar ôl y geni.

survey: *arolwg* casgliad systematig o wybodaeth, heb fod yn rhan o astudiaeth epidemiolegol wyddonol.

suture: *1.* **pwyth** *2.* **asiad** 1. pwyth neu gyfres o bwythau a ddefnyddir i gau clwyf. 2. y cymal ffibraidd ble mae arwynebeddau esgyrnog cyferbyniol yn cael eu huno'n agos iawn trwy feinwe cysylltiol tenau, nad yw'n caniatáu symud ond yn y baban newydd-anedig. Am fanylion, *gw.* PENGLOG Y FFETWS (FETAL SKULL).

symmetrical cortical necrosis: *necrosis cortigol cymesur* cymhlethdod prin ABRUPTIO PLACENTAE cuddiedig difrifol ble caiff rhannau eang o gortecs y ddwy aren eu dinistrio oherwydd sbasm cortigol yn y rhydweliau arennol mewnol. Gall amharu ar weithrediad yr aren neu gall marwolaeth ddilyn oherwydd bod yr arennau'n methu. *Gw. hefyd* NECROSIS TIWBAIDD (TUBULAR NECROSIS).

sympathetic: *llawn cydymdeimlad* yn dangos cydymdeimlad.

sympathetic nervous system: *system nerfol ymatebol* y rhan honno o'r system awtonomig sydd, pan gaiff ei hysgogi, yn paratoi'r corff ar gyfer argyfwng neu i ffoi. Mae cyfradd y pwls yn cynyddu, mae pwysedd y gwaed yn codi, mae cannwyll y ddau lygad yn ymledu, tra bo peristalsis yn arafu.

symphysiotomy: *symffysiotomi* rhaniad y symffysis pwbis, ffordd o hwyluso'r geni mewn achosion o anghyfartaledd, a ddefnyddir *(a)* pa nad yw'n bosibl gwneud toriad Cesaraidd; *(b)* i atal mam rhag geni trwy doriad Cesaraidd yn rhy aml a *(c)* mewn ardaloedd pan fo'r adnoddau bydwreigiaeth yn annigonol, i osgoi rhoi craith ar groth gwraig.

symphysis: *symffysis* cymal ble mae arwynebeddau'r esgyrn yn cael eu huno gan ffibrogartilag ac yn caniatáu y symudiad lleiaf. *Symffysis piwbis (s. pubis):* cyswllt ffibrogartilaidd y ddau asgwrn piwbig. *Symffysis piwbis distalis (s. pubis distalis):* y cyswllt ffibrogartilaidd wedi ei wahanu fymryn oddi wrth yr esgyrn piwbig, yn cael ei achosi yn ystod beichiogrwydd gan yr hormonau progesteron a relacsin. Mae'n achosi anghysur a phoen yn y rhan hon, a thrafferth i gerdded. Gall ffisiotherapi, osteopathi, neu giropracteg fod o gymorth i leihau'r boen.

symptom: *symptom* unrhyw dystiolaeth o afiechyd neu gyflwr y mae'r ferch ei hun yn sylwi arno. Felly mae AMENORRHOEA a rhai newidiadau i'r bronnau yn symptomau o feichio-grwydd. *Gw. hefyd* ARWYDD (SIGN).

syn-: *syn-, cyd-* rhagddodiaid yn golygu 'gyda'i gilydd'.

synapse: *synaps* y cysylltle rhwng prosesau dau niwron neu rhwng niwron ac organ effeithiwr, ble trawsyrrir ysgogiadau niwrol trwy ddulliau cemegol. Mae'r ysgogiad yn achosi i niwrodrawsyrrydd, e.e. asetylcolin neu noradrenalin, gael ei ryddhau o bilen gynsynaptig y derfynell acson.

synclitism: *syncliticiaeth* y cyflwr ble mae pen y ffetws yn mynd i mewn i gantel y pelfis gyda'r ddau ripyn parwydol ar yr un lefel. *Gw.* ASYNCLITIAETH (ASYNCLITISM).

syncope: *syncop* llewygu. Colli ymwybyddiaeth, oherwydd lleihad yn y llif gwaed ymenyddol.

syncytium, syncytiotrophoblast: *syncytiwm, syncytiotroffoblast* haen allfa'r *TROFFOBLAST* (TROPHOBLAST) nad oes ganddo ffiniau celloedd ond cnewyll gwasgaredig yn y protoplasm. Mae'r haen hon yn parhau trwy gydol beichiogrwydd gan orchuddio'r *FILYSAU CORIONIG* (CHORIONIC VILLI), yn wahanol i'r celloedd *CYTOTROFFOBLAST* (CYTOTROPHOBLAST).

syndactyly: *cydfyseddaeth* bysedd gweog ar y dwylo neu'r traed.

syndrome: *syndrom* grŵp o symptomau ac arwyddion sydd yn nodweddiadol o afiechyd neilltuol, ac o'r afiechyd hwnnw'n unig.

synthesis: *synthesis* uniad sylweddau, naill ai yn naturiol neu'n artiffisial. Mae sylweddau a adeiledir felly yn artiffisial, e.e. diethyl stilboestrol, yn cael eu galw'n synthetig.

synthetic: *synthetig* cemegol, cyfansoddyn a ffurfiwyd yn artiffisial.

Syntocinon: *Syntocinon* *Gw. OCSITOSIN* (OXYTOCIN).

Syntometrine: *Syntometrine* cyffur ocsitosig sy'n cynnwys 0.5mg o ergometrine a 5 uned o Syntocinon mewn 1ml sy'n cael ei roi yn aml i'r fam yn fewngyhyrol wrth i ysgwydd flaen y ffetws gael ei geni er mwyn rheoli trydydd cam yr esgoriad yn weithredol. Mae'n achosi i'r groth gyfangu'n gyflym ac yn gyson ac i'r brych ddod yn rhydd o wal y groth.

syphilis: *syffilis* afiechyd gwenerol heintus, a achosir gan *Treponema* *pallidum*. Gall fod yn gynhenid neu'n gaffaeledig. Mae'r math caffaeledig yn ymddangos mewn 4 cyfnod: cyntaf, cyfnod magu, 2–6 wythnos, pan fydd y siancr sylfaenol cyntaf yn ymddangos, fel arfer ar y fwlfa, ac wedyn y chwarennau lymff lleol yn mynd yn fwy. Mae'r briw yn ddi-boen ac yn gwella'n gyflym, felly byddai'n hawdd peidio â sylwi ar y cyfnod hwn. Ail: mae'r cyfnod hwn yn datblygu ychydig wythnosau'n ddiweddarach gyda brechau, condylomata o gwmpas yr anws a'r fwlfa, a'r chwarennau lymff yn mynd yn fwy yn gyffredinol. Mae'r cyfnod hwn yn heintus iawn. Mae'n amrywio'n fawr, ac mewn nifer o achosion nid yw'r symptomau'n ymddangos, neu maent yn ysgafn iawn; nid yw'r claf yn cael ei wella, fodd bynnag, ond mae ganddo syffilis cuddiedig. Gall syffilis trydyddol ymddangos flynyddoedd yn ddiweddarach. Fe'i nodweddir gan dyfiannau gwmataidd mewn gwahanol feinweoedd. Pedwerydd: y namau yw: tabes dorsali, gwallgofrwydd cyffredinol a pharlys, ac ati. Gall treponema groesi'r brych ac achosi erthylu a geni'n farw, neu gall y baban gael ei eni gyda syffilis cynhenid. Yr arwyddion yw: brech frowngoch ar y ffolennau, briwiau o gwmpas y geg a rhinitis gyda rhediad o'r trwyn (snwffian). Yn ddiweddarach gellir cael y trwyn 'cyfrwy' *DANNEDD HUTCHINSON* (HUTCHINSON'S TEETH), byddardod neu nam ar y golwg. Mae'n hollbwysig fod pob merch feichiog yn cael ei sgrinio ar gyfer syffilis, gan y gall triniaeth fuan atal syffilis cynhenid. Gall adwaith Wassermann (WR) a phrofion Kahn roi canlyniadau cadarnhaol y mae angen eu profi wedyn yn fwy penodol trwy brawf haemaglwtineiddio Treponema pallidum (TPHA), prawf llonyddu Treponema (TPI) a phrawf labordy ymchwil afiechyd gwenerol (VDRL).

Gall pob prawf, ac eithrio'r VDRL, roi canlyniadau cadarnhaol ffug gyda MAFONWST (YAWS), malaria a thwymyn y chwarennau. Mae triniaeth gyda dosau uchel o benisilin yn effeithiol. Gellir gwella'r fam a bydd y plentyn yn iach, ond mae'n ddoeth ei thrin mewn unrhyw feichiogrwydd wedyn, oherwydd gall syffilis cynhenid ddigwydd yn annisgwyl.

syringocele: *syringocel* ceudod yn cynnwys rhan o fadruddyn y cefn yn ymwthio allan trwy'r nam esgyrnog yn spina biffida.

syringomyelocele: *syringomyelocel* rhan o fadruddyn y cefn yn ymwthio trwy'r nam esgyrnog yn spina biffida, mae'r màs yn cynnwys ceudod sy'n gysylltiedig â llwybr canol madruddyn y cefn.

Système International d'Unités (SI units): *Système International d'Unités (unedau SI)* system ryngwladol ar gyfer mesur mewn gwyddoniaeth, diwydiant a defnydd cyffredinol. Fe'i cytunwyd yn 1960, a bellach mae'n anghyfreithlon yn y Deyrnas Unedig i roi presgripsiwn am gyffuriau neu i ddosbarthu cyffuriau mewn unrhyw unedau eraill.

systemic: *systemig* yn perthyn i neu'n effeithio ar y corff yn gyfan.

systole: *systol* cyfangiad y galon cf. *DIASTOLE*. **Systol fentriglaidd** *(ventricular s.):* cyfangiad y fentriglau, sydd yn pwmpio gwaed i'r aorta a'r rhydweliau ysgyfeiniol.

systolic: *systolig* yn perthyn i systol. *Murmur systolig (s. murmur):* sain annormal a gynhyrchir yn ystod systol, mewn cyflyrau yn ymwneud â'r galon. *Pwysedd systolig (s. pressure), gw. PWYSEDD GWAED (BLOOD PRESSURE). Sŵn systolig (s. sound):* sŵn pwl y galon mewn systol fentriglaidd, a achosir gan y galon yn symud yn erbyn wal y frest.

T

T cell: *cell T* lymffocyt sydd yn deillio o'r thymws ac sy'n gyfrifol am imiwnedd cell-gyfryngol.

TAB: *TAB* brechlyn sy'n rhoi rhywfaint o imiwnedd yn erbyn y dwymyn deiffoid, paradeiffoid A a paradeiffoid B. Mae TABT yn amddiffyn yn erbyn tetanws hefyd.

taboo: *tabŵ* unrhyw un o'r traddodiadau ac ymddygiadau negyddol y bernir yn gyffredinol eu bod yn niweidiol i les cymdeithasol ac weithiau i iechyd.

tachycardia: *tachycardia* y galon yn curo (a'r gyfradd pwls) yn annormal o gyflym. Fei'i gelwir hefyd yn 'cyflymedd y galon'.

tachypnoea: *tachypnoea* anadlu'n annormal o gyflym, fel y gwelir weithiau yn y baban newydd-anedig mewn *SYNDROM TRALLOD RESBIRADOL* (RESPIRATORY DISTRESS SYNDROME)

tactile: *cyffyrddol* yn ymwneud â chyffyrddiad.

tai chi: *tai chi* system Tsieineaidd o symud, anadlu a chanolbwyntio, a oedd yn wreiddiol yn gelfyddyd filwrol, ond a ddefnyddir yn awr i hybu a chynnal iechyd a lles cyffredinol. Ffurf dyner iawn ar ymarfer corff, sy'n hynod o addas ar gyfer gwragedd beichiog.

taking up of cervix: *gwddf y groth yn byrhau* y llwybr cerfigol yn cael ei ddileu yn gynnar yn y broses esgor. *Gw. YMLEDIAD* (DILATATION).

talipes: *talipes* troedgam. Anffurfiant cynhenid lle mae'r troed wedi datblygu ar ongl annormal i'r goes. Ni ddeellir yr achos yn iawn. Mewn rhai achosion, yn

arbennig merched gyda *OLIGO-HYDRAMINOS* mae'r plentyn wedi cael ei wasgu yn y groth ac wedi'i eni gyda talipes ysgafn o achos y safle. Gwelir cyfuniad ecwinofarws neu calcaneofalgws (asgwrn y ffêr) yn fwyaf cyffredin. Dylid nodi'r cyflwr pan fo'r baban yn cael ei archwilio gyntaf a dylid hysbysu paediatregydd. Mewn achosion ysgafn, gall ffisiotherapi, sy'n cychwyn ar ddiwrnod y geni, gywiro unrhyw anffurfiant yn fuan, ond os ydyw yn fwy difrifol efallai y bydd angen ymestyn, tylino, gosod sblint neu hyd yn oed wneud llawdriniaeth.

talipomanus: *talipomanws* llaw gam.

talus: *talws* asgwrn y ffêr; yr uchaf o esgyrn y tarsws.

tamoxifen: *tamoxifen* gwrth-oestrogen ansteroidol a gymerir trwy'r geg ac a ddefnyddir i leddfu symptomau canser y fron mewn merched ar ôl terfyn y mislif ac i symbylu ofwleiddiad mewn merched anffrwythlon.

tampon: *tampon* plwg rhwyllog gyda thâp hir. Fe'i gosodir yn y wain yn aml wrth drwsio episiotomi neu rwygiad yn y perinëwm.

tapotement: *tapotio* techneg â'r dwylo a ddefnyddir wrth dylino'r corff, yn golygu tapio tyner gyda'r bysedd er mwyn ysgogi cylchrediad y gwaed.

tarsus: *tarsws* **1.** y saith asgwrn – talws, calcenews, naficwlar, medial, cwneiffurf canolig, cŵneiffurf ochrol, ciwboid – sy'n ffurfio'r ymgymaliad rhwng y droed a'r goes; y ffêr neu gefn y droed. **2.** y plât cartilagaidd sydd yn ffurfio fframwaith yr amrant (uchaf neu isaf).

Talipes

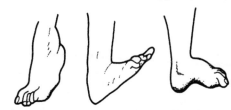

Talipes equinus　　　Talipes calcaneus　　　Talipes cavus

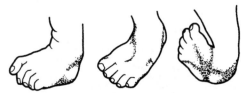

Talipes varus　　　Talipes equinovarus　　　Talipes calcaneovarus

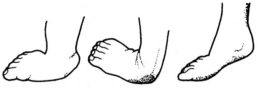

Talipes valgus　　　Talipes calcaneovalgus　　　Talipes equinovalgus

taurine: *tawrin* asid grisialog o'r bustl; fe'i ceir hefyd mewn meintiau bach ym meinwe'r ysgyfaint a'r cyhyrau. Mae tawrin yn bresennol mewn meintiau uchel yn llaeth y fron ac mae ei angen er mwyn ymgyfuno'r asidau bustl yn ystod wythnos gyntaf bywyd hyd nes y bydd glysin yn ymgymryd â'r swyddogaeth hon ac ar gyfer datblygiad y system nerfol.

Taussig-Bing syndrome: *syndrom Taussig-Bing* pibellau mawr y galon wedi eu trawsosod a rhydweli ysgyfeiniol fawr yn rhychwantu nam yn y septwm rhyngfentriglaidd.

taxonomy: *tacsonomeg* y gwaith o ddosbarthu organebu'n drefnus i gategorïau priodol (tacsa) gan roi enwau addas a chywir iddynt.

Tay-Sachs disease: *clefyd Tay-Sachs* y ffurf a geir mewn babanod ar ynfydrwydd teuluol amawrotig (amaurotic familial idiocy), a etifeddir fel nodwedd enciliol awtosomol as sy'n effeithio'n bennaf ar Iddewon Ashkenasig. Mae'n anhwylder cynyddol a nodweddir gan feinwe'r ymennydd a'r macwlau yn dirywio (gyda smotyn coch fel ceiriosen ar y ddau retina) a chan orffwylledd, dallineb a marwolaeth. Gellir gwneud diagnosis cyn y geni ar ôl 14 wythnos o'r cyfnod cario. Mae absenoldeb yr ensym hecsosaminidas A yn dangos heb amheuaeth fod gan y ffetws glefyd Tay-Sachs. Mae gan gludwyr y duedd lefel is o'r ensym yn eu gwaed.

tea tree oil: *olew'r goeden de* olew hanfodol aromatherapi a geir o goeden Awstralaidd. Mae'n effeithiol iawn fel asiant gwrth-haint, gan fod yn wrthfacteria, yn wrthffwng, yn wrthfirws ac yn wrthficrobau. Fe'i cafwyd yn ddefnyddiol wrth drin candidiasis a wain a ffurfiau eraill ar gandidiasis a gellir ei gael fel pesari brand; hefyd ar gyfer briwiau herpes; mae gwaith yn mynd rhagddo i werthuso ei ddefnydd ymysg pobl â heintiadau HIV.

team midwifery: *bydwreigiaeth tîm* system o reoli bydwragedd lle mae bydwragedd yn cael eu rhannu'n dimau i ofalu am grwpiau penodol o ferched. Y nod yw gwella cyfathrebu ac felly barhad gofal trwy leihau nifer y

bydwragedd y bydd mam unigol yn eu gweld yn ystod y beichiogrwydd, yr esgoriad a'r pwerperiwm. Yn wahanol i *BYDWREIGIAETH BAICH ACHOSION* (CASELOAD MIDWIFERY), fodd bynnag, nid yw o anghenrhaid yn gwella parhad gofal oherwydd gall bydwragedd gwahanol o'r un tîm fod yn gofalu am y fam, rhai ohonynt yn gweithio yn y clinig cyn geni, rhai eraill yn yr ystafell esgor, a rhai eraill yn gweithio yn y wardiau ôl-eni neu yn y gymuned.

teat: *teth* **1.** teth y fron. **2.** teth wneud o ddefnydddir ar foteli bwydo babanod.

teething: *torri dannedd* y dannedd yn torri trwy gig y dannedd. Ar gyfartaledd bydd babanod yn torri eu dant cyntaf rhwng y 6ed a'r 9fed mis. Mae'r set gyflawn o ddanneddd baban yn torri trwodd yn raddol dros gyfnod o hyd at 30 mis; fel arfer, bydd dau ddant, un bob ochr i'r ên, yn ymddangos ar y tro.

telemeter: *telemedru* trawsyrru darlleniadau offeryn trwy donnau radio.

telemetry: *telemetreg* recordio curiadau calon y ffetws a chyfangiadau'r groth trwy reolaeth o bell, fel y gall y fam gerdded o gwmpas wrth esgor.

temazepam: *temazepam* cyffur hypnotig. Dylid ei osgoi yn y trimestr cyntaf.

temperature: *tymheredd* gradd gwres sylwedd neu gorff fel y'i mesurir gan thermomedr. *Tymheredd normal (normal t.)* y corff dynol: 36°–37°C (97°–98.4°F). Mae'n amrywio ychydig yn ystod y dydd, ac mewn merched mae'n uwch yn ystod ail hanner y cylch misol. Mae'n dangos y cydbwysedd rhwng cynhyrchu gwres a cholli gwres. Bydd thermomedr a osodir o dan y tafod neu yn y rectwm yn dangos darlleniad ychydig yn uwch nag un a osodir yn y gesail neu'r arffed. *Gw.* PYRECSIA (PYREXIA) a TWYMYN (FEVER).

temporal: *arleisiol* yn gysylltiedig ag ochr y pen. *Asgwrn arleisiol (t. bone):* asgwrn afreolaidd yn y penglog, a'r rhan gennog ohono yn ffurfio rhan o'r gromen.

tendon: *tendon* cord neu fand o feinwe ffibraidd gwyn cryf sy'n cysylltu cyhyr ag asgwrn. Pan fydd y cyhyr yn cyfangu, bydd yn tynnu'r tendon, a fydd yn symud yr asgwrn.

tension: *1. tyniant 2. gwasgedd*
1. y weithred o ymestyn a'r cyflwr o fod wedi ei ymestyn. **2.** pwysedd neu grynodiad nwy. *Gw.* PO₂. *Tensiwn cyn y mislif (premenstrual t.):* symptomau sy'n digwydd o ganlyniad i newidiadau hormonaidd, yn y 5–7 dirwnod cyn mislif. Maent yn cynnwys chwyddiant yr abdomen, cur pen, emosiynau cyfnewidiol, diffyg cydgordiad, dargadw hylif, ac eraill.

tentorium cerebelli: *tentorium cerebelli* pared o dura mater, sy'n gwahanu'r hemisffer ymenyddiol oddi wrth y cerebelwm. *Gw.* PILENNI MEWNGREU-ANOL (INTRACRANIAL MEMBRANES).

tepid: *claear* ychydig yn gynnes; 32° – 37°C.

teras: *teras (ans. teratig)* ffetws neu faban wedi'i gamffurfio.

teratogen: *teratogen (ans. teratogenig)* asiant neu ddylanwad sy'n achosi namau corfforol yn yr embryo sy'n datblygu.

teratoma: *teratoma* tyfiant cynhenid yn cynnwys gwallt, dannedd a chelloedd meinweoedd eraill nas ceir fel arfer yn y lleoliad lle ceir y tyfiant.

term: *cyfnod llawn* diwedd beichiogrwydd. Fe'i cyfrifir fel arfer fel 280 diwrnod neu 40 wythnos o ddiwrnod cyntaf y mislif normal diwethaf, ond ystyrir y gall fod unrhyw bryd ar ôl 37 wythnos o feichiogrwydd.

termination of pregnancy: *terfynu'r beichiogrwydd* erthyliad a ysgogir, naill ai'n gyfreithlon neu'n anghyfreithlon.

tertiary: *trydyddol* *Syffilis trydyddol (t. syphilis):* gw. SYFFILIS (SYPHILIS).

test: *prawf* **1.** arholiad neu dreial. **2.**

adwaith cemegol arwyddocaol. **2.** adweithydd. *Prawf aglwtineiddio (agglutination t.):* un y mae ei ganlyniadau yn dibynnu ar facteria neu gelloedd eraill yn aglwtineiddio; fe'i defnyddir i wneud diagnosis o rai afiechydon heintus a gwynegol, croesfatsio gwaed ac mewn profion beichiogrwydd. Yn y profion olaf mae diffyg aglwtineiddio yn cadarnhau beichiogrwydd, ond os bydd aglwtineiddio'n digwydd mae'r canlyniad yn negyddol. *Profion cyflenwad-sefydlogiad (complement-fixation tests):* profion sydd yn defnyddio adwaith antigen-gwrthgorff ac yn creu haemolysis er mwyn pennu a yw gwahanol organebau yn bresennol yn y gwaed. *Prawf crynodiad (concentration t.):* prawf ar weithrediad yr arennau a seilir ar allu'r ferch i grynodi wrin ar gyfradd hidlo creatinin a fewnlyncir drwy glomerwli'r aren. *Prawf clirio creatinin (Creatinine clearance t.):* Prawf beichiogrwydd cynnar *(early pregnancy t.):* prawf ar weithrediad yr arennau sy'n seiliedig ar brawf imiwnolegol ar gyfer beichiogrwydd y gall merch ei wneud ei hun, mor fuan â 9 diwrnod ar ôl dyddiad disgwyliedig y mislif. *Prawf goddefedd glwcos (glucose tolerance t.):* prawf metabolig ar oddefedd carbohydradau a ddefnyddir i wneud diagnosis o ddiabetes mellitus. *Prawf haemoglobin wedi glycosyladu (glycosylated haemoglobin t.):* mesuriad o ganran y moleciwlau haemoglobin A₁ (HbA₁) sy'n helpu i asesu rheolaeth diabetes. Mae HbA₁ yn fath ar haemoglobin oedolion lle cyfunwyd un rhan o'r gadwyn beta gyda glwcos, ac mae'n cynyddu mewn diabetes, yn enwedig pan fo glwcos yn y gwaed yn cael ei reoli'n wael. *Prawf histamin (histamine t.):* yn dilyn chwistrelliad mewnwythiennol cyflym o histamin ffosffad bydd y pwysedd gwaed yn disgyn fel arfer, ond mewn merched gyda ffaeocromocytoma

269

ar ôl iddi ddisgyn, bydd y pwysedd gwaed yn codi'n sylweddol. *Profion beichiogrwydd (pregnancy tests):* gweithdrefnau labordy ar gyfer canfod beichiogrwydd yn fuan. *Prawf crymanu (sickling t.):* dull o ddangos haemoglobin S a'r ffenomen crymanu mewn erythrocytau, a wneir trwy ostwng y crynodiad ocsigen a mae'r celloedd coch yn cael eu dinoethi iddo. *Prawf haem-aglwtineiddio Treponema palidwm (treponema pallidum haemagglutination t.TPHA:), prawf llonyddu Treponema palidwm (treponema pallidum immobil-ization t. TPI):* profion serolegol sy'n uniongyrchol gysylltiedig â'r organeb achosol, a ddefnyddir i wneud diag-nosis o syffilis. *Prawf VDRL (VDLR t.):* prawf clystyru ar sleid a ddyfeisiwyd gan y Labordy Ymchwil i Glefydau Gwenerol, UDA.

testicles, testes: *ceilliau* y ddwy chwarren yn y ceillgwd sy'n cynhyrchu sbermatosoa a hormonau rhyw gwrywaidd. *Ceilliau cudd (undescended t.):* pan fo'r organ yn dal yn y pelfis neu yn llwybr yr arffed.

testosterone: *testosteron* yr hormon a gynhyrchir gan y ceilliau sydd yn symbylu datblygiad nodweddion gwrywol.

tetanic: *tetanig* yn ymwneud â tetanws. *Sbasmau tetanig (t. spasms):* yn digwydd mewn achos o wenwyno â strycnin.

tetanus: *tetanws* afiechyd a achosir gan y *Clostridiwm tetani*, anaerob a geir mewn pridd wedi'i drin ac mewn tail, a sydd felly yn y debygol o heintio clwyf damweiniol. Mewn personau a ddinoethir i'r heintiad yn y dull hwn, bydd antitocsin tetanws yn rhoi imiwnedd goddefol.

tetany: *tetanedd* cyflwr sy'n deillio o ddiffyg calsiwm, alcalaemia neu weithrediad diffygiol y chwarennau parathyroid. Y prif arwydd o hyn yw cyfangiad tonig cyhyrau'r dwylo a'r traed (gwayw carpopedal) gyda

chyhyrau eraill yn orsensitif. Weithiau mae'n cael ei weld mewn babanod newydd-anedig sydd wedi eu bwydo'n artiffisial. Mae ganddynt grynodiadau isel o galsiwm yn y gwaed. *Gw. hefyd HYPOCALCAEMIA (HYPOCALCAEMIA).*

tetracycline: *tetrasyclin* sylwedd gwrthfiotig sydd yn effeithiol yn erbyn llawer o ficro-organebau gwahanol. Dylid bod yn ofalus iawn wrth ddefnyddio tetrasyclinau mewn beichiogrwydd gan eu bod yn gallu achosi i ddanedd cyntaf y plentyn droi'n felyn ac wedyn ddirywio cyn pryd.

tetradactyly: *tetradacytli* presenoldeb pedwar bys ar y droed neu'r llaw.

tetralogy: *pedwarawd* grŵp neu gyfres o bedwar. *Pedwarawd (Fallot's t.):* Nam cynhenid ar y galon sydd yn cyfuno pedwar nam strwythurol; stenosis yr ysgyfaint; nam ar y septwm rhyng-fentriglaidd; aorta wedi'i lleoli ar y dde, fel bod agorfa'r aorta yn gwrthwneud y septwm ac yn derbyn gwaed o'r fentriglau de a chwith, a hypertroffedd fentriglaidd de. Rhaid rhoi llawdriniaeth i gywiro'r namau hyn os oes modd.

thalamus: *thalamws* y rhan honno o'r ymennydd wrth fôn y cerebrwm. Mae'r rhan fwyaf o'r ysgogiadau synhwyraidd yn mynd o'r corff i'r thalamws ac yn cael eu trawsyrru i'r cortecs a rhan flaen yr ymennydd.

thalassaemia: *thalasaemia* anaemia Cooley. Mae'n fwyaf cyffredin ymysg pobl o darddiad ardal Môr y Canoldir. Mae erythrocytau annormal yn achosi anaemia difrifol ac mae angen asid ffolig gan fod mêr yr esgyrn yn actif iawn wrth amnewid celloedd coch byrhoedlog y gwaed.

thalidomide: *thalidomid* cyffur tawelyddol a hypnotig a achosodd anffurfiadau datblygol difrifol o'i ddefnyddio'n gynnar mewn beichio-grwydd, fel arfer mewn un neu fwy o aelodau.

theophylline: theoffylin symbylydd resbiradol a roddir i leihau nifer y pyliau o apnoea a gaiff baban bach cyn amser. Nid yw'n cael dim effeithiau hir-dymor hyd y gwyddom.

therapeutic abortion: erthyliad therapiwtig erthyliad a ysgogir yn gyfreithlon. Fe'i gwneir naill ai pan fo hi'n hysbys bod y ffetws wedi'i gamffurfio i'r fath raddau fel ei fod yn sicr o farw neu o fod yn wael iawn, neu mewn achosion pan fydd iechyd corfforol neu feddyliol y fam mewn perygl os bydd y beichiogrwydd yn parhau.

therapy: therapi triniaeth. **Cemotherapi** triniaeth gyda chyffuriau cemegol.

thermometer: thermomedr offeryn i fesur gwres. **Thermomedr clinigol (clinical t.):** math arbennig a ddefnyddir i fesur a chofnodi tymheredd y corff.

thiamine: thiamin fitamin B1; cydran o grŵp fitaminau y cymhlygyn B, a geir mewn gwahanol fwydydd ac sy'n bresennol yn y cyflwr rhydd mewn plasma gwaed a hylif cerebrosbinol. Mae diffyg fitamin B1 yn arwain at symptomau niwrolegol, camweithrediad y cardiofasgiwlar, oedema, a lleihad ym mudolefdd y coluddion.

thiazole: thiazole unrhyw un o grŵp o ddeilliadau benso thiadiasineswlffonamid, enghraifft yw clorothiasid, sy'n gweithredu fel diwretigau trwy atal sodiwm rhag cael ei ailamsugno yn y tiwb arennol agosaf a thrwy ysgogi ysgarthiad clorid, gan arwain at fwy o ddŵr yn cael ei ysgarthu.

thiopental: thiopental barbitwrad, a roddir yn fewnwythiennol i ysgogi anaesthesia cyffredinol.

third degree perineal laceration: rhwygiadau perineol trydedd radd rhwygiad cyfan sydd yn ymestyn trwy'r holl gorff perineol, trwy sffincter yr anws ac i'r rectwm.

third stage of labour: trydydd cam yr esgor y cyfnod rhwng geni'r plentyn a

bwrw allan y brych a'r pilenni i gyd. Mae'n golygu arwahanu'r brych a'r pilenni a rheoli gwaedlif. Gall y fydwraig reoli'r trydydd cam yn *ffisiolegol* a all gymryd unrhyw gyfnod o amser o 5 munud i 2 awr i'w gwblhau ond mae'n cymryd 25–30 munud ar gyfartaledd. Mae rheoli *gweithredol* yn golygu rhoi cyffur ocsitosig i gyflymu arwahanu'r brych a rheoli gwaedlif. Gall hefyd gynnwys geni'r brych a'r pilenni yn weithredol trwy gyfrwng *TYNNU LLINYN Y BOGAIL DAN REOLAETH* (CONTROLLED CORD TRACTION); mae'n cymryd rhyw 5–10 munud ar gyfartaledd i reoli'r trydydd cam yn weithredol.

thoracic: thorasig y gysylltiedig â'r thoracs. *Dwythell thorasig (t. duct):* y bibell lymffatig fawr a leolir yn y thoracs ar hyd yr asgwrn cefn. Mae'n agor i'r wythïen isglafiglaidd chwith.

thorax: thoracs y frest; ceudod yn cynnwys y galon, yr ysgyfaint, y bronci a'r oesoffagws. Mae'n ffinio â'r llengig islaw, y sternwm yn y blaen, a'r fertebrau dorsol yn y cefn, ac yn cael ei amgáu gan fframwaith amddiffynnol yr asennau.

threatened abortion: erthyliad a fygythir gwaedu o'r wain, yn ysgafn fel arfer, ynghyd â phoen yn yr abdomen weithiau. Nid yw gwddf y groth yn ymledu, ac yn aml bydd y cyflwr yn sefydlogi a'r ferch yn cario am y cyfnod llawn. Os ceir gwaedu a phoen a gwddf y groth yn ymledu hefyd, bydd yn erthyliad *ANOCHEL* (INEVITABLE). *Gw. hefyd ERTHYLIAD* (ABORTION).

threshold: trothwy y lefel y mae'n rhaid ei chyrraedd cyn cynhyrchu effaith, fel y radd o ddwyster symbyliad sy'n union ddigon i gael ei synhwyro.

thrill: dirgryniad cryndod a ysgogir wrth gnocio'n ysgafn ar wal ceudod sy'n cynnwys hylif, e.e. croth feichiog â *POLYHYDRAMNIOS*.

thrombectomy: thrombectomi gwneud llawdriniaeth i dynnu tolchen o bibell waed.

thrombin: *thrombin* sylwedd a gynhyrchir yn y gwaed trwy weithrediad thromboplastin ar *PROTHROMBIN* ym mhresenoldeb calsiwm. Yna mae'r thrombin yn trosi'r protein plasma ffibrinogen yn ffibrin sydd, gyda'r celloedd, yn ffurfio tolchen.

thrombocyte: *thrombocyt* platen waed.

thrombocythaemia: *thrombocythaemia* cynnydd yn nifer y platennau gwaed sydd yn cylchredeg.

thrombocytopenia: *thrombocytopenia* cyflwr anghyffredin lle mae diffyg *PLATENNAU* (PLATELETS), fe'i gwelir weithiau mewn plentyn newydd-anedig yn enwedig pan fo pwrpwra ar y fam, ac fe'i nodweddir gan waedlifau pwrpwraidd. Bydd fel arfer yn gwella ohono'i hun. Digwydd hefyd mewn *RWBELA* (RUBELLA) cynhenid.

thromboembolism: *thromboembolism* pibell waed yn cael ei rhwystro gan ddeunydd thrombotig a gludir gan y gwaed o'r tarddle i blygio pibell arall. Gyda thrombosis, mae hwn yn dal yn brif achos marwolaeth y fam ym Mhrydain.

thrombokinase: *thrombocinas* ffactor ceulo X a actifadwyd.

thrombolysis: *thrombolysis* thrombws yn cael ei ddileu.

thrombophlebitis: *thrombofflebitis* llid gwythïen, gyda tholchen yn ymffurfio. Mae'r dolchen yn tueddu i lynu wrth wal y wythïen, ac yn anaml y bydd yn dod yn rhydd, fel nad oes fawr ddim perygl o *EMBOLEDD* (EMBOLISM). *Thrombofflebitis y forddwyd (femoral t.):* tolchen yn ymffurfio yn dilyn yr esgoriad fel ymestyniad ar heintiad yn y pelfis. cymh. FFLEBOTHROMOSIS.

thromboplastin: *thromboplastin* sylwedd a ryddheir gan feinwe a phlatenni wedi'u hanafu. *Gw.* THROMBIN a PROTHROMBIN.

thrombosis: *thrombosis* ffurfiant thrombws. *Thrombosis coronaidd*

(coronary t.): ffurfiant tolchen mewn pibell goronaidd sy'n golygu fod y galon yn brin o waed yn unol â maint y bibell sydd wedi'i rhwystro. Os yw'r thrombws yn ei ryddhau ei hun o'r wal ac yn cael ei gludo gan lif y gwaed, gelwir y dolchen yn embolws. Adnabyddir y cyflwr fel *EMBOLEDD* (EMBOLISM).

thrombus: *thrombws* tolchen waed ddisymud a gynhyrchir wrth i'r gwaed dolchennu, fel arfer mewn gwythïen, ac yn aml o ganlyniad i *FFLEBITIS* (PHLEBITIS).

thrush: *llindag* cyflwr ble mae smotiau lled-wyn yn ymffurfio ar bilen fwcaidd y geg, oherwydd y ffwngws *Candida albicans*. Mewn babanod gall gael ei drosglwyddo o fwlfa merch gyda faginitis candidol (moniliol) yn ystod genedigaeth trwy'r wain. Os na chaiff ei drin bydd yr haint yn ymledu i rannau eraill o lwybr newydd-anedig y baban. Mae brech clwt/cewyn erythmateaidd gyda phlorod bychain â phennau gwyn yn cael ei achosi fel arfer gan *Candida albicans*. Mewn babanod a fwydir yn artiffisial gall ymledu'n gyflym, gan mai dim ond mewn ffwrn aerglos y gellir ei ladd ac nid trwy ddulliau diheintio eraill. Y driniaeth yw rhoi gwrthfiotigau a chyffuriau ffwngladdol megis nystatin. Cafwyd bod paratoad llysieuol megis *OLEW COEDEN DE* (TEA TREE OIL), yn effeithiol hefyd.

thymus: *thymws* chwarren a leolir rhwng yr ysgyfaint ac uwchben y galon. Mae'n tyfu hyd at y glasoed ac yna'n infolytu'n raddol. Mae'r cortecs yn cynnwys llawer o lymffocytau T bach sy'n chwarae rhan yn adweithiau imiwnolegol y corff.

thyroid gland: *chwarren thyroid* chwarren endocrin a leolir yn y gwddf o flaen y tracea. Mae ei secretiadau, tyrocsin a triiodothyronin, yn rheoli metabolaeth. Mae gorweithrediad yn achosi thyrotocsicosis, a thanweithrediad yn achosi mycsodema. Mae babanod gyda secretiadau diffygiol o'r thyroid yn dioddef o gretinedd.

thyrotoxic: *thyrotocsig* nodweddir gan weithrediad tocsig (gormodol) y chwarren thyroid.

thyrotrophin: *thyrotroffin* hormon a secretir gan labed flaen y chwarren bitwidol blaen sydd yn ysgogi'r chwarren thyroid. Fe'i gelwir hefyd yn hormon ysgogi thyroid (TSH).

thyroxine: *thyrocsin* hormon y chwarren thyroid sydd yn cynnwys ïodin ac yn deillio o'r asid amino TYROSIN (TYROSINE). Mae thyrocsin yn effeithio ar y cyfradd fetabolaidd (defnydd o ocsigen); twf a datblygiad; metabolaeth carbohydradau, brasterau, proteinau, electrolytau a dŵr; gofynion o ran fitaminau; atgenhedlu; ac ymwrthedd i heintiad. Gellir echdynnu thyrocsin o anifeiliaid neu ei gynhyrchu'n synthetig a rhoddir presgripsiwn amdano i drin *ISTHYROIDEDD* (HYPOTHYROIDISM) ac ar gyfer rhai mathau o'r WEN (GOITRE).

tidal volume: *cyfaint cyfnewid* cyfaint y nwy sydd yn mynd i mewn ac allan o'r ysgyfaint ym mhob cylch resbiradol.

tissue: *meinwe* màs o gelloedd neu ffibrau sydd yn uno i wneud swyddogaeth arbennig yn y corff. *Meinwe cysylltiol (connective t.):* mae sawl math; adipos (blonegog) areolar (cefnogi elastig), asgwrn, gwaed a chartilag. *Meinwe brown adipos (brown adipose t.),* *meinwe bloneg brown (brown fat t.):* math thermogenig o feinwe adipos, sydd yn cynnwys pigment tywyll, ac yn codi yn ystod bywyd yr embryo mewn mannau penodol megis rhwng y palfeisiau, y tu ôl i'r sternwm, yn y gwddf ac o amgylch yr arennau a'r chwarennau uwcharennol. Fe'i defnyddir gan y baban newydd-anedig i gynhyrchu gwres, yn ôl y gofyn. Mae *meinwe epithelial (epithelial t.)* yn gorchuddio holl arwynebeddau'r corff, y tu fewn a'r tu allan. Mae rhai mathau

yn giliedig (e.e. leinin y tiwbiau Fallopio), rhai'n golofnaidd (e.e. leinin llwybr gwddf y groth) a rhai yn gennog (e.e. leinin y wain). *Meinwe ymgodol (erectile t.):* meinwe ysbwngaidd sydd yn mynd yn fwy ac yn galed pan lenwir ef â gwaed. *Meinwe gronyniad (granulation t.):* deunydd a ffurfir i drwsio clwyfau a meinwe meddal, yn cynnwys celloedd cysylltiol a chapilariau ifanc mewndyfol; yn y pen draw mae'n ffurfio meinwe ffibraidd; craith. *Meinwe cyhyrol (muscular t.):* y tri math yw rhesog (ysgerbydol neu wirfoddol) anrhesog (plaen neu anwirfoddol) a chardiaidd (rhesog ond anwirfoddol). *Meinwe nerfol (nervous t.):* mae hwn yn cynnwys celloedd nerf a'u prosesau. *Meinwe isgroenol (subcutaneous t.):* yr haen o feinwe cysylltiol rhydd yn union o dan y croen.

tissue fluid: *hylif meinweol* yr hylif yng ngwagleoedd y meinwe rhwng y celloedd. Mae gormodedd gwelaedwy yn golygu OEDEMA.

titre: *titr* swm y sylwedd, e.e. gwrthgorff, a geir yn y gwaed. Fe'i hamcangyfrifir trwy ddarganfod faint ohono sydd ei angen i gyfateb â maint hysbys o sylwedd arall.

toco-, toko-: *toco-* elfen gair sydd yn golygu 'genedigaeth plentyn' neu 'esgoriad'.

tocograph: *tocograff* offeryn ar gyfer mesur patrwm a gwasgedd cyfangiad y groth.

tocolytic drugs: *cyffuriau tocolytig* cyffuriau a ddefnyddir i atal esgoriad sy'n bygwth digwydd cyn amser; ritodrin hydroclorid (Yutopar); salbwtamol (Ventolin).

tocopherol: *tocofferol* fitamin E sy'n bresennol mewn bywyn gwenith, dail gwyrdd a llefrith.

tomography: *tomograffeg* unrhyw ddull sydd yn cynhyrchu delweddau o blanau meinwe sengl. *Tomograffeg gyfrifedig (computed t., CT):* dull o

273

gynhyrchu delweddau radiolegol lle mae ffotonau pelydr-X a ddatgelir gan fanc datgelwr sydd yn mynd trwy'r claf yn cael eu prosesu gan gyfrifiadur. Mae'r ddelwedd a gynhyrchir yn cynrychioli dwyseddau meinweoedd o fewn 'sleisen', 1–10 mm o drwch, trwy gorff y claf. Fe'i gelwir hefyd yn TOMOGRAFFEG ECHELINOL GYFRIFEDIG (COMPUTERIZED AXIAL TOMOGRAPHY: CAT).

Tomograffeg uwchsonig (*ultrasonic t.*): delweddiad uwchsonograffig o drawsdoriad o blân o'r corff a nodir ymlaen llaw; *gw.* UWCHSONOGRAFFEG (ULTRASONOGRAPHY) modd-B.

tone: *tôn* gradd normal o densiwn e.e. mewn cyhyr.

tongue tie: *cwlwm y tafod* byrhad yn y ffrwyn, y band o feinwe sy'n angori'r tafod i lawr y geg. Nid yw fel arfer yn amharu ar y bwydo.

tonic contraction of the uterus: *cyfangiad tonig y groth* gall hwn fod yn *gyffredinol*, lle mae'r groth mewn cyflwr o gyfangiu'n gryf ac yn barhaus, gan arwain at anocsia yn y ffetws, neu'n *lleol*, cylch o gyfangiad tonig a elwir yn *gylch cywasgiad*. Mae'n ffurfio gan amlaf o gwmpas gwddf y ffetws, gan atal y broses esgor rhag symud yn ei blaen felly. Fel arfer bydd angen anaesthesia dwfn i beri ymlacio, er y gall mewnanadlu amyl nitrid fod o gymorth weithiau.

tonus: *tonws* tôn cyhyr.

'topping up' epidural anasthesia: *'peth ar ben' anaesthesia epidwral* mae'r Cyngor Nyrsio a Bydwreigiaeth yn caniatáu i fydwragedd roi 'peth ar ben' anasthaesia epidwral ar yr amod eu bod wedi cael eu hyfforddi a'u hasesu yn y dechrae, bod y cyffur a'r dos yn cael eu gwirio gan berson arall, a bod yr anaesthegydd sydd yn dal i ddwyn y cyfrifoldeb cyffredinol am ofal y fam, wedi rhoi cyfarwyddiadau ysgrifenedig ynghylch y dos o bwpifiacain, pa mor aml

dylid cofnodi'r pwysedd gwaed a'r camau gweithredu os bydd unrhyw sgil-effeithiau. Rhaid i'r anaesthetegydd roi'r dos prawf a'r dos llawn cyntaf o boenleddfwr. Ar ôl rhoi'r dos cyntaf neu ddos 'ar ben', dylai'r fydwraig gofnodi pwysedd gwaed y fam bob 5 munud am 30 munud a fel arfer bob 15 munud wedi hynny. Ni ddylid rhoi'r fam i orwedd ar wastad ei chefn er mwyn osgoi isbwysedd gorweddol.

torsion: *dirdroad* twistio. Gall ddigwydd ym mhediol coden gan arwain at orlenwi'r gwythiennau yn y goden a madredd yn dilyn hynny – cymhlethdod posibl ar goden ofaraidd.

torticollis: *torticolis* y cyhyrau cerfigol wedi cyfangu, a'r gwddf wedi dirdroi o ganlyniad. Gall yr anffurfiad fod yn gynhenid, yn hysterig, neu oherwydd gwasgedd ar y nerf ategol, llid chwarennau'r gwddf, neu sbasm y cyhyrau.

tourniquet: *rhwymyn tynhau* offeryn a roddir ar y goes neu fraich i atal gwaedu, neu i wneud gwythïen yn fwy amlwg.

toxaemia: *tocsaemia* y gwaed yn cael ei wenwyno wrth amsugno tocsinau, meddylid gynt mai hyn oedd yn achosi CYNECLAMPSIA (PRE-ECLAMPSIA).

toxic: *tocsig* yn ymwneud â gwenwyn.

toxin: *tocsin* gwenwyn, yn enwedig un a gynhyrchir gan facteria pathogenig. Nid yw tocsinau bacteraidd yn cynhyrchu symptomau tan ar ôl cyfnod magu amrywiol tra bydd y microbau yn lluosi digon i oresgyn y lewcocytau a mathau eraill o wrthgyrff. Mae tocsinau yn peri i wrthdocsinau ymffurfio yn y corff, a thrwy hynny yn darparu dull o sefydlu imiwnedd i rai afiechydon penodol.

toxoid: *tocsoid* tocsin sydd wedi cael ei wneud yn annhocsig ond sydd yn cadw ei briodweddau amddiffynnol. Paratoad o'r fath yw APT (tocsoid alwm-dyddodedig), a ddefnyddir mewn imiwneiddiad yn erbyn difftheria.

Toxoplasma: *Tocsoplasma* genws

protosoa sy'n gweithredu fel parasitau. Maent yn achosi TOCSOPLASMOSIS (TOXOPLASMOSIS).

toxoplasmosis: *tocsoplasmosis* heintiad gan *Tocsoplasma*, sy'n achosi syndrom tebyg i'r dwymyn chwarennol. Pan fydd yn digwydd yn ystod beichiogrwydd gall y ffetws gael ei heintio ac o ganlyniad gall y canlynol ddigwydd: hydroceffalws, asgwrneiddio mewngreuanol, splenomegali, anaemia, y clefyd melyn a niwed i'r retina.

tracea: *tracea* y bibell wynt; tiwb cartilagaidd wedi'i leinio ag epitheliwm enciliedig, sy'n ymestyn o ran isaf y larencs i'r bronci.

tracheo-oesophageal fistula: *ffistwla traceo-oesoffageaidd* nam cynhenid lle mae agorfa rhwng y tracea a rhan isaf yr oesoffagws. Gw. hefyd ATRESIA OESOFFAGEAIDD (OESOPHAGEAL ATRESIA).

tracheostomi: *traceostomi* creu agorfa i'r tracea trwy'r gwddf, i roi tiwb arhosol i mewn. Gwneir hyn fel mesur argyfwng i adfer y llwybr anadlu mewn achos o ataliad llym, neu i wella'r llwybr anadlu ac alldynnu secretiadau.

traditional birth attendant: *gweinydd geni traddodiadol* merched, sy'n famau eu hunain fel arfer, sydd, yn draddodiadol, yn cynorthwyo merched eraill i roi genedigaeth i'w babanod. Fe'u ceir mewn rhannau o'r gwledydd datblygol lle nad oes cymorth obstetrig na bydwraig ar gael. Nid oes ganddynt gymhwyster, er bod symudiadau i ddarparu hyfforddiant sylfaenol er mwyn sicrhau eu bod yn glynu at safonau gofal diogel. Weithiau gelwir y ferch yn fydwraig frodorol, 'hilot', 'dunken', 'dai'.

trait: *nodwedd* patrwm ymddygiad nodweddiadol. *Nodwedd cryman-gell (sickle cell t.):* tuedd i gelloedd coch grymanu, heb fod anaemia yn bresennol hefyd, a geir pan fo unigolyn yn HETEROSYGAIDD (HETEROZYGOUS) ar

gyfer y cyflwr.

tranquillizers: *tawelyddion* cyffuriau sydd yn lleddfu pryder ac yn tawelu'r claf. Yn werthfawr i ferched sydd yn dechrau esgor yn llawn ofn a phryder. Dwy enghraifft yw clorpromasin a promethasin.

transcervical ligaments: *gewynnau cerfigol ardraws* Gw. PRIF EWYNNAU (CARDINAL LIGAMENTS).

transcutaneous blood gas monitors: *monitrau nwy gwaed isgroenol* rhoi chwiliedydd ar groen y baban a gynhesir i dymheredd o 44°C ac sy'n galluogi mesur PO_2 a PCO_2. Mae cywirdeb yn dibynnu ar ansawdd y cylchrediad amgantol, felly defnyddio monitro nwy gwaed isgroenol fel arfer ar y cyd â samplo rhydwelïol ysbeidiol.

transcutaneous electrical nerve stimulation (TENS): *ysgogiad nerfol trawsgroenol trydanol* dull gweithredu ble defnyddir electrodau a osodir ar y croen i roi ysgogiad trydanol ysgafn dros ran boenus. Mae TENS yn ysgogi'r ffibrau nerf myelinedig mawr ac yn lleddfu poen yn unol â'r DDAMCANIAETH RHEOLI ADWY (GATE CONTROL THEORY). Mae hefyd yn achosi rhyddhau opiadau neu endorffinau endogenaidd i'r hylif cerebrosbinol, ac

Safleoedd Electrodau TENS i Liniaru Poen adeg Esgor

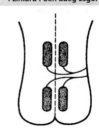

275

mae hyn yn lleihau'r canfyddiad o boen. Pan ddefnyddir TENS i leddfu poen wrth esgor, gosodir pedwar electrod yn gyfochrog ac yn agos i'r asgwrn cefn rhwng T10 a T11 ac yn rhan y sacrwm rhwng S2 ac S4. Y fam sy'n rheoli'r broses lleddfu poen, a gall gynyddu lefel yr ysgogiad yn ystod cyfangiad, a cherdded o gwmpas os dymuna hynny. Mae'r Cyngor Nyrsio a Bydwreigiaeth wedi cymeradwyo'r defnydd o TENS gan fydwragedd ar eu cyfrifoldeb eu hunain, ar yr amod eu bod wedi derbyn hyfforddiant ar sut i'w ddefnyddio.

transducer: *trawsddygiadur* dyfais sydd yn trawsnewid un math o egni yn un arall. Mae'r un a ddefnyddir yn UWCHSAIN (ULTRASOUND) yn cynnwys grisial ceramig a fowldiwyd yn ddisg. Mae hwn yn trawsnewid dirgryniadau o wefrau trydanol yn donnau uwchsain o amledd penodol.

transferase: *transfferas* ensym sydd yn catalyddu'r trosglwyddiad, o un moleciwl i un arall, o grŵp cemegol nad yw'n bodoli mewn cyflwr rhydd yn ystod y trosglwyddiad.

transferrin: *transfferin* globwlin serwm sydd yn rhwymo ac yn cludo haearn.

transfusion: *trallwysiad* rhoi gwaed neu hyddoddiannau eraill yn syth i mewn i'r llif gwaed er mwyn cynyddu cyfaint y gwaed. *Trallwysiad cyfnewid (exchange t.):* tynnu ychydig o waed a rhoi gwaed newydd yn ei le sawl gwaith er mwyn newid ansoddion ond nid cyfaint y gwaed, e.e. mewn afiechyd haemolytig yn y baban newydd-anedig fe'i defnyddir i leihau cyfaint y bilirwbin. Weithiau fe'i gelwir yn drallwysiad disodli. *Trallwysiad ffetws-mam (feto-maternal t.):* o'r ffetws i'r fam trwy gyfrwng y brych. Trallwysiad trawsffrychol (TPT) yw'r enw arall a roddir arno.

transillumination: *trawsoleuad* golau cryf yn mynd trwy adeiledd yn y corff er mwyn i sylwedydd ar yr ochr arall gael ei archwilio.

translocation: *trawsleoliad* mewn GENETEG (GENETICS), rhan o un CROMOSOM (CHROMOSOME) yn symud draw at un arall.

transmigration: *trawsfudiad* crwydro. *Trawsfudiad allanol (external t.):* taith ofwm o'r ofari i'r tiwb Fallopio ar yr ochr gyferbyn.

transplacental: *trawsffrychol* trwy'r brych.

transport: *cludiant* symudiad deunyddiau mewn systemau biolegol, yn enwedig i mewn ac allan o gelloedd ac ar draws haenau epitheliol. *Cludiant gweithredol (active t.):* symudiad deunyddiau ar draws pilenni celloedd a haenau epitheliol sy'n ganlyniad uniongyrchol i dreulio ynni metabolaidd.

transposition: *trawsddodiad* Rhoi rhywbeth yn groes. *Trawsddodiad y prif bibellau (t. of the great vessels):* mae'r rhydweli ysgyfeiniol yn codi o'r fentrigl chwith yn lle'r fentrigl dde, fel bod gwaed sy'n brin o ocsigen yn gadael y fentrigl dde trwy'r aorta. Ni ellir cynnal bywyd onid oes dwytheli ar agor neu os crëir siynt atrioseptol.

transudate: *trawschwys* unrhyw hylif sy'n mynd trwy bilen, e.e hylif o'r waín. Yn wahanol i allchwys, mae'n cynnwys cyfran uchel o hylif a chyfran isel o brotein a chelloedd.

transvaginal: *trawsweiniol* trwy'r waín.

transverse arrest: *ataliad ar draws* mae hyn yn digwydd pan fo pen y ffetws yn isblygedig ac wedi'i atal uwchben lefel yr pigynnau isgiaidd gyda'r asiad saethol yn niamedr ardraws y pelfis. Achos anghyfartaledd ceffalobelfig ac ESGOR WEDI'I ATAL (OBSTRUCTED LABOUR). *Gw. ATALIAD ARDRAWS DWFN (DEEP TRANSVERSE ARREST).*

transverse lie: *gorweddiad ardraws* cyflwr ble mae echelin hydredol y plentyn yn gorwedd ar draws echelin croth y fam. Os na chaiff ei gywiro cyn, neu yn fuan ar ôl dechrau'r broses esgor, gall *CYFLWYNIAD YSGWYDD* (SHOULDER PRESENTATION) ac esgor wedi'i atal ddilyn o ganlyniad. Yr achos mwyaf cyffredin yw cyhyrau llac yn yr abdomen a'r groth, yn aml o ganlyniad i sawl beichiogrwydd. Gall ddigwydd hefyd pan na all y ffetws ymsefydlogi mewn cyflwyniad ceffalig, fel yn achos beichiogrwydd lluosog, placenta praevia neu allfa'r pelfis wedi culhau. Wrth archwilio'r abdomen mae'r groth fel arfer yn llydan ac yn anghymesur gyda'r ffwndws yn isel yn ystod cyfnod yr amenorrhoea. Yn ystod bysarchwiliad teimlir pen y ffetws fel arfer yn yr ystlys neu yn y ffosa iliag. Os bydd gorweddiad ardraws neu ansefydlog yn parhau ar ôl 30 wythnos o'r cyfnod cario dylai'r fydwraig gyfeirio'r fam at yr obstetregydd a all droi'r ffetws i orweddiad ceffalig bob tro y bydd y cyflwyniad yn annormal ar ôl hynny. Gellir anfon y fam i'r ysbyty i gadw golwg arni a gellir rhwygo'r bilen dan reolaeth neu ysgogi'r esgor tua diwedd y cyfnod cario os bydd hyn yn briodol. Mewn achosion difrifol gwneir toriad cesaraidd o ddewis.

transverse sinuses: *sinysau ardraws* sinysau gwythiennol yn y tentoriwm cerebeli sy'n draenio gwaed o'r pen.

transvestite: *trawswisgwr* person, dyn fel arfer, sy'n profi awydd cyson a chryf i wisgo fel aelod o'r rhyw arall.

trauma: *trawma* niwed.

traumatic: *trawmatig* a achosir gan niwed. *Gwaedlif trawmatig (t. haemorrhage):* gwaedu o'r wain sy'n dechrau yn syth ar ôl geni'r baban ac sy'n parhau er bod y groth yn cyfangu'n dda. Gall fod oherwydd rhwygiadau yng ngwddf y groth, y wain neu gorff y perinëwm a gellir ei drin trwy roi pwysau uniongyrchol ar y pwynt gwaedu gyda gefel rhydweliau neu trwy bwyso gyda'r bysedd hyd nes y gellir pwytho'r rhwygiadau.

travail: *gwewyr esgor* esgoriad, geni plentyn.

travel in pregnancy: *teithio pan yn feichiog* efallai y bydd gwragedd yn gofyn am gyngor ynghylch teithio yn ystod beichiogrwydd. Gall bydwragedd gynnig gwybodaeth sydd yn ysgogi'r fam i gymryd camau i'w gwneud ei hun mor gyfforddus ag y bo modd wrth deithio, megis cyngor ynglŷn ag eistedd neu sefyll yn gyfforddus a gofalu am ei chefn, aros yn aml i fynd i'r tŷ bach ac osgoi teithiau dianghenraid yn hwyr yn y beichiogrwydd. Dylai gwragedd sy'n profi bod gwisgo gwregys diogelwch yn y car yn rhy anghyfforddus gael tystysgrif feddygol sydd yn caniatáu iddynt beidio â'i ddefnyddio. Mae'r mwyafrif o gwmnïau awyrennau yn gofyn am lythyr meddyg neu dystysgrif feddygol gan wraig sydd yn dymuno hedfan yn hwyr yn ei beichiogrwydd, yn datgan ei bod mewn cyflwr i wneud hyn, er bod llawer yn gwrthod derbyn teithwyr beichiog sydd yn agos i'r cyfnod llawn.

treatment: *triniaeth* dull o ddelio gyda chlaf neu glefyd. *Triniaeth weithredol (active t.):* triniaeth lle mae ymyriaethau meddygol neu lawfeddygol penodol yn digwydd. *Triniaeth geidwadol (conservative t.):* triniaeth sy'n defnyddio dulliau naturiol, e.e. gorffwys, rhoi hylif yn ei ôl, yn hytrach na thriniaeth weithredol neu radical. *Triniaeth liniarol (palliative t.):* triniaeth sy'n lleddfu symptomau annifyr ond nid yr afiechyd. *Triniaeth broffylactig (prophylactic t.):* triniaeth sy'n ceisio atal clefyd neu batholeg.

Trendelenburg position: *safle Trendelenburg* Gw. SAFLE (POSITION).

Treponema pallidum: *palidwm Treponema* y *SPIROCHAETE* (SPIROCHAETE) sydd yn achosi syffilis.

trial labour: *esgoriad rhagbrofol* gwneir hyn i weld a yw genedigaeth normal trwy'r wain yn bosibl er gwaethaf y ffaith nad yw'r pen wedi cysylltu, oherwydd bod ychydig o anghyfartaledd ceffalobelfig. Ni ddylid gwneud hyn ond mewn ysbyty gyda chyfleusterau da. Os bydd cyfangiadau da yn digwydd, mae'n bosibl y bydd y pen yn plygu'n fwy ac yn disgyn gan fowldio trwy gantel y pelfis, gyda chymalau'r pelfis yn ymlacio ychydig. Dylai genedigaeth normal ddilyn wedyn o'r rhagbrawf llwyddiannus. Os bydd y sylwedydd sydd yn cynnal yr archwiliadau trwy'r wain yn sylwi nad yw'r pen yn disgyn ac nad yw gwddf y groth yn ymledu yn ddigon cyflym, er bod y groth yn cyfangu'n dda, neu os oes unrhyw arwydd o drallod y fam neu'r ffetws, dylid peidio'r esgoriad rhagbrofol yn gyflym trwy endoriad Cesaraidd.

trial of scar: *rhagbrofi'r graith* esgoriad rheoledig, a ysgogir yn aml, er mwyn arsylwi cyflwr a chynnydd mam y mae ganddi graith ar ei chroth o endoriad Cesaraidd blaenorol neu lawdriniaeth grothol arall. Oherwydd bod mwy o berygl y bydd y graith yn ymagor, yn enwedig mewn merch sydd wedi bod yn feichiog o'r blaen, mae angen monitro'r esgor yn ofalus mewn uned arbenigol fel y gellir geni'r baban trwy lawdriniaeth os bydd hyn yn digwydd.

trichomoniasis, Trichomonas vaginalis: *trichomoniasis, Trichomonas vaginalis* un o'r afiechydon mwyaf cyffredin a drosglwyddir yn rhywiol a achosir gan *Trichomonas vaginalis*, protosoon fflangellog hirgrwn. Mae'r heintiad yn achosi rhedlif gweiniol tenau a dyfrllyd, neu felynwyrdd ac ewynnog, prwritis fwlfaidd a llid. Y driniaeth arferol yw metronidasol 200mg bob dydd am ddeg diwrnod. Dylid trin y partner ar yr un pryd i osgoi ailheintiad.

triglyceride: *triglyserid* cyfansoddyn sy'n cynnwys tri moleciwl asidau brasterog a rwymir ag un moleciwl glyserol; braster niwtral a'r ffordd arferol i anifeiliaid storio lipidau.

trigone: *trigon* Rhan drionglog. *Trigon y bledren (t. of the bladder):* y rhan drionglog anelastig sydd yn ffurfio bôn y bledren, rhwng yr agoreydd wreterig ac agorfa'r wrethra. Mae wedi mewnblannu yn wal flaen y wain, ac felly, pan fydd hon yn ymestyn yn ystod yr esgoriad, gellir tarfu ar ei swyddogaethau.

trimester: *tymor* cyfnod o 3 mis.

trimethoprim: *trimethoprim* gwrthfiotig a gymerir trwy'r geg neu'r wythïen a ddefnyddir i drin heintiadau'r llwybr wrinol a'r llwybr resbiradol. Ni ddylid ei roi i ferched beichiog a babanod newydd-anedig.

tripartite placenta: *brych teiran* brych wedi ei rannu'n dair llabed, pob un gyda llinyn yn mynd ohoni sydd yn ymuno i ffurfio un llinyn ychydig bellter o'r llabedi.

triple test: *prawf triphlyg* prawf sgrinio gwaed a gynhelir ar ôl 16–18 wythnos o'r cyfnod cario i asesu risg y fam o gael baban gyda syndrom Down neu namau tiwb niwral agored. Alffaffeto protein, oestriol heb ymgyfuno a gonadotroffin corionig dynol yw'r tri sylwedd a archwilir. *PRAWF BART* (BART'S TEST) yw'r enw arall a roddir arno.

triple vaccine: *brechlyn trifflyg* dos cyfun o imiwneiddiad yn erbyn diffdheria, tetanws a'r pâs.

triplets: *tripledi* tri phlentyn yn yr un groth yn cael eu geni mewn un esgoriad. O'r blaen byddai hyn yn digwydd tuag unwaith ym mhob 6400 genedigaeth; erbyn hyn, o ganlyniad i driniaethau anffrwythlondeb, mae'n fwy cyffredin.

trisomy: *trisomi* cromosom ychwanegol gydag un pâr arbennig. Mae gan *Trisomi 21* o cromosom ychwanegol gyda'r 21ain pâr ac mae'n digwydd mewn *SYNDROM DOWN* (DOWN'S SYNDROME). *Trisomi 18 SYNDROM EDWARD* (EDWARD'S SYNDROME); *trisomi 13 SYNDROM PATAU* (PATAU'S SYNDROME).

trocar: *trocar* offeryn llawfeddygol gyda

blaen miniog o fewn canwla metel a ddefnyddir i allsugno neu dynnu hylif o geudodau'r corff.

trochanter: *trocanter* un o ddau ripyn o dan wddf asgwrn y forddwyd. *Trocanter mwyaf (greater t.):* yr un ar yr ochr allanol. *Trocanter lleiaf (lesser t.):* yr un ar yr ochr fewnol.

trophoblast: *troffoblast* gorchudd allanol y blastocyst. Y mae'r brych a'r corion yn datblygu ohono.

trophoblastic tissue: *meinwe troffoblastig* SYNCYTIOTROFFOBLAST (SYNCYT-IOTROPHOBLAST) a *CYTOTROFFOBLAST* (CYTOTROPHOBLAST).

true conjugate: *gwir gyfiau* Gw. CYFIAU (CONJUGATE).

trypsin: *trypsin* ensym pancreatig grymus sydd yn parhau i dreulio protein i ffurfio asidau amino.

tubal insufflation: *chwythu'r tiwbiau* prawf i asesu a yw'r tiwbiau yn agored trwy chwythu ar draws y groth gyda nwy carbon deuocsid.

tubal ligation: *ligiad y tiwbiau* clymu tiwbiau'r groth, dull o anffrwythloni. Dau ddull arall a ddefnyddir yn aml yw anffrwythloni laparosgopig gan ddefnyddio diathermi, neu osod clipiau ar diwbiau'r groth y byddai'n bosibl eu tynnu.

tubal mole: *môl tiwb Fallopio* casgliad o dolchenau gwaed a ddargedwir yn y tiwbiau Fallopio ar ôl beichiogrwydd tiwbaidd.

tubal pregnancy: *beichiogrwydd tiwb Fallopio* beichiogrwydd sydd wedi mewnblannu yn leinin y tiwb Fallopio.

tube feeding: *bwydo drwy diwb* rhoi hylif (a bwydydd lled-solid i oedolion) trwy diwb trwyn-stumog, gastrostomi, neu enterostomi. Dull cyffredin o fwydo'r baban cyn amser sydd yn rhy blino'n gyflym wrth sugno ac sydd â'i atgyrchion llyncu a chau ceg yn anaeddfed.

tuberculosis: *tiwbercwlosis* heintiad penodol a achosir gan *Mycobacterium*

tuberculosis. Yr hen enw Cymraeg arno yw'r 'ddarfodedigaeth' ond nid yw hwn yn gymeradwy mewn meddygaeth fodern am ei fod yn rhagybio nad oes modd gwella ohono. Mae'n diwydydd yn gyffredin yn yr ysgyfaint, ond gall effeithio ar unrhyw ran o'r corff. Yn ystod beichiogrwydd rhennir y gofal rhwng yr obstetregydd ac arbenigwr y frest. Fel arfer bydd y ferch feichiog yn glaf allanol oni bai bod ei chrachboer hi'n bositif, pryd y bydd rhaid ei derbyn i'r ysbyty a'i chadw ar wahân, a bydd staff sydd yn imiwn i'r heintiad yn gofalu amdani. Dylid ei thrin â streptomycin fel arfer, isonisid, para-aminosalicyclig neu ethambwtol; ni ddylid cymryd rifampicin yn y trimestr cyntaf. Dylid sicrhau bod yr esgoriad mor hawdd ag y bo modd er mwyn osgoi blinder resbiradol, trwy gynnig anaesthesia epidwral, geni gyda gefelau ac ergometrin mewnwythiennol wrth i ysgwydd blaen y baban gael ei eni i gyfyngu ar golli gwaed. Yn yr ychydig famau sydd â chrachboer positif mae llaetha yn cael ei atal ac mae'r baban yn cael ei arwahanu oddi wrth y fam nes iddi fod yn bositif i'r prawf Mantoux. Rhoddir y brechiad Bacille Calmette-Guérin (BCG) i'r baban mor fuan ag y bo modd ar ôl y geni ac efallai y bydd yn rhaid i berthynas iach neu rieni maeth ofalu amdano nes y bydd y fam yn well. Cofnodir enw'r baban yn y gofrestr 'mewn perygl'.

tuberosity: *tiwberosedd* darn ehangedig o asgwrn, neu ymwthiad, *twberoseddau isgiaidd* mae diamedr ardraws allfa'r pelfis yn cael ei fesur rhwng y rhain.

tubular necrosis (acute): *necrosis tiwbaidd (llym)* 1. pan fydd protein yn cael ei ddyddodi yn y tiwbynnau arennol troellog casglu a phellaf, fel yn achos trallwysiad gwaed anghydnaws neu erthyliad septig, mae'r epitheliwm yn cael ei niweidio ac mae'r wrin yn cael ei gadw'n ôl, gan atal y GLOMERWLWS

(GLOMERULUS) rhag gweithredu ymhellach. Efallai y bydd yn clirio mewn 7–14 diwrnod. **2.** os bydd y tiwbyn troellog agosaf yn mynd yn ischaemig neu os caiff tocsinau bacteraidd eu rhyddhau, gall yr epitheliwm ddechrau marw a'r tiwbyn wedyn yn marw. Gall yr aren adfer ei gweithrediad o fewn 10–30 diwrnod mewn achos o necrosis rhannol yn unig.

tubule: *tiwbyn* tiwb microsgopig sydd yn ffurfio un rhan o'r neffron.

tumescence: *chwyddni* chwyddiad neu helaethiad rhan; codiad pidyn.

tumour: *tyfiant* chwydd neu dwmor.

tunica: *tiwnica* côt. *Tunica albuginea* haen drwchus o feinwe cysylltiol o dan epitheliwm cenhedlol yr ofari.

tunnel: *twnnel* llwybr trwy gorff solid gyda'r ddau ben yn agored. *Twnnel carpal (carpal t.):* y twnnel asgwrn ffibraidd ar gyfer y nerf canolwedd a'r tendonau plygol. Mae syndrom twnnel carpal yn digwydd pan fydd y nerf canolwedd yn gael ei gywasgu a'r canlyniad yw poen a phigau mân y'n bysedd a'r llaw, sydd weithiau'n ymestyn at y benelin. Mae'n anhwylder eithaf cyffredin mewn beichiogrwydd oherwydd oedema sydd yn achosi cywasgiad y nerf canolwedd.

Tuohy needle: *nodwydd Tuohy* canwla a nodwydd a ddefnyddir i osod cathetr i mewn yn y gwagle epidwral; medrydd 16 neu 18 g fel rheol.

Turner's syndrome: *syndrom Turner* nam cynhenid ble mae gan y person 45 yn lle 46 cromosom. Dim ond un cromosom rhyw (X) sy'n bresennol, a ddisgrifir fel XO, fel bod yr unigolyn yn ymddangos yn fenywol, gyda gwain, croth a thiwbiau Fallopio normal ond, gan nad yw'r ofarïau yn weithredol ceir *AMENHORRHOEA* ac anffrwythlondeb. Gall y gwddf fod yn weog hefyd a bwa'r aorta yn gyfyng.

twin to twin transfusion: *trallwysiad gefell i efell* trallwysiad gwaed o un

ffetws i'w efaill, gyda'r canlyniad bod y cyntaf yn mynd yn anaemig a'r llall yn blethorig.

twins: *gefeilliaid* dau faban yn datblygu yn y groth gyda'i gilydd o un neu ddau ofwm. Gefeilliaid *deuofylaidd, deusygotig* neu *annhebyg (binovular, dizygotic* or *fraternal t.):* y rhai sy'n datblygu o ddau ofwm ar wahân sydd wedi eu ffrwythloni gan ddau sbermatosoon. Mae dau feichiogiad cyflawn yn y groth h.y. dau ffetws, dau frych, dau gorion a dau amnion. Gall y babanod fod o'r un rhyw neu ryw gwahanol, ac mor debyg neu annhebyg i'w gilydd ag y mae dau aelod o deulu. Gefeilliaid *unoful, monosygotig* neu *unfath (uniovular, monozygotic* or *identical t.):* gefeilliaid sydd wedi datblygu o ffrwythloniad un ofwm. Mae clwstwr celloedd embryonig wedi gwahanu i ddau hanner unfath sydd ill dau wedi datblygu'n ffetysau. Felly mae dau ffetws a dwy bilen amniotig, ond dim ond un brych a corion. Mae'r babanod o'r un rhyw, ac yn debyg ym mhob nodwedd. Mewn achosion prin, mae rhaniad anghyflawn o'r clwstwr celloedd embryonig yn gadael gefeilliaid cydgysylltiedig neu Siamaidd.

tympanic: *tympanig* o, neu'n perthyn i'r tympanwm. *Pilen dympanig (t. membrane):* pilen denau, lled-dryloyw sy'n ymestyn ar draws corn y glust gan wahanu'r tympanwm (clust ganol) oddi wrth y meatws (clust allanol); fe'i gelwir hefyd yn ddrwm y glust.

typing: *teipio* dull o fesur graddfa'r cydnawsedd rhwng dau unigolyn o ran organau, meinwe solid neu waed. Yn y dull hwn caiff antigenau histogydnawsedd penodol, e.e. y rhai hynny sydd yn bresennol ar lewcocytau neu erythrocytau, eu canfod trwy gyfrwng gwrthsera isoimiwn addas.

tyramine: *tyramin* ensym sy'n bresennol mewn caws, helgig, echdynion burum, gwin, cwrw, codennau ffa, sy'n effeithio ar y corff yn debyg i adrenalin. Dylai gwragedd sy'n cymryd cyffuriau sy'n atal monoamin ocsidas osgoi bwydydd yn cynnwys tyramin.

tyrosine: *tyrosin* asid amino sy'n digwydd yn naturiol ac sy'n bresennol yn y rhan fwyaf o broteinau; cynnyrch metabolaeth ffenylalanin a rhagflaenydd melanin, catecholaminau, a hormonau thyroid ydyw.

U

ulcer: *briw* dolur ar wyneb rhydd y croen neu bilen fwcaidd, a achosir gan drawma, heintiad, gwasgedd neu anaf i'r nerf.

ultrasonic: *uwchsonig* y tu hwnt i'r rhychwant sain clywadwy; yn perthyn i donnau sain sydd ag amledd o fwy na 20 000 cylchred yr eiliad.

ultrasonogram: *uwchsonogram* darlun atsain a geir o ddefnyddio UWCHSAIN (ULTRASOUND).

ultrasonography: *uwchsonograffeg* techneg radiolegol, a ddatblygwyd yn wreiddiol yn y 1960au, lle mae adeiladdau dwfn y corff yn cael eu delweddu trwy gofnodi adlewyrchiadau (atseiniau) tonnau uwchsonig a gyfeirir i'r meinweoedd. Mewn uwchsonograffeg ddiagnostig, cynhyrchir y tonnau uwchsonig trwy symbylu grisial o'r enw trawsddygiadur yn drydanol. Wrth i'r pelydryn daro rhyngwyneb neu ffin rhwng meinweoedd o ddwysedd amrywiol mae rhai o'r tonnau sain yn cael eu hadlewyrchu'n ôl i'r trawsddygiadur fel atseiniau. Caiff yr atseiniau eu trosi wedyn yn ysgogiadau trydanol a gaiff eu dangos fel delwedd ar y teledu, gan gyflwyno arddangosiad gweledol o'r meinweoedd sy'n cael eu harchwilio. *Uwchsonograffeg modd A (A-mode u.):* arddangosiad ar gyfer mesur maint a thrwch yn fanwl gywir, yn arbennig o bwysig mewn ceffalometreg. Mae'n defnyddio ysgogiadau o'r grisial cwarts yn y trawsddygiadur ac ar ôl eu mwyhau cânt eu harddangos ar sgrin pelydr cathod fel pigynnau fertigol o linell

lorweddol; mesurir y pellteroedd rhwng y llinellau fertigol. Mae *uwchsonograffeg modd-B (B-mode u.)* yn adeiladu darlun o'r meinweoedd dwfn, y mae pob un ohonynt yn rhoi atsain yn dibynnu ar ei ddwysedd a'i ddyfnder. Mae'n bosibl adeiladu golwg trychiadol 2-ddimensiwn defnyddiau trwy symud y trawsddygiadur ar ongl dde i'r organau oddi tano. Mae *DANGOSYDD GRADDFA LWYD (GREY-SCALE DISPLAY)* yn dangos mwy o ddiffiniad. Mae *sganio amser real* yn defnyddio uwchsonograffeg modd-B i edrych ar ddelwedd sy'n symud, er enghraifft, i edrych ar symudiadau'r ffetws neu galon y ffetws yn curo. Defnyddir uwchsonograffeg yn eang mewn obstetreg i gadarnhau presenoldeb a chyfnod cario'n beichiogrwydd, lleoli'r brych, amcangyfrif maint, pwysau ac aeddfedrwydd y ffetws, canfod annormaleddau yn y ffetws ac archwilio cynhwysion y groth mewn achosion o erthylu cyflawn neu anghyflawn, beichiogrwydd ectopig neu luosog neu fôl hydatidiffurf. Gellir amcangyfrif cyfaint yr hylif a chanfod asgites y ffetws mewn achosion o anghydnawsedd rhesws; gellir mesur llif gwaed y ffetws llif gwaed rhwng y groth a'r brych. Gellir arsylwi symudiadau'r ffetws, gan gynnwys sugno, llyncu, anadlu a symudiadau'r llygaid, a stumog a phledren y ffetws yn llenwi ac yn cael eu gwacáu. Defnyddir uwchsonograffeg hefyd yn ystod gweithredoedd mewnwthiol megis amniocentesis a biopsi o'r filysau corionig er mwyn osgoi niwed i'r ffetws a'r brych.

ultrasound: *uwchsain* sain ar amledd uwchlaw terfyn uchaf clyw normal h.y. yn uwch nag oddeutu 20,000 Hz (cylchred yr eiliad); fe'i defnyddir mewn meddygaeth yn nhechneg *UWCHSONO-GRAFFEG* (ULTRASONOGRAPHY).

umbilical: *wmbilig* yn perthyn i'r wmbilicws/bogail. *Cathetereiddio wmbilig (u.catheterization):* rhoi cathetr i mewn i wythïen neu rydweli wmbilig y baban newydd-anedig, i roi cyffuriau neu hylifau, monitro nwyon gwaed yn barhaus, ar gyfer trallwysiad cyfnewid neu gael samplau gwaed ar gyfer profion. *Hernia wmbilig (u. hernia):* y coluddyn yn ymwthio trwy'r wmbilicws, ysgafn fel arfer ond difrifol ambell waith. *Gw.* ECSOMFFALOS (EXOMPHALOS).

umbilical cord: *llinyn bogail* y llinyn sy'n cysylltu'r ffetws a'r brych. Mae fel arfer yn 50–60 cm (20–24 modfedd) o hyd, yn corddeddu'n grwn ac yn cynnwys dwy rydweli wmbilig yn cludo gwaed diocsigenedig ac un wythïen yn cludo gwaed ocsigenedig, wedi'i amgylchynu gan jeli Wharton a'i orchuddio gan amnion. Yn fuan ar ôl yr enedigaeth rhoddir clamp ar linyn y bogail a'i dorri. Gadewir bonyn o tua 2.5 cm yn gysylltiedig â'r bogail ac mae hwn yn marw ac yn ymrannu'n naturiol, drwy broses o necrosis sych aseptig, o fewn 5–7 diwrnod. *Cyflwyniad y llinyn bogail (presentation of the u.c.):* gorwedda'r llinyn o dan y rhan sy'n cyflwyno, gyda'r pilenni yn gyflawn. *Cwymp y llinyn bogail (prolapse of the u.c.):* gorwedda'r llinyn gosod o flaen y rhan sy'n cyflwyno, a'r pilenni wedi'u rhwygo. Mae perygl difrifol y bydd gwasgedd ar bibellau'r llinyn ac anocsia yn y ffetws o ganlyniad. Yr achos yw bod y rhan sy'n cyflwyno yn uchel neu nad yw'n ffitio'n gywir, sy'n caniatáu i ddolen o'r llinyn basio heibio. Yr egwyddorion wrth drin yr argyfwng yma yw: *(a)* lleihau'r gwasgedd ar y

Cwymp y Llinyn Bogail

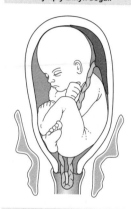

llinyn mewn unrhyw ffordd sy'n bosibl, a hynny'n caniatáu i gyflenwad ocsigen y ffetws gael ei gynnal, a *(b)* geni'r baban cyn gynted ag y bo modd.

umbilicus: *bogail* y graith ar yr abdomen sy'n nodi'r man lle roedd yn llinyn bogail yn sownd.

unconscious: 1. *anymwybodol* 2. *anymwybod*. 1.analluog i ymateb i symbyliadau synhwyraidd. **2.** y rhan honno o weithgarwch yr ymennydd sy'n cynnwys dymuniadau cyntefig neu wedi'u hatal, a guddir oddi wrth y meddwl ymwybodol gan y sensor seicolegol.

uni-: *un-* rhagddodiad yn golygu 'un'.

unicellular: *ungellog* yn cynnwys un gell yn unig.

unilateral: *unochrog* ar un ochr yn unig.

uniovular: *unofwl* o un ofwm. *Gw.* MONOSYGOTIG (MONOZYGOTIC).

universal donor: *rhoddwr cyffredinol* *Gw.* GRWPIAU GWAED ABO (ABO BLOOD

GROUPS).

universal recipient: *derbynnydd cyffredinol Gw. GRWPIAU GWAED ABO (ABO BLOOD GROUPS).

unstable lie: *gorweddiad ansefydlog lle mae gorweddiad y ffetws yn newid o un archwiliad i'r nesaf ar ôl 36 wythnos o'r cyfnod cario. Os bydd y fam yn cychwyn i broses esgor gyda'r ffetws mewn gorweddiad ansefydlog, yn enwedig gorweddiad cyfansawdd, gall cymhlethdodau godi a all fygwth bywyd y fam a'r ffetws, oni ellir cyflawni toriad Cesaraidd. Felly gellir anfon y fam i'r ysbyty cyn y cyfnod llawn i gadw golwg arni ac i droi'r ffetws yn allanol, rhwygo'r pilenni dan reolaeth ac ysgogi'r esgor.

unsupported mother: *mam ddigyn-haliaeth mam heb bartner i'w chynnal; teulu un rhiant. Gall y fam fod yn ddibriod, wedi gwahanu, wedi ysgaru neu yn weddw.

urachal: *wracaidd yn ymwneud â'r wracws. *Coden yr wracws (u. cyst):* annormaledd cynhenid lle mae coden fach yn parhau ar hyd llwybr yr wracws. *Ffistwla'r wracws (u. fistula):* un sy'n ffurfio pan fydd yr wracws yn methu cau; gall wrin ollwng o'r bogail.

urachus: *wracws band ffibraidd yn uno apig y bledren a'r bogail. Mae'n weddill llwybr a oedd yn bresennol yn y ffetws.

uraemia: *waraemia cyflwr methiant arennol lle mae wrea'r gwaed yn uchel iawn. Fe'i nodweddir gan gur pen, fertigo, chwydu a chonfylsiynau; gall coma ddilyn. Gall fod yn gymhlethdod neffritis, *ABRUPTIO PLACENTAE* cuddiedig neu *ECLAMPSIA*.

urea: *wrea cynnyrch terfynol metabolaeth protein, a ysgarthir yn yr wrin. *Wrea gwaed (blood u.):* swm yr wrea sy'n bresennol yn y gwaed; 2.5–5.8 mmol/l (15–35mg/100ml) on yn ystod beichiogrwydd fel arfer 2.3–5.0 mmol/l (14–30mg/100ml).

ureter: *wreter un o'r ddau diwbyn

ffibrogyhyrhol sydd yn cludo wrin o'r aren i'r bledren. Maent yn ymledu yn ystod beichiogrwydd wrth i *PROGESTERON* (PROGESTERONE) lacio'r cyhyr llyfn, gan arwain at wrin yn sefyll yn stond a micro-organebau yn lluosi. *Gw. PYELONEFFRITIS* (PYELONEPHRITIS).

ureteric: *wreterig yn ymwneud â'r wreter. *Catheter wreterig (u. cathater):* catheter main a gaiff ei fewnosod trwy'r wreter i fyny i'r aren, naill ai ar gyfer draenio neu ar gyfer *PYELOGRAFFEG* (PYELOGRAPHY) ôl-redol.

ureterovesical: *wreterofesigol yn gysylltedig ag wreter a'r wain.

ureterovesical fistula: *ffistwla wreterofesigol llwybr annormal rhwng wreter a'r wain; cymhlethdod prin esgoriad estynedig neu wedi'i atal pan fydd meinwe'r wreter yn cael ei ddadfywiogi oherwydd bod pen y ffetws yn gwasgu arno am amser hir.

urethra: *wrethra y llwybr ar gyfer gollwng wrin o'r bledren. 20–22.5 cm yw hyd wrethra'r gwryw, 3.7 cm yw hyd wrethra'r fenyw.

urethral: *wrethrol yn perthyn i'r wrethra.

urethritis: *wrethritis llid yr wrethra. *Wrethritis amhenodol (non-specific u.):* afiechyd a drosglwyddir yn rhywiol, sydd yn digwydd yn y gwryw. Ni ddarganfuwyd yr achos eto.

urethrocele: *wrethrocel ymgwympiad mur wrethra mewn gwraig, a all fod yn ganlyniad niwed i lawr y pelfis yn ystod y mewnbartwm.

uric: *wrig yn perthyn i wrin. *Asid wrig (u. acid):* cynnyrch terfynol metabolaeth neu ocsideiddiad pwrin yn y corff. Mae'n bresennol yn y gwaed mewn crynodiad o 0.13–0.42 mmol/1 ac yn cael ei ysgarthu yn yr wrin mewn cyfeintiau o ychydig llai nag 1 g y dydd.

urinalysis: *wriddadansoddiad dadansoddiad o'r wrin i helpu i wneud diagnosis o afiechyd. Mewn beichiogrwydd mae'r wrin yn cael ei brofi'n rheolaidd am bresenoldeb protein, glwcos, a chetonau. Gellir canfod gwaed a chrawn hefyd os oes heintiad. *Heintiad y llwybr wrinol (u.tract infection):* mae tueddiad mewn merched i gael heintiad y llwybr wrinol yn ystod beichiogrwydd oherwydd stasis wrin a all ddigwydd mewn rhannau o'r wreterau sydd wedi plygu oherwydd effaith ymlaciol progesteron. Mae'n digwydd yn aml rhwng yr 20fed wythnos a'r 28ain wythnos o'r beichiogrwydd, gyda *Escherichia coli* fel yr organeb heintiol fwyaf cyffredin. Mae gwres ar y wraig ac mae'n passio wrin yn aml, ac yn dioddef o ddyswria, poen yn yr ystlys, cyfog a chwydu. Mae hyperpyrecsia gyda rigor a phoen ddifrifol yn digwydd mewn achosion difrifol a gall ysgogi esgoriad cyn pryd. Mae'r driniaeth yn cynnwys rhoi gwrthfiotigau, analgesigau, llawer iawn o hylif. Mae *PYELONEFFRITIS* (PYELO-NEPHRITIS) a methiant yr arennau yn gymhlethdodau hir dymor.

urinary: *wrinol* yn cysylltiedig ag wrin

urination: *troethiad* pasio wrin (ar lafar: pasio dŵr)

urine: *wrin* y hylif a secretir gan yr arennau ac sy'n cael ei ysgarthu o'r bledren wrinol wrth basio wrin. pH 6 yw'r adwaith fel arfer. Mae'n cynnwys dŵr (96%) yr hydoddir cynhyrchion gwastraff metabolaeth ynddo, megis *WREA* (UREA) a *CREATIN* (CREATINE) a sylweddau eraill gan gynnwys sodiwm clorid a ffosffadau, ond nid glwcos fel arfer. Hen enw Cymraeg arno yw troeth.

urinometer: *wrinomedr* offeryn gwydr gyda choes raddedig a bwlb mercwri gyda bwysau yn y gwaelod, a ddefnyddir i fesur dwysedd cymharol wrin.

urodynamics: *wroddynameg* dynameg gwthiad a llif yr wrin yn y llwybr wrinol.

urticaria: *wrticaria* adwaith fasgwlaidd y croen mae rhannau o'r croen yn codi dros dro ac yn gochach neu'n wynnach na'r croen o'u cwmpas ac yn aml maent

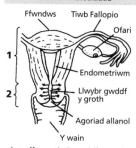

Y Groth a'i Hatodiadau

Ffwndws — Tiwb Fallopio

Ofari

Endometriwm

Llwybr gwddf y groth

Agoriad allanol

Y wain

1. corff y groth; 2. gwddf y groth.

yn cosi'n ffyrnig; brech danadl poethion yw'r enw arall a roddir arno. Mae rhai bwydydd yn gallu ei achosi, neu heintiad, neu straen emosiynol.

uterine: *crothol* yn perthyn i'r groth. *Souffle crothol, (u. souffle) gw. SOUFFLE. Tiwbiau crothol (u. tubes), TIWBIAU FALLOPIO* (FALLOPIAN TUBES).

uteroplacental: *wterofrychol* yn perthyn i'r groth a'r brych.

uterosacral: *wterosacrol* yn perthyn i'r groth a'r sacrwm. Gewynnau wterosacral: dau ewyn sydd yn ymestyn o wddf y groth i'r sacrwm, gan amgylchynu'r rectwm. Mae'r gewynnau hyn yn helpu i gadw'r groth mewn safle yn gwyro tuag ymlaen.

uterosalpingography: *wterosalpingograffeg* radiograffeg o'r groth a'r tiwbiau crothol; hysterosalpingograffeg.

uterotomy: *wterotomi* hysterotomi. Toriad i'r groth.

uterovesical: *wterofesigol* yn cyfeirio at y groth a'r bledren. Coden wterofesigol: plygiad y peritonewm rhwng y ddau organ yma.

uterus: *croth* organ siâp gellygen â chanol gwag wedi'i leoli yn y ceudod pelfig rhwng y bledren a'r rectwm, ac yn cael ei chynnal gan y parametriwm. Mae tua 7.5 cm o hyd, 5 cm yn y lle lletaf a gellir ei rannu'n ddwy ran, y corpws neu gorff sef yn y groth wyryfol oedolyn y ddwy ran o dair uchaf a gwddf y groth sef y traean isaf. Ffwndws yw'r enw a roddir ar y rhan uchaf rhwng y cornwa, a gelwir y cyfyngiad rhwng y corpws a'r gwddf yn isthmws. Mae'r ceudod yng nghorff yr wterws yn hollt trionglog, yn cysylltu yn y cornwa gyda'r tiwbiau Fallopio ac yn yr os mewnol â gwddf y groth. Mae corff y groth wedi'i leinio â philen fwcws sef yr ENDOMETRIWM (ENDOMETRIUM) sydd yn cael ei ddiosg oddeutu bob 28 diwrnod. Os yw ofwm yn cael ei ffrwythloni, mae'n plannu ei hun ar ôl 8 diwrnod ac yn datblygu o fewn ceudod y groth. Mae'r MYOMET-RIWM (MYOMETRIUM), sydd wedi ei

wneud o ffibrau cyhyrau troellog yn hypertroffeiddio, gan dyfu felly i wneud lle i'r ffetws. Mae'r groth wedi'i gorchuddio ar y tu allan gan blygiad o beritonewm, y PERIMETRIWM (PERIMET-RIUM) sydd yn hongian yn llac dros y ffwndws i ffurfio'r sach wterofesigol rhwng rhan flaen y groth a'r bledren a Chod Douglas rhwng rhan ôl y groth a'r rectwm. *Croth ddeugorniog (bicornuate u.):* math o gamffurfiad cynhenid ble mae gan y groth ddau gorn. *Croth didelphys (u. didelphys):* croth ddwbl sy'n deillio o fethiant y ddwy ochr i uno wrth iddynt ddatblygu. *Croth ungorn (u. unicornus):* croth gydag un corn yn unig, a'r llall heb ddatblygu'n iawn.

uvula: wfwla màs bach, cnawdol sy'n hongian o'r daflod feddal uwchben bôn y tafod.

V

vaccinate: *brechu* rhoi brechlyn er mwyn sicrhau imiwnedd yn erbyn afiechyd. *Gw. IMIWNEDD* (IMMUNITY).

vaccination: *brechiad* **1.** fel arfer rhoi brechiad o firws facsinia er mwyn amddiffyn yn erbyn y frech wen. Arferid ei roi yn ystod yr ail flwyddyn ac eto rhwng 8 a 12 oed. **2.** ble nodir hyn, chwistrelliad o frechlyn bacteraidd penodol. *Gw. BACILLE CALMETTE-GUÉRIN.*

vaccine: *brechlyn* daliant o organebau wedi'u lladd mewn hydoddiant halwynog arferol. **Brechlyn wedi'i *wanhau* (attenuated v.):** un a baratowyd o organebau byw sydd, trwy gael eu meithrin yn hir, wedi colli eu heffeithiau niweidiol. **Brechlyn Bacille Calmette-Guérin** *(bacille Calmette-Guérin):* bacilws buchol wedi'i wanhau sy'n amddiffyn rhag twbercwlosis. **Brechlyn Salk** *(Salk v.):* un a baratowyd o rywogaeth o'r firws poliomyelitis.

vacuum aspiration: *sugniad gwactod* dull a ddefnyddir i wneud erthyliad yn ystod 3 mis cyntaf beichiogrwydd; fe'i defnyddir hefyd i gael gwared â môl hydatdiiffurf.

vacuum extractor: *sugndynydd* cyfarpar, a gyflwynwyd yn Sweden gyntaf, i'w ddefnyddio mewn achosion addas yn lle geni gyda chymorth gefelau obstetrig. Mae cwpan metel yn cael ei gysylltu trwy sugnedd â chroen pen y ffetws, a thynnir yn ysgafn arno, i gydfynd â chyfangiadau'r groth.

vagal: *fagol* yn gysylltiedig â'r nerf fagol.

vagina: *gwain* y llwybr wedi'i leinio ag epitheliwm cennog sydd yn arwain o'r fwlfa i wddf y groth. Mae'n ffurfio rhan o lwybr y geni. Mae'r wrethra a bôn y bledren wedi'u mewnblannu yn y wal flaen, sydd yn 6.5–7.5 cm o hyd. Mae'r wal ôl sydd yn 9–10 cm o hyd, mewn cysylltiad â chorff y perinëwm, y rectwm a choden Douglas. Mae'r waliau ochrol mewn cysylltiad â'r cyhyrau lefator ani.

vaginal: *gweiniol, trwy'r wain* yn gysylltiedig â, neu drwy, y wain. **Gwaedu gweiniol** *(v. bleeding):* gw. *GWAEDLIF CYN Y GENI* (ANTEPARTUM HAEMORRHAGE). **Rhedlif gweiniol** *(v. discharge):* gw. *RHEDLIF* (DISCHARGE). **Archwiliad trwy'r wain** neu ***archwiliad pe vaginam*** *(v. examination* or *examination per vaginam):* dull o asesu ffactorau beichiogrwydd, yr esgoriad a'r pwerperiwm a chyflyrau gynaecolegol trwy fysarchwiliad gydag un neu ddau fys yn y wain.

vaginismus: *faginismws* sbasmau poenus cyhyrau'r wain.

vaginitis: *llid ar y wain* Mewn beichiogrwydd fe'i hachosir fel arfer gan heintiad gyda'r ffwng Candida albicans. Mae'r ffwng hwn yn achosi cosi poenus iawn ac yn cael ei drin fel arfer â phesariau *NYSTATIN* neu yn anaml trwy lanhau gyda hydoddiant 0.5% eli glas mewn dŵr. Mae llid ar y wain a achosir gan *Trichonomas vaginalis* yn gyffredin hefyd. Fe'i nodweddir gan redlif ewynnog, gwyrddaidd sydd yn peri cosi poenus iawn. Mae'r wraig a'i phartner rhywiol yn cael eu trin â metronidasol (Flagyl).

vagus: *fagws* y 10fed nerf creuanol, nerf

287

paraymatebol sydd wedi'i dosbarthu'n eang yn y corff ac sy'n cyflenwi'r galon, yr ysgyfaint, yr iau (afu) a rhan o'r llwybr ymborth.

validation: dilysiad proses o gymeradwyo cwrs neu ddyfarniad academaidd. O fewn bydwreigiaeth, mae'r CYNGOR NYRSIO A BYDWREIGIAETH yn gofyn am gymeradwyaeth y sefydliad i bob rhaglen gyn-gofrestru, cyn iddi ddechrau ac ar adegau rheolaidd yn ystod cyfnod cytunedig y gymeradwyaeth, i sicrhau bod safonau cyson yn cael eu cynnal.

validity: dilysrwydd term a ddefnyddir mewn ymchwil i bennu i ba raddau mewn gwirionedd y mae term yn adlewyrchu'r lluniad sy'n cael ei archwilio wrth gael ei ddefnyddio ar gyfer grŵp neu bwrpas neillltuol.

Valium: Valium Gw. DIASEPAM (DIAZEPAM)

Valsalva manouvre: llawiad Valsalva cynyddu'r gwasgedd mewnthorasig trwy allanadlu'n rymus yn erbyn y glotis caeëdig. Mae babanod â thrafferthion anadlu yn mabwysiadu symudiad Valsava rhannol trwy ebychu, a thrwy hynny yn cynnal gwasgedd positif yn y frest wrth allanadlu, h.y. GWASGEDD POSITIF DIWEDD ALLANADLU (POSITIVE END-EXPIRATORY PRESSURE: 'PEEP').

value: gwerth mesur gwerth neu effeithlonrwydd; mesuriad meintiol gweithrediad, crynodiad, ac ati, syl-weddau penodol. Gwerthoedd normal: ystod o grynodiad sylweddau penodol a geir mewn meinweoedd, secretiadau ayb iach, normal.

valve: falf plygiad pilennaidd mewn llwybr sydd yn atal deunydd sy'n mynd trwyddo rhag llifo'n ôl.

valvotomy: falfotomi llawdriniaeth i gynyddu lwmen falf wedi culhau, e.e. falfotomi mitrol i leddfu STENOSIS MITROL (MITRAL STENOSIS).

valvuloplasty: falfwloplasti trwsio falf â phlastig, yn enwedig falf yn y galon.

vanillylmandelic acid (VMA): asid fanilylmandelig (VMA) cynnyrch sy'n cael ei ysgarthu gan y catecalominau, a ddefnyddir fel prawf ar gyfer metabolaeth adrenalin. Mae lefel VMA yn uwch mewn achos o dyfiant adrenal megis FFAEOCROMOCYTOMA (PHAEOCHROMOCYTOMA), tyfiant diniwed mewn a ddarganfyddir weithiau yn ystod beichiogrwydd, pan fydd pwysedd gwaed y ferch yn cyflwyno fel arfer gan frigo yn y bore a'r hwyr. Mae'r prawf yn golygu casglu sampl wrin dros 24 awr; fe'i defnyddir yn llai aml yn awr nag amcangyfrifiadau uniongyrchol o lefelau catecolamin.

variable: newidyn mewn epidemioleg unrhyw fesuriad sy'n gallu cael gwerthoedd gwahanol. Newidyn dibynnol (dependent v.): newidyn sydd yn ddibynnol ar effaith newidynnau eraill mewn astudiaeth epidemiolegol. Newidyn annibynnol (independent v.): newidyn nad yw newidynnau eraill yn dylanwadu arno mewn astudiaeth epidemiolegol ond a all fod yn achosi newidiadau yn y newidynnau hyn.

varicella: varicella brech yr ieir.

varicose: faricos wedi chwyddo neu ymledu. Gwythiennau faricos (v. veins): gwythiennau wedi chwyddo ac wedi troelli mewn ffordd annormal, fel arfer gwythiennau'r goes, oherwydd falfiau aneffeithlon sydd yn gadael i rywfaint o waed lifo'n ôl neu ar draws, yn enwedig yn y gwythiennau sy'n cysylltu rhwng y gwythiennau arwynebol a'r gwythiennau dwfn. Gallant ymddangos neu beri trafferth am y tro cyntaf yn ystod beichiogrwydd, pan fydd lefelau progesteron uchel yn llacio waliau'r pibellau. Oherwydd hyn mae mwy o waed yn sefyll yn llonydd ac nid yw'r gwaed yn cael ei bwmpio'n ôl i'r galon mor effeithlon. Gall gwythiennau faricos hefyd ddatblygu yn y fwlfa neu'r rectwm, fel HAEMOROIDAU (HAEMORRHOIDS).

variance: *amrywiant* mesuriad o'r amrywiad a welir mewn set o ddata.

variola: *fariola* y frech wen.

varix: *farics (llu. faricsau)* gwythïen, rhydweli neu bibell lymffatig sydd wedi lledu a mynd yn ordeddog.

vas: *fas (llu. fasau)* pibell. *Nos deferens:* y tiwb y mae'r sbermatosoa yn mynd trwyddo o'r testis i gael eu storio yn y fesigl semenol i fynd yn rhan o'r semen.

vasa praevia: *fasa yn y blaen* pibellau gwaed llinyn y bogail yn cyflwyno o flaen pen y ffetws yn ystod yr esgoriad, ble maent yn mynd i mewn i'r brych mewn mewnosodiad amwisgol o'r llinyn. Pan fydd y pilenni'n rhwygo gall y pibellau hyn ddechrau gwaedu gan achosi trallod difrifol i'r ffetws.

vascular: *fasgwlar* yn ymwneud â phibellau, neu'n cynnwys pibellau'n bennaf.

vasectomy: *fasectomi* tynnu rhan o'r VAS deferens drwy doriad bychan yn y ceillgwd fel nad oes dim sbermatosoa ar ôl yn y semen ar ôl tua 4 mis. Dylid parhau â dulliau atal cenhedlu eraill nes bod tri sbesimen dilynol o semen wedi bod yn glir.

vasoconstrictor: *fasogyfangwr* yn peri i'r pibellau gwaed gyfangu.

vasodepressor: *faso-ostyngydd* 1. yn cael yr effaith o ostwng y pwysedd gwaed trwy ostwng y gwrthiant amgantol. 2. asiant sydd yn achosi faso-ostyngiad.

vasodilator: *fasoymledydd* yn achosi i bibellau gwaed ymledu.

vasomotor: *fasreolwr* yn rheoli cyhyrau pibellau gwaed, y cyhyrau ymledu a'r rhai cyfangu.

vasopressin: *fasopresin* asiant cywasgu a gynhyrchir yn y chwarren bitwidol. Fe'i hadwaenir hefyd fel hormon gwrthddiwretig.

vasopressor: *fasogywasgwr* 1. yn ysgogi meinwe cyhyrol a chapilarïau a'r rhydwelïau i gyfangu. 2. asiant fasogywasgu.

vault: *cromen* 1. y rhan o benglog y ffetws (ac eithrio'r bôn a'r wyneb) sydc yn cynnwys yr hemisfferau ymenyddol Mae'n cynnwys y ddau asgwrr talcennol, y ddau barwydol, y ddau arleisiol ac un ocsipitol. Mae asiadau pilennog yn gwahanu'r esgyrn hyn, sydd yn caniatáu i benglog y ffetws fowldio yn ystod yr esgoriad ac i'r ymennydd dyfu. *Cap cromen (v. cap).* dyfais atal cenhedlu; cap siâp powlen a gysylltir â chromen y wain trwy sugnedd i atal sbermatosoa rhag mynd i mewn i wddf y groth a'r perygl dilynol o feichiogiad. Dylid ei ddefnyddio ar y cyd ag asiant sbermladdol i gynyddu ei effeithiolrwydd. *Cromen y wain (v. of the vagina):* rhan uchaf y wain ar mae gwddf y groth yn mynd i mewn iddi.

vegan: *fegan* llysieuwr sydd yn hepgor o'i ddiet bob bwyd sy'n dod o anifeiliaid.

vegetarian: *1. llysieuwr 2. llysieuol* 1. person sy'n bwyta bwyd sy'n dod o lysiau yn unig. 2. *Diet llysieuol (v. diet):* diet sydd yn hepgor cig. Mae diet *lacto-lysieuol (lacto-vegetarian)* yn gwahardd bwyta cig, dofednod, pysgod ac wyau. Mae diet *ofo-lactolysieuol (ovo-lacto-vegetarian)* yn caniatáu yr holl fwydydd sy'n dod o blanhigion ynghyd ag wyau, llaeth a chynhyrchion llaeth eraill. Mae diet *ofo-lysieuol (ovo-vegetarian)* yn caniatáu wyau a bwydydd sy'n dod o blanhigion, ond yn gwahardd pob cynnyrch anifail a llaeth.

vein: *gwythïen* pibell sy'n cario gwaed o'r capilarïau yn ôl i'r galon. Mae ganddi walïau tenau a leinin o endo-theliwm y ffurfir y falfïau gwythïennol ohono.

velamentous: *amwisgol* tebyg i amwisg. *Mewnosodiad amwisgol llinyn y bogail (v. insertion of the umbilical cord):* lle mae pibellau llinyn y bogail yn ymwahanu cyn cyrraedd y brych. *Gw. FASAU YN Y BLAEN (VASA PRAEVIA).*

Mewnosodiad Amwisgol y Llinyn

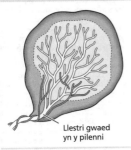

Llestri gwaed yn y pilenni

vena cava: *vena cava* un o ddwy wythïen y bongorff sydd yn anfon y gwaed gwythiennol yn ôl un o ran isaf y corff a'r llall o'r rhan uchaf, i atriwm de'r galon.

venepuncture: *fenedylliad* tyllu gwythïen, fel arfer er mwyn cael gwaed neu roi cyffur.

venereal: *gwenerol* yn ymwneud â neu'n ganlyniad i gyfathrach rywiol. *Afiechydon gwenerol:* SYFFILIS (SYPHILIS), GONOREA (GONORRHOEA) a SIANCR MEDDAL (SOFT CHANCRE).

venesection: *fenedoriad* agor gwythïen a thynnu gwaed i leihau gorlenwad.

ventilation: *awyru* 1. darparu awyr iach mewn ystafell neu adeilad. 2. y broses cyfnewid aer rhwng yr ysgyfaint a'r aer amgylchynol. Mae awyru ysgyfeiniol yn cyfeirio at y cyfnewid cyfan tra bo awyru alfeolar yn cyfeirio at awyru'r alfeoli ble cyfnewidir nwy â'r gwaed. *Awyru gwasgedd positif ysbeidiol (intermittent positive-pressure v., IPPV):* awyru mecanyddol gan beiriant a gynlluniwyd i ddarparu nwy anadlu nes bod cydbwysedd yn cael ei sefydlu rhwng ysgyfaint y claf a'r PEIRIANT ANADLU (VENTILATOR).

ventilator: *peiriant anadlu* cyfarpar a gynlluniwyd i addasu'r awyr sydd yn cael ei anadlu trwyddo neu i reoli awyru ysgyfeiniol yn gyson neu'n ysbeidiol; fe'i gelwir hefyd yn resbiradydd.

Ventolin: *Ventolin* Gw. SALBUTAMOL.

ventouse: *fentws* Gw. SUGNDYNYDD (VACUUM EXTRACTOR).

ventricle: *fentrigl* coden neu geudod bach; fe'i defnyddir yn arbennig i ddisgrifio siambrau isaf y galon, a phedwar ceudod yr ymennydd.

ventricular septal defect: *nam parwydol fentriglaidd* nam cynhenid ar y galon lle mae'r septwm fentriglaidd ar agor trwy'r amser sy'n caniatáu i waed lifo'n uniongyrchol o'r naill fentrigl i'r llall gan fethu'r cylchrediad ysgyfeiniol ac achosi dulasedd oherwydd diffyg ocsigen.

ventrosuspension: *fentrohongiad* llawdriniaeth. Mewn *LAPAROTOMI* (LAPAROTOMY) neu laparoscopi mae'r gewynnau crwn yn cael eu cwtogi er mwyn helpu *croth atchweledig* i wyro ymlaen.

venule: *gwythiennig* gwythïen fechan.

vernix caseosa: *vernix caseosa* y sylwedd seimllyd sydd yn gorchuddio'r ffetws yn y groth. Secretiad o'r chwarennau sebwm ydyw, ynghyd â chelloedd wedi digennu, sydd yn ymddangos oddeutu wythnos 30–32, yn helaeth yn wythnos 36–37 ac a all aros tan y cyfnod llawn neu hyd yn oed ar ôl hynny.

version: *troad* troi'r ffetws yn y groth, i newid gorweddiad neu gyflwyniad i un sy'n fwy ffafriol. *Troad cephalig (cephalic v.):* troi'r baban fel bod ei ben yn cyflwyno. *Troad allanol (external v.):* troi'r baban trwy ei drin gyda llaw trwy wal yr abdomen. *Troad mewnol (internal v.):* rhoi'r llaw i mewn i'r groth, troi'r plentyn gydag un llaw yn y groth a'r llall ar yr abdomen. *Troad podalig (podalic v.):* troi'r baban fel bod y ffolennau'n cyflwyno. Mewn gwirionedd mae'n weddol o gyffredin gwneud troad ceffalig allanol yn wythnos 34 beichiogrwydd mewn achos o gyflwyniad ffolennol, gan fod esgoriad corun yn well ar gyfer y baban nag esgoriad ffolennol. Mewn achosion prin iawn y gwneir troad mewnol, gan mai anaml iawn y mae'r angen yn codi os ceir gofal cyn geni da. Weithiau, gwneir troad podalig mewnol (yn cael ei ddilyn gan esgoriad ffolennol) pan fo gwraig amlfeichiog yn esgor gyda'r ffetws yn gorwedd ar osgo neu os yw ail efaill yn gorwedd ar osgo.

vertebrae: *fertebrau* yr esgyrn afreolaidd sy'n ffurfio'r asgwrn cefn. Maent wedi eu rhannu'n 7 asgwrn cerfigol, 12 thorasig, 5 meingefnol, 5 sacral (sacrwm) a 4 cocygeaidd (cocyccs). Un: *fertebra*.

vertex: *corun* rhan o'r pen rhwng y ffontanelau blaen ac ôl a rhwng y rhipynnau parwydol o boptu. *Cyflwyniad corun (v. presentation):* mae'r ffetws wedi plygu fel bod y corun yn gorwedd uwchben yr os mewnol, dyma'r rhan gyntaf i ymddangos wrth y fwlfa. Dyma'r cyflwyniad mwyaf ffafriol ar gyfer y geni.

vertigo: *pendro* teimlad bod y pen yn troi am ychydig, a cholli cydbwysedd.

vesica: *fesiga* pledren, yn cyfeirio fel arfer at y bledren wrinol; *Gw. ECTOPIA VESICAE.*

vesical: *fesigol* yn perthyn i'r bledren.

vesicle: *fesigl* pothell neu goden fach yn cynnwys hylif fel arfer.

vesicovaginal: *fesicoweiniol* yn perthyn i'r bledren a'r wain. *Ffistwla fesicoweiniol (v. fistula):* agorfa annormal rhwng y bledren a'r wain; cymhlethdod prin esgoriad estynedig neu wedi'i atal lle mae pen y ffetws yn gwasgu'n rhy hir ar feinweoedd y bledren ac yn eu dadfywiogi.

vesicular: *pothellog* yn gysylltiedig â, neu'n cynnwys fesiglau. *Môl pothellog (v. mole)* MÔL HYDATIDIFFURF (HYDATIDIFORMJ MOLE).

vestibule: *cyntedd* mynedfa. Y rhan o'r fwlfa sy'n gorwedd rhwng y labia minora.

vestige: *gweddill* (*ans. gweddilliol*) olion adeiledd sydd wedi bod yn weithredol mewn cyfnod blaenorol yn natblygiad y rhywogaeth neu'r unigolyn.

viable: *hyfyw* yn gallu byw'n annibynnol. Term a ddefnyddir i ddisgrifio'r ffetws ar ôl 24 wythnos o fywyd yn y groth.

Viagra: *Viagra* sildenaffil sitrad, cyffur geneuol a ddefnyddir i drin camweithediad codiad; mae'n cynyddu gallu dynion i gael a chynnal codiad y pidyn yn ystod ysgogiad rhywiol.

vicarious: *dirprwyol* **1.** yn cael ei roi yn lle un arall. **2.** yn digwydd mewn amgylchiadau lle nas disgwylir fel arfer. *Atebolrwydd dirprwyol (v. liability):* sefyllfa lle mae'r cyflogwr yn atebol yn ddirprwyol am gamweddau'r gweithiwr yn ystod ei gyflogaeth e.e. mae awdurdod iechyd yn atebol yn ddirprwyol am gamweddau bydwraig yn ystod ei chyflogaeth.

villi: *filysau* prosesau mân tebyg i flew sydd yn ymestyn o arwyneb. *Filysau corionig (chorionic v.):* prosesau canghennog sydd yn datblygu ar y troffoblast, ac sydd yn dipio i mewn i waed y fam ar safle'r brych. *Gw.* BRYCH (PLACENTA) a FILYSAU CORIONIG (CHORIONIC VILLI). *Filysau coluddol (intestinal v.):* ymestyniadau bychan iawn ar y mwcosa coluddol. Mae gan bob filws gapilari gwaed a lacteal. Dyma'r safleoedd lle'r amsugnir hylifau a maetholion.

viraemia: *firaemia* presenoldeb firysau yn y gwaed.

viral: *firaol* wedi ei achosi gan neu yn berchen ar natur firws.

virgin: *gwyryf* merch neu fenyw nad yw wedi cael cyfathrach rywiol.

virility: *gwrywdod* **1.** y cyflwr o fod yn berchen ar briodweddau gwrywaidd. **2.** nerth rhywiol y gwryw.

virus: *firws* asiant heintiol bychan na all dyfu ac atgenhedlu ond mewn celloedd byw, ac na ellir ei weld ond gyda'r microsgop electron. Maent yn gymhleth ac yn anodd eu meithrin yn aml. Maent yn achosi, ymysg llawer o afiechydon eraill: y frech wen, poliomyelitis, ffliw, y gynddaredd, y frech goch a rwbela. Mae firysau yn croesi'r brych ac yn gallu achosi annormaleddau yn y ffetws, yn enwedig yn ystod tri mis cyntaf beichiogrwydd.

viscera: *ymysgaroedd* organau mewnol yng nghneudodau'r corff, e.e. calon, iau (afu), croth.

viscid: *gludiog* fel glud, glynol.

visual analogue scale: *graddfa analog weledol* dull o feintioli teimladau goddrychol megis poen, effaith tawelyddion ac ati. Mae'r dull yn defnyddio llinell 10 cm o hyd, ac un pen yn cynrychioli absenoldeb y teimlad e.e. poen, a'r pen arall, synhwyriad neu boen eithafol. Mae'r unigolyn yn marcio pwynt ar hyd y llinell sydd yn cynrychioli'r boen neu synhwyriad arall mae ef neu hi yn ei deimlo ar y pryd. Mesurir y pellter o ben chwith y llinell i'r pwynt ac mae'n cynrychioli asesiad rhifyddol o'r boen neu synhwyriad arall.

visual disturbances: *tarfiadau gweledol* gallant ddigwydd yn ystod beichiogrwydd i ferched sy'n dioddef CYNECLAMPSIA (PRE-ECLAMPSIA) difrifol neu lle mae ECLAMPSIA (ECLAMPSIA) ar fin datblygu, oherwydd oedema yn y retina a'r nerf optig.

visualization: *delweddu gweledol* techneg o ddefnyddio'r dychymyg ac ymlacio i greu unrhyw newidiadau y dymunir eu gwneud ym mywyd rhywun.

vital: *bywydol, bywyd* yn berthynol i neu'n angenrheidiol i fywyd. *Ystadegau bywyd:* y cofnodion a gedwir o enedigaethau a marwolaethau ymysg y boblogaeth, gan gynnwys achosion marwolaeth, a'r ffactorau sydd i'w gweld yn dylanwadu ar eu cynnydd neu eu lleihad.

vitamins: *fitaminau* sylweddau bwyd hanfodol, y mae symiau bychan iawn ohonynt yn hanfodol i faeth ac iechyd. Mae Fitaminau A, D, E a K yn hydawdd mewn braster, B a C yn hydawdd mewn dŵr. Ceir Fitamin A mewn olewau iau pysgod, hufen, llaeth a melyn wy ac mewn llysiau megis moron, sbinaits a berw'r dŵr. Mae diffyg Fitamin A yn achosi dallineb nos, methiant i dyfu a methu gwrthsefyll heintiau. Mae grŵp Fitamin B yn cynnwys nifer o sylweddau. *(a)* Ceir thiamin (fitamin B₁ aniwrin) yn mhlisg grawnfwydydd a burumau. Mae diffyg thiamin yn achosi symptomau niwrolegol, camweithrediad cardiofasgwlaidd, oedema a mudoledd llai yn y coluddion. *(b)* Ceir asid nicotinig (niacin) mewn iau (afu), aren a burum. Mae diffyg yn achosi pelagra, sy'n cydfynd ag anhwylderau gastrogoluddol, croen a meddyliol. *(c)* Ceir riboflafin (B₂) mewn iau (afu), calon, burum tafarn, llaeth, wyau, llysiau gwyrdd a grawnfwydydd wedi'u cyfoethogi. Mae diffyg riboflafin yn achosi llid y tafod a dermatitis seborrhoeig. *(d)* Mae cyanocobalamin (B₁₂) ac asid ffolig ill dau yn hanfodol ar gyfer ffurfiant celloedd gwaed coch. Os oes diffyg, fel all ddigwydd oherwydd gofynion y ffetws yn ystod beichiogrwydd, gall ANAEMIA megaloblastig neu facrocytig ddatblygu. *(e)* Mae Asid pantothenig, pyridocsin (B₆) a biotin hefyd yn rhan o'r cymhlygyn B. *Fitamin C* asid asgorbig. Fe'i ceir mewn ffrwythau ffres, yn enwedig citrws, cyrens duon, tomatos ac egroes (rosehips). Mae diffyg yn achosi'r llwg ac yn arafu gwellhad clwyfau, oherwydd bod colagen yn ymffurfio'n araf, mae'n debyg. Ceir fitamin D o anifeiliaid mewn ffordd debyg i fitamin A, ond gellir ei gynhyrchu gan groen dan olau'r haul. Rhaid wrth fitamin D i amsugno calsiwm a ffosfforws. Mae diffyg yn achosi'r llech, osteomalcia a *HYPOCALCAEMIA Y NEWYDD-ANEDIG* (NEONATAL HYPOCALCAEMIA). Mae fitaminau A a D yn arbennig o angenrheidiol yn ystod beichiogrwydd a llaetha. Mae diffyg fitamin E yn achosi anffrwythlondeb mewn llygod mawr, ond nid yw'n hysbys beth yw ei swyddogaeth mewn pobl. Rhaid wrth fitamin K i ffurfio *PROTHROMBIN*. Fe'i ceir mewn sbinaits, bresych, blodfresych a cheirch. Caiff ei syntheseiddio hefyd yn y coluddyn gan facteria. Mewn achosion prin iawn y ceir diffyg fitamin K ac eithrio pan fydd y coluddyn yn ddi-haint, h.y. wrth gymryd gwrthfiotig sbectrwm llydan neu os digwydd *CLEFYD GWAEDLIFOL* (HAEMORRHAGIC DISEASE) yn ystod dyddiau cyntaf bywyd.

volt: *folt* uned grym electromotif (EMF).

volvulus: *cwlwm perfedd* dolen o'r coluddyn wedi dirdroi gan achosi ataliad gyda neu heb dagfa.

vomiting: *chwydu* bwrw allan gynnwys y stumog trwy'r geg. *Chwydu gwaed (v. of the blood)* HAEMATEMESIS (HAEMATEMESIS). *Chwydu yn y baban newydd-anedig (v. in the newborn):* mae hwn yn gyffredin iawn ac mae sawl rheswm drosto. Mae chwydu wedi ei staenio â bustl heb fod y baban wedi pasio meconiwm yn dangos bod ataliad yn y coluddion; po gyflymaf ar ôl y'n enedigaeth, uchaf y mae lleoliad yr ataliad. *(b)* Gall chwydu fod wedi ei staenio â gwaed y fam oherwydd bod y baban wedi llyncu ei gwaed hi adeg y geni neu o grac yn ei thethi, neu â gwaed y baban ei hun mewn achosion o glefyd *GWAEDLIFOL* (HAEMORRHAGIC). Gellir gwahaniaethu rhwng gwaed y fam a gwaed y baban trwy ddefnyddio *PRAWF SINGER* (SINGER'S TEST). Gall y baban chwydu llaeth oherwydd heintiad (gan gynnwys heintiadau'r llwybr wrinol, *GASTROENTERITIS* a *LLID YR YMENNYDD:* MENINGITIS), oherwydd cardia wedi ymlacio, problemau bwydo neu wasgedd mewngreuanol uwch. *Chwydu yn ystod beichiogrwydd (v. in pregnancy): (a)* mae 'salwch boreuol' yn digwydd mewn hyd at 90% o feichiogiadau yn y tri mis cyntaf gan amlaf ond gall barhau drwy gydol y beichiogrwydd. Fe'i nodweddir gan gyfog, weithiau chwydu hefyd, sydd yn digwydd yn aml wrth godi yn y bore, ond ar adegau eraill hefyd. Bu sawl damcaniaeth ynghylch yr achos, ond nid oes dim wedi cael ei brofi eto. *(b) HYPEREMESIS GRAVIDARUM.* Mae chwydu ysbeidiol yn ystod beichiogrwydd yn digwydd yn aml oherwydd *PYELONEFFRITIS* (PYELONEPHRITIS), heintiadau ac afiechydon eraill y llwybr gastrogoluddol ac afiechydon difrifol eraill. Gall chwydu sy'n cyd-fynd â gorbwysedd, oedema a phroteinwria yn hwyr yn y beichiogrwydd fod yn arwydd difrifol o *GYN-ECLAMPSIA* (PRE-ECLAMPSIA) difrifol neu fod *ECLAMPSIA* (ECLAMPSIA) yn datblygu oherwydd oedema'r iau (afu) a/neu waedlif. Dylai'r fydwraig ymgynghori â meddyg ynghylch unrhyw wraig sy'n chwydu'n gyson ar ôl 14eg wythnos ei beichiogrwydd neu sydd â *CETONWRIA* (KETONURIA) ar unrhyw adeg. *Chwydu hyrddiol (projectile v.):* mae hyn yn digwydd mewn achos o *STENOSIS PYLORIG* (PYLORIC STENOSIS) hypertroffig.

vomitus: *chwyd* deunydd a chwydir.

vulsellum: *fwlselwm* Gw. GEFELAU (FORCEPS).

vulva: *fwlfa* yr organau rhywiol benywol allanol.

vulvectomy: *fwlfectomi* torri'r fwlfa allan.

vulvitis: *llid y fwlfa*

W

'waiter's tip': *'waiter's tip'* safle nod-
weddiadol yr elin a'r llaw gyda
PHARLYS ERB (ERB'S PARALYSIS).

warfarin: *warffarin* cyffur gwrth-
dolchennu sy'n croesi'r brych, felly, os
defnyddir ef, cyfyngir ei ddefnydd i
wythnosau 16–36. Dylai'r dos a roddir
reoli amseriad y prothrombin i 2.5–3.5
gwaith uwchlaw normal.

warts: *defaid* tyfiant epidermaidd a
achosir gan firws. *Defaid yr organau
cenhedlu (genital w.):* yn ymledu yn
ystod beichiogrwydd a gallant orchudd-
io'r flwfa, y perinëwm a chyffiniau'r
anws. Gellir eu trin yn effeithiol trwy roi
podoffylin ar y mannau yr effeithiwyd
arnynt.

**Wassermann reaction: *adwaith Wasser-
mann*** prawf serolegol a ddefnyddir i
wneud diagnosis o *SYFFILIS* (SYPHILIS).

waterbirth: *geni mewn dŵr* ffurf ar ofal
lle mae'r fam yn dewis mynd trwy'r
broses esgor ac efallai geni'r baban
mewn dŵr, er mwyn gallu ymlacio a
chael rhywfaint llai o boen. Mae pyllau
symudol ar gael i'w prynu neu eu llogi
ar gyfer merched sydd yn dymuno geni
mewn dŵr yn y cartref neu mewn uned
famolaeth lle na ddarperir cyfleuster
geni mewn dŵr. Dylai bydwragedd
sydd yn gweini ar y merched hyn fod
wedi eu paratoi'n ddigonol.

weaning: *diddyfnu* gwahanu neu
bellhau oddi wrth arfer neu bleser
cyson. Mewn perthynas â bwydo baban,
gall olygu newid o'r fron i botel neu
gwpan, o'r botel i fwyd â chwpan, neu,
yn amlach, o unrhyw fath o borthiant
llaeth i fwyd solid.

webbed: *gweog* wedi'u cysylltu gan
bilen neu ddarn tenau o feinwe. *Dwylo*
neu *draed* gweog *(W. Hands or feet):*
annormaledd cynhenid lle nad yw'r
bysedd wedi'u gwahanu oddi wrth ei
gilydd. Cydfysdeoaeth. *Gwddf gweog
(W. Neck):* plygiadau o groen yn y gwddf
sy'n creu ymddangosiad gweog. Mae'n
digwydd mewn rhai cyflyrau cynhenid,
e.e. syndrom Turner.

wedlock: *priodas* y stad briodasol.

weight gain: *cynnydd mewn pwysau*
tua 10–12 kg yw'r cynnydd pwysau
arferol yn ystod beichiogrwydd, er bod
amrywiadau sylweddol. Y pethau
canlynol sy'n cyfrif amdano: ffetws
cyfnod llawn 3.4 kg, brych 0.7 kg, liquor
amnii 1 kg, croth 1 kg, gwaed 1.4 kg,
bronnau 1 kg a chynnydd sylweddol
mewn hylif a bloneg meinweoedd a
protein a ddyddodir. Enillir tua 2.5 kg o
bwysau yn ystod yr 20 wythnos cyntaf a
10 kg yn ystod yr 20 wythnos olaf, felly
mae cynnydd wythnosol o fwy na 0.5 kg
yn gallu bod yn arwydd o *OEDEMA*
(OEDEMA) cuddiedig sy'n arwydd
cynnar *CYNECLAMPSIA* (PRE-ECLAMPSIA).
*Cynnydd pwysau mewn babanod (w. g.
in babies)* mae'r baban newydd-anedig
yn colli hyd at 10% o'i bwysau geni yn
ystod ychydig ddiwrnodau cyntaf ei
fywyd, ond dylai fod wedi adennill
hyn ar ôl 10–14 diwrnod. Wedyn dylai'r
baban ddechrau ennill tua 200 g yr
wythnos.

Weil's disease: *clefyd Weil* clefyd melyn
sbirochaetaidd a achosir gan *Leptospira
icterohaemorrhagiae*, sy'n cael ei
drosglwyddo gan wrin llygod Ffrengig,

a geir drwy'r croen neu drwy fwyd neu ddŵr wedi'i heintio.

welfare foods: *bwydydd lles* bwydydd maethlon a werthir mewn clinigau am brisiau nad ydynt yn gwneud elw.

well woman clinic: *clinig merched iach* clinig 'proffylactig' sydd ar gael i sgrinio merched ar gyfer canser y fron a gwddf y groth, anaemia, diabetes a gorbwysedd.

Wernicke's encephalopathy: *encefflopathi Wernicke* enceffalitis gwaedlifol llym, sydd yn digwydd weithiau mewn *HYPEREMESIS GRAVIDARUM* difrifol o ganlyniad i ddiffyg fitamin B.

Wertheim's operation: *triniaeth Wertheim* Gw. HYSTERECTOMI (HYSTERECTOMY).

wet-nurse: *llaethfam* gwraig sy'n bwydo babanod pobl eraill ar y fron.

Wharton's jelly: *jeli Wharton* meinwe cysylltiol llinyn y bogail.

whey: *maidd* rhan hylifol llaeth, a wahanwyd o'r ceuled ar ôl ychwanegu cywair llaeth. Mae'n hawdd ei dreulio gan fod y casein a'r braster wedi cael eu tynnu.

white asphyxia: *asffycsia gwyn* Defnyddiol y term hwn gynt i ddisgrifio baban â *SGOR APGAR* (APGAR SCORE) isel ble mae'r croen yn wyn oherwydd bod y cylchrediad wedi methu. Asffycsia difrifol yw'r term a ddefnyddir erbyn hyn. Gw. ASFFYCSIA NEONATORWM (ASPHYXIA NEONATORUM).

white leg: *coes wen* Gw. FFLEGMASIA ALBA DOLENS (PHLEGMASIA ALBA DOLENS).

white matter, white substance: *gwynnin* y meinwe nerfol gwyn, sy'n cynnwys rhan ddargludol yr ymennydd a madruddyn y cefn, ac wedi'i wneud yn bennaf o edau nerf myelinedig. Breithell yw'r term a ddefnyddir i ddisgrifio'r meinweoedd a wneir o edau anfyelinedig.

WHO International Code of Marketing of Breast Milk Substitutes: *Cod Rhyngwladol ar Farchnata Amnewidion Llaeth y Fron Mudiad Iechyd y Byd* cod a ddatblygwyd gan Fudiad Iechyd y Byd ac UNICEF i amddiffyn a hybu'r arfer o fwydo ar y fron ac i reoli'r gwaith o farchnata cynhyrchion ar gyfer bwydo artiffisial yn enwedig mewn gwledydd sy'n datblygu. Mae argymhellion yn cynnwys: gwahardd hybysebu/ hyrwyddo'n uniongyrchol i'r cyhoedd; dim samplau o amnewidion llaeth y fron nac unrhyw roddion am ddim, dim cynigion arbennig na disgowntiau eraill i gael eu rhoi i famau; dim gwobrau ariannol nac eraill i gael eu rhoi i weithwyr iechyd i'r diben o hyrwyddo amnewidion llaeth y fron; dylai gwybodaeth broffesiynol am amnewidion llaeth y fron gynnwys data gwyddonol a ffeithiol ac ni ddylai awgrymu mewn unrhyw ffordd fod y cynnyrch yn well na llaeth y fron.

whooping cough: *pas, y pas* Gw. (PERTUSSIS) PERTUSSIS.

Widal reaction: *adwaith Widal* prawf gwaed a ddefnyddir i wneud diagnosis o dyffoid a thwymynau paradyffoid.

Wilson-Mickity syndrome: *syndrom Wilson-Mickity* DYSPLASIA BRONCOYSGYFEINIOL (BRONCHOPULMONARY DYSPLASIA), sy'n gyflwr sy'n digwydd mewn babanod sydd wedi cael eu hawyru am gyfnodau hir neu sydd wedi bod angen therapi ocsigen estynedig.

wolffian bodies: *corffynnau Wolff* dau organ bach yn yr embryo, sef yr arennau cyntefig.

womb: *croth*

World Health Organization (WHO): *Mudiad Iechyd y Byd* asiantaeth arbenigol y Cenhedloedd Unedig sydd yn ymwneud ag iechyd ar lefel ryngwladol. Un o'i hymgyrchoedd oedd Mamolaeth Ddiogel i Bawb erbyn y flwyddyn 2000, gan fod cyfradd marwolaethau mamau yn dal yn uchel iawn mewn llawer o wledydd sydd yn datblygu.

wound: *clwyf* anaf i'r corff a achosir gan ddulliau corfforol, gan darfu ar barhad arferol yr adeileddau. Yn achos clwyf yn gwella trwy iachâd cyntaf, mae parhad meinwe yn cael ei adfer yn union-gyrchol heb ronyniad; mewn achos o wella trwy ail iachâd, mae'r clwyf yn cael ei atgyweirio a'i gau yn dilyn colli meinwe gan feinwe gronyniad; mae gwella trwy drydydd iachâd yn digwydd pan nad yw clwyf yn gallu ei gau ei hun yn y lle cyntaf oherwydd ei fod wedi'i lygru, ac mae'n cau 4–5 diwrnod ar ôl yr anaf.

Wrigley's forceps: *gefelau Wrigley* gefelau obstetrig a ddefnyddir ar gyfer genedigaeth gefelau isel iawn, y pen sy'n dilyn mewn genedigaeth ffolennol, neu mewn toriad Cesaraidd.

X

X chromosome: *cromosom X* un o'r ddau gromosom rhyw, Y yw'r llall. Mae celloedd benywol yn cario dau gromosom X (XX) ac mae celloedd gwrywol yn cario un cromosom X ac un cromosom Y (XY). Tra bo'r ofwm a'r sbermatosoon yn aeddfedu, mae un o'r rhain yn cael ei ollwng i ffwrdd. Ar adeg ffrwythloniad mae'r ddau sydd ar ôl yn penderfynu rhyw'r plentyn: X ac X, merch, X a Y, bachgen. *Gw. hefyd SYNDROM TURNER* (TURNER'S SYNDROME) a *SYNDROM KLINEFELTER* (KLINEFELTER'S SYNDROME).

xiphisternum: *siffisternwm Gw. PROSES SIFFOID* (XIPHOID PROCESS).

xiphoid process: *cnepyn siffoid* cnepyn cartilagaidd bach ar ben isaf y sternwm. Siffisternwm a chartilag ensiffurf yw'r enwau eraill a roddir arno. Un o'r mannau y mae *FFWNDWS Y GROTH* (FUNDUS UTERI) yn cael ei fesur yn ei erbyn yn ystod wythnosau diweddaraf beichiogrwydd.

X-linked: *X-gysylltiedig* a drosglwyddir

gan enynnau ar gromosom X; rhyw-gysylltiedig.

XO: *XO* symbol ar gyfer y caryoteip a arsylwir yn y mwyafrif o achosion o *SYNDROM TURNER* (TURNER'S SYNDROME), lle nad oes ond un cromosom rhyw, cromosom X.

X-rays: *pelydr-X Gw. PELYDRAU RÖNTGEN* (RÖNTGEN RAYS). Tonnau electromagnetig tonfedd fer sy'n gallu treiddio trwy lawer o sylweddau, megis papur, pren a chnawd, ond sydd yn cael eu hamsugno gan blwm, platinwm ac asgwrn.

Xylocaine: *Xylocaine Gw.* LIDOCAIN *(LIGNOCAIN) HYDROCLORID* [LIDOCAINE (LIGNOCAINE) HYDROCHLORIDE]

XYY syndrome: *syndrom XYY* cyflwr prin mewn gwrywod ble mae cromosom Y ychwanegol, sydd yn gwneud cyfanswm o 47 ym mhob cell yn y corff. Yn aml iawn mae'r gwrywod yr effeithiwyd arnynt yn dal iawn, ac yn debygol o ymddwyn mewn ffordd ymosodol a gwrthgymdeithasol.

Y

Y chromosome: *cromosom Y* un o'r ddau gromosom rhyw, a geir, wedi'i uno ag X, yng nghelloedd gwrywod.

yaws: *mafonwst* heintiad treponemol anwenerol a geir yn gyffredin mewn ardaloedd trofannol. Mae briwiau lleol yn debyg i rai SYFFILIS (SYPHILIS) ac mae profion serolegol ar gyfer syffilis yn bositif.

yeast: *burum* rhywogaeth o ffyngau sydd yn atgenhedlu trwy egino. Maent yn creu eplesiad mewn suddion brag a ffrwythau, gan gynhyrchu alcohol, megis mewn cwrw a gwin. Heintiad gan y ffwng burumaidd *Candida albicans* sydd yn achosi'r LLINDAG (THRUSH).

yin and yang: *yin a yang* dwy egwyddor gyflenwol athroniaeth Tsieineaidd a ymgorfforwyd mewn meddygaeth Tsieineaidd draddodiadol. Mae yin yn fenywaidd, yn dywyll ac yn negyddol; mae yang yn wrywaidd, yn ddisglair ac yn gadarnhaol. Mae cydbwysedd a harmoni yin-yang yn dynodi iechyd a lles ar ei orau.

yoga: *yoga* ymagwedd athronyddol Indiaidd tuag at iechyd a lles, yn cynnwys anadlu, ymlacio ac ymarfer corff. Mae rhai ffurfiau yn addas ar gyfer gwragedd beichiog.

yolk sac: *cwd melynwy* un o'r ddau wagle a geir ym màs celloedd mewnol y troffoblast (y ceudod amniotig yw'r gwagle arall). Fe'i hamgylchynir gan gelloedd entodermol, tra bo'r ceudod amniotig wedi'i amgylchynu gan gelloedd ectodermol a rhwng y ddau mae haen o fesoderm. Ffurfir yr embryo o'r rhan ble mae'r tri meinwe, ectoderm, mesoderm ac entoderm yn gorwedd wrth ochr ei gilydd.

Yutopar: *Yutopar* Gw. RITODRIN HYDRO-CLORID (RITODRINE HYDROCHLORIDE)

Z

zero: *sero* y symbol O. Dim. Y pwynt ar
unrhyw raddfa thermomedrig ble
dechreuir mesur tymheredd. Yn y
thermomedr Celsiws, sero yw pwynt
toddi rhew. Yn y thermomedr Fahren-
heit, sero yw 32° o dan bwynt toddi
rhew. *Gw. FAHRENHEIT* (FAHRENHEIT) a
CELSIWS (CELSIUS).

zidovudine: *zidovudine* cyffur gwrth-
firws a ddefnyddir i oedi proses y clefyd
AIDS. Enw arall arno yw azido-
thymidine neu AZT.

zinc: *sinc* elfen hybrin sydd yn ansoddyn
mewn sawl ensym. Fe'i ceir mewn cig
coch, pysgod cregyn, iau, pys, lentilau,
ffa a reis. Mae diffyg difrifol mewn sinc
yn gallu achosi i blant dyfu'n araf, yn
peri cyfrif sberm isel mewn dynion ac
yn rhwystro clwyf rhag gwella.

zona pellucida: *zona pellucida* yr haen
dryloyw, anghellog, wedi'i secretu sydd

yn amgylchynu *OFWM* (OVUM). Mae
SBERM (SPERM) yn rhyddhau'r ensymau
sydd yn caniatáu iddynt dreiddio'r zona
pellucida ond dim ond un fydd yn
mynd i mewn i'r ofwm i'w ffrwythloni.

Zovirax: *Zovirax* Gw. *ASYCLOFIR* (ACYCLO-
VIR)

zygote: *sygot* yr *OFWM* (OVUM) wedi'i
ffrwythloni cyn *SEGMENTIAD* (SEGMENT-
ATION).

zygote intrafallopian transfer (ZIFT):
*trosglwyddo sygotau i'r tiwbiau
Fallopio* triniaeth anffrwythlondeb ble
ysgogir ofwleiddiad yn artiffisial, gyda
oocytau yn cael eu cynaeafu gan
ddefnyddio sugniad ffoliglau dan
gyfarwyddyd offer uwchsain (UDFA)
drwy'r wain neu drwy laparoscopi a'u
trosglwyddo drwy laparoscopi i ganol
pen lletaf y tiwb Fallopio, ar ôl iddynt
gael eu ffrwythloni.

Atodiadau

Atodiad 1
Sgôr Apgar

Arwydd	Sgôr		
	0	**1**	**2**
Lliw	Glas i welw	Corff pinc, aelodau'n las	Pinc
Ymdrech anadlu	Absennol	Ebychiadau afreolaidd	Crio cryf
Curiad y galon	Absennol	Llai na 100/munud	Dros 100/munud
Naws y cyhyrau cryf	Llipa	Peth plygiant ar yr aelodau	Symudiadau a bywiog
Hydeimledd atgyrch	Dim	Ystum neu disian	Cri

Sgôr Apgar 8-10: normal
Sgôr Apgar 5-8: myctod gwan
Sgôr Apgar 4 neu'n is: myctod difrifol

Atodiad 2
Gwerthoedd a Phrofion Gwaed ac Wrin Normal

Dylid defnyddio'r gwerthoedd a roddir isod fel canllaw yn unig. Mae'n dra thebygol y bydd gwerthoedd ystod normal neu gyfeirio yn amrywio rhwng labordai. Bychan iawn fydd yr amrywiad hwn erbyn hyn oherwydd safoni cenedlaethol a rhyngwladol. Fodd bynnag, gall rhai paramedrau, yn enwedig ensymau, ddangos cryn amrywiad, yn dibynnu ar amodau'r prawf ac unedau mesur. Gall rhai labordai adrodd am werthoedd gan ddefnyddio unedau 'traddodiadol' yn hytrach nac unedau SI, a all gael effaith sylweddol iawn ar werth rhifol canlyniad.

Cyn cymryd samplau i'w dadansoddi mewn labordy, doeth fuasai bwrw golwg i weld a oes angen unrhyw baratoi ar y claf, neu amseru neu amodau arbennig ar gyfer trin y sampl. Gall y rhain amrywio rhwng labordai.

Mae'n *hanfodol* defnyddio ystodau cyfeirio'r labordy sy'n darparu'r dadansoddiad i werthuso canlyniadau profion.

Dylid casglu sbesimenau ar adegau addas a than yr amodau priodol yn y cynhwysyddion cywir.

Rhaid labelu sbesimenau a ffurflenni gofyn yn ddigonol gyda'r canlynol:

- enw'r claf,
- rhif neu ddyddiad geni,
- lleoliad,
- dyddiad ac amser y sbesimen.

Gall *methu â chydymffurfio* arwain at wallau difrifol mewn diagnosis a rheoli.

Sbesimenau sydd eu hangen ar gyfer profion cyffredin
Nodwch nad yw codio lliw poteli samplau gwaed wedi eu safoni, a

303

dylid bod yn ofalus i ddefnyddio'r cadwolion cywir. Efallai na fydd angen sbesimenau ar wahân ar gyfer pob prawf. Dylech fod yn ofalus rhag llygru samplau gyda chadwolion o boteli eraill.

Mae adrannau patholeg fel arfer yn cynnwys labordai gwahanol: Biocemeg (Patholeg Cemegol yw enw arall), Haematoleg, Trallwyso Gwaed, Microbioleg, Histopatholeg. Gall lleoliad y profion amrywio rhwng sefydliadau.

Labordy	Nodyn	Prawf/rheswm	Mam sampl	Mam maint	Baban sampl	Baban maint
T/H		Grŵp ABO + ffactor Rh	ceuledig/EDTA	6 ml	ceuledig/EDTA	1 ml
B	1	Sgrinio camddefnydd cyffur (wrin)	MSU	20 ml	MSU	2 ml
B		AFP/Bart's/Leeds	ceuledig	6 ml		
T/H		Gwrthgyrff	ceuledig/EDTA	6 ml	ceuledig/EDTA	1 ml
B		Siwgr gwaed	ocsalat ffluorid	2 ml	ocsalat ffluorid	1 ml
H/B		Cromosomau	heparneiddiwyd	4 ml	heparineiddiwyd	2 ml
H		Astudiaethau ceulo	sitrad	3 ml	sitrad	1 ml
H		Ferritin	ceuledig	6 ml	ceuledig	2 ml
H		Ffolad (RBC)	EDTA	3 ml		
H	1	Ffolad (serwm)	ceuledig	3 ml		
T/H	2	X Bregus	ceuledig	6 ml		
H		Cyfrif gwaed llawn(CGLl)	EDTA	3 ml	EDTA	2 ml
H		Genoteip/electofforesis	EDTA	3 ml	EDTA	1 ml
H		Hemoglobin (Hb)	EDTA	3 ml	EDTA	1 ml
B	4	HbA1c	EDTA	2 ml	EDTA	1 ml
M		HBsAg	ceuledig	6 ml	ceuledig	2 ml
M	4	HIV	ceuledig	6 ml	ceuledig	2 ml

Labordy	Nodyn	Prawf/rheswm	Mam		Baban	
			sampl	maint	sampl	maint
B	3	Prawf ffwythiant yr iau	ceuledig	6 ml		
B		Prawf beichiogrwydd (gwaed)	ceuledig	2 ml	heparineiddiwyd	2 ml
M		Prawf beichiogrwydd (wrin)	MSU	20 ml		
M		Imiwnedd rwbela	ceuledig	6 ml	ceuledig	2 ml
B	3	Prawf ffwythiant y thyroid	ceuledig	6 ml	heparineiddiwyd	2 ml
M		Tocsoplasmosis	ceuledig	6 ml	ceuledig	2 ml
M		TPHA	ceuledig	6 ml	ceuledig	2 ml
B	5	U & E	ceuledig	6 ml	heparineiddiwyd	2 ml
B		Wrad	ceuledig	6 ml	heparineiddiwyd	2 ml
M		VDRL	ceuledig	6 ml	ceuledig	2 ml
H	6	Fitamin B_{12}	ceuledig	6 ml		

Nodiadau

1. Efallai na fydd ar gael fel arfer neu yn amodol ar yr arfer lleol – holwch y labordy
2. Rhaid i'r sampl fynd i'r labordy'n syth
3. Nodwch ystodau cyfeirio lleol
4. Efallai y bydd angen cwnsela'r claf ymlaen llaw
5. Dylai'r sampl gyrraedd dy labordy ymhen <3 awr i botasiwm
6. Mae Fitamin B_{12} yn disgyn trwy gydol beichiogrwydd.

	Unedau	Mam Heb fod yn feichiog	Mam Beichiog	Baban	Oed y baban	Sylwadau
Gwaed						
Celloedd coch (erythrocytau/RBC)	$\times 10^{12}$/l	4–5		6–6.5	Genedigaeth	Gwirio unedau lleol
				4–5	4 wythnos	
Glwcos (ymprydio)	mmol/l	3.3–5.3	3.3–6.1	1.0–6.0	Genedigaeth	
Hemoglobin	g/dl	12–15		12.2–24	1 wythnos	Gwirio unedau lleol
				12.2–22	Diwrnod 1	
Cyfaint cell wedi'i bacio (PCV haematocrit)	l/l	0.42–0.50		0.52–0.58	2 wythnos	
				0.46–0.54		
Reticulocytau	$\times 10^{9}$/l	20–100		100–300	Diwrnod 1	
Leucocytau	$\times 10^{9}$/l	4.0–11.0	4.0–15.0	5–23	Diwrnod 7	
				5–19		
neutroffilau	$\times 10^{9}$/l	2.5–7.5				
lymffocytau	$\times 10^{9}$/l	1.8–3.5				
monocytau	$\times 10^{9}$/l	0.2–0.8				
eosinoffilau	$\times 10^{9}$/l	0.04–0.4				
basoffilau	$\times 10^{9}$/l	0.0–0.1				
Platennau	$\times 10^{9}$/l	150–400				Gwirio unedau lleol
pH		7.35–7.45		7.35–7.45		
P_{CO_2}	kPa	4.7–6.0				
Bicarbonad safonol	mmol/l	24.0–32.0				

307

| | Unedau | Mam | | Baban | Oed y baban | Sylwadau |
		Heb fod yn feichiog	Beichiog			
Plasma/serwm						
Albwmin	g/l	36–52	22–44	28–40		
Alanin transaminas AIT/SGPT	IU/l	5–35	5–35			Gwirio ystodau lleol
Aspartat transaminas AsT/SGOT	IU/l	5–35				Gwirio ystodau lleol
Bilirwbin	µmol/l	<17	<17	<200 <40	<10 diwrnod >10 diwrnod	Gweler y siartiau isod
Calsiwm	mmol/l	2.1–2.6	2.2–2.4	1.9–2.9		
Clorid	mmol/l	95–105		96–106		
Colesterol	mmol/l	3.6–6.7	5.4–7.8	2.1–4.1		
Creatinin	µmol/l	60–120		9–62		
Ferritin	µg/l	14–40		90–640	2 wythnos – 6 mis	
Ffolad	µg/l	1.7–10				
Magnesiwm	mmol/l	0.8–1.0		0.6–1.6		
Osmolaledd	mOsm/kg	285–295		280–305		
Ffosffad	mmol/l	0.8–1.4	0.8–1.5	1.3–2.7		
Potasiwm	mmol/l	3.8–5.0		4.0–6.0		Codir gan haemolysis
Protin (cyfanswm)	g/l	62–75	50–70	50–65		
Sodiwm	mmol/l	135–145		136–143		
Asio-theiroid Globwlin TBG	amrywiol	amrywiol	codwyd			Gwirio ystodau lleol

Plasma/serwm *parhaol*

Hybu thyroid						
Hormon TSH	mU/l	0.5–4.7		<0.5–8.0		
Thyrocsin (free) FT4	pmol/l	9–25		15–30		
Thyrocsin (cyfanswm) TT4	nmol/l	50–140	72–206	140–300	1–3 diwrnod	
Triiodothyronin (rhydd) FT3	pmol/l	3–9		125–200	1–4 wythnos	
Triiodothyronin (cyfanswm) TT3	nmol/l	0.9–3.0		3–9		
Cymhareb TT4/TBG			wedi lleihau			
Wrad	mmol/l	0.09–0.36	0.15–0.52	0.12–0.34		
Wrea	mmol/l	2.5–5.8	2.3–5.0	3.4–8.4		
Fitamin B$_{12}$	ng/l	179–1132	wedi lleihau			Gwirio unedau lleol
						Gostwng tan y geni
Celloedd coch						
Ffolad	µg/l	125–800				
Glwcos-6-ffosffas dehydrogenas(G6PD)	IU/g Hb	4.6–13.5	4.6–13.5			Codir gan reticulocytosis
Wrin						
Calsiwm	mmol/24 h	2.5–7.5				
Creatinin	mmol/24 h	9–17				
Calsiwm: cymhareb creatinin		<1.2				

	Unedau	Mam — Heb fod yn feichiog	Mam — Beichiog	Baban	Oed y baban	Sylwadau
Cliriad creatinin	ml/min	80–130	80–140	40–1400		Consider with serum
Osmolaledd	mOsm/kg	>600		25–125		
Potasiwm	mmol/24 h	25–125				
Protin	g/24 h	<0.15		<0.05		
	g/l					
Sylweddau gostwng		negyddol		negyddol		Rhaid bod yn sampl ffres
Sodiwm	mmol/24 h	27–290		40–210		Dibynnu ar yr ymborth
CSF						
Glwcos	mmol/l	2.5–4.5		2.5–5.0		Ymwneud â glwcos yn y gwaed
Protein	g/l	0.15–0.40		0.15–0.50		
Carthion						
Sylweddau gostwng				negyddol		Rhaid cael sampl ffres

Canllaw yn unig yw'r gwerthoedd a roddir. Dylid yn wastad ddefnyddio unedau ac ystodau cyfeirio lleol yn hytrach na'r rhai a ddangosir. Lle na ddangosir ystodau, mae'r un gwerthoedd ag a roddir ar gyfer *mamau nad ydynt yn feichiog* yn gymwys.

Atodiad 3
Adnabod Safle'r Ffetws wrth Archwilio *per vaginam*

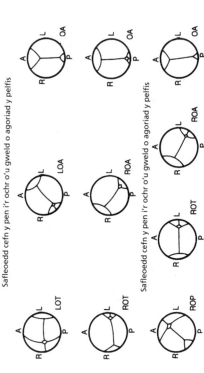

Safleoedd cefn y pen i'r ochr o'u gweld o agoriad y pelfis

Safleoedd cefn y pen i'r ochr o'u gweld o agoriad y pelfis

Adnabod safle'r ffetws adeg archwilio faginaidd trwy adnabod safle'r asiadau a'r fontanelle mewn perthynas â'r pelfis

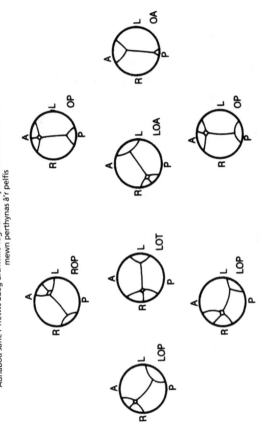

Atodiad 4
Siartau Trosi

Trosi pwysau babanod (lb, os. i g.)

os \ lb	0	1	2	3	4	5	6	7	8	9	10	11	12	13	14	15
0		28	57	85	113	142	170	198	227	255	283	312	340	368	397	425
1	454	482	510	539	567	595	624	652	680	709	737	765	794	822	850	879
2	907	935	964	992	1020	1049	1077	1105	1134	1162	1190	1219	1247	1275	1304	1332
3	1360	1389	1418	1446	1475	1503	1531	1560	1588	1616	1645	1673	1701	1730	1758	1786
4	1815	1843	1871	1900	1928	1956	1985	2013	2041	2070	2098	2126	2155	2183	2211	2240
5	2268	2296	2325	2353	2381	2410	2438	2466	2495	2523	2551	2580	2608	2636	2665	2693
6	2721	2750	2778	2806	2835	2863	2891	2920	2948	2976	3005	3033	3061	3090	3118	3146
7	3175	3203	3231	3260	3288	3316	3345	3373	3401	3430	3458	3486	3515	3543	3571	3600
8	3628	3656	3685	3713	3741	3770	3798	3826	3855	3883	3911	3940	3968	3996	4025	4053
9	4081	4110	4138	4166	4195	4223	4251	4280	4308	4336	4365	4393	4421	4450	4478	4506
10	4535	4563	4591	4620	4648	4676	4705	4733	4761	4790	4818	4846	4875	4903	4931	4960

Wrth drosi, mae'n ddigon fel rheol defnyddio'r ffigwr crwn agosaf, e.e., 5½ lb = 2495g, wedi ei rowndio i 2.5 kg.

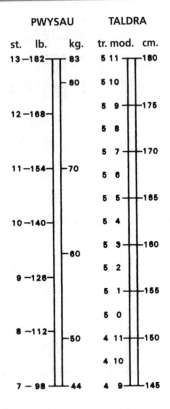

Siartiau trosi pwysau a thaldra i ferched cyn geni.

HYD
mod. cm.

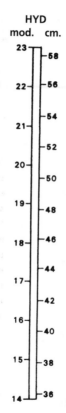

Cyfatebiaethau llinellol am hyd babanod.

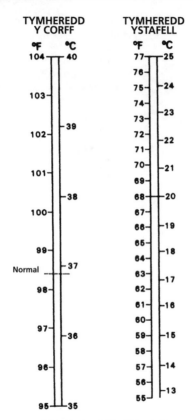

Cyfatebiaethau Celsius / Fahrenheit.

Atodiad 5
Unedau SI
(Système International d'Unités)

System fetrig ar gyfer mesuriadau gwyddonol.
Yr uned bwysau yw'r gram (g), hyd metr (m) a chynhwysedd y litr (l).

Mesuriadau llai nag uned

Rhagddodiad	Symbol	Ystyr	Esiampl
deci	d	1 degfed	dl = degfed rhan o litr
centi	c	1 canfed	cm = 1 canfed metr
mili	m	1 milfed	ml = 1 milfed litr
micro	μ	1 miliynfed	μg = 1 miliynfed gram

Lluosau unedau

Rhagddodiad	Symbol	Ystyr	Esiampl
deca	da	10	da l = 10 litr
hecto	h	100	hg = 100 gram
cilo	k	1000	kg = 1000 gram
mega	M	1 miliwn	MJ = 1 miliwn joules

Màs

Mae cyfrifo dosau cyffuriau yn hanfodol bwysig, yn enwedig gyda'r newydd-anedig, lle rhoddir y ddos yn ôl pwysau'r baban.
Gall y cyfatebiaethau canlynol fod yn ddefnyddiol:

1 cilogram (kg)	= 1000 gram (g)
1 gram (g)	= 1000 miligram (mg)
1 miligram (mg)	= 1000 microgram (μg)
1 microgram (μg)	= 1000 nanogram (ng)
1 nanogram (ng)	= 1000 picogram

Nodiant mynegai

Defnyddir un uned ar gyfer meintiau mawr iawn neu fach iawn, ond gall y rhifau olygu llawer sero, a gallant fod yn drwsgl i'w darllen neu eu hysgrifennu, gyda pherygl gwneud camgymeriad.

Y 'mynegai' yw'r rhif dyrchafedig bach i luosi cynhyrchion 10.

Er enghraifft:

$100 = 10 \times 10$ $\qquad\qquad$ = mynegai 10^2

$10\,000 = 10 \times 10 \times 10 \times 10$ = mynegai 10^4

Pan ddefnyddir ffracsiynau uned, mae arwydd minws i'r mynegai i gynrychioli'r nifer o weithiau y dylid rhannu'r uned â 10.

Er enghraifft:

$0.1 = \frac{1}{10}$ $\qquad\qquad$ = mynegai 10^{-1}

$0.01 = \frac{1}{100}$ $\qquad\qquad$ = mynegai 10^{-2}

Defnyddir nodiant mynegai yn awr mewn adroddiadau patholeg.

Er enghraifft:

	Hen werth	*Nodiant mynegai*
Cyfanswm cyfrif gwaed gwyn	5000–10 000 mm³	5–10.0 × 10⁹/l
Cyfrif celloedd coch	4.5 miliwn/mm³	4.5 × 10¹²/l

318

Atodiad 6
Nodweddion Babanod Cynamserol a Bychan am Oedran Geni

	Cynamserol	Bychan am oedran geni
Croen	Pinc cochaidd gyda Lanugo	Llwyd neu felynaidd gan mecomiwm, sych, weithiau wedi cracio.
Hyd	Cyfrannol i bwysau	Cyfrannol i eni, h.y., hir am ei bwysau.
Pen	Esgyrn y pen yn feddal	Esgyrn y pen yn galed, di-ildio.
Wyneb	Llygaid ar gau, golwg dangnefeddus	Llygaid yn aml ar agor; golwg bryderus.
Pinna clustiau	Meddal, wedi plygu	Gwrthod plygu.
Maint y frest	Meinwe llai na 1cm	Meinwe i'w deimlo, 1 cm + ar draws.
Abdomen	Gall fod yn amlwg	Sgaffoid yn aml.
Ymddygiad	Crio gwan, disymud; dim ymgais i sugno/llyncu; aelodau yn llipa; gorwedd yn ystum 'broga'	Cri gryfach, aeddfetach; sugno barus; llyncu; bywiog, naws dda i'r cyhyrau.

Atodiad 7
Budd-daliadau Nawdd Cymdeithasol

Budd-dal	Manylion	Swm yr wythnos (2004)	
Budd-dal plant	Taliad wythnosol i riant neu warcheidwad am bob plentyn dan 16; incwm na chynilion heb effeithio arno	Plentyn cyntaf Pob plentyn arall	£16.50 £11.05
Lwfans Byw i'r Anabl	I'r sawl sydd wedi bod angen help gyda gofal neu symudedd am fwy na 3 mis ac sydd yn debyg o fod angen help am 6 mis o leiaf; nid yw'n dibynnu ar gyfraniadau YG, cynilion nac incwm Cymorth Incwm	Cyfradd uwch Cyfradd ganol Cyfradd is	£58.80 £39.35 £15.55
Credyd teulu	I'r sawl y mae eu hincwm islaw lefel benodol; heb ddibynnu ar gyfraniadau YG, ond gall cynilion effeithio arno	Amrywio yn ôl incwm yr aelwyd, nifer y plant a'u hoed, nifer yr oriau a weithir neu os gofelir am blentyn dan 11 gan ofalwr cofrestredig.	
Budd-dal analluedd	Teli o 34/40 i 2/52 wedi geni i ferched na fedrant gael TMS na LM	Cyfradd is tymor-byr Cyfradd uwch tymor-byr	£55.90 £66.15
Cymorth Incwm	Dim angen cyfraniadau i'r rhai heb fod mewn gwaith amser-llawn nad yw eu hincwm yn ddigonol ar gyfer eu hanghenion; cymwys am fudd-daliadau eraill fel arfer	Cwpl Rhiant sengl hyd at Plentyn dibynnol	£87.30 £55.65 £42.27

320

Budd-dal	Manylion	Swm yr wythnos (2004)	
Lwfans Mamolaeth (LM)	Telir am 18 wythnos i ferched sy'n gweithio na allant gael TMS	Cyfradd safonol	£102.80
Gofal Deintyddol y GIG	Am ddim yn ystod beichiogrwydd ac am flwyddyn wedi DGD	Yn ôl costau	
Rhagnodiadau GIG	Am ddim yn ystod beichiogrwydd ac am flwyddyn wedi DGD; am ddim i rai dan 16	Yn ôl costau	
Cronfa Gymdeithasol	Taliad unswydd dewisol i deuluoedd ar incwm isel na yw budd-daliadau eraill yn cwrdd â'u disgwyliadau	Grant Mamolaeth Cychwyn Cadarn	£500
Tâl mamolaeth statudol (TMS)	Telir gan y cyflogwr am 18 wythnos i ferched a gyflogir am o leiaf 26 wythnos erbyn yr 15fed wythnos cyn DGD; cychwyn rhwng 29/40 a 1/52 wedi'r geni; angen ffurflen MatB1 i hawlio	Cyfradd uwch 90% o enillion Cyfradd is	£102.80

Atodiad 8
Cyfeiriadau ac Adnoddau Defnyddiol

Association for Improvements in the Maternity Services
www.aims.org.uk

Association of Medical Research Charities
www.amrc.org.uk

Association of Radical Midwives
www.radmid.demon.co.uk

British Association for Counselling and Psychotherapy
www.bacp.co.uk

British Pregnancy Advisory Service
www.bpas.org

British Medical Association
www.bma.org.uk

British National Formulary
www.bnf.org

Childline
www.childline.org.uk

Cochrane Foundation
www.cochrane.org

Complementary Maternity Forum
www.c-m-f.co.uk

FPA
www.fpa.org.uk

Foresight
www.foresight-preconception.org.uk

Foundation for the Study of Infant Death
www.sids.org.uk

GIG Cymru
www.wales.nhs.uk/w-index.cfm

Index Medicus
www.medscape.com

International Confederation of Midwives
www.internationalmidwives.org

King's Fund
www.kingsfund.org.uk

Medicines and Healthcare Products Regulatory Agency
www.mca.gov.uk

MIDIRS
www.midirs.org

MIND Cymru
www.mind.org.uk/Mind+in+your+area/Cymru

MIRIAD
www.leeds.ac.uk/miru/miriad.htm

Miscarriage Association
www.miscarriageassociation.org.uk

National Childbirth Trust
www.nctpregnancyandbabycare.com

National Society for Prevention of Cruelty to Children
www.nspcc.org.uk

National Statistics
www.statistics.gov.uk

Nursing and Midwifery Council
www.nmc-uk.org

One Parent Families
www.oneparentfamilies.org.uk

Prince of Wales Foundation for Integrated Health
www.fihealth.org.uk

PubMed
www.ncbi.nlm.nih.gov

Research Council for Complementary Medicine
www.rccm.org.uk

Royal College of Midwives
www.rcm.org.uk

Royal College of Nursing
www.rcn.org.uk

Royal College of Obstetricians and Gynaecologists
www.rcog.org.uk

Safe Motherhood Initiative
www.safemotherhood.org

Sefydliad Cenedlaethol dros Ragoriaeth Glinigol (NICE)
www.nice.org.uk/home.aspx?ln=cy

Stillbirth and Neonatal Death Society
www.uk-sands.org

Twins and Multiple Birth Association
www.tamba.org.uk

Wellbeing
www.wellbeing.org.uk

Atodiad 9
Rhestr Imiwneiddio a Brechu i Blant

Oedran i'w gael	Imiwneiddio	
2 fis	Poliomyelitis Diphtheria Y pâs	Tetanws Llid yr ymennydd C Hib
3 mis	Poliomyelitis Diphtheria Y pâs	Tetanws Llid yr ymennydd C Hib
4 mis	Poliomyelitis Diphtheria Y pâs	Tetanws Llid yr ymennydd C Hib
12-15 mis	Y frech goch Clwy pennau Rwbela	
Cyn ysgol	Poliomyelitis Diphtheria Y pâs	(atgyfnerthu)
10-14 oed	BCG	
Gadawyr ysgol	Poliomyelitis Diphtheria Y pâs	(atgyfnerthu)

Atodiad 10
Dogfennau'r Cyngor Nyrsio a Bydwreigiaeth sy'n Berthnasol i Fydwragedd

Cymerodd y Cyngor Nyrsio a Bydwreigiaeth (CNB) le Cyngor Canolog y Deyrnas Unedig ar gyfer Nyrsio, Bydwreigiaeth ac Ymwelwyr Iechyd, a'r pedwar Bwrdd Cenedlaethol, ym mis Ebrill 2002. Mae'r rhan fwyaf o'r dogfennau a gynhyrchwyd yn wreiddiol gan yr UKCC wedi eu cyfoesi ac fe'u rhestrir isod. Mae mwy o wybodaeth ar gael (a gellir llwytho dogfennau i lawr) o wefan y CNB: www.nmc-uk.org.

- Complaints about professional conduct, 2002.
- Cod Ymddygiad Proffesiynol, 2002.
- Guidelines for the administration of medicines, 2002.
- Guidelines for records and record keeping, 2002.
- Rheolau a Chod Ymarfer Bydwragedd, 1998.
- Nurses and Midives working outside the NHS, 2002.
- Practitioner-client relationships and the prevention of abuse, 2002.
- Professional advice from the NMC, 2002.
- Reporting Misconduct – Information for Employers, 2002.
- Reporting Unfitness to Practise – Information for Employers, 2002.
- Requirements for pre-registration midwifery programmes.
- Standards for preparation of teachers of nursing and midwifery, 2002.
- Standards for specialist education and practice, 2001.
- Supporting nurses and midwives through lifelong learning, 2002.

Geirfa
Cymraeg – Saesneg

A

â dwylaw bimanual
â llaw manual
abdomen abdomen
abdomenol abdominal
abrachia abrachia
abruptio abruptio
accouchement accouchement
accoucheur accoucheur
accreta accreta
aciwbigo acupuncture
aciwbwyso acupressure
aclorhydria achlorhydria
acondroplasia achondroplasia
acromegaledd acromegaly
acromion acromion
acrosom acrosome
acsis axis
acsis llwybr y geni
  axis of the birth canal
acsis y pelfis axis of the pelvis
achoseg aetiology
adactylia, adactyli adactylia, adactyly
adferiad reduction
adferiad rehabilitation
adfyfyrio reflection
adfywiad resuscitation
adict addict
adlewyrchu sbeciwlar
  specular reflection
adlyniad adhesion
adolygiad cymheiriaid peer review

Adran Dai Housing Departement
adran gwasanaethau cymdeithasol
  social services department
Adran Iechyd
  Department of Health (DH)
Adran Nawdd Cymdeithasol
  Department of Social Security (DSS)
adrenal adrenal
adrenalin (epineffrin)
  adrenaline (epinephrine)
Adroddiad 'Changing Childbirth' (1993)
  'Changing Childbirth' Report (1993)
adwaith reaction
adwaith dyddodi Price (PPR)
  Price precipitation reaction (PPR)
adwaith Mantoux Mantoux reaction
adwaith neu arwydd Babinski
  Babinski's reflex or sign
adwaith tynnu draught reflex
adwaith Wassermann
  Wassermann reaction
adwaith Widal Widal reaction
adweithydd reagent
adweithydd ansoddol Benedict
  Benedict's qualitative reagent
addasiad adaptation
addysg broffesiynol barhaus
  continuing professional education
addysg bydwreigiaeth cyn-gofrestru
  pre-registration midwifery education
addysg iechyd health education
addysg rhieni parenthood education
aeddfediad maturation
aer air
aerob aerobe

aerobig aerobic

afasgwlar avascular

afiechyd a drosglwyddir yn rhywiol
sexually transmitted diseases (STD)

afiechyd awtoimiwn
autoimmune disease

afiechyd ffibrocodennog
fibrocystic disease

afitaminosis avitaminosis

afleoliad cynhenid y glun
congenital dislocation of the hip (CDH)

aflesol pernicious

afliwiad discoloration

aflwydd ar yr ofwm blighted ovum

affeithiol affective

afferol afferent

affibrinogenaemia afibrinogenaemia

afftha aphtha

agen fissure

agenesis agenesis

aglwtineiddiad agglutination

aglwtinin agglutinin

aglwtinogen agglutinogen

agnathia agnathia

agored patent

agorfa orifice

anghenion egni (caloriau)
energy (calorie) requirement

anghydadferiad decompensation

anghydgordiol incoordinate

anghydnaws incompatible

anghydnawsedd incompatibility

anghydweddaeth ABO
ABO incompatibility

anghymesuredd asymmetry

anghymesuredd disproportion

ail gam yr esgor second stage of labour

ailadroddus recurrent

ailamsugno reabsorption

ailchwydiad regurgitation

ailffrwythloniad superfetation

ailgyfunol recombinantora

ailgyfunydd recombinantora

ailunioni restitution

ailwaelu relapse

ala ala

alantois allantois

alba, albicans alba, albicans

albwmin albumin

albwminomedr Esbach
Esbach's albuminometer

albwminwria albuminuria

alcalaemia alkalaemia

alcali alkali

alcaloidau alkaloids

alcalosis alkalosis

alcohol alcohol

Aldomet Aldomet

aldosteron aldosterone

alel allele

alfeolws alveolus

alffa-ffetoprotein
alpha-fetoprotein (AFP)

all- ex-

all- extra-

alladaflu ejaculation

allanol extrinsic

allbwn output

alldiwbiad extubation

alldyniad abduction

alldynnu abduct

allfa outlet

allgyrchydd centrifuge

allrediad effusion

allwasgiad expression

allwasgiad Credé Credé's expression

allweddol cardinal

allwthiad expulsion

allwthiad brych Matthews Duncan
Matthews Duncan expulsion of
placenta

allwthiad brych Schultze
Schultze expulsion of the placenta

amelia amelia

amenedigol perinatal

amenorrhoea amenorrhoea

amgaead o'r aorta
  coarctation of the aorta
amgaerog circumvallate
amgant periphery
amgantol peripheral
amgylchol ambient
aminoffylin aminophylline
amlddisgyblaethol multidisciplinary
amlddiwylliannol multicultural
amlffactoraidd multifactorial
amlhad proliferation
amlynciad ingestion
amnesia amnesia
Amnihook Amnihook
amniocentesis amniocentesis
amnion amnion
amniosgop amnioscope
amniosgopi amnioscopy
amniotomi amniotomy
amocsisilin amoxycillin
amonia ammonia
ampisilin ampicillin
ampwla ampulla
amrywiant varience
amser gwaedu bleeding time
amwisg decidua
amwisgol velamentous
amyl nitrid amyl nitrite
anabledd disability
anaeddfed dysmature
anaeddfed immature
anaemia anaemia
anaemia Cooley Cooley's anaemia
anaemia megaloblastig
  megaloblastic anaemia
anaerob anaerobe
anaesthesia anaesthesia
anaesthetig anaesthetic
anaf annamweiniol
  non-accidental injury (NAI)
anaf geni birth injury
anaffylacsis anaphylaxis
analgesia analgesia

analgesia epidwral epidural analgesia
analgesia 'nwy ac ocsigen'
  'gas and oxygen' analgesia
analluedd impotence
anastomosis anastomosis
ancylosis ankylosis
androgenau androgens
android android
anenceffali anencephaly
anfantais handicap
anffrwythlon sterile
anffrwythlondeb infertility
angina pectoris angina pectoris
angiograffeg angiography
angioma angioma
angiotensin angiotensin
anhawster dysgu learning difficulty
anhunedd insomnia
anhwylder straen ar ôl trawma
  post-traumatic stress disorder
annhwymynol afebrile
annigonolrwydd insufficiency
annodweddiadol atypical
anochel inevitable
anococygeaidd anococcygeal
anocsia anoxia
anocsig anoxic
anod anode
anodyn anodyne
anofwlar anovular
anomaledd anomaly
anorecsia anorexia
anrhywiol asexual
antepartwm antepartum
anthropoid anthropoid
antigen antigen
antiseptigion antiseptics
Anusol Anusol
anwadal labile
anwirfoddol involuntary
anwresis anuresis
anwria anuria
anws anus

329

anymataliad incontinence
anymwybod unconscious
anymwybodol unconscious
aorta aorta
aplastig aplastic
apnoea apnoea
aponoewrosis aponeurosis
apoplecsi apoplexy
Apresoline Apresoline
ar farw moribund
ar ôl marwolaeth posthumous
ar ôl y geni postnatal
aracnoid arachnoid
arafwch retardation
aranadliad insufflation
aranadlu'r tiwbiau tubal insufflation
arbor vitae arbor vitae
arbrawf dwbl-ddall double-blind trial
archwiliad inspection
archwiliad bacteriolegol
  bacteriological examination
archwiliad o'r abdomen
  abdominal examination
archwysu exudation
arcus tendineus arcus tendineus
arennau kidneys
arennol renal
areola areola
arffedol inguinal
argraffu imprinting
argyfwng, brys emergency
arleisiol temporal
arllwysiad infusion
arnica arnica
arogleuad olfaction
arogleuol olfactory
arolwg survey
aromatherapi aromatherapy
arosgo oblique
arteffact artefact
arteriograffeg arteriography
arteriosglerosis arteriosclerosis
arthritis arthritis

arwahanu isolation
arwydd sign
arwydd Goodell Goodell's sign
arwydd Hegar Hegar's sign
arwydd Homan Homan's sign
arwydd Jacquemier Jacquemier's sign
arwydd Kernig Kernig's sign
arwydd Spalding Spalding's sign
arwyddocâd ystadegol
  statistical significance
asen rib
asennol costal
aseptig aseptic
asesiad assessment
asetabwlwm acetabulum
asetad medrocsiprogesteron
  medroxyprogesterone acetate
aseton acetone
asetonwria acetonuria
asffycsia asphyxia
asffycsia gwyn white asphyxia
asgites ascites
asgwrn cefn spine
asgwrn ffemwrol femur
asgwrneiddiad ossification
ASH ASH (Action on Smoking & Health)
asiad suture
asiad coronol coronal suture
asiad metopig metopic suture
asiad y lambda lambdoidal suture
Asiantaeth Cynnal Plant
  Child Support Agency
asiantaeth Sicrhau Ansawdd
  Quality Assurance agency
asiclofir aciclovir
asid acid
asid asetoasetig acetoacetic acid
asid deuocsibonwcleig (DNA)
  deoxyribonucleic acid (DNA)
asid diacetig diacetic acid
asid epsilon-amniocaproig
  epsilon-amniocaproic acid
asid fanilylmandelig (VMA)
  vanillylmandelic acid (VMA)

asid ffenylpyrwfig phenylpyruvic acid

asid ffolig folic acid

asid hydroclorig hydrochloric acid

asid lactig lactic acid

asid mandelig mandelic acid

asid riboniwcleig ribonucleic acid (RNA)

asidaemia acidaemia

asidau amino amino acids

asidau niwcleig nucleic acids

asidosis acidosis

asinws acinus

asoosbermia azoospermia

astudiaeth arsylwadol
observational study

astudiaeth bilot pilot study

astudiaeth hydredol longitudinal study

asthma asthma

asynclitiaeth asynclitism

at-, gwrth-, ôl- retro-

atal cenhedlu contraception

atal cenhedlu rhwystrol
barrier contraception

ataliad inhibition

ataliad suppression

ataliad ar draws transverse arrest

ataliad ar draws dwfn
deep transverse arrest

ataliol preventive

atalydd inhibitor

atchweliad retroversion

atebol accountable

ategol accessory

atelectasis atelectasis

atgenhedliad reproduction

atgynhyrchiad reproduction

atgyrch reflex

atgyrch 'llaetha' 'let down' reflex

atgyrch Moro Moro reflex

atgyrch sugno rooting reflex

atgyrcholeg reflexology

atlas atlas

atodol supplementary

atonedd atony

atonig atonic

atresia atresia

atrïaidd atrial

atriwm atrium

atroffi atrophy

atroffi brasterog llym
acute fatty atrophy
(acute yellow atrophy)

atropin atropine

atyniad adduction

atynnu adduct

athetosis athetosis

athraidd permeable

awdit audit

Awdurdod Addysg Iechyd
Health Education Authority

awdurdod goruchwyliol lleol (AGLl)
local supervising authority (LSA)

awdurdod lleol local authority

awra aura

awrigl auricle

awtistig autistic

awtoclaf autoclave

awtogenaidd autogenous

awtoheintiad autoinfection

awtolysis autolysis

awtonomig autonomic

awtopsi autopsy

awtosom autosome

awydd Osiander Osiander's sign

awyriad mandadol ysbeidiol
intermittent mandatory ventilation
(IMV)

awyriad pwysedd cadarnhaol ysbeidiol
intermittent positive pressure
ventilation (IPPV)

awyru ventilation

B

baban infant

baban bach am ei oed cario
small for gestational age baby

baban isel ei bwysau geni
low-birth-weight baby

baban marw-anedig stillbirth

babanladdiad infanticide

bacille Calmette-Guérin (BCG)
bacille Calmette-Guérin (BCG)

bacilwria bacilluria

bacilws bacillus

bacteraemia bacteraemia

bacteria bacteria

bacterioffag bacteriophage

bacterioleg bacteriology

bacteriostatig bacteriostatic

bacteriwria bacteriuria

bachlyngyr hookworm

balm Friars Friars' balsam

balotiad ballottement

barbitwradau barbiturates

bartholinitis bartholinitis

bas base

basilws Döderlein
Döderlein's bacillus

basilws Ducrey Ducrey's bacillus

basilws Klebs-Loeffler
Klebs-Loeffler bacillus

basoffil basophil

beichiog gravid

beichiog pregnant

beichiogiad allgroth
extrauterine pregnancy

beichiogrwydd pregnancy

beichiogrwydd abdomenol
abdominal pregnancy

beichiogrwydd estynedig
prolonged pregnancy

beichiogrwydd lluosog
multiple pregnancy

beichiogrwydd onglog
angular pregnancy

beichiogrwydd tiwb Fallopio
tubal pregnancy

bensodiasepin benzodiazepine

benyweiddio feminization

beta- beta-

bidet bidet

biliferdin biliverdin

bilirwbin bilirubin

bilirwbinofesurydd bilirubinometer

biocemeg biochemistry

biopsi biopsy

biopsi côn cone biopsy

biorhythm biorhythm

bisacodyl bisacodyl

blaen anterior

blaenblygiant anteflexion

blaendroi anteversion

blaenddwr forewaters

blaengroen foreskin

blaengroen prepuce

blaen-ôl anteroposterior

blastocyst blastocyst

blastoderm blastoderm

blewnythol pilonidal

blewog hirsute

BLISS BLISS (Baby Life Support Systems)

blithogydd galactogogue

bloc block

bloc cynffonnol caudal block

bloc nerfau nerve block

bloc paracerfigol paracervical block

blwch pen headbox

bogail navel

bogail umbilicus

bougie bougie

bra brassiere

brachydactylia brachydactylia

bradycardia bradycardia

bradycinin bradykinin

bran bran

braster fat

braster brown brown fat

braster-hydawdd fat soluble

brasterog, y sebwm sebaceous

brau friable

brawd neu chwaer sibling

brech rash

brech Almaenig German measles

brech cewyn / clwt napkin rash

brech goch measles

brech yr ieir chickenpox

brechiad inoculation

brechiad vaccination

brechlyn vaccine

brechlyn Sabine Sabine vaccine

brechlyn Salk Salk vaccine

brechlyn trifflyg triple vaccine

brechu vaccinate

bregma bregma

brest chest

Brietal sodium™ Brietal sodium™

British Pharmacopoeia (BP)
British Pharmacopoeia (BP)

briw ulcer

briwio maceration

brodorol indigenous

bromethol bromethol

bromocriptin bromocriptine

bron breast

broncws bronchus

bronnol mammary

brych afterbirth

brych placenta

brych battledore battledore placenta

brych teiran tripartite placenta

brych ymlynol adherent placenta

brych yn y blaen placenta praevia

brychfwyta placentophagy

brychgraffeg placentography

budd-dal tai housing benefit

bupivacaine hydrochloride (Marcain™)
bupivacaine hydrochloride (Marcain™)

burum yeast

bustl bile

bustlog biliary

bwaog arcuate

bwcio booking

bwcio 'domino' 'domino' booking

bwlch hiatus

Bwriad i Ymarfer Intention to Practice

bwyd garw roughage

bwydo ar alw demand feeding

bwydo artiffisial artificial feeding

bwydo drwy diwb tube feeding

bwydo trwyn i'r jejwnwm
nasojejunal feeding

bwydydd lles welfare foods

bydwraig midwife

bydwraig annibynnol
independent midwife

bydwraig gofrestredig
registered midwife

bydwreigiaeth midwifery

bydwreigiaeth baich achosion
caseload midwifery

bydwreigiaeth tîm team midwifery

byddardod deafness

byffer buffer

bysarchwiliad palpation

byseddol digital

bywydol, bywyd vital

C

cadair eni birthing chair

caecwm caecum

caeth incarcerated

caethiwed addiction

calaemia kalaemia

calcanewm, calcanews
calcaneum, calcaneus

calcheiddiad calcification

caleden callus

caliperau calipers

caliwm kalium

calon heart

calori calorie

calsiwm calcium

cam- mal-

cam cyntaf yr esgor
  first stage of labour
cam-drin (pobl) / camddefnyddio
  (cyffuriau) abuse
cam-drin plant child abuse
cameddol popliteal
camffurfiad malformation
camgyflwyniad malpresentation
camsafle malposition
camsugno malabsorption
camymarfer malpractice
canamycin kanamycin
Candida Candida
candidïasis candidiasis
Canesten™ Canesten™
caniwla cannula
caniwla Drew-Smythe
  Drew-Smythe cannula
cannwyll pupil
canolfan iechyd health centre
canolwedd median
canradd Centigrade
canradd centile
canradd percentile
canser cancer
cantel y pelfis brim of the pelvis
caolin kaolin
cap achludol occlusive cap
cap Dutch Dutch cap
capilari capillary
capsiwl Bowman Bowman's capsule
caput caput
carbimazole carbimazole
carbohydrad carbohydrate
carbon deuocsid (CO₂)
  carbon dioxide (CO₂)
carbon monocsid (CO)
  carbon monoxide (CO)
carbonad carbonate
carchariad y groth feichiog atchweledig
  incarceration of the retroverted gravid
  uterus
cardia cardia
cardiaidd, y galon cardiac

cardiofasgwlaidd cardiovascular
cardiogram cardiogram
cardiotocograffeg
  cardiotocography (CTG)
caregen (llu. caregos) calculus
carfan cohort
carfan cohort
'carfan wib' 'flying squad'
cario (ans) / y cyfnod cario gestational
cario ectopig ectopic gestation
caroten carotene
carsinogenaidd carcinogenic
carsinoma carcinoma
carthion stool
carthydd aperient
carthydd laxative
cartilag cartilage
cartilag cleddyfol ensiform cartilage
cartref domiciliary
carwncl caruncle
caryo- karyo-
caryoteip karyotype
casein casein
caseinogen caseinogen
cast cast
cast diosgol decidual cast
catamenia catamenia
cataract cataract
catecolamin catecholamine
cation cation
catod cathode
cathetr catheter
cathetreiddio catheterization
cauda equina cauda equina
caulophyllum caulophyllum
cawraeth gigantism
ceffalhaematoma cephalhaematoma
ceffalobelfig cephalopelvic
ceffalometreg cephalometry
ceffaloridin cephaloridine
ceffalosporin cephalosporin
ceilliau testicles, testes
ceiropracteg chiropractic

ceiropractydd chiropractor
celoid keloid
Celsius Celsius
cell cell
cell gobled goblet cell
cell T T cell
celliwlitis cellulitis
celloedd granwlosa granulosa cells
celloedd granwlosa lwtein granulosa lutein cells
celloedd myoepitheliol myoepithelial cells
celloedd paciedig packed cells
cellwlos cellulose
cemodderbynnydd chemoreceptor
cemotherapi chemotherapy
cen slough
cenhedliad conception
cenhedliad procreation
cenhedlol genital
cenhedlol-droethol genitourinary
cennog squamous
centimetr centimetre
ceratin keratin
cerdded ambulatory
cerddediad gait
cerebrosbinol cerebrospinal
cerebrwm cerebrum
cerfigol cervical
cesail axilla
ceseilaidd axillary
cetoasidosis ketoacidosis
cetonwria ketonuria
cetosis ketosis
ceudod y pelfis cavity of the pelvis
ceulas coagulase
ceulo clotting
chignon chignon
chlordiazepoxide chlordiazepoxide
chlorothiazide chlorothiazide
chlorpheniramine maleate chlorpheniramine maleate
chlorpromazine chlorpromazine

Chlorpropamide Chlorpropamide
choanal atresia choanal astresia
cilia cilia
ciliedig ciliated
cilo- kilo-
ciprofloxacin ciprofloxacin
ciwrét curette
claear tepid
claf morbidity
claficl clavicle
clamp clamp
Clamydia Chlamydia
clefyd disease
clefyd (chorea) Huntingdon Huntingdon's disease (chorea)
clefyd Christmas Christmas disease
clefyd cryman-gell sickle cell disease
clefyd cynhwysiad cytomegalig cytomegalic inclusion disease
clefyd diffyg deficiency disease
clefyd Hirschprung Hirschsprung's disease
clefyd melyn jaundice
clefyd melyn gwyllt kernicterus
clefyd Ritter Ritter's disease
clefyd Simmonds Simmonds' disease
clefyd Tay-Sachs Tay-Sachs disease
clefyd Weil Weil's disease
clefyd wrin surop masarn maple syrup urine disease
clefydol morbid
cleidotomi cleidotomy
climacterig climacteric
clinig clinic
clinig iechyd plant child health clinic
clinig merched iach well woman clinic
clinig yn y gymuned outreach clinic
clinigol clinical
clipiau Michel Michel's clips
clitoridectomi clitoridectomy
clitoris clitoris
cloasma chloasma
clocsasilin cloxacillin

clomethiazole edisilate
  clomethiazole edisilate

clomiffen citrad clomiphene citrate

clonig clonic

cloral hydrad chloral hydrate

cloramffenicol chloramphenicol

clorhecsidin chlorhexidine

clorid chloride

Clostridiwm Clostridium

clotrimazole (Canesten)
  clotrimazole (Canesten)

cludiant transport

cludiant gweithredol
  active transport

cludydd carrier

clustfeinio auscultation

clwyf wound

clwyf y marchogion piles

clwy'r pennau / y dwymyn doben
  mumps

clybodol auditory

clywedol aural

cnap process

cnawdnychiad infarction

cnepyn nodule

cnepyn siffoid xiphoid process

cnewyllyn nucleus

cocên hydroclorid
  cocaine hydrochloride

cocsa coxa

coctel lytig lytic cocktail

cocws coccus

cocycs coccyx

cocydynia coccydynia

cocygews coccygeus

**Cod Rhyngwladol ar Farchnata
  Amnewidion Llaeth y Fron Mudiad
  Iechyd y Byd**
  WHO International Code of Marketing
  of Breast Milk Substitutes

**Cod Rhyngwladol Marchnata
  Amnewidion Llaeth y Fron**
  International Code of Marketing of
  Breast Milk Substitutes

Cod Ymddygiad Proffesiynol
  Code of Proffesional Conduct

coden cyst, pouch

coden ddermaidd dermoid cyst

coden Douglas Douglas' pouch

coden y bustl gallbladder

codeniad y groth
  sacculation of the uterus

codennau (ffoliglau) Naboth
  Naboth's cysts (follicles)

codi llaeth posseting

coediog arborescent

coes wen white leg

cofnodion cyfrifiadurol
  computerized records

cofrestr register

cofrestr arsylwi observation register

cofrestr plant mewn perygl
  'at risk' register

cofrestru genedigaeth
  birth, registration of

**cofrestrydd genedigaethau, priodasau a
  marwolaethau**
  registrar of births, marriages and
  deaths

coitws coitus

Coleg Brenhinol Bydwragedd
  Royal College of Midwives (RCM)

**Coleg Brenhinol Nyrsio – Cymdeithas
  Bydwreigiaeth** Royal College of
  Nursing – Midwifery Society

coliform coliform

colig colic

colon colon

colostrwm colostrum

colpo- colpo-

colpoperineoraffi colpoperineorrhaphy

colporaffi colporrhaphy

colposcopi colposcopy

colposgop colposcope

colpotomi colpotomy

coluddyn intestine

coma coma

Comisiwn Cyfle Cyfartal
  Equal Opportunities Commission

Comisiwn Safonau Gofal Cenedlaethol National Care Standards Commission

comiswr commisure

condom condom, sheath

condyloma condyloma

confylsiynau convulsions

conjynctifitis conjunctivitis

Copper-7 Copper-7

copr copper

Co-proxamol Co-proxamol

corea chorea

corffilyn corpuscle

corffilyn coch y gwaed erythrocyte

corffoledd physique

corffyn Barr Barr body

corffyn Malpighi Malpighian body

corffynnau carotid carotid bodies

corffynnau Wolff wolffian bodies

corioangioma chorioangioma

coriocarsinoma choriocarcinoma

corioepithelioma chorioepithelioma

corion chorion

corn cornu

cornbilen cornea

cornwyd gwenerol / siancr chancre

coronaidd coronary

corpws corpus

cortecs cortex

corticoidau corticoids

corticosteroid corticosteroid

cortison cortisone

corun vertex

coruno crowning

corysa coryza

cotyledon cotyledon

couvade couvade

cramp cramp

cranioclast cranioclast

craniostenosis craniostenosis

crau'r llygad orbit

crawn pus

crawniad abscess, suppuration

crawnllyd purulent

crawrosis y fwlfa kraurosis vulvae

creatin creatine

creatinin creatinine

cretinedd cretinism

creuan cranium

creuandoriad craniotomy

creuanol cranial

cricoidaidd cricoid

croen pen scalp

croenol cutaneous

croesfatsio cross-matching

cromatin chromatin

cromatograffiaeth chromatography

cromen vault

cromlin Carus Curve of Carus

cromosom chromosome

cromosom X X chromosome

cromosom Y Y chromosome

cronfa ddata database

cronfa ddata achosion cymysg case mix database

cronfa ddata Cochrane Cochrane database

cronig chronic

croth uterus, womb

croth Couvelaire Couvelaire uterus

croth ddwbl double uterus

croth feichiog atchweledig retroverted gravid uterus

crothol uterine

crud cynnal incubator

crychguriad palpitation

crymanaidd falciform

crynodiad ion hydrogen hydrogen ion concentration

cryofeddygaeth cryosurgery

cudd latent, occult

cur pen headache

curiad pulsation

cwarantin quarantine

cwd amniotig amniotic sac

cwd melynwy yolk sac

cwest inquest

cwlwm perfedd volvulus
cwlwm y tafod tongue tie
cwrcwd squatting
cyanocobalamin cyanocobalamin
cydbwysedd bas asid acid-base balance
cydfwytäwr commensal
cydfyseddaeth syndactyly
cydsyniad consent
cydwaedoliaeth consanguinity
cyesis cyesis
cyf- juxta-
cyfaint celloedd paciedig (PCV)
packed cell volume (PCV)
cyfaint cyfnewid tidal volume
cyfaint y gwaed blood volume
cyfangiad contraction
cyfangiad tonig y groth
tonic contraction of the uterus
cyfangiadau Braxton Hicks
Braxton Hicks contractions
cyfaniaeth holism
cyfannol holistic
cyfansoddyn cemegol
chemical compound
cyfanwaith gestalt
cyfathrach rywiol sexual intercourse
cyfbilen conjunctiva
cyfiau conjugate
cyfiau croesgornel diagonal conjugate
cyfieuo conjugate
cyflenwad complement
cyflenwi cyffuriau rheoledig
supply of controlled drugs
cyflenwol complementary
cyflwyniad presentation
cyflwyniad cyfansawdd
compound presentation
cyflwyniad llaw hand presentation
cyflwyniad pen-glin
knee presentation
cyflwyniad talcen brow presentation
cyflwyniad troediog
footling presentation
cyflwyniad wyneb face presentation

cyflwyniad ysgwydd
shoulder presentation
cyflyru gweithredol
operant conditioning
cyfnod ar ôl y geni postnatal period
cyfnod cario gestation
cyfnod llawn term
cyfnod magu
incubation, incubation period
cyfog nausea
cyfog gwag gag
cyfogi gwag retching
cyfoglyn emetic
cyfosodiad juxtaposition
cyfradd rate
cyfradd genedigaethau birth rate
cyfradd marwolaethau babanod
infant mortality rate
cyfradd metabolaeth waelodol
basal metabolic rate
cyfrif gwaed blood count
cyfrifiad census
cyfrwng medium
cyffosis kyphosis
cyffur drug
cyffur mislifbair emmenagogue
cyffuriau mewn bydwreigiaeth
drugs in midwifery
cyffuriau rheoledig controlled drugs
cyffuriau tocolytig tocolytic drugs
cyffyrddol tactile
cyhyr muscle
cyhyr isgiogeudodol
ischiocavernosus muscle
cyhyr isgiogocygeol
ischiococcygeus muscle
cyhyrau bwlbogeudodol
bulbocavernosus muscles
cylch Bandl Bandl's ring
cylch darwasgu constriction ring
cylchdro rotation
cylchrediad circulation
cylchu cerclage
cymal joint

cymdeithaseg sociology

cymedr mean

cymhareb ratio

cymhathiad assimilation

cymhlygyn QRS QRS complex

cymhwysiad compensation

Cymwysterau Galwedigaethol Cenedlaethol (NVQ's) National Vocational Qualifications (NVQ's)

cyn- ante-

cyn amser pre-term

cyn geni antenatal

cyn geni prenatal

cyn llawdriniaeth preoperative

cyn mislif premenstrual

cyn-, rhag- pre-

cynamserol premature

cynddiabetes pre-diabetes

cyneclampsia pre-eclampsia

cyngenhedlol preconception

cynghori counselling

cynghori ar eneteg genetic counselling

Cynghrair LaLeche LaLeche League

Cyngor Iechyd Cymdeithas Community Health Council

Cyngor Meddygol Cyffredinol General Medical Council (GMC)

Cyngor Nyrsio a Bydwreigiaeth Nursing and Midwifery Council (NMC)

cynhadledd achos case conference

cynhenid congenital, innate, intrinsic

cyn-hyfyw pre-viable

cynhyrchion gwaed blood products

cyniferydd quotient

cynllun geni birth plan

cynllunio teulu family planning

cynllunio teulu planned parenthood

cynnydd mewn pwysau weight gain

cynorthwyydd gofal iechyd health care assistant

cyntedd vestibule

cyrff cetonig ketone bodies

cyrff rheolaethol regulatory bodies

cyrff statudol statutory bodies

cyrydol corrosive

cyseiniant magnetig niwclear nuclear magnetic resonance

cysto- cysto-

cystosel cystocele

cystosgop cystoscope

cystosgopi cystoscopy

cystotomi cystotomy

cysylltiad engagement

cyto- cyto-

cytogeneteg cytogenetics

cytoleg cytology

cytomegalofirws cytomegalovirus

cytoplasm cytoplasm

cytotroffoblast cytotrophoblast

cytunedd, cydnawsedd compatibility

cywasgedig impacted

cywasgiad compression

cywasgu'r groth â dwy law bimanual compression of the uterus

cywasgwr detrusor

Ch

chwarennau Bartholin Bartholin's glands

chwarennau neu diwberciwlau Montgomery Montgomery's glands or tubercles

chwarennau parathyroid parathyroid glands

chwarren gland

chwarren bitwidol pituitary gland

chwarren thyroid thyroid gland

chwephled sextuplet

chwiliedydd probe

chwyd vomitus

chwyddni tumescence

chwydu vomiting

chwydu hyrddiol projectile vomiting

chwys perspiration

chwysu perspiration

D

dactyl dactyl

dadansoddiad aml-amrywedd
multivariate analysis

dadansoddiad gwallt hair analysis

dadansoddiad nwy y gwaed
blood gas analysis

dadblygiant deflexion

dadhydradiad dehydration

dadleoliad dislocation, displacement

dadleoliad y groth wrth wyro'n ôl
backward displacement of the uterus

dadleoliad y gwegil nuchal
displacement

dadwenwyniad detoxication

dai dai

damcaniaeth adwy rheoli poen
gate control theory of pain

dangosydd graddfa lwyd
grey-scale display

dangosyddion perfformiad
performance indicators

danheddog serrated

dannedd Hutchinson
Hutchinson's teeth

Danol Danol

dargadwedd retention

dargadw'r brych
retained placenta

darparwr provider

darparwr gwasanaeth
service provider

darwasgiad awrwydr
hour-glass constriction

datblygiad development

datblygiadol developmental

datganiad profession

dau-, deu-, dwy- bi-

decsamethason dexamethasone

decstran dextran

Decstropropocsiffen hydroclorid
Dextropropoxyphene hydrochloride

decstros dextrose

Deddf Anableddau Cynhenid
(Atebolrwydd Sifil) 1976 Congenital
Disabilities (Civil Liabilities) Act, 1976

Deddf Camddefnydd Cyffuriau, 1971
Misuse of Drugs Act, 1971

Deddf Cyflogau Cyfartal, 1970
Equal Pay Act, 1970

Deddf Ffrwythlonni Dynol ac
Embryoleg 1990 Human Fertilization
and Embryology Act 1990

Deddf Gwarchod Data 1984
Data Protection Act 1984

deddf Hellin Hellin's law

Deddf Iechyd a Gofal yn y Gwaith, 1974
Health and Safety at Work Act, 1974

Deddf Moddion 1968
Medicines Act 1968

Deddf Plant 1989 Children Act 1989

deddfau Mendel Mendel's laws

defaid warts

dehydrogenas glwcos-6-ffosffad (G6PD)
glucose-6-phosphate dehydrogenase
(G6PD)

deintiad dentition

deliriwm delirium

delweddu imaging

delweddu cyseiniant magnetig
magnetic resonance imaging (MRI)

delweddu gweledol visualization

demograffeg demography

denideiddiad denidation

Depo-Provera Depo-Provera

derbynnydd receptor

derbynnydd recipient

derbynnydd cyffredinol
universal recipient

deuarleisiol bitemporal

deubaraidd biparousgerminal

deubegynol bipolar

deucarbonad bicarbonate

deuceffalws dicephalus

deuembryoni diembryony

deuethylstilbestrol diethylstilbestrol

deugorial, deugorionig
dichorial, dichorionic

deugorniog bicornuate

deuholltog bifid

deuofwl binovular

deuoliaeth ambivalence

deuryw bisexual

deurywiad hermaphrodite

deusygotig dizygotic

diabetes insipidus diabetes insipidus

diabetes mellitus diabetes mellitus

diabetig diabetic

diabetogenig diabetogenic

diaffram diaphragm

diaffysis diaphysis

diagnosis diagnosis

dialysis dialysis

diamedr diameter

diamedr bisacromaidd bisacromial diameter

diamedr bitrocanterig bitrochanteric diameter

diamedr dwybarwydol biparietal diameter

diamorffin hydroclorid diamorphine hydrochloride

diastole diastole

diathermedd diathermy

diazepam diazepam

diberfeddiad evisceration

diblisgiad exfoliation

dibynadwyaeth reliability

didactyliaeth didactylism

didelffia didelphia

di-dwll imperforate

didymitis didymitis

didymws didymus

diddyfnu weaning

dienoestrol dienoestrol

dieteg dietetics

dietegydd dietician

diferiad instillation

difrod lesion

diffibrilio defibrillation

diffrwythloni sterilize

diffttheria diphtheria

diffyg maeth malnutrition

digid digit

digitalis digitalis

digocsin digoxin

digroeniad desquamation

digymell spontaneous

di-haint sterile

diheintio disinfect, sterilize

diheintydd sterilizer

dihydrocodin tartrat dihydrocodeine tartrate

dilead deletion, effacement

dilysiad validation

dilysrwydd validity

dimenhydrinad dimenhydrinate

dimetria dimetria

dinistro cyffuriau rheoledig destruction of controlled drugs

diocsigenedig deoxygenated

diodon diodone

diphtheroidau diphtheroids

diplococi diplococci

diploid diploid

diplosomatia diplosomatia

dirdroad torsion

dirgryniad thrill

dirprwy, dirprwyol surrogate

dirprwyol vicarious

dirywiad degeneration

disacarid disaccharide

discus prolerigus discus proligerus

disg disc

disgyniad descent

distal distal

Distalgesic Distalgesic

disymud innominate

diwresis diuresis

diwretig diuretic

diwrnaidd diurnal

diwylliant culture

dolen Lippe Lippe's loop

dolicoceffalig dolichocephalic

341

dolur rhydd diarrhoea
dopamin dopamine
dorsal dorsal
dosbarth cymdeithasol social class
dosbarthiad Caldwell-Moloy
 Caldwell-Moloy classification
dosbarthiad Lancefield
 Lancefield classification
dosbarthiad Landsteiner
 Landsteiner's classification
douche douche
doula doula
drepanocyt drepanocyte
drepanocytosis drepanocytosis
ductus arteriosus ductus arteriosus
dueg spleen
dulas livid
Dulco-lax Dulco-lax
dull Billing Billing's method
dull Kortkoff Kortkoff's method
dull Lamaze Lamaze method
dull Leboyer Leboyer method
dulliau atal cenhedlu contraceptive
dunken dunken
dura mater dura mater
dwodenwm duodenum
dŵr poeth heartburn
dwyffurfedd dimorphism
dwyochrol bilateral
dwysedd cymharol specific gravity
dwysedd pwysau gravity
dwythell aqueduct
dwythell duct (ductus)
dwythell bancreatig pancreatic duct
dwythell Müller müllerian duct
dwythell wyau oviduct
dwythellau Skene Skene's ducts
dyddiad amcangyfrif y geni
 estimated date of delivery
dyddiad y disgwylir y geni
 expected date of delivery (EDD)
dyddodi precipitate

dyddodiad precipitate
dydrogesteron dydrogesterone
dyleddfiad supination
dyletswydd gofal duty of care
dynodydd denominator
dys- dys-
dysentri dysentery
dyslecsia dyslexia
dysmenorhea dysmenorrhoea
dyspareunia dyspareunia
dyspepsia dyspepsia
dysplasia bronco ysgyfeiniol
 bronchopulmonary dysplasia
dyspnoea dyspnoea
dysrhythmia ymenyddol
 cerebral dysrhythmia
dystocia dystocia
dystocia'r ysgwydd shoulder dystocia
dystroffia dystrophia
dyswria dysuria

E

ecbolig ecbolic
eclampsia eclampsia
ecofirws echovirus
econasol econazole
ecsema eczema
ecsocrin exocrine
ecsogenaidd exogenous
ecsomffalos exomphalos
ecsotocsin exotoxin
'ecstasi' 'ecstasy'
ecto- ecto-
ectoblast ectoblast
ectoderm ectoderm
-ectomi -ectomy
ectopia ectopia
ectro- ectro-
ectrodactili ectrodactyly
ectromelia ectromelia
ectrosyndactili ectrosyndactyly

ecymosis ecchymosis

echddygol efferent

echdoriad resection

echdroad eversion

edafedd clymu ligature

edau coludd catgut

efeilliaid cydgysylltiedig conjoined twins

efeilliaid clo locked twins

efeilliad Siamaidd Siamese twins

effedrin ephedrine

effleurage effleurage

eilaidd secondary

eisbilen pleura

electrocardiogram (ECG) electrocardiogram (ECG)

electrod electrode

electroenceffalogram (EEG) electroencephalogram (EEG)

electrofforesis electrophoresis

electrolyt electrolyte

elifiad extravasation

emboledd embolism

emboledd hylif amniotig amniotic fluid embolism

embolws embolus

embryo embryo

embryoleg embryology

embryotomi embryotomy

emwlsiwn emulsion

enceffalin enkephalin

enceffalinau encephalins

enceffalitis encephalitis

enceffalopathi encephalopathy

enceffalopathi Wernicke Wernicke's encephalopathy

enceffalosel encephalocele

enciliad recession

enciliol recessive

encopresis encopresis

endemig endemic

endo- endo-

endocarditis endocarditis

endocrinaidd endocrine

endoderm endoderm

endometriosis endometriosis

endometritis endometritis

endometriwm endometrium

endorffinau endorphins

endoriad Pfannenstiel Pfannenstiel's incision

endosgop endoscope

endotraceaidd endotracheal

enema enema

ensym enzyme

enteritis enteritis

enterocolitis madreddog necrotizing enterocolitis

entoderm entoderm

Entonox Entonox

enwaediad circumcision

enwresis enuresis

eosin eosin

eosinoffil eosinophil

Epanutin Epanutin

epicanthws epicanthus

epidemig epidemic

epidemioleg epidemiology

epidermis epidermis

epidermolysis bullosa epidermolysis bullosa

epidiwral rhyddid mobile epidural

epidydimis epididymis

epiffysis epiphysis

epigastriwm epigastrium

epiglotis epiglottis

epil progeny

epilepsi epilepsy

episiorhapi episiorrhapy

episiotomi episiotomy

epispadias epispadias

epistacis epistaxis

epitheliwm epithelium

epitheliwm colofnog columnar epithelium

eples ferment

ergometrin ergometrine
ergonomeg ergonomics
ergot ergot
erthylbair abortifacient
erthyliad abortion
erthyliad a ddargadwyd
missed abortion
erthyliad a fygythir
threatened abortion
erthyliad anghyflawn
incomplete abortion
erthyliad llwyr complete abortion
erthyliad naturiol misscariage
erthyliad therapiwtig
therapeutic abortion
erthyliad troseddol criminal abortion
erthylu abort
erthylu cyson habitual abortion
erydiad gwddf y groth
erosion of the cervix
erythema erythema
erythroblast erythroblast
erythroblastosis fetalis
erythroblastosis fetalis
erythromycin erythromycin
erythropoiesis erythropoiesis
esblygiad evolution
Escherichia coli Escherichia coli
esgeulustod negligence
esgor ffug false labour
esgor wedi'i atal obstructed labour
esgor / esgoriad labour
esgoriad cyflymedig accelerated labour
esgoriad estynedig prolonged labour
esgoriad rhagbrofol trial labour
esgorol parturient
estyniad extension
etifeddeg heredity
etifeddiad inheritance
etifeddiad trechol
dominant inheritance
etifeddol hereditary
ethambutol ethambutol
ethinylestradiol ethinylestradiol

ethnig ethnic
ethnograffeg ethnography
ethnomethodoleg
ethnomethodology
etholedig elective
ethyl clorid ethyl chloride
Eugynon 30, Eugynon 50
Eugynon 30, Eugynon 50
ewfforia euphoria
ewgeneg eugenics
ewtocia eutocia

F

faginismws vaginismus
fagol vagal
fagws vagus
Fahrenheit Fahrenheit
falf valve
falf ileolcaecal ileocaecal valve
falfotomi valvotomy
falfwloplasti valvuloplasty
faricos varicose
farics varix
fariola variola
fas vas
fasa yn y blaen vasa praevia
fasectomi vasectomy
fasgwlar vascular
fasgywasgwr vasopressor
fasogyfangwr vasoconstrictor
faso-ostyngydd vasodepressor
fasopresin vasopressin
fasoymledydd vasodilator
fasreolwr vasomotor
fegan vegan
fena cafa vena cava
fenedoriad venesection
fenedylliad venepuncture
Fentazin Fentazin
fentrigl ventricle
fentrohongiad ventrosuspension

fentws ventouse

fertebrau vertebrae

fesicoweiniol vesicovaginal

fesiga vesica

fesigl vesicle

fesigol vesical

filysau villi

filysau corionig chorionic villi

firaemia viraemia

firaol viral

firws virus

firws diffyg imiwnedd dynol (HIV)
human immunodeficiency virus (HIV)

fitaminau vitamins

Flagyl Flagyl

folt volt

Fortral Fortral

fragilitas osiwm fragilitas ossium

Furadantin Furadantin

furosemide (frusomide)
furosemide (frusomide)

fwlfa vulva

fwlfectomi vulvectomy

fwlselwm vulsellum

Fybogel Fybogel

Ff

ffagocytosis phagocytosis

ffactor factor

ffactor rhesws Rhesus factor

ffactor rhyddhau releasing factor

ffaeochromocytoma
phaeochromocytoma

ffafiaeth favism

ffag phage

ffagocytau phagocytes

ffalancs phalanx

ffalcs falx

ffalcs cerebri falx cerebri

ffalig phallic

ffarmacocineteg pharmacokinetics

ffarmacoleg pharmacology

ffarmacopoeia pharmocopoeia

ffaryncs pharynx

ffasgau fascia

ffemwrol femoral

ffenestrog fenestrated

ffenindion phenindione

ffenobarbital phenobarbital

ffenocsymethyl-penisilin
phenoxymethyl-penicillin

ffenol phenol

ffenomenoleg phenomenology

ffenoteip phenotype

ffenothiasin phenothiazine

ffentanyl fentanyl

ffenylalanin phenylalanine

ffenylcetonwria phenylketonuria

ffenytoin sodiwm (Epanutin)
phenytoin sodium (Epanutin)

fferitin ferritin

fferrus ferrous

fferyllfa pharmacy

fferyllol pharmaceutical

fferyllyddiaeth pharmacy

ffetoscopeg fetoscopy

ffetws fetus

ffetysol / y ffetws fetal

ffibr fibre

ffibrin fibrin

ffibrinogen fibrinogen

ffibrinolysin fibrinolysin

ffibrinolysis fibrinolysis

ffibroid fibroid

ffibromyoma fibromyoma

ffibroplasia fibroplasia

ffibrosis fibrosis

ffibrosis codennog cystic fibrosis

ffibwla fibula

ffimbria fimbria

ffimosis phimosis

ffisioleg physiology

ffistwla fistula

ffistwla traceo-oesoffageaidd
tracheo-oesophageal fistula

ffistwla wreterofesigol
ureterovesical fistula

ffit fit

ffitio'r pen head fitting

fflagelwm flagellum

fflatws flatus

fflebitis phlebitis

fflebothrombosis phlebothrombosis

fflebotomi phlebotomy

fflebotomydd phlebotomist

fflegmasia phlegmasia

fflegmatig phlegmatic

ffliw influenza

fflora flora

fflwclocsasilin flucloxacillin

ffobia phobia

ffocomelia phocomelia

ffolad folate

ffolennau breech

ffolennau clwyfus sore buttocks

ffoligl follicle

ffoligl Graaffa Graafian follicle

ffontanél fontanelle

fforamen foramen

fforchiad bifurcation

fforchig fourchette

fformaldehyd formaldehyde

fformalin formalin

fformiwla formula

ffornics fornix

ffosffolipid phospholipid

ffosfforws phosphorus

ffotoffobia photophobia

ffototherapi phototherapy

**Fframweithiau Gwasanaeth
Cenedlaethol**
National Service Frameworks (NSFs)

ffrenig phrenic

ffroenau nares

ffrwydrol fulminating

ffrwyn fraenum, frenum, freulum

ffrwyn / gag gag

ffrwythlon fertile

ffrwythlondeb fertility

ffrwythlonedd fecundity

ffrwythloni impregnate

ffrwythloniad fecundation

ffrwythloniad fertilization

ffrwythloniad in vitro
in vitro fertilization

ffthisis phthisis

ffug- pseudo-

ffug esgor spurious labour

ffugddeurywioldeb
pseudohermaphroditism

ffugfeichiogrwydd pseudocyesis

ffugfislif pseudomenstruation

ffurflen archebu cyflenwad
supply order form

ffwndws fundus

ffwng fungus

ffwnig funic

ffwnis funis

ffwrn fagu incubator

ffisiotherapydd physiotherapist

ffytomenadion (Konakion)
phytomenadione (Konakion)

ffytotherapi phytotherapy

G

gafaeliad Pawlick Pawlick's grip

gafl groin

galact-, galacto- galact-, galacto-

galactiscia galactischia

galactorhoea galactorrhoea

galactos galactose

galactos-1-ffosfad wridyl transfferas
galactose-1-phosphate uridyl
transferase

galactosaemia galactosaemia

galar grief

galea aponewrotica
galea aponeurotica

gamet gamete

ganglion ganglion

Gardnerella Gardnerella
gargoiliaeth gargoylism
gastrig gastric
gastritis (llid ar y stumog) gastritis
gastro- gastro-
gastroberfeddol gastrointestinal
gastroenteritis gastroenteritis
gastrojejwnostomi gastrojejunostomy
gastroschisis gastroschisis
gastrostomi gastrostomy
gefeilliaid twins
gefel forceps
gefel dynnu acsis axis traction forceps
gefel Kielland Kielland's forceps
gefel Kocher Kocher's forceps
gefel Neville Barnes
  Neville Barnes forceps
gefel Wrigley Wrigley's forceps
gemeloleg gemmellology
Gemeprost Gemeprost
genedigaeth delivery
genedigaeth fyw live birth
genedigaeth naturiol natural childbirth
generig generic
geneteg genetics
geneuol mental
geneuol oral
geni mewn dŵr waterbirth
geni mewn ysbyty hospital delivery
geni plant / geni plentyn childbirth
geni yn y cartref home birth
genol gnathic
genoteip genotype
gentamicin gentamicin
genw genu
genws genus
genyn gene
genynnau rhyw-gysylltiedig
  sex-linked genes
germladdwr germicide
gestagen gestagen
gewyn ligament
gewyn Poupart Poupart's ligament

gewynnau cerfigol ardraws
  transcervical ligaments
gewynnau crwn round ligaments
gewynnau llydan broad ligaments
gewynnau Mackenrodt
  Mackenrodt's ligaments
GIFT GIFT
Gingerbread Gingerbread
gingifa'r deintgig gum gingiva
glabela glabella
glafoerio salivation
glans glans
glasoed puberty
globin globin
globwlin globulin
globwlin gama gamma globulin
globwlin gama gwrth-D
  anti-D gamma globulin
glomerwlws glomerulus
glotis glottis
glucuronyl transfferas
  glucuronyl transferase
gludiog viscid
glwcagon glucagon
glwcocorticoid glucocorticoid
glwcos glucose
glwtaraldehyd glutaraldehyde
glwteaidd gluteal
glycogen glycogen
glycoswria glycosuria
glyserol glycerol
goddefol passive
gofal deintiol dental care
gofal iechyd sylfaenol
  primary health care
gofal preswyl residential care
gofal yn cael ei rannu shared care
golchiad lavage
goleusensitifedd photosensitivity
gonad gonad
gonadotroffig gonadotrophic
gonadotroffin gonadotrophin
gonadotroffin corionig
  chorionic gonadotrophin

gonadotroffin corionig dynol human chorionic gonadotrophin (HCG)

gonococaidd gonococcal

gonococws gonococcus

gonorrhoea gonorrhoea

gor-, tra-, hyper- hyper-

goranadlu hyperventilation

gorbilirwbinaemia hyperbilirubinaemia

gorbwysedd hypertension

gorbwysedd a ysgogir gan feichiogrwydd pregnancy induced hypertension

gorbwysedd heb achos essential hypertension

gorchudd dressing

gorchymyn cynhaliaeth maintenance order

gorchymyn man diogel place of safety order

Gorchymyn Moddion (Presgripsiwn yn Unig) 1983 Medicines (Prescription Only) Order 1983

gorchymyn tadogaeth affiliation order

gordewdra obesity

gordwymyn hyperpyrexia

gorgyfogi hyperemesis

gorlenwad congestion

gorlenwol congestive

gorlewni'r bronnau engorgement of the breasts

'gorlifo' 'flooding'

gorludiogrwydd hyperviscosity

gorthyroidedd hyperthyroidism

goruchwyliwr bydwragedd supervisor of midwives

gorweddiad lie

gorweddiad ansefydlog unstable lie

gorweddiad ardraws transverse lie

gorweddol recumbent

gorweddol supine

gorwel horizon

graddfa analog weledol visual analogue scale

gram gram

grand mal grand mal

grande multigravida grande multigravida

grande multipara grande multipara

Gravigard Gravigard

Gravindex Gravindex

gronyniad granulation

grŵp gofal cychwynnol primary care group (PCG)

grŵp gwaed Duffy Duffy blood group

grwpiau gwaed ABO ABO blood groups

grwpio gwaed blood grouping

gwadnol plantar

gwaddodiad sedimentation

gwaed blood

gwaed yn ceulo blood clotting

gwaedlif haemorrhage

gwaedlif antepartwm damweiniol accidental antepartum haemorrhage

gwaedlif ar yr ymennydd cerebral haemorrhage

gwaedlif atodol incidental haemorrhage

gwaedlif mewnfentriglaidd intraventricular haemorrhage (IVH)

gwaedlif perifentriglaidd periventricular haemorrhage

gwaedlifol haemorrhagic

gwaelod base

gwaethygiad exacerbation

gwagio evacuation

gwagleol interstitial

gwahaniaethol differential

gwain vagina

gwarcheidwad ad litem guardian ad litem

gwarcheidwad Caldicott guardian Caldicott

gwarchodwr plant child minder

gwasanaeth cymorth cartref home help service

Gwasanaeth Iechyd Gwladol National Health Service (NHS)

gwasanaeth iechyd ysgolion school health service

gwasanaethau cymdeithasol social services

gwasgedd tension

gwasgedd diastolaidd diastolic pressure

gwasgedd enchwythu parhaus (CIP) continuous inflating pressure (CIP)

gwasgedd negyddol parhaus (CNP) continuous negative pressure (CNP)

gwasgedd osmotig osmotic pressure

gwasgedd positif diwedd allanadlu (PEEP) positive end-expiratory pressure (PEEP)

gwasgedd positif parhaus llwybrau anadlu (CPAP) continuous positive airways pressure (CPAP)

gwasgedd rhannol partial pressure

gwasgedd pressure

gwddf y groth cervical

gwddf y groth cervix

gwddf y groth yn byrhau taking up of cervix

gweddill vestige

gweddilliol residual

gwefus fylchog hare lip

gwefus hollt cleft lip

gwefusol labial

gwegil nucha

gwegilog / y gwegil nuchal

gwegilol, y gwgil nuchal

gweiniol, trwy'r wain vaginal

gweinydd geni traddodiadol traditional birth attendant

gweithiwr allweddol key worker

gweithiwr arweiniol lead proffesional

gweithiwr cymdeithasol social worker

gwella / cau healing

gwenerol venereal

gweog webbed

gweren caul

gwerth value

gwerthuso evaluation

gwewyr esgor travail

gwir gyfiau true conjugate

gwirod spirit

gwma gumma

gwraig feichiog gravida

gwregys girdle

gwres uchel pyrexia

gwrth- anti-

gwrthadwaith abreaction

gwrthasid antacid

gwrthdocsin antitoxin

gwrthdro inverse

gwrthdroad llym y groth acute inversion of uterus

gwrthdroad y groth inversion of the uterus

gwrthdyniant retraction

gwrthdynnwr retractor

gwrthddiwretig antidiuretic

gwrthfiotig antibiotic

gwrthgeulydd anticoagulant

gwrthgonfylsiwn anticonvulsant

gwrthgyfoglyn antiemetic

gwrthgyrff antibodies

gwrth-histamin antihistamine

gwrthiselydd antidepressant

gwrthorbwysol antihypertensive

gwrthredol retrograde

gwrthsbasmodig antispasmodic

gwrthserwm antiserum

gwrth-thrombin antithrombin

gwrththromboplastin antithromboplastin

gwrthwenwyn antidote

gwrym creuol orbital ridge

gwrywdod virility

gwrywgydiaeth homosexuality

gwrywgydiol homosexual

gwrywgydiwr homosexual

gwyddor trin traed chiropody

gwyddor y newyddanedig neonatology

gwynegon / cryd cymalau rheumatism

gwynnin white matter, white substance
gwynt flatulence
gwyriad safonol standard deviation
gwyrol aberrant
gwyryf virgin
gwythïen vein
gwythïen bortal portal vein
Gwythïen Fawr Galen
  Great Vein of Galen
gwythïen Galen vein of Galen
gwythiennig venule
gyddfol / y gwddf jugular
gynae- gynae-
gynaecoid gynaecoid
gynaecoleg gynaecology
gynaecolegydd gynaecologist
gynandoforffedd gynandromorphism
gynandroid gynandroid
Gynovlar Gynovlar

H

haearn iron
haem haem
haema-, haemo-, haemato-
  haema-, haemo-, haemato-
haemangioma haemangioma
haematemesis haematemesis
haematinig haematinic
haematocel haematocele
haematocolpos haematocolpos
haematocrit haematocrit
haematoleg haematology
haematoma haematoma
haematometra haematometra
haematopoiesis haematopoiesis
haematoporffyrin haematoporphyrin
haematosalpincs haematosalpinx
haematwria haematuria
haemgyfludiad haemagglutination
haemgyfludydd haemagglutinin
haemodialysis haemodialysis

haemoffilia haemophilia
haemoglobin haemoglobin
haemoglobinopathi
  haemoglobinopathy
haemogrynodiad haemoconcentration
haemolysin haemolysin
haemolysis haemolysis
haemolytig haemolytic
Haemophilus Haemophilus
haemopoiesis haemopoiesis
haemoptysis haemoptysis
haemoroidau haemorrhoids
haemostasis haemostasis
haemostatig haemostatic
haemowanediad haemodilution
haen celloedd Langhans
  Langhans' cell layer
haint cynhenid congenital infection
haint gynhenid congenital infection
halen salt
halothan halothane
halwyn salt
halwynog saline
hamamelis hamamelis
hap-brawf siwgr gwaed
  random blood sugar test
hapdreialu gyda rheolydd
  randomized controlled trial
haploid haploid
hashish hashish
hecsacloroffan hexachlorophane
heintiad contagion
heintiad infection
heintiad defnynnau droplet infection
helaethiad yr abdomen
  abdominal enlargement
Heminevrin Heminevrin
hemiplegia hemiplegia
hemisffer hemisphere
heparin heparin
hepatig hepatic
hepatitis hepatitis
hepatomegaleg hepatomegaly

heplatosplenomegaleg
hepatosplenomegaly

hernia hernia

hernia yn y llengig
diaphragmatic hernia

heroin heroin

herpes herpes

heterogenaidd heterogenous

heterorywiol heterosexual

heterosygaidd heterozygous

hewristig heuristic

hibitane hibitane

hidlen filter

hidlif filtrate

hilot hilot

histamin histamine

histogram histogram

histoleg histology

hollysol omnivorous

homeopathi homoeopathy

homeostasis homeostasis

homogenaidd homogenous

homologaidd homologous

homosygaidd homozygous

hormon hormone

hormon adrenocorticotroffig
adrenocorticotrophic hormone (ACTH)

hormon lwteineiddio
luteinizing hormone

hormon melanocyt-ysgogol (MSH)
melanocyte-stimulating hormone (MSH)

hormon twf growth hormone

hormon ysgogi ffoligl (FSH) follicle-
stimulating hormone (FSH)

hunanreolaeth autonomy

hunansylweddoliad self-actualization

hwmerws humerus

hyalin hyaline

hyaluronidas hyaluronidase

hyd length

hyd beichiogrwydd
duration of pregnancy

hyd o'r corun i'r ffolen (CRL)
crown-rump length (CRL)

hydoddiant coloidaidd
colloidal solution

hydoddiant dirlawn saturated solution

hydoddiant Hartmann
Hartmann's solution

hydoddydd solvent

hydoddyn solute

hydraemia hydraemia

hydralasin hydrallazine

hydramnion, hydramnios
hydramnion, hydramnios

hydro- hydro-

hydroceffalws hydrocephalus

hydrocel hydrocele

hydrocortison hydrocortisone

hydrogen hydrogen

hydromeningocel hydromeningocele

hydromyelomeningocel
hydromyelomeningocele

hydroneffrosis hydronephrosis

hydrops fetalis hydrops fetalis

hydrosalpincs hydrosalpinx

hyfyw viable

hygrosgopig hygroscopic

hylendid hygiene

hylif fluid

hylif allgellog extracellular fluid

hylif amniotig amniotic fluid

hylif meinweol tissue fluid

hymen hymen

hyosin (sgopolamin)
hyoscine (scopolamine)

hypercalaemia hyperkalaemia

hypercalsaemia hypercalcaemia

hyperdactylaeth hyperdactyly

hyperfolaemia hypervolaemia

hyperffenylalaninaemia
hyperphenylalaninaemia

hyperglycaemia hyperglycaemia

hypernatraemia hypernatraemia

hyperplasia hyperplasia

hyperprolactinaemia
hyperprolactinaemia

hypertonig hypertonic

hypertroffedd hypertrophy
hypertyaliaeth hyperptyalism
hypnosis hypnosis
hypnotherapi hypnotherapy
hypnotig hypnotic
hypo-, tan-, is- hypo-
hypobitwidedd hypopituitarism
hypocalcaemia hypocalcaemia
hypocapnia hypocapnia
hypocondria hypochondria
hypocondriwm hypochondrium
hypocromig hypochromic
hypocsaemia hypoxaemia
hypocsia hypoxia
hypodactylaeth hypodactyly
hypofolaemia hypovolaemia
hypofolaemig hypovolaemic
hypoffibrinogenaemia
  hypofibrinogenaemia
hypogastriwm hypogastrium
hypoglycaemia hypoglycaemia
hypomagnesaemia hypomagnesaemia
hypomenorhoea hypomenorrhoea
hyponatraemia hyponatraemia
hypoplasia hypoplasia
hypoprothrombinaemia
  hypoprothrombinaemia
hypospadias hypospadias
hypostatig hypostatic
hypotonia hypotonia
hypotonig hypotonic
hypothalmws hypothalamus
hypothermia hypothermia
hysbysadwy notifiable
hysbysiad notification
hysbysu'r geni birth, notification of
hysbysu'r geni notification of birth
hysterectomi hysterectomy
hysterectomi llai cyfan
  subtotal hysterectomy
hysteria hysteria
hystero-oofforectomi
  hystero-oophorectomy

hystero-salpingectomi
  hystero-salpingectomy
hystero-salpingograffeg
  hystero-salpingography
hysterotomi hysterotomy

I

iatrogenig iatrogenic
iau / afu liver
icterus icterus
ichthamol ichthammol
ichthyosis ichthyosis
ideoleg ideology
idiopathig idiopathic
idoxuridine idoxuridine
iechyd health
iechyd y cyhoedd public health
iechyd yr amgylchedd
  environmental health
ildio cyffuriau rheoledig
  surrender of controlled drugs
ilewm ileum
ilews ileus
iliag iliac
iliopectineol iliopectineal
iliwm ilium
imiwn immune
imiwnedd immunity
imiwneiddiad immunization
imiwnoglobwlin immunoglobulin
impetigo impetigo
in vitro in vitro
in vivo in vivo
indomethacin indomethacin
infolytedd involution
inffibwleiddiad infibulation
inffwndibwlwm infundibulum
inienceffali iniencephaly
inswlin insulin
introitus introitus
ïodid iodide
ïodin iodine

ïon ion
ionau hydrogen hydrogen ions
iraid lubricant
iridoleg iridology
iris iris
is- infra-, sub-
isaracnoid subarachnoid
isbwysedd hypotension
isbwysol hypotensive
ischaemia ischaemia
isddadleoliad subluxation
isddiwral subdural
iselder depression
isfwcaidd submucous
isgiaidd ischial
isgiwm ischium
isglafiglaidd subclavian
isgroenol subcutaneous
isinfolytedd subinvolution
isnormal subnormal
isocsipwrin hydroclorid
 isoxsuprine hydrochloride
isoimwneiddiad isoimmunization
isomedrig isometric
isoniasid isoniazid
isotonig isotonic
isotop isotope
ispaghula ispaghula
isthyroidedd hypothyroidism

J

jejwnwm jejunum
jeli jelly
jeli Wharton Wharton's jelly
joule joule (J)

K

Klebsiella Klebsiella
Konakion™ Konakion™
Kwashiorkor Kwashiorkor

L

labelatol hydroclorid
 labetalol hydrochloride
labiwm labium
lacedig laked
lacrimaidd lacrimal
lactalbwmin lactalbumin
lactas lactase
lactealau lacteals
lactifferaidd lactiferous
lactobacilws asidoffilws
 lactobacillus acidophilus
lactofferrin lactoferrin
lactogen lactogen
lactogen y brych placental lactogen
lactogen y brych dynol (HPL)
 human placental lactogen (HPL)
lactoglobwlin lactoglobulin
lactos lactose
lactoswria lactosuria
lactwlos lactulose
lambda lambda
lanolin lanolin
lanwgo lanugo
laparosgop laparoscope
laparosgopi laparoscopy
laparotomi laparotomy
Largactil Largactil
laryncs larynx
laryngosgop laryngoscope
laser laser
Lasix Lasix
LBW LBW (low birth weight)
lecithin lecithin
lefalorffan levallorphan
lefator levator
lefator ani levator ani
lefonorgestrel levonorgestrel
leinin gwddf y groth endocervix
leiomyoma leiomyoma
lesbiad homosexual
lewcaemia leukaemia

353

ewcin leucine
ewcocyt leucocyte
ewcocytosis leucocytosis
ewcomalacia perifentriglaidd periventricular leukomalacia
ewcopenia leucopenia
ewcorea leucorrhoea
libido libido
Librium Librium
lidocain (lignocain) hydraclorid (Xylocaine) lidocaine (lignocaine) hydrochloride (Xylocaine)
ligiad ligation
ligiad y tiwbiau tubal ligation
linea linea
lint lint
lipas lipase
lipid lipid
liquor amnii liquor amnii
Listeria Listeria
lithopaedion lithopaedion
litr litre
lochia lochia
locws locus
lordosis lordosis
lwmen lumen
lwmpectomi lumpectomy
lwpws lupus
lwteal luteal
lwtein lutein
lymff lymph
lymffatigau lymphatics
lymffocytau lymphocytes
lymffoedema lymphoedema
lysin lysin
lysis lysis
lysosym lysozyme
lysu lyse

LL

llabed lobe
llabeden lobule

llaeth milk
llaeth soya soya milk
llaethfam wet-nurse
llaethiad lactation
llaith humid
llawdriniaeth Fothergill Fothergill's operation
llawdriniaeth Gigli Gigli's operation
llawdriniaeth Manceinion Manchester operation
llawdriniaeth Rastelli Rastelli's operation
llawdriniaeth Shirodkar Shirodkar operation
llawesiad intussusception
llawiad manoeuvre
llawiad Lövset Lövset's manoeuvre
llawiad Munro Kerr Munro Kerr's manouvre
llawiad Sellick Sellick's manouvre
llawiad Valsalva Valsalva manouvre
llawn cydymdeimlad sympathetic
llechau rickets
llechwraidd insidious
lled wyneb i lawr semi-prone
lledathraidd semi-permeable
lledwr dilator
lledwyr Hegar Hegar's dilators
lleithder humidity
llencyndod adolescence
llengig diaphragm
llewyg faint
llid inflammation
llid affftha'r fylfa aphthous vulvitis
llid ar y wain vaginitis
llid gwddf y groth cervicitis
llid leinin gwddf y groth endocervicitis
llid rhwbio intertrigo
llid y bledren cystitis
llid y bustl cholecystitis
llid y deintgig gingivitis
llid y fwlfa vulvitis
llid y gornbilen keratitis

llid y pendics appendicitis
llid yr eisbilen pleurisy
llid yr iris iritis
llid yr ymennydd meningitis
llif Gigli Gigli's saw
llifydd fluid
llindag thrush
lliniarydd palliative
llinoryn pustule
llinyn cord
llinyn bogail umbilical cord
llipa flaccid
llithriad prolapse
llosgach incest
llurguniad organau rhywiol merched
 female genital mutilation
llwybr anadlu airway
llwybr geni birth canal
llwydni mould
llwyr waedu exsanguinate
llwyrgarthydd purgative
llym acute
llysieuaeth feddygol medical herbalism
llysieuol vegetarian
llysieuwr vegetarian

M

mabwysiadu adoption
macro- macro-
macrocyt macrocyte
macroffag macrophage
macrosgopig macroscopic
madredd gangrene
madredd nwy gas gangrene
maethiad nutrition
mafonwst yaws
magnesiwm magnesium
magwrfeydd fomites
maidd whey
malacia malacia
malaen malignant

malaise malaise
malar malar
malaria malaria
maltas maltase
maltos maltose
mam ddigynhaliaeth
 nsupported mother
mama mamma
mamila mammilla
mamograffi mammography
mamolaeth maternity
mamolyn mammal
man geni birth mark
mandibl mandible
mandwll pore
mania mania
manitol mannitol
manomedr manometer
marasmws marasmus
Marcain Marcain
mariwana marijuana, marihuana
marwgig infarct
marwolaeth death
marwolaeth mortality
marwolaeth yn y crud cot death
marwolaeth yr ymennydd brain death
màs y celloedd mewnol inner cell mass
mastgelloedd mast cells
mastitis mastitis
MAT B1 MAT B1
materia medica materia medica
matrics matrix
Mauriceau Mauriceau
Maxolon Maxolon
meatws meatus
mecanwaith alffa-adrenergig
 alpha-adrenergic mechanism
**mecanwaith llif llaeth, adwaith
allfwriad llaeth**
 milk flow mechanism,
 milk ejection reflex
mecanwaith yr esgor
 mechanism of labour

meconiwm meconium

mediastinwm mediastinum

medwla medulla

meddyg teulu obstetregol (GPO)
general practitioner obstetrician (GPO)

meddygaeth medicine

meddygaeth amgen
alternative medicine

meddygaeth integredig
integrated medicine

meddyginiaeth medicine

meddyginiaeth lysieuol
herbal medicine

meddyginiaethau Blodau Bach
Bach Flower remedies

meddyliol mental

mega (M) mega (M)

megalo- megalo-

megaloblastiau megaloblasts

meingefnol lumbar

meinwe tissue

meinwe adipos adipose tissue

meinwe cyswllt connective tissue

meinwe epithelaidd epithelial tissue

meinwe Gamgee gamgee tissue

meinwe troffoblastig
trophoblastic tissue

meiosis meiosis

meithrin culture

meithrin incubate

meithrinfa crèche

meithrinfa ddydd day nursery

meithriniad culture

melaena melaena

melanin melanin

menarche menarche

meningocel meningocele

meningoenceffalocel
meningoencephalocele

meningomyelocel meningomyelocele

meniscocyt meniscocyte

menoragia menorrhagia

menses menses

Menter Gyfeillgar i Fabanod

Baby Friendly Initiative (BFI)

Menter Mamolaeth Ddiogel
Safe Motherhood Initiative

mentoflaen mentoanterior

mento-ôl cyndyn
persistent mentoposterior

mentwm mentum

meptazinol meptazinol

Meptid Meptid

mêr bone marrow

mêr marrow

mercwri mercury

meridian meridian

mesenteri mesentery

mesoderm mesoderm

mesofariwm mesovarium

mesosalpincs mesosalpinx

mesur cylch y pen head circumference

mesurydd Geiger Geiger counter

metabolaeth metabolism

meta-ddadansoddiad meta-analysis

metastasis metastasis

metatarswm metatarsum

metoclopramide metoclopramide

metr metre (m)

metra metra

metra-, metro- metra-, metro-

metronidazole (Flagyl)
metronidazole (Flagyl)

metropathia haemorrhagica
metropathia haemorrhagica

metroragia metrorrhagia

metrostacsis metrostaxis

methadon hydroclorid
methadone hydrochloride

methiant llym yr arennau
acute renal failure

methotrexate methotrexate

methyldopa methyldopa

mewn- intra-

mewn coma comatose

mewnanadliad inhalation

mewnanadliad inspiration

mewnbartwm intrapartum

mewnberitoneol intraperitoneal

mewnblaniad implantation

mewnblannu implant

mewndarddol endogenous

mewndiwbiad intubation

mewndreiddiad infiltration

mewnfa (y pelfis) inlet (pelvic)

mewnfasgwlaidd intravascular

mewngastrig intragastric

mewngellol intracellular

mewngreuanol intracranial

mewngroth intrauterine

mewngyhyrol intramuscular

mewniad insertion

mewnwythienol intravenous

miconazole miconazole

micro- micro-

microb microbe

microceffali microcephaly

microcytig microcytic

microffag microphage

micrognathia micrognathia

Microgynon 30 Microgynon 30

Micronor Micronor

micro-organeb micro-organism

mili- milli-

miliaria miliaria

Milton Milton

Minilyn Minilyn

Minovlar, Minovlar D
Minovlar, Minovlar D

mislif menstruation

mislif cudd cryptomenorrhea

mislif diwethaf
last menstrual period (LMP)

mislifol menstrual

mitosis mitosis

mitral mitral

mitritis metritis

mittelschmerz mittelschmerz

mocsilosgiad moxibustion

moddion medicine

moeseg ethics

Mogadon Mogadon

môl mole

môl carneaidd carneous mole

môl cnawdol fleshy mole

môl hydatidiffurf hydatidiform mole

môl tiwb Fallopio tubal mole

moleciwl molecule

mongoliaeth mongolism

monilia monilia

moniliasis moniliasis

Monitor Monitor

monitrau nwy gwaed isgroenol
transcutaneous blood gas monitors

monoamin monoamine

monoclonol monoclonal

monosacarid monosaccharide

monosygotig monozygotic

mons veneris mons veneris

morffin sylffad morphine sulphate

morwla morula

mosaigaeth mosaicism

mowldio moulding

Mudiad Iechyd y Byd
World Health Organization (WHO)

multigravida multigravida

multipara multipara

mur yr abdomen abdominal wall

murmur murmur

murmur diastolaidd diastolic murmur

mwcaidd mucous

mwcogludiogosis mucoviscidosis

mwcograwnllyd mucopurulent

mwcoid mucoid

mwcopolisacaroidosis
mucopolysaccharoidosis

mwcosa mucosa

mwcws mucus

mwnwgl isthmus

mwtaniad mutation

mwyn mineral

myasthenia myasthenia

mycobacteriwm mycobacterium

mycsoedema myxoedema
mynegai lliw colour index
mynegai màs y corff
body mass index (BMI)
mynegai risg clinigol ar gyfer babanod
clinical risk index for babies
mynychder prevalence
myocardiwm myocardium
myoma myoma
myomectomi myomectomy
myometriwm myometrium

N

naevus naevus
nalorffin nalorphine
naloxone (Narcan) naloxone (Narcan)
nam cynhenid ar y galon
congenital heart defect
nam parwydol fentriglaidd
ventricular septal defect
nam y tiwb niwral neural tube defect
nano- nano-
Narcan Narcan
narco- narco-
narcosis narcosis
narcotig narcotic
Naseptin™ Naseptin™
nasoffaryncs nasopharynx
naturopatheg naturopathy
necator necator
necro- necro-
necrobiosis necrobiosis
necropsi necropsy
necrosis necrosis
necrosis cortigol cortical necrosis
necrosis cortigol cymesur
symmetrical cortical necrosis
necrosis tiwbaidd (llym)
tubular necrosis (acute)
neffrectomi nephrectomy
neffritis nephritis
neffron nephron

neffropathi nephropathy
neffrosis nephrosis
neilon nylon
Neisseria gonorrhoeae
Neisseria gonorrhoeae
nem nem
neo-, newydd- neo-
neomycin neomycin
neoplasia mewnepithelaidd cerfigol
cervical intraepithelial neoplasia
neoplasm neoplasm
nerf nerve
nerfau echddygol motor nerves
nerfogaeth innervation
nerfol nervous
nerfus nervous
newid cemegol chemical change
newidyn variable
newroblast neuroblast
newroblastoma neuroblastoma
newydd-anedig neonatal
newydd-anedig neonate
newyn aer air hunger
niacin niacin
nicotin nicotine
nifer yr achosion incidence
nitrat arian silver nitrate
nitrazepam nitrazepam
nitroffwrantoin nitrofurantoin
nitrogen nitrogen
niwmonia pneumonia
niwmonitis pneumonitis
niwmothoracs pneumothorax
niwritis neuritis
niwrogyhyrol neuromuscular
niwrohormonaidd neurohormonal
niwron neuron, neurone
niwrosis neurosis
niwtral neutral
niwtron neutron
nod node
nod mafon raspberry mark
nod mefus strawberry mark

nod sinoatriaidd sinoatrial node
nodi hanes history taking
nodwedd trait
nodwydd Tuohy Tuohy needle
noradrenalin noradrenaline
norethisteron norethisterone
Noriday Noriday
Norinyl Norinyl
normoblastau normoblasts
normobwysol normotensive
nwlipara nullipara
nwy gas
'nwy chwerthin' 'laughing gas'
nychdod cyhyrol muscular dystrophy
nychdod cyhyrol Duchenne
  Duchenne's muscular dystrophy
nyrs nurse
nyrs glinigol arbenigol
  clinical nurse specialist
nyrsio nurse
nyrsio rhwystrol barrier nursing
nystagmws nystagmus
Nystan Nystan
nystatin nystatin
nythiad nidation

O

oblongata oblongata
obstetreg obstetrics
obstetregydd obstetrician
obstetrig obstetric
obtwrator obturator
ocsid nitrus nitrous oxide
ocsidas oxidase
ocsidiad oxidation
ocsigen oxygen
ocsihaemoglobin oxyhaemoglobin
ocsipitoblaen occipitoanterior
ocsipitol occipital
ocsipito-ochrol occipitolateral
ocsipito-ôl occipitoposterior

ocsipito-ôl cyndyn persistent
  occipitoposterior
ocsipwt occiput
ocsitetraseiclin oxytetracycline
ocsitosig oxytocic
ocsprenolol oxprenolol
ocsytosin oxytocin
ocwlar ocular
ochrol lateral
oedema oedema
oedi yn yr esgor delay in labour
oerni frigidity
oesoffagaidd oesophageal
oesoffagws oesophagus
oestradiol oestradiol
oestriol oestriol
oestrogen oestrogen
oestrogenig oestrogenic
oestron oestrone
ofa ova
ofaraidd ovarian
ofari ovary
ofariotomi ovariotomy
ofifferaidd oviferous
ofwliad ovulation
ofwm ovum
offer instruments
offthalmig ophthalmic
offthalmosgop ophthalmoscope
ôl posterior
ôl- post-
ôl-amseredd postmaturity
ôl-blygiant retroflexion
ôl-boenau afterpains
olddwr hindwaters
ôl-enedigol postpartum
olew lafant lavender oil
olewau hanfodol essential oils
olew'r goeden de tea tree oil
ôl-frychol retroplacental
oligaemia oligaemia
oligohydramnios oligohydramnios
oligomenorhoea oligomenorrhoea

oligosbermia oligospermia

oligwria oliguria

ôl-lentol retrolental

ôl-syllu retrospection

ombwdsmon ombudsman

omentwm omentum

omffalocel omphalocele

omffalws omphalus

Omnopon Omnopon

onco- onco-

oncoleg oncology

onych(o)- onych(o)-

onychia onychia

oöblast oöblast

oöcyt oöcyte

oöffor(o)- oöphor(o)-

oöfforectomi oöphorectomy

oöfforitis oöphoritis

opercwlwm operculum

opiad opiate

opiwm opium

oportiwnistaidd opportunistic

opsonin opsonin

optig optic

ophthalmia neonatorum
ophthalmia neonatorum

-oraffi -orrhaphy

orchi(d)(o)- orchi(d)(o)-

orchidopecsi orchidopexy

orchitis orchitis

organ organ

organau atgenhedlu, benywol
reproductive organs, female

organau cenhedlu genitalia

organeb organism

organig organic

organogenesis organogenesis

orgasm orgasm

oroffaryncs oropharynx

orthostatig orthostatic

os os

os allanol external os

os mewnol internal os

osgo attitude

osgo milwrol military attitude

osmolaledd osmolality

osmosis osmosis

osteoblastau osteoblasts

osteogenesis osteogenesis

osteomalacia osteomalacia

osteomyelitis osteomyelitis

osteopathi osteopathy

otitis otitis

-otomi -otomy

Ovulen Ovulen

owns ounce (oz.)

P

pac pack

$PaCO_2$ $PaCO_2$

padell pen-glin patella

paediatreg paediatrics

paediatregydd paediatrician

paedoffilia paedophilia

palidwm Treponema Treponema
pallidum

Panadol Panadol

pancreas pancreas

pancwroniwm pancuronium

pandemig pandemic

pangfa paroxysm

panhysterectomi panhysterectomy

pant depression

pant fossa

PaO_2 PaO_2

papaveretum (Omnopon)
papaveretum (Omnopon)

papila papilla

papiloma papilloma

papur litmws litmus paper

papuraidd papyraceous

papwla papule

para para

paracentesis paracentesis

paracetamol paracetamol
parafeddygol, parafeddyg paramedical, paramedic
paraidd parous
paraldehyd paraldehyde
paralytig paralytic
paramedrig parametric
parametritis parametritis
parametriwm parametrium
paranoia paranoia
paranoid paranoid
paraplegia paraplegia
parasit parasite
paratyffoid paratyphoid
paredd parity
parenterol parenteral
paresis paresis
parhad gofal continuity of care
Parlodel Parlodel
parlys palsy
parlys paralysis
parlys Bell Bell's palsy
parlys Erb Erb's paralysis
parlys Klumpke Klumpke's paralysis
parlys plant infantile paralysis
parlys yr wyneb facial paralysis
parlys yr ymennydd cerebral palsy
paronychia paronychia
parotid parotid
partogram partogram
partwridiad parturition
parwydol parietal
pas, y pas whooping cough
pascal (Pa) pascal (Pa)
pasteureiddiad pasteurization
patho- patho-
pathogen pathogen
pathogenaidd pathogenic
patholeg pathology
pathologol pathological
patwlaidd patulous
pectineol pectineal
pectoral pectoral

pedicl pedicle
pedicwlosis pediculosis
pedicwlws pediculus
pedrant quadrant
pedrybledau quadruplets
pedwarawd tetralogy
pedwarawd Fallot Fallot's tetralogy
pedwncl peduncle
pegwn pole
peidio gwneud drwg non-malefince
peiriant anadlu ventilator
peiriant anaesthetig Boyle Boyle's anasthetic machine
peiriant Astrup Astrup machine
pelagra pellagra
pelfifesurydd pelvimeter
pelfig, y pelfis pelvic
pelfimesuredd pelvimetry
pelfis pelvis
pelfis cwta contracted pelvis
pelfis cymhathiad assimilation pelvis
pelfis fflat flat pelvis
pelfis ffug false pelvis
pelfis justominor justominor pelvis
pelfis llechog rachitic pelvis
pelfis Naegele Naegele's pelvis
pelfis twndis funnel pelvis
pelydr X X-rays
pelydrau Röntgen Röntgen rays
pemffigws pemphigus
pen yn dod olaf aftercoming head
Penbritin Penbritin
pendics fermiffurf appendix vermiformis
pendro vertigo
penglog skull
penglog y ffetws fetal skull
penisilin penicillin
penisilin bensyl procain procaine benzyl penicillin
penisilinas penicillinase
pennu rhyw sex
penrhyn promontory

pentasocin hydroclorid pentazocine hydrochloride

pepsin pepsin

peptid peptide

per per

perfedd bowel

Perffenasin Perphenazine

peri- peri-

pericardiwm pericardium

pericraniwm pericranium

perimetriwm perimetrium

perineol perineal

perineoraffi perineorrhaphy

perinewm perineum

periostewm periosteum

peristalsis peristalsis

peritonewm peritoneum

peritonitis peritonitis

perlau Epstein Epstein's pearls

perocsid peroxide

personoliaeth personality

pertwsis pertussis

perthynas rhiant-baban
parent-infant relationship

pesari pessary

pesari Hodge Hodge pessary

petechiae petechiae

'peth ar ben' anaesthesia epidiwral
'topping up' epidural anasthesia

pethidine hydrochloride
pethidine hydrochloride

petit mal petit mal

pH pH

Phenergan Phenergan

pia mater pia mater

pica pica

pidyn penis

pigau mân paraesthesia

pigiad injection

pigment pigment

pigyn asgwrn spine

pilen membrane

pilenni'r ymennydd meninges

pilsen atal cenhedlu ôl-gyfathrachol
postcoital contraceptive

**pilsen atal cenhedlu progesteron yn
unig** progesterone-only contraceptive

pineol pineal

pinna pinna

Piriton Piriton

Pitressin Pitressin

piwbes pubes

piwbig pubic

piwbiotomi pubiotomy

piwbis pubis

piwbococygeaidd pubococcygeus

piwbofesigol pubovesical

pla infestation

placebo placebo

plagioceffali plagiocephaly

plant maeth foster children

plasma plasma

plasmaffferesis plasmapheresis

plasmin plasmin

Plastibell Plastibell

plât embryonig embryonic plate

platennau platelets

platypeloid platypelloid

plecswss plexus

plecswss coroid choroid plexus

plecswss Frankenhauser
Frankenhauser's plexus

plecswss Lee Frankenhauer
Lee Frankenhauser plexus

pledren bladder

plethora plethora

plethorig plethoric

plygiant flexion

PO_2 PO_2

poen pain

poen cefn yn ystod beichiogrwydd
backache in pregnancy

poen gyfeiriedig referred pain

poenleddfwr analgesic

poer saliva

polaredd polarity
poliomyelitis poliomyelitis
polisi policy
poly- poly-
polycythaemia polycythaemia
polydatcyli polydactyly
polygodennog polycystic
polygraff polygraph
polyhydramnios polyhydramnios
polymorffognewyllol polymorphonuclear
polynewritis polyneuritis
polypws polypus
polysacharid polysaccharide
polywria polyuria
pons pons
portffolio portfolio
porth gwddf y groth ectocervix
post mortem post mortem
potasiwm potassium
potensial potential
pothell / swigen blister, bulla
pothellog vesicular
practis grŵp group practice
prandiol prandial
prawf test
prawf Barlow Barlow's test
prawf Bart Bart's test
prawf beichiogrwydd imiwnolegol immunological pregnancy test
prawf clyw hearing test
prawf Coombs Coombs' test
prawf chi-sgwâr chi-squared test
prawf dadnatureiddiad denaturation test
prawf Fern Fern test
prawf Friedman Friedman test
prawf goddefedd glwcos (GTT) glucose tolerance test (GTT)
prawf Guthrie Guthrie test
prawf gwrthgyrff treponemal fflwroleuol fluorescent treponemal antibody test

prawf Heaf Heaf test
prawf Hogben Hogben test
prawf Kahn Kahn test
prawf Kleihauer Kleihauer test
prawf Leeds Leeds test
prawf Ortolani Ortolani's test
prawf Papanicolaou (taeniad) Papanicolaou test (smear)
prawf Paul-Bunnell Paul-Bunnell test
prawf Rothera Rothera's test
prawf Rubin Rubin test
prawf Schilling Schilling test
prawf Scriver Scriver test
prawf Singer Singer's test
prawf taeniad o'r bochau buccal smear
prawf triphlyg triple test
prednison, prednisolon prednisone, prednisolone
Pregaday Pregaday
pregnanediol pregnanediol
presgripsiwn prescription
prif ewynnau cardinal ligaments
prif system nerfol central nervous system
primigravida primigravida
primipara primipara
primiparaidd primiparous
priodas wedlock
procain procaine
prochlorperazine prochlorperazine
procidentia procidentia
procsimol proximal
proctalgia proctalgia
proctitis proctitis
proctosgop proctoscope
profedigaeth bereavement
profi gwaed y ffetws fetal blood sampling
profion beichiogrwydd pregnancy tests
profion beichiogrwydd biolegol biological pregnancy tests
proffesiwn profession
proffibrinolysin profibrinolysin

proffil profile
proffil bioffisegol biophysical profile
proffil proffesiynol professional profile
proffylacsis prophylaxis
proffylactig prophylactic
progesteron progesterone
progestogen progestogen
prognosis prognosis
prolactin prolactin
promazine (Sparine) hydrochloride promazine (Sparine) hydrochloride
promethazine hydrochloride (Phenergan) promethazine hydrochloride (Phenergan)
pronadiad pronation
propranolol propranolol
propylthiouracil propylthiouracil
proses process
proses nyrsio nursing process
prostad prostate
prostaglandinau prostaglandins
prostaseiclin prostacyclin
prosthesis prosthesis
Prostin E Prostin E
protamin sylffad protamine sulphate
proteas protease
protein protein
proteinwria proteinuria
protews proteus
protocol protocol
proton proton
protoplasm protoplasm
prothrombin prothrombin
prothrombinas prothrombinase
prwritws pruritus
prynwr purchaser
Pseudomonas Pseudomonas
psoas psoas
ptosis ptosis
ptyaliaeth ptyalism
ptyalin ptyalin
pumledi quintuplets

purpura haemorrhagica purpura haemorrhagica
pwdenaidd pudendal
pwdenda pudenda
pwerperaidd puerperal
pwerperiwm puerperium
pwls pulse
pwmp bron breast pump
pwrin purine
Pwyllgor Cyswllt Gwasanaethau Mamolaeth Maternity Services Liason Committee
Pwyllgor Diogelwch Meddyginiaethau (CSM) Committee on Safety of Medicines (CSM)
pwysau geni birth weight
pwysau gwaed blood pressure
pwysau gwythiennol canolog (CVP) central venous pressure (CVP)
pwysedd pressure
pwysydd pressor
pwyth suture
pyaemia pyaemia
pydredd caries
pydredd danned dental caries
pyelitis pyelitis
pyelograffeg pyelography
pyeloneffritis pyelonephritis
pyeloneffrosis pyelonephrosis
pylorws pylorus
pyo- pyo-
pyogenig pyogenic
pyometra pyometra
pyosalpincs pyosalpinx
pyridocsin pyridoxine
pyrogen pyrogen
pywria pyuria

R

rachi(o)- rachi(o)-
radical radical
radioddidraidd radio-opaque
radiograff radiograph
radiograffeg radiography
radiograffydd radiographer
radioimiwnobrofi
  radioimmunoassay (RIA)
radioisotop radioisotope
radiolelemetreg radiotelemetry
radiotherapi radiotherapy
radiwm radium
raff raphe
ramws ramus
ranidin ranidine
rasemog racemose
rectocel rectocele
rectwm rectum
relacsin relaxin
renin renin
rennin rennin
resbiradaeth respiration
resbiradu artiffisial artificial respiration
Rescue Remedy Rescue Remedy
retina retina
retinopathi retinopathy
retrofirws retrovirus
ribofflafin riboflavin
ribosom ribosome
rigor rigor
ritodrin hydroclorid
  ritodrine hydrochloride
Rogitine Rogitine
rotafirws rotavirus
rugae rugae
rwbela rubella
Rx Rx
rymblan borborygmous

Rh

rhagargoel premonition
rhagarwyddol prodromal
rhagbrofi'r graith trial of scar
rhagdueddiad predisposition
rhagdybiaeth hypothesis
rhagflaenydd precursor
rhagfoddion premedication
rhag-gnewyllyn pronucleus
rhagsylweddyn precursor
rhan sy'n cyflwyno presenting part
rhedlif discharge
rhefrfesigol rectovesical
rhefrol anal
rhefrol rectal
rhefrweiniol rectovaginal
rheiddiol radial
rheol Naegele Naegele's rule
Rheolau Bydwragedd
  Rules for Midwives
rheoli cenhedlu birth control
rheoli risg risk management
rheoli risg clinigol
  clinical risk management
rheoli risg glinigol
  clinical risk management
rheoli'r esgor yn weithredol
  active management of labour
rhieni maeth foster parents
rhinitis rhinitis
rhith phantom
rhithbilenni adnexa
rhithweledigaeth hallucination
rhoddwr donor
rhoddwr cyffredinol universal donor
rhoi grym empowerment
rhomboid Michaelis
  rhomboid of Michaelis
rhwydennog reticular
rhwygiad laceration, rupture
rhwygiadau perineol ail radd
  second degree perineal lacerations

rhwygiadau perineol gradd gyntaf first degree perineal lacerations

rhwygiadau perineol trydedd radd third degree perineal laceration

rhwygo pilenni yn artiffisial artificial rupture of membranes (ARM)

rhwyllen gauze

rhwymedd constipation

rhwymyn tynhau tourniquet

rhydweli artery

rhydweliau hypogastrig hypogastric arteries

rhydwelïen arteriole

rhyng- inter-

rhyngasennol intercostal

rhyngbigynnol interspinous

rhyngfilaidd intervillous

rhyng-gellol intercellular

rhyngrywiolyn intersex

rhyngweithiad interaction

rhythm rhythm

rhyw sex

rhyw person gender

S

S S

sac sac

sacarid saccharide

sach o bilenni bag of membranes

sacro- sacro-

sacrococygeaidd sacrococcygeal

sacrocotyloid sacrocotyloid

sacroiliag sacroiliac

sacrol, y sacrwm sacral

sacrwm sacrum

saethol sagittal

saffenaidd saphenous

safle position

safle station

safle genwbectoraidd genupectoral position

safle lithotomi lithotomy position

safle Sims Sims' position

safle Trendelenburg Trendelenburg position

safle'r ffetws position of the fetus

Saf-T-Coil Saf-T-Coil

salbutamol salbutamol

salicylad salicylate

Salmonela Salmonella

salpincs salpinx

salpingectomi salpingectomy

salpingitis salpingitis

salpingograffeg salpingography

salpingogram salpingogram

salpingo-oofforectomi salpingo-oophorectomy

salpingotomi salpingotomy

salwch bore morning sickness

sampl sample

samplo cordocentesis percwtanews y gwaed wmbilig (PUBS) cordocentesis percutaneous umbilical blood sampling (PUBS)

sarcoma sarcoma

sarcoma Kaposi Kaposi's sarcoma

sbasm spasm

sbasm carpopedal carpopedal spasm

sbastig spastic

sbecwlwm speculum

sbecwlwm Sims Sims' speculum

sberm sperm

sbermatig spermatic

sbermatogenesis spermatogenesis

sbermatosa spermatozoa

sbermleiddiad spermicide

sbigot spigot

sbinbarceit spinnbarkeit

sbinol spinal

sbirograff spirograph

sbiromedr spirometer

sblenomegali splenomegaly

sblint splint

sblint Denis Browne Denis Browne splint

sbondylolisthesis spondylolisthesis

sbondylosis spondylosis

sbôr spore

sebwm sebum

secretiad secretion

secretin secretin

secwela sequela

Sefydliad ar gyfer Astudio Marwolaeth Babanod (SID)
Foundation for the Study of Infant Death (SID)

Sefydliad Cenedlaethol dros Ragoriaeth Glinigol
National Institute for Clinical Excellence (Nice)

sefydlogiad cyflenwad protein Reiter
Reiter's protein complement fixation (RPFC)

segment segment

segment isaf y groth
lower uterine segment

segmentiad segmentation

seice psyche

seiciatreg psychiatry

seiciatrydd psychiatrist

seiclopropan cyclopropane

seicoechddygol psychomotor

seicoleg psychology

seicolegydd psychologist

seicopath psychopath

seicoproffylacsis psychoprophylaxis

seicorywiol psychosexual

seicosis psychosis

seicosis iselder manig
manic-depressive psychosis

seicosomatig psychosomatic

seicotherapi psychotherapy

seithbled septulet

sel -cele

semen semen

semenu artiffisial
artificial insemination

senna senna

sensiteiddio sensitization

sensitif sensitive

sepsis sepsis

septicaemia septicaemia

septig septic

septwm septum

seratonin seratonin

seriwr cautery

sero zero

seroleg serology

serwm serum

sffenoid sphenoid

sfferocyt spherocyte

sfferocytosis spherocytosis

sffincter sphincter

sffingomyelin sphingomyelin

sffygmomanomedr sphygmomanometer

sgan scan

sgan-B B-scan

sgan-A A-scan

sganio'r ymennydd brain scanning

sganiwr scanner

sganiwr amser real real-time scanner

sgapwla scapula

sgiatica sciatica

sgiatig sciatic

sgitsoffrenia schizophrenia

sglera sclera

sglerema sclerema

sglerosis sclerosis

sgoliosis scoliosis

sgopolamin scopolamine

sgôr Apgar Apgar score

sgôr Bishop Bishop's score

sgôr Dubowitz Dubowitz score

sgôr Silverman-Anderson
Silverman-Anderson score

sgrinio screening

sgrotwm scrotum

shiatsu shiatsu

'show' 'show'

siancr caled hard chancre

siancr meddal soft chancre

siart ciciau kick chart

siart cylch pie chart

Siarter y Claf Patients' Charter

sicrwydd ansawdd quality assurance

siffilis syphilis

siffisternwm xiphisternum

sinc zinc

sincipwt sinciput

sinws sinus

sinws hydredol is
  inferior longitudinal sinus

sinws syth straight sinus

sinysau ardraws transverse sinuses

sioc shock

sioc bacteraemig bacteraemic shock

sioc endotocsig endotoxic shock

siwgr sugar

siwgr gwaed blood sugar

siynt shunt

smotiau Brushfield Brushfield's spots

smotiau Koplik Koplik's spots

smotyn glas mongolaidd
  mongolian blue spot

smygu mewn beichiogrwydd
  smoking in pregnancy

snwffiadau snuffles

sodiwm sodium

sodiwm ffosffad betamethason
  betamethasone sodium phosphate

sodiwm methohecsiton
  methohexitone sodium

solar plecsws solar plexus

somatig somatic

somatom somatome

somatotroffin somatotrophin

somit somite

sonar sonar

sonograffeg sonography

sonogram sonogram

soporiffig soporific

sordes sordes

souffle souffle

Spencer Wells Spencer Wells

spina bifida spina bifida

Spirochaeta Spirochaeta

staen Gram Gram stain

staen gwin port port-wine stain

Staffylococws Staphylococcus

**Staphylococcus aureusymwrthol i
  fethisilin**
  methicillin-resistant Staphylococcus
  aureus (MRSA)

stasis stasis

stat stat

statws status

Stemetil Stemetil

stenosis stenosis

stenosis pylorig pyloric stenosis

stercobilin stercobilin

sternwm sternum

steroidau steroids

stethosgop stethoscope

stethosgop Pinard Pinard's stethoscope

stilboestrol stilboestrol

stilette stilette

stôl eni birth stool

stomatitis stomatitis

strabismws strabismus

straen stress

streptocinas streptokinase

Streptococcus Streptococcus

striae abdomenol abdominal striae

striae gravidarum striae gravidarum

stumog stomach

succenturiate succenturiate

sugndynydd vacuum extractor

sugniad aspiration

sugniad gwactod vacuum aspiration

sugnydd aspirator

swlcws sulcus

swyddog addysg iechyd
  health education officer

swyddog iechyd yr amgylchedd
  environmental health officer

swyddogaeth role

sydyn precipitate

sygot zygote

sylfaenol / cychwynnol primary

sylffonamides sulphonamides

sylwedd APL APL principle

symffysiotomi symphysiotomy

symffysis symphysis

symptom symptom

symudiad Brandt-Andrews
Brandt-Andrews manouvre

symudiadau (y ffetws)
movements (fetal)

syn-, cyd- syn-

synaps synapse

syncliticiaeth synclitism

syncop syncope

syncytiwm, syncytiotroffoblast
syncytium, syncytiotrophoblast

syndrom syndrome

syndrom Apert Apert's syndrome

syndrom baban wedi'i ysgwyd
shaken baby syndrome

syndrom cri du chat
cri du chat syndrome

syndrom Cushing Cushing's syndrome

syndrom diffyg imiwnedd caffaeledig
acquired immune deficiency syndrome
(AIDS)

syndrom Down Down's syndrome

syndrom Edward Edward's syndrome

syndrom Eisenmerger
Eisenmerger's syndrome

syndrom HELLP HELLP syndrome

syndrom Klinefelter Klinefelter's
syndrome

syndrom llwyd grey syndrome

syndrom Marfan Marfan's syndrome

syndrom marwolaeth sydyn babanod
sudden infant death syndrome (SIDS)

syndrom Mendelson
Mendelson's syndrome

syndrom neffrotig nephrotic syndrome

syndrom Patau Patau's syndrome

syndrom Pierre-Robin
Pierre-Robin syndrome

syndrom Potter Potter's syndrome

syndrom Sheehan Sheehan's syndrome

syndrom Stein-Leventhal
Stein-Leventhal syndrome

syndrom Taussig-Bing
Taussig-Bing syndrome

syndrom trallod resbiradol
respiratory distress syndrome (RDS)

syndrom Turner Turner's syndrome

syndrom twnnel carpal
carpal tunnel syndrome

syndrom Wilson-Mickity
Wilson-Mickity syndrome

syndrom XYY XYY syndrome

synhwyraidd sensory

syniadaeth conception

synnwyr sense

Syntocinon Syntocinon

Syntometrine Syntometrine

synthesis synthesis

synthetig synthetic

syrffactydd surfactant

syringocel syringocele

syringomyelocel syringomyelocele

syrthni inertia

system atgenhedlu wrywol
male reproductive system

system nerfol baraymatebol
parasympathetic nervous system

system nerfol ymatebol
sympathetic nervous system

system reticwloendothelaidd
reticuloendothelial system

Système International d'Unités (unedau SI) Système International d'Unités (SI units)

systemig systemic

systole systole

systolig systolic

T

t.d.s. t.d.s. (*ter die sumendus*)

TAB TAB

tabŵ taboo

tachycardia tachycardia

tachypnoea tachypnoea

tacsonomeg taxonomy

tadolaeth paternity

taeniad smear

taflod palate

taflod feddal soft palate

taflod hollt cleft palate

tafodol glossal

tai chi tai chi

talipes talipes

talipomanws talipomanus

talws talus

tamoxifen tamoxifen

tampon tampon

tanffrwythlondeb subfertility

tangroenol hypodermic

tap diwral dural tap

tapotio tapotement

tarfiadau gweledol visual disturbances

tarian gwres heat shield

tarsws tarsus

tawddgyffur suppository

tawelydd sedative

tawelyddion tranquillizers

tawrin taurine

te dail mafon raspberry leaf tea

tebygolrwydd (P) probability (P)

Techneg Alexander
   Alexander Technique

techneg Burns-Marshall
   Burns-Marshall technique

teimlad sense

teipio typing

teithio pan yn feichiog travel in
   pregnancy

telemedru telemeter

telemetreg telemetry

temazepam temazepam

tendon tendon

tentorium cerebelli tentorium cerebelli

teras teras

teratogen teratogen

teratoma teratoma

terfyn y mislif menopause

terfynu'r beichiogrwydd
   termination of pregnancy

testosteron testosterone

tetanedd tetany

tetanig tetanic

tetanws tetanus

teth nipple, teat

teth friw cracked nipple

tetradactli tetradactly

tetrasyclin tetracycline

teulu family

teulu cnewyllol nuclear family

teuluol familial

tîm gofal iechyd sylfaenol
   primary health care team

tintur cloral chloral elixir

titr titre

tiwb draenio drainage tube

tiwb eustachio eustachian tube

tiwb Ryle Ryle's tube

tiwb trwyn i'r stumog nasogastric tube

tiwbercwlosis tuberculosis

tiwberosedd tuberosity

tiwbiau Fallopio fallopian tubes

tiwbyn tubule

tiwnica tunica

toco- toco-, toko-

tocograff tocograph

tocsaemia toxaemia

tocsig toxic

tocsin toxin

tocsoid toxoid

tocsoplasma toxoplasma

tocsoplasmosis toxoplasmosis

tolchen clot

tolcheniad coagulation

tolcheniad mewnfasgwlaidd gwasgaredig (DIC) disseminated intravascular coagulation (DIC)

tomograffeg tomography

tomograffeg echelinol gyfrifedig computed axial tomography (CAT)

tomograffeg gyfrifedig computed tomography (CT)

tôn tone

tonws tonus

torasgwrn fracture

toriad Cesaraidd caesarean section

torri dannedd teething

torri pen decapitation

torticolis torticollis

tracea tracea

traceostomi tracheostomy

traed sodlog rockerbottomfeet

traffrwythloniad superfecundation

trais rhywiol rape

trallod y ffetws fetal distress

trallwysiad transfusion

trallwysiad cyfnewid exchange transfusion

trallwysiad gefell i efell twin to twin transfusion

trallwyso gwaed blood transfusion

transfferas transferase

transfferin transferrin

tras pedigree

trawiad percussion

trawiad seizure

trawma trauma

trawmatig traumatic

trawschwys transudate

trawsddodiad transposition

trawsddygiadur transducer

trawsfrychol transplacental

trawsfudiad transmigration

trawsleoliad translocation

trawsoleuad transillumination

trawsweiniol transvaginal

trawswisgwr transvestite

trefn lywodraethol glinigol clinical governance

treial gyda rheolydd controlled trial

treuliad digestion

trichomoniasis, Trichomonas vaginalis trichomoniasis, Trichomonas vaginalis

triglyserid triglyceride

trigon trigone

trimethoprim trimethoprim

trin â llaw manipulation

triniaeth treatment

triniaeth Ramstedt Ramstedt's operation

triniaeth Wertheim Wertheim's operation

tripledi triplets

trisomi trisomy

troad version

troad allanol external version

troad ceffalig cephalic version

troad mewnol internal version

troad podalig podalic version

trocanter trochanter

trocar trocar

troed glwb clubfoot

troethiad micturition

troethiad urination

troffoblast trophoblast

trogyhyr rotator

trosglwyddo cynnar early transfer

trosglwyddo gametau i'r tiwbiau Fallopio (GIFT) Gamete intrafallopian transfer (GIFT)

trosglwyddo sygotau i'r tiwbiau Fallopio zygote intrafallopian transfer (ZIFT)

trothwy threshold

trwynol nasal

trwyth glas gentian violet

trwythiad infusion

trwytho impregnate

trydydd cam ffisiolegol physiological third stage

371

trydydd cam yr esgor third stage of labour
trydyddol tertiary
tryllediad diffusion
trypsin trypsin
twll perforation
twnnel tunnel
twymyn fever
twymynol febrile
twymynol pyretic
tybiedig putative
tyfiant tumour
tylino'r corff massage
tyllu puncture
tymheredd temperature
tymor trimester
tympanig tympanic
tyniant tension
tynnu llinyn y bogail dan reolaeth controlled cord traction
tyramin tyramine
tyrosin tyrosine
tystysgrif geni birth certificate
tystysgrif geni'n farw stillbirth certificate

Th

thalamws thalamus
thalasaemia thalassaemia
thalidomid thalidomide
theoffylin theophylline
therapi therapy
therapi craniosacrol craniosacral therapy
therapi drama dramatherapy
therapi parthau atgyrch reflex zones therapy
thermogenesis digrynodd non-shivering thermogenesis
thermomedr thermometer
thermomedr clinigol clinical thermometer

thiamin thiamine
thiaziole thiaziole
thiopentone thiopentone
thoracs thorax
thorasig thoracic
thrombectomi thrombectomy
thrombin thrombin
thrombocinas thrombokinase
thrombocyt thrombocyte
thrombocythaemia thrombocythaemia
thrombocytopenia thrombocytopenia
thromboemboledd thromboembolism
thrombofflebitis thrombophlebitis
thrombolysis thrombolysis
thromboplastin thromboplastin
thrombosis thrombosis
thrombosis gwythïen ddofn deep vein thrombosis
thrombws thrombus
thymws thymus
thyrocsin thyroxine
thyrotocsig thyrotoxic
thyrotroffin thyrotrophin

U

un- uni-
uned SI SI units
ungellog unicellular
unochrog unilateral
unofwl uniovular
uwch superior
uwch- supra-
uwch-, tra- super-
uwcharennol suprarenal
uwchbiwbig suprapubic
uwchsain ultrasound
uwchsain Doppler Doppler ultrasound
uwchsonig ultrasonic
uwchsonograffeg ultrasonography
uwchsonogram ultrasonogram